Historia común
de Iberoamérica

**Patricio de Blas Zabaleta, José de la Puente Brunke,
María Jesús Serviá Reymundo,
Enrique Roca Cobo, Ricardo Alberto Rivas**

EDAF  ENSAYO

© Patricio de Blas, Zabaleta, José de la Puente Brunke, María Jesús Serviá Reymundo, Enrique Roca Cabo, Ricardo Alberto Rivas.

© 2000. Editorial EDAF, S. A. Jorge Juan, 30. Madrid.
Dirección en Internet: http://www.arrakis.es/~edaf
Correo electrónico: edaf@edaf.net

Edaf y Morales, S. A.
Oriente, 180, n.º 279. Colonia Moctezuma, 2da. Sec.
C.P. 15530, México, D.F.
http://www.edaf-y-morales.com.mx
edaf@edaf-y-morales.com.mx

Edaf y Albatros, S. A.
San Martín, 969, 3.º, Oficina 5
1004 Buenos Aires, Argentina
edafal3@interar.com.ar

Cubierta: Gerardo Domínguez.

Septiembre 2000

Depósito legal: M-33.147-2000
I.S.B.N.: 84-414-0766-5

PRINTED IN SPAIN   IMPRESO EN ESPAÑA

Gráficas COFÁS, S. A. - Pol. Ind. Prado de Regordoño - Móstoles (Madrid)

Índice

7

Introducción

MÁS DE QUINIENTOS MILLONES de personas se expresan, en el mundo, en español o en portugués, dos lenguas neolatinas muy próximas. En esas lenguas vierten sus sentimientos y a través de ellas disfrutan de dos de las más ricas literaturas que existen. Pero, con la lengua materna, comparten muchas cosas más: referencias culturales, valores y creencias, afinidades estéticas, sentimientos y temores. Desde que en 1492 se produjo el primer contacto, una corriente ininterrumpida de personas ha cruzado el Atlántico, en una y otra dirección, en busca de fortuna, de refugio ante las persecuciones de que eran objeto en su país de origen y, a veces, en pos de la aventura o el conocimiento, y ha establecido continuos y permanentes lazos de parentesco físico y cultural. Cierto, las relaciones entre las comunidades asentadas a los dos lados del océano no han sido siempre cordiales; es más, durante algunos periodos apenas han existido. En cualquier caso, lo que ocurre a los vecinos de una de las orillas nunca ha dejado indiferentes a los de la otra.

Y, sin embargo, muy pocos en uno y en otro lado, aun entre personas cultas, sabrían dar cuenta de los episodios del pasado que han contribuido a establecer esos lazos de relación. Desde el lado ibérico, apenas algunos tópicos acerca de las grandes civilizaciones precolombinas —*eran grandes matemáticos y astrólogos, pero no conocían la escritura, ni la rueda*—, correspondidos, desde la otra orilla, con otros de parecido tenor —*los conquistadores como una horda cruel, ignorante y sober-*

13

bia, impulsada por la avaricia y el fanatismo—, constituyen para muchos ciudadanos la única noticia de aquel pasado. Ni siquiera sabemos explicar las razones inmediatas de los problemas que aquejan hoy a muchos países amigos por los que sentimos, a pesar de ello, un interés evidente.

No es extraño que esto suceda. Un reciente estudio de la Organización de Estados Iberoamericanos (OEI) sobre los planes y programas de estudio de historia en la enseñanza secundaria en los países miembros, en el que han participado los autores de este libro, concluye que *no existe una Historia de Iberoamérica con un grado de desarrollo suficiente y actual;* en la mayoría de países los bachilleres no estudian esa materia, y en los que la cursan *sorprende la escasa relevancia concedida a las culturas indígenas y el escaso espacio atribuido a la historia posterior a la independencia.* En los casos de España y Portugal estas carencias son especialmente llamativas [1].

La pretensión de facilitar un primer contacto a quienes sientan el interés por conocer ese pasado es lo que nos ha animado a escribir este libro. No faltan, por cierto, excelentes obras que estudian aspectos, o épocas, e incluso el conjunto de la historia de Iberoamérica. El lector encontrará en la bibliografía una relación de algunas de ellas, precisamente las que constituyen el soporte de lo que decimos en esta. Pero no abundan libros que aborden, en un solo volumen, *toda* la historia de Iberoamérica, desde el poblamiento del continente hasta la actualidad. Por eso, hemos tratado de ofrecer en una obra sencilla, pero no exenta de rigor, una síntesis de la formación y evolución de aquella parte del mundo y de esa realidad cultural que llamamos Iberoamérica. Ojalá esta aproximación llegue a suscitar el interés por saber más y estimule la lectura de esos otros libros.

No busque, pues, el lector planteamientos originales, como no sea el atrevimiento de seleccionar y de resumir en pocas páginas episodios y rasgos culturales ocurridos y asentados a lo

---

[1] De Blas, P.; González, M.ª del C.; Roca, E., y Serviá, M.ª Jesús: *Los planes y programas para la enseñanza de la Historia en Iberoamérica en el nivel medio,* OEI, M. Pons, Madrid, 1996.

largo de más de diez mil años en un espacio tan vasto. Tampoco encontrará pormenores de la historia de los actuales países iberoamericanos que, por muy relevantes que sean para el país que los protagoniza, revisten carácter singular y no constituyen elementos más o menos comunes al conjunto. A cambio nos hemos extendido en la descripción del entramado económico y de las aportaciones culturales de cada periodo por entender que en esos campos es donde se manifiesta con mayor nitidez la existencia de una realidad específica iberoamericana. Por eso, el lector atento descubrirá frecuentes guiños a obras históricas o literarias en las que podrá satisfacer su curiosidad y deleitar su espíritu.

Ha quedado claro ya que de entre *los cien nombres de América* (M. Rojas Mix) hemos preferido el de *Iberoamérica* a los, a veces, más empleados de *América Latina* o *Hispanoamérica*. Sobre el primero, acuñado por los franceses a raíz de su intervención en México y extendido en el dominio de las ciencias sociales y en los organismos internacionales, tiene la ventaja de ofrecer una mayor precisión desde los puntos de vista geográfico y cultural. Sobre el segundo, la de presentarse virgen de las connotaciones ideológicas que se atribuyeron a aquel en momentos y por sectores determinados.

Una última consideración. Hace años, un escritor norteamericano, Lesley Byrd Simpson, escribió un interesante y apasionado libro sobre México y lo tituló *Muchos Méxicos (Many Mexicos)* porque, como señala ese autor después de describir la impresionante variedad geográfica de aquel país, *debería empezar a resultar evidente al lector por qué existen muchos Méxicos, por qué existen, pongamos por caso, cincuenta tipos lingüísticos distintos entre los indígenas, o por qué para los yaquis de Sonora resultan extranjeros los mayas de Yucatán.* ¡Claro! No existe una Iberoamérica, sino veinte países distintos que encierran en sus actuales fronteras enormes diferencias geográficas, étnicas y culturales. Pero esos países han vivido en el pasado experiencias comunes que explican el que hoy, junto a esas diferencias que distinguen a unos de otros, compartan algunos elementos comunes; los que citamos en el comienzo de este prólogo. De todo ello trata este libro.

15

El medio físico

L A REALIDAD GEOGRÁFICA iberoamericana asombra por su grandiosidad y su diversidad. Desde los 32° latitud norte de Tijuana y Ciudad Juárez a los 56° latitud sur del Cabo de Hornos se extiende un muestrario de todo lo que la naturaleza ofrece: la jungla y el desierto, alturas con nieves perpetuas, mesetas frías y llanuras cálidas que se pierden en el horizonte, playas abiertas y costas abruptas, volcanes activos y glaciares, cataratas que se despeñan desde alturas inverosímiles y ríos que serpentean para buscar la salida al mar. Climas tropicales, templados y fríos. Y lo ofrece todo con generosidad extrema. Después de pasar revista a los ríos del mundo, Pedro Cieza de León señala admirado: *Más agora se han descubierto y hallado ríos de tan extraña grandeza que más parescen senos de mar que ríos que corren por la tierra.* Todos los fenómenos naturales están desatados en Iberoamérica y contribuyen a impregnar a sus paisajes de belleza y grandeza sin límites. Todos los sonidos y los colores están presentes. Jerónimo de Vivar, en sus *Crónicas de los reinos de Chile*, describía así los del pueblo de Atacama: *Hay en sí mismo muchas y muy infinitas colores: colorado y azul ultramarino, hay verde excelentísimo, parece esmeralda en la color, hay amarillo maravilloso, y blanco y negro muy finos, y de toda suerte de colores.* Sucede, además, que esos contrastes se registran, a veces, en distancias sumamente cortas. Un viaje de menos de 150 kilómetros, entre Veracruz y el Pico de Orizaba, permite pasar desde la selva tropical a las nieves perpetuas en muy pocas horas cruzando varios nichos ecológicos diferentes. En el reino del Perú, Cieza de León plasmaba con notable economía de palabras su asombro ante los contrastes de las tierras andinas: *Parten por la mañana de tierra donde llueve, y antes de vísperas se hallan en otra donde se cree que jamás llovió.*

Pero ¿cuáles son las condiciones que estos paisajes han impuesto, e imponen, a la vida de los americanos? El determinismo geográfico se apresuró a destacar el medio útil, los altiplanos mesoamericano y andino, como hogar natural de las grandes civilizaciones de ambas áreas, distinguiéndolos de los paisajes húmedos del intertrópico o de las zonas frías del sur del continente menos dotadas por la naturaleza, esquivas, por tanto, al hombre y llamadas a albergar culturas precarias. Los testimonios de muchos escritores, impresionados por la dureza, o la bonanza, de los paisajes que les era dado contemplar, parecen abonar esta visión determinista. Juan de Castellanos, poeta sevillano, que a sus veinte años (1522) llegó a América para quedarse, describe, en la *Historia de Cartagena,* una expedición al pueblo de Urabá en que los expedicionarios pasaban de una a otra zona sin apenas solución de continuidad: *Tierra lluviosa, ciega y espantable, / de todo morador aborrecida, / sin recurso de cosa saludable / que pudiera servilles de comida. / Y por ser tal y tan inhabitable / se vieron en gran riesgo de la vida...* Pero pronto divisaron un río y una senda que: *sacolos a tierra de más lumbre, / mejores influencias y templanzas: / por ella suben hasta cierta cumbre, / devisan rasos campos con labranzas, / tantas y tan crecidas poblaciones / que se vían en grandes confusiones...* Uno de los más célebres viajeros por América, Humboldt, partiendo de que existe una estrecha relación entre el entorno físico y la estructura de la sociedad, sostenía: *Solo en los pueblos montañosos de América se encuentran monumentos maravillosos. Aislados en la región de las nubes, en las más altas mesetas de la tierra, rodeados de volcanes cuyos cráteres, cubiertos por las nieves eternas, parecen admirar en la soledad de sus desiertos únicamente aquello que la fuerza de la imaginación concibe en la grandeza de las masas, llevando sus obras igual-*

mente la impronta salvaje de la cordillera. Domingo Faustino Sarmiento, convencido de que *los accidentes de la naturaleza producen costumbres y usos peculiares a esos accidentes,* anticipándose a los representantes del telurismo, que veían en el medio un factor determinante de la nación, vincula, en el primer capítulo de *Facundo, Aspecto físico de la República Argentina y caracteres, hábitos, ideas que engendra,* las llanuras sin arbolado dedicadas a la explotación ganadera con el aislamiento de los gauchos y las costumbres salvajes, es decir, no urbanizadas de la Pampa.

Pero la realidad, tal como ha sido descrita por arqueólogos e historiadores, es mucho más compleja. Cierto, la distinción entre una *América nuclear,* integrada por Mesoamérica (zona situada entre los ríos Sinaloa y Pánuco en México, al norte, y el río Motagua, la ribera sur del lago Nicaragua y la península Nicoya en Costa Rica, al sur), el área intermedia (determinadas regiones de los actuales Ecuador y Colombia) y la zona andina, en la que las culturas indígenas alcanzaron un alto grado de desarrollo, y la *América marginal,* donde las culturas se mantuvieron en estadios evolutivos menos avanzados, parece abonar aquella dualidad. Pero, a poco que profundicemos, aparecen matices que desmienten una apreciación tan esquemática. La civilización olmeca, la primera gran civilización mesoamericana conocida, se desarrolló en un medio inhóspito, entre ciénagas y pantanos, con unas precipitaciones de más de 3.000 milímetros anuales. La civilización maya floreció, igualmente, en el trópico húmedo. A su vez, el medio andino es cualquier cosa menos un hábitat acogedor. En el altiplano en que se ubica el lago Titicaca se registran 300 noches con heladas al año, y las oscilaciones térmicas de más de 30° en veinticuatro horas son frecuentes. En estas condiciones, los pueblos andinos han sabido adaptar cultígenos adecuados a estas temperaturas y, sobre todo, como descubrieron Carl Troll y J. Murra, han convertido lo que en principio es un inconveniente formidable, el escalonamiento en la montaña de pisos ecológicos diferentes, en una ventaja: la organización de huertos a diferentes alturas, lo que les permitía aprovechar las diferencias de temperatura y humedad para cultivar productos muy diversos y obtener, de esa forma, recursos variados.

No se puede negar que las influencias del medio fueron, en determinadas ocasiones, un factor decisivo. Así, el aumento de la sequedad ambiental a finales del Pleistoceno, que contribuyó a la desaparición de los grandes herbívoros, o las alteraciones de los regímenes de lluvias en el siglo XII que están detrás de algunas migraciones, como la de los chichimecas, desde el norte de México hacia el centro. Pero nunca tuvieron un carácter absolutamente determinante. En resumen, los pueblos americanos supieron adaptarse a medios ecológicos diversos con respuestas satisfactorias a las demandas de alimentación, vestido y vivienda, o a las deficiencias de oxígeno de la vida en altura. Y, lo que nos admira más, lo hicieron con una identificación y un respeto a la naturaleza y, con frecuencia, con un cariño por las plantas que para nosotros quisiéramos hoy en día. Las religiones de la mayoría de los pueblos, como tendrá ocasión de comprobar el lector, recogen en su mitología y en sus cultos ese respeto reverencial por la naturaleza. El notable conocimiento del calendario solar es, también, una prueba de ese sentir con la naturaleza del indígena americano.

Un análisis de la disposición del relieve y de las costas americanas ofrece algunas consideraciones de interés para el hábitat. El relieve se conforma en unidades que recorren el continente de norte a sur, sin que existan sierras de importancia que dificulten la comunicación en el sentido señalado. La propagación de grupos humanos de un extremo a otro no se vio dificultada. Las costas del Pacífico son costas abruptas, como resultado de la proximidad de la dorsal montañosa que la ciñe de norte a sur y, por tanto, de acceso complicado. Además, la corriente de Humboldt enfría su clima y lo hace extremadamente árido. No es la costa del Pacífico una costa marinera. Las costas del Atlántico aparecen, en cambio, abiertas y acogedoras. Los ríos que surcan la llanura sudamericana, de este a oeste, permiten una cómoda penetración. De no ser por los reclamos que atrajeron la atención de los españoles hacia las grandes culturas, a las que suponían ricas en metales preciosos, la penetración al continente se hubiera debido producir desde los ríos que desembocan en el Atlántico. Pero fue a través del istmo de Panamá, desde la espalda del continente, como abordaron la exploración y conquista de la zona andina, la búsqueda de El Dorado.

Para los iberoamericanos de todas las épocas, su medio natural era la base del sustento, la tierra que era preciso dominar, o los fenómenos de la naturaleza de los que había que defenderse. Para los españoles y portugueses América tuvo, desde el primer contacto, una carga imaginaria añadida, en parte real y en parte idealizada. El arte europeo, como ha descrito Miguel Rojas Mix en un bello libro, *América imaginaria,* reflejó de inmediato mitos, personajes, fauna, flora y paisajes de la geografía americana. Unos pintaron lo que otros les habían contado, y de todo ello derivó un paisaje exótico, poblado por animales fantásticos, seres misteriosos, amazonas... Para los europeos del Renacimiento y el Barroco, América representó, sucesivamente, el Paraíso Terrenal, la fuente de la eterna juventud, El Dorado. Y su conjuro desató las imaginaciones de todos y las ambiciones de los más osados.

AMÉRICA INDÍGENA

1

Poblamiento del continente

___

Un enigma apasionante

EL AISLAMIENTO del continente americano respecto a los demás continentes, y la inexistencia en él de restos humanos que proporcionen datos sobre el proceso de hominización, planteó, desde el siglo XVI, un interesantísimo problema antropológico y arqueológico. Puesto que no existen restos que atestigüen la evolución desde los primates hasta el *Homo sapiens* en el continente —no se han hallado restos de australopitecos ni de homínidos—, América debió estar poblada, desde el principio, por el *Homo sapiens*. Esto plantea una serie de preguntas: ¿De dónde procede el hombre americano? ¿Cuándo y cómo llegó a América? ¿Arribaron hombres de culturas diferentes, o las diferencias antropológicas y culturales, que se observan hoy, se generaron en América como resultado de la evolución? Todas las doctrinas, todas las teorías y, a partir de comienzos del siglo XX, todas las disciplinas se aplicaron a responder a esta formidable pregunta. La investigación se tiñó de aventura cuando algunos navegantes intrépidos decidieron demostrar, en la práctica, la viabilidad de ciertas teorías. Pero vayamos por partes.

Hipótesis, conjeturas y datos arqueológicos

Los primeros europeos trataron de resolver la cuestión dentro de su concepción del Universo, acorde con las Sagradas Escrituras. La explicación más coherente la dio el jesuita José de Acosta. Dejó escrita, en su obra *Historia natural y moral de las Indias* (1590), una intuición que los descubrimientos geográficos y arqueológicos posteriores se encargarían de corroborar. Acosta creía *bien probable de pensar que los primeros aportaron a Indias por naufragio y tempestad de mar*, pero forzado a mantener el principio de que todos los hombres descienden de Adán y que todas las bestias y hombres, excepto los embarcados en el arca de Noé, perecieron en el Diluvio Universal, concluía, para no contradecir a la Sagrada Escritura, que hombres y animales debieron llegar de Europa o Asia, y que su llegada se produjo por tierra y no por mar. Su intuición consistió en adivinar la existencia, entonces no confirmada, de un estrecho que habría propiciado el paso, puesto que *el nuevo orbe, que llamamos Indias, no está del todo diviso y apartado del otro orbe. Y por decir mi opinión, tengo para mí días ha, que la una tierra y la otra en alguna parte se juntan y continúan a lo menos se avecinan y allegan mucho.* Ese estrecho se descubriría por Virtus Bering, en 1741, en el Pacífico, lo que permitió deducir que los hombres que llegaron procedían de Asia. En efecto, durante el último periodo glaciar (Wisconsin) se produjeron continuos avances y retrocesos de la capa de hielo que cubre el casquete polar. En las fases más frías, el crecimiento de los glaciares provocó un descenso de cerca de 100 metros en el nivel del mar. Las partes donde el mar registra menor profundidad, entre Siberia y Alaska, quedaron conectadas por un pasillo que facilitó el paso de hombres y animales a través de lo que hoy es el mar de Bering.

En el siglo XX, los análisis comparativos entre los caracteres antropológicos y los rasgos culturales de los indígenas americanos, por un lado, y los de determinados habitantes y sus culturas en las islas de la Polinesia, y aun de África, por el otro, dieron lugar a teorías que suponían la arribada por mar de grupos humanos de las zonas citadas (Paul Rivet, 1943). Esas teorías trataban de resolver, también, el origen de grupos de indios cuya diversidad somática y lingüística era imposible explicar por las diferencias del medio y por la evolución en un periodo

ORIGEN DEL HOMBRE AMERICANO
Y POBLAMIENTO DEL CONTINENTE

Principal ruta de inmigración
Origen Asiatico (Hrdlicka)
Origen Malayo - Polinesio y
Australiano (Rivet)

Probables líneas de penetración y desplazamiento de los primeros pobladores americanos. La principal, avalada por hallazgos arqueológicos, procede de Asia y se extiende de norte a sur, desde el estrecho de Bering a la Patagonia. Otras rutas posibles habrían tenido su origen en islas del Pacífico. El mapa no recoge la hipotética procedencia de migraciones europeas o africanas anteriores a Cristóbal Colón.

25

de tiempo relativamente breve. Pero subsistía un problema: ¿cómo pudo efectuarse esa navegación con las técnicas marineras limitadas del momento? El etnólogo noruego Thor Heyerdhal demostró, en 1947, que ese desplazamiento era posible, realizando la travesía del Pacífico, desde El Callao al atolón de Raroia (Tuamotu), en una balsa (la *Kon-Tiki*), con cinco compañeros, en 101 días de navegación. Este periplo venía a confirmar la posibilidad de la expedición marítima inca a unas islas lejanas del Pacífico que recogieron, de boca de los indios, los cronistas Pedro Sarmiento de Gamboa y Miguel Cabello de Balboa. Más tarde, en 1969, el mismo Thor Heyerdhal hizo construir una balsa de papiro egipcio, la *Ra I,* según modelo del antiguo Egipto, con la que logró cruzar el Atlántico, desde el puerto marroquí de Safi hasta cerca de las Barbados en 55 días. Una embarcación de características similares, la *Ra II,* construida en África por indios aymaras, realizó, en el año siguiente, la travesía completa del Atlántico, siguiendo las corrientes marinas, en 57 días. La llegada de hombres europeos o africanos por mar no era imposible. De ese modo, teorías desechadas años antes por improbables volvían a replantearse a la vista de estas expediciones. Las semejanzas observadas entre los utensilios y los restos de la cerámica de algunas poblaciones indias con los de otras zonas de Asia o el Pacífico merecían ser analizadas desde este nuevo prisma.

Itinerario y cronología
de las primeras migraciones

El estado de la cuestión puede resumirse hoy de la siguiente forma. La ruta terrestre, a través del estrecho de Bering, fue la empleada por los primeros pobladores, los verdaderos descubridores, del continente americano. Desde Alaska, esos primeros pobladores se extienden lentamente hacia el sur, hasta superar, probablemente mediante embarcaciones y por mar, el istmo de Panamá. Debió haber más de una penetración; la primera unos 40.000 años a. de C., y una posterior 12.000 años a. de C. Esta doble penetración explicaría la aparición de las dos culturas primitivas a las que haremos referencia inmediatamente. Pero eso no fue todo. La existencia de tipologías de indios muy diversas (doce llegó a establecer Imbelloni en 1938), y la implantación de varias grandes familias lingüísticas no pueden explicarse, solo, por la evolución del grupo inicial en ambientes diferentes en un periodo tan corto. Hoy sabemos que la navegación a través de los océanos Atlántico y Pacífico fue posible aprovechando las corrientes marinas que conducen a embarcaciones rudimentarias de una a otra costa de los grandes océanos. Así pues, debió haber contactos con las islas de Polinesia y, posiblemente, con África y Europa, antes de la llegada de Cristóbal Colón.

2

Las primeras culturas indígenas

Las grandes etapas de su evolución cultural

SI EL POBLAMIENTO americano, y el origen de las distintas culturas, sigue siendo un problema que se resiste a cualquier simplificación, los descubrimientos arqueológicos permiten datar la llegada de grupos humanos plenamente evolucionados, reconstruir sus formas de vida y rastrear sus desplazamientos por el continente. Entre la llegada de los primeros pobladores, 40.000 años a. de C., y la aparición y difusión de la agricultura por el continente, c. 4.000 años a. de C., los arqueólogos han identificado tres periodos, claramente diferenciados, en la evolución de las primeras culturas americanas, tanto por la fabricación de instrumentos de piedra de muy distinta elaboración y eficacia, como por el modo de proveer a su subsistencia. El primero ha sido llamado «Cultura de nódulos y lascas» por P. Bosch Gimpera, o «Arqueolítico» por José L. Lorenzo, y se caracteriza por el empleo de instrumentos muy burdos en los que apenas se detecta el quehacer humano. El segundo, «Cultura de los cazadores superiores» o «Cenolítico» según la denominación que le dan, respectivamente, los autores indicados, se habría caracterizado por el uso de instrumentos mucho más eficaces y depurados, las puntas de proyectil. Finalmente, el periodo de los «Cazadores-recolectores» en el que, al desaparecer los grandes mamíferos de la Tierra, la base de la subsistencia pasó a ser la recolección de productos silvestres.

Los antropólogos han completado esta visión de los arqueólogos con sus hipótesis acerca de la organización social de estos primeros americanos. A las primeras fases habría correspondido la vida en pequeñas bandas —microbandas—, el carácter igualitario y la vida nómada. La última fase habría permitido la formación de bandas más numerosas, la práctica de un nomadismo más reglamentado y las primeras ceremonias funerarias. En las dos primeras etapas, las condiciones de vida de los grupos humanos presentan una aparente uniformidad; en la tercera, estas condiciones se diversifican notablemente. La relativa homogeneidad entre los grupos humanos de las distintas zonas del continente dio paso, en la última fase, a una notable diversificación. La posesión de una tecnología más compleja, el tamaño de los grupos, el mayor o menor sedentarismo y los tipos de vivienda al uso ofrecían ya un mosaico de culturas y de formas de vida diferentes. Repasemos, brevemente, los rasgos más destacados de esas fases o etapas.

Cultura de nódulos y lascas

Las culturas primitivas suelen identificarse por el instrumental lítico que fabricaron y utilizaron los individuos a ellas pertenecientes. Los instrumentos que se han conservado hasta el presente permiten al arqueólogo extraer información acerca del nivel de preparación técnica de sus autores, sobre el espacio geográfico que habitaron o sobre el que ejercieron influencia y, finalmente, acerca de sus hábitos y forma de vida. La cultura de nódulos y lascas se caracterizó por el empleo de utensilios de piedra toscos, de gran tamaño, que no excluía, probablemente, el uso de otros más manejables de hueso o madera que, debido a su carácter perecedero, no se han conservado. Como ha señalado el arqueólogo mexicano J. L. Lorenzo, la intervención humana en estos utensilios se deduce más que del trabajo que llevan incorporado, sumamente rudimentario, del origen lejano del roquedo del que se extrajo la piedra, que implica su transporte hasta el lugar en que se empleó y donde se ha encontrado.

Este tipo de utillaje ha sido hallado con más frecuencia en Mesoamérica que en América del Sur. En el primer caso, los restos son, también, más antiguos, como corresponde a la expansión, en sentido norte sur, de sus protagonistas. En México se han hallado restos, fechados 25.000 años a. de C., en varios estados: Baja California, Tamaulipas, Puebla... En América del Sur esta cultura se difundió desde el noroeste de Colombia, 14.000 años a. de C., por todo el continente, desde las costas de los Andes centrales (Cerro Chivateros, Ecuador, Perú y Chile) hasta las llanuras de la costa atlántica (río Catalán en la provincia de Artigas en Uruguay), pasando por las tierras altas de la cordillera. Todo el continente se vio poblado por hombres que vivían de la caza de pequeños animales, completada, en cada lugar, con los recursos al alcance de la mano: frutos del bosque en la llanura, pesca y recolección de productos marinos en los ríos y en la costa. Esta forma de subsistencia exigió algún tipo de nomadismo regional en consonancia con los ritmos de la naturaleza de la que estos hombres sacaban su sustento. Costa, valles de los ríos, tierras altas serían frecuentados en épocas determinadas y con una periodicidad fija.

Los cazadores de la megafauna

La segunda fase, la cultura de los cazadores superiores, o Cenolítico, se originó, probablemente, como resultado de una nueva penetración de pobladores asiáticos en torno al 12000 a. de C., por el mar de Bering, de nuevo cubierto por una capa de hielo. Es posible que la penetración se hubiera producido al seguir los cazadores a sus presas. Las relaciones entre la fauna de ambos continentes hacen suponer, en efecto, un desplazamiento de animales. Portadores de unos conocimientos técnicos más avanzados, aquellos grupos humanos disponían de utensilios de piedra mucho más livianos y eficaces para la caza. Se trataba de piedras de tamaño reducido, de filo cortante, susceptibles de ser acopladas a palos y de convertirse en puntas de proyectil. Estas puntas de proyectil, de forma de hoja de laurel (puntas Clovis por el lugar de Nuevo México en que fueron halladas, o puntas Lerma, nombre con que se designan en Mesoamérica), se encuentran por toda Mesoamérica. Pero su empleo en América del Sur fue posterior, hacia el 9000 a. de C. En este continente la cultura de lascas, cada vez más perfeccionadas, perduró hasta esa época, de modo que las puntas de proyectil en forma de cola de pescado, habituales en Colombia, en la cordillera central y en la costa atlántica brasileña y uruguaya, o las puntas foliáceas, más frecuentes en las planicies, pudieron tener su origen tanto en una evolución desde las tradiciones locales en la fabricación de lascas, como en nuevos inmigrantes especializados. La vida de estos grupos, que cazaban en pequeñas bandas, se vio facilitada por la mejora de su equipo que incluía una serie de utensilios complementarios, de hueso y madera, y por la práctica de una trashumancia más regular. El hallazgo de instrumentos de hueso junto a los cadáveres permite suponer la existencia de algún tipo de culto a los muertos.

Los cazadores-recolectores

A finales del Pleistoceno aumentó el calor y disminuyó la humedad. Estos cambios contribuyeron a la desaparición de los grandes herbívoros. Sus cazadores se vieron obligados a modificar su dieta. Tuvieron que dar más importancia a la recolección y debieron someter sus desplazamientos a los ciclos de maduración de los frutos recolectados. Esta práctica implicaba una regularización del nomadismo. Podemos hablar, así, de una nueva cultura, la tercera que consideramos en este punto, la de cazadores-recolectores, evidente al arqueólogo por la aparición de útiles para moler los granos (metates, morteros) o para guardar los frutos (cestas). Las plantas recolectadas fueron, probablemente, el aguacate, la calabaza, el chile, una especie de maíz silvestre, el fríjol, zapotes, mezquites... en Mesoamérica, y el maíz y varias especies de papas en la América andina. La caza continuó teniendo una importancia decisiva en la dieta. La desaparición de las especies de grandes mamíferos se vio com-

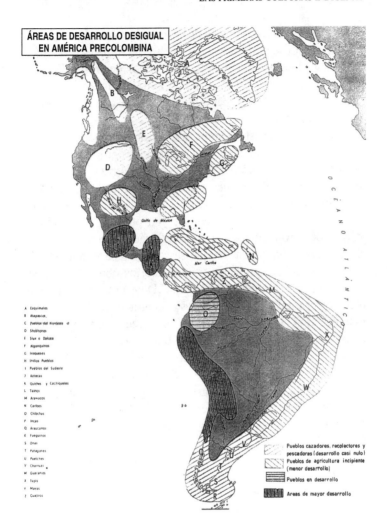

El mayor desarrollo material y de organización social corresponde
a las sociedades Azteca (J), Maya (Y) e Inca (P). La situación intermedia se registraba entre los muiscas o Chibchas (O), y el menor
desarrollo se registraba en grandes áreas geográficas en las que
habitaban, entre otros muchos pueblos, los Taínos (L), Tupís (X) y
Araucanos (Q).

pensada por la mayor eficacia de los cazadores con las especies existentes, conseguida merced a la disponibilidad de los proyectiles y a la aparición de las boleadoras en determinados ámbitos. En las costas del Pacífico, el aprovechamiento de productos marinos (conchas, pesca) suplió el papel que, en las tierras altas, tenía la caza.

Probablemente estos cambios se vieron acompañados de un aumento considerable en la dimensión de los grupos humanos; microbandas de cazadores se unieron para formar grupos con mayor capacidad de respuesta a la incertidumbre generada por la nueva situación. No se modifica, todavía, el carácter igualitario de la sociedad, ni se constituyen poderes establecidos, aunque debieron adquirir cierta notoriedad y preeminencia los chamanes, individuos a los que se consideraba portadores de poderes especiales médicos y adivinatorios obtenidos por su contacto con el mundo sobrenatural. De esta etapa son, también, los primeros restos artísticos encontrados en América. Se trata de impresiones de manos y pies, a veces con algún dedo mutilado, en rojo, negro, amarillo o blanco. Las encontradas en la localidad de Los Toldos (Patagonia) datan de unos 9.000 años a. de C. Más tarde, 7.000 años a. de C., se producen pinturas de tipo naturalista que representan escenas de caza, por ejemplo en Toquepala (Perú) y que posteriormente evolucionan hacia un esquematismo simbólico, como las de Los Monos en Chiapas. El significado de esta pintura, que experimentó una evolución semejante a la que se operó en el arte rupestre del Paleolítico europeo, reviste, también, un carácter mágico. El muralista pretendía, probablemente, concitar la fortuna en su favor en el azaroso ejercicio de la caza.

El periodo Arcaico (6000/2000 a. de C.)

Entre 6.000 y 4.000 años a. de C., la relativa homogeneidad cultural de periodos anteriores desapareció. Mientras muchos grupos permanecían anclados en las técnicas y formas de vida descritas, que en algunos parajes recónditos se han mantenido, prácticamente, hasta nuestros días, otros evolucionaron hacia la agricultura y la vida sedentaria y comenzaron a construir edificios rudimentarios. Los primeros habitaban, sobre todo, en el centro de Brasil, la Pampa, la Patagonia, las costas del Caribe y circuncaribe; los últimos se asentaban en el litoral del Pacífico, desde la actual Colombia hasta Chile, en las altas tierras andinas y en Mesoamérica. Si se quiere ver algún sentido en la división del continente en América marginal y América nuclear, el origen de la fractura habría de buscarse, precisamente, en este periodo.

Para los grupos más dinámicos comenzaba el periodo que los historiadores americanos designan como ARCAICO. En este periodo, y después de una larga evolución que arranca entre 7.000 y 6.000 años a. de C. y concluye durante el segundo milenio a. de C., pasan de depredadores de la naturaleza a productores de alimentos, de nómadas a sedentarios. La sociedad, hasta entonces de tipo igualitario, se jerarquiza, se constituyen vínculos de autoridad y aparecen, en fin, las primeras aldeas. Estas transformaciones económicas y sociales coinciden con un notable progreso técnico (aparecen la cerámica, que se convierte, desde sus inicios, en una fuente de incalculable valor para el arqueólogo, y el tejido) y con la difusión de creencias de carácter religioso y de ritos funerarios progresivamente más complejos. Ocurre, en fin, el proceso que la historiografía europea denomina *Revolución Neolítica*.

Con las cautelas que la diferencia en la conservación de los restos arqueológicos, y el propio desarrollo de la actividad arqueológica (mucho más avanzado en México), aconsejan, los historiadores consideran que el origen y difusión de los primeros cultivos se encuentra en tres focos principales: las tierras altas de Mesoamérica, donde se han estudiado a fondo los yacimientos arqueológicos de Tamaulipas, valle de Tehuacán y Oaxaca, y donde mejor se ha podido reconstruir el proceso de aparición de la agricultura americana; el foco andino, con los yacimientos de Ayacucho, valle del Chilca y Huaca Prieta, entre otros, y, finalmente, el área caribeña, sobre todo en el valle del Orinoco, al norte de las actuales Colombia y Venezuela. En el primero de estos focos se comenzó a cultivar, 3.000 años antes de la era cristiana, el que se convertiría en cereal característico del continente, el maíz, así como otros muchos productos tales como la calabaza, cultivada antes que el maíz, el chile y los frijoles. En las altas tierras andinas tuvo su origen el cultivo de la papa y la quinoa, y allí se produjo la domesticación de animales (llama), algo poco frecuente en las tierras americanas. Finalmente, en el área caribeña debió comenzar el cultivo de la mandioca, el tercer producto básico de la alimentación americana, junto con el maíz y las papas. Su cultivo se deduce por la aparición de budares o platos de cerámica para cocer las tortas, más que por el hallazgo de restos directos de aquel producto.

El lugar en que se han encontrado restos que atestiguan la existencia de la primera cerámica americana —de unos 3.200 años a. de C.— es Valdivia, en la provincia de Guayas en Ecuador. Este hallazgo constituyó una sorpresa por la ausencia de unos antecedentes y de una tradición en la que encuadrar la evolución de las piezas, técnicamente muy logradas. Tanto que, en los años sesenta, los Evans, matrimonio norteamericano de arqueólogos que dedicó mucho tiempo a su estudio, pensaron que la cerámica encontrada en Valdivia debía ser obra de gentes venidas de otras tierras, y encontraron en Japón —cerámica Jomón— lo que ellos consideraron el precedente inmediato de la cerámica de Valdivia. Pescadores a la deriva, arrastrados por las corrientes del Pacífico, habrían arribado casualmente a las costas ecuatorianas y habrían creado un asentamiento incorporando sus técnicas y tradiciones. Pero descubrimientos posteriores en el mismo valle del Valdivia y en otros lugares de la costa colombiana han permitido desechar esa teoría y pensar en la existencia de una cultura originaria de estas tierras y nacida, quizá, en el límite de la selva amazónica con los Andes. La alimentación no sería exclusivamente de pesca, como suponían los Evans, antes bien habrían practicado la agricultura. La cerámica en cuestión se caracteriza por unas pocas formas básicas y por una notable variedad de elementos decorativos. Junto a las vasijas se han encontrado figurillas femeninas muy elaboradas, de unos 3.000 años a. de C., hechas con barro. Representan una figura de pie, con un tocado o peluca en la cabeza y con la cara plana en la que los rasgos se hacen notar con incisiones labradas. Con toda probabilidad, se trataba de una sociedad igualitaria.

La consolidación y la difusión de los cambios que conducen desde la cultura de cazadores-recolectores hasta las civilizaciones agrarias, de las que nos ocuparemos inmediatamente, fue lenta, no se extendió a toda América y no siempre fue definitiva. En muchos lugares, los grupos humanos se mantuvieron en los moldes de la cultura de cazadores-recolectores hasta tiempo después de la llegada de los europeos. En otros, se alcanzaron cotas de progreso que en épocas posteriores se habían perdido.

3

Formación de las grandes civilizaciones. (I) Mesoamérica

Las «edades» de la Historia de Iberoamérica

E<small>N EL ESPACIO COMPRENDIDO</small> entre los ríos Sinaloa y Pánuco, al norte, y el río Motagua, la ribera meridional del lago Nicaragua y la península Nicoya en Costa Rica, al sur, se desarrollaron, entre mediados del segundo milenio antes de la era cristiana y la llegada de los españoles, grandes civilizaciones agrarias semejantes a las que florecieron en la Edad Antigua en la cuenca del Mediterráneo o en el Extremo Oriente asiático. Dentro de esa zona, los valles del centro del actual México desempeñaron un notable protagonismo relacionado, seguramente, con su mayor capacidad para sustentar grandes densidades de población. Estas civilizaciones limitaban al norte con pueblos que permanecieron en la fase de cazadores-recolectores, los chichimecas, mientras por el sur las diferencias culturales se producían de manera menos brusca. En el presente capítulo analizaremos brevemente la evolución, los logros y las aportaciones de las más destacadas de esas civilizaciones a través de los tres periodos en que los historiadores americanos dividen esta etapa: FORMATIVO, CLÁSICO y POSCLÁSICO. Los términos se refieren, respectivamente, a las fases de configuración, apogeo y evolución posterior de esas civilizaciones. El periodo Formativo abarca, *grosso modo,* los milenios segundo y primero anteriores a la era cristiana. El periodo Clásico se desenvuelve dentro del primer milenio d. de C., y el Posclásico desde la crisis de final del milenio hasta la llegada de los conquistadores europeos. Esta división no toma en consideración la habitual separación entre prehistoria e historia según la ausencia o presencia de testimonios «escritos». En efecto, los avances en el conocimiento de la escritura maya, así como el extraordinario empuje de la arqueología mexicana, que ofrece una información precisa y abundante del pasado, y, sobre todo, la mejor adecuación y pertinencia de la división señalada, han aconsejado prescindir de la división en prehistoria e historia que aportaría poca claridad.

Así fue el periodo Formativo

Durante el segundo y primer milenio antes de la era cristiana, la vida de los hombres que habitaban las primitivas aldeas de agricultores de las tierras mesoamericanas, y experimentaban las innovaciones técnicas y sociales propias de la incipiente vida sedentaria, se modificó y evolucionó dando lugar a la formación de ciudades perfectamente estructuradas en las últimas fases del periodo. Entre 1800 y 1400 a. de C. se traban incipientes redes de comercio a larga distancia en materias básicas como, por ejemplo, la obsidiana. Este vidrio de origen volcánico, extraído de la actual Guatemala, se encuentra, convertido en armas y utensilios diversos, en aldeas próximas a Veracruz.

La demanda de artículos exóticos y más costosos debió provenir de individuos y familias significados. En efecto, los restos arqueológicos estudiados ofrecen indicios de la existencia de diferencias en el equipamiento y vivienda entre los individuos y las familias. Poco importa que esta preeminencia haya derivado de la apropiación de mejores tierras, o de la posesión de conocimientos y habilidades especiales, el hecho es que existe y que se manifiesta, en determinadas regiones, en la ocupación de espacios mayores y mejor situados y edificados (plataformas elevadas sobre las que se levantaban esas viviendas), o en la riqueza y calidad de sus enterramientos. Así, la presencia de individuos preeminentes, el comercio que permite abastecer a estos individuos de bienes que subrayan su posición, la especialización de un número creciente de personas que elaboran esos bienes (ceramistas, orfebres, tejedores…) y, finalmente, la necesidad de organizar esas relaciones, son los elementos que configuran el marco en el que surgen y se desarrollan las ciudades mesoamericanas. Donde aparece, por primera vez, este conjunto de cambios es en un área próxima al Golfo de México, al sur de Veracruz. Esta zona ha sido conocida, desde la colonización, como la «Tierra del hule», *Olman,* la tierra de los olmecas.

La civilización olmeca, una «cultura madre»

Los 18.000 kilómetros cuadrados que fueron el escenario de la vida y ocaso de los olmecas se extienden por los actuales estados mexicanos de Veracruz y Tabasco, entre la Sierra Madre Oriental y el Golfo de México. Es una llanura baja, solo interrumpida por el macizo de los Tuxtlas que separa las cuencas de los ríos Coatzacoalcos y Papaloapan, cubierta de pantanos, ciénagas, lagunas y ríos que discurren en medio de una selva tropical exuberante, rica en fauna y flora. Abundan los insectos, reptiles y, en la época de los olmecas, el tigre. Este es el medio al que los olmecas supieron adaptarse y del que pudieron extraer los recursos necesarios para su subsistencia. Las crecidas de los ríos suministraban limo que fertilizaba la tierra y permitía extraer más de una cosecha al año de los productos agrícolas que cultivaban (maíz, calabazas, frijoles) en las riberas afectadas. La alimentación se completaba con las proteínas de especies animales, terrestres y lacustres, que pudieron controlar en cautividad: perro, guajolotes, manatí... Un sistema de comercio a larga distancia permitía a los olmecas disponer de materiales que no se encuentran en la zona: jade, obsidiana, serpentina, cinabrio... y que eran importados, probablemente, desde Guerrero, Oaxaca e, incluso, de regiones tan apartadas como Guatemala o Costa Rica. Los yacimientos arqueológicos de San Lorenzo, La Venta, Tres Zapotes y Laguna de los Cerros revelan que, entre 1.300 y

700 años a. de C., existían ciudades con una disposición urbanística programada en la que edificios públicos y lugares de habitación se repartían el espacio según una orientación definida. Pirámides de barro, túmulos largos y circulares, hileras de columnas basálticas, altares de piedra se articulan en torno a plazas amplias y regulares. Plataformas elevadas de tierra de dimensiones considerables debieron servir de base para albergar las viviendas, también de arcilla, de la clase dirigente. Porque si algo indican los restos es que la sociedad olmeca era ya una sociedad estratificada en la que una clase dirigente tenía acceso a determinados bienes que se convertían, a su vez, en símbolo de una posición especial. Los hallazgos revelan un arte escultórico verdaderamente excepcional cuya interpretación se presta a todo tipo de hipótesis. Los sarcófagos y tumbas contenían ofrendas ricas en pequeñas figuras de jade y serpentina primorosamente talladas: hombres-jaguares, peces, caimanes, pájaros, monos, hombres y mujeres en posiciones diversas, plantas del pie...

Pero, más que por estas figuras de reducidas dimensiones, la escultura olmeca es conocida en la historia del arte por las obras de grandes dimensiones: esculturas de bulto redondo, estelas de piedra con bajorrelieves y, especialmente, por las colosales cabezas humanas, talladas en basalto o andesita, de tres metros de altura y otros tantos de diámetro y de varias toneladas de peso. Parece claro que estas cabezas representaban a personajes importantes, siempre del sexo masculino, con nariz ancha y labios gruesos, y que fueron concebidas para ser contempladas de frente y, seguramente, para ser adosadas a un edificio. Todas ellas han sido encontradas, sin embargo, en lugares distintos a los previstos por quienes las esculpieron. Enma Sánchez Montañés ha sugerido que todas fueron mutiladas, violentamente desplazadas de sus asentamientos originarios, y arrojadas a un barranco o sepultadas, como ocurrió con otras esculturas monumentales. Y relaciona los desmanes sufridos por la escultura monumental con su carácter realista y «profano», en contraste con las esculturas de tipo «religioso», las representaciones de carácter simbólico y estilizado del jaguar y otros animales, que no fueron objeto de estos atropellos.

Cabeza colosal característica de la civilización olmeca, de aproximadamente 1.000 años a. de C. (Parque Arqueológico de La Venta, Villahermosa, Tabasco). Representa a algún personaje notable y, como todas las de su género, habría sido esculpida para figurar en algún edificio importante.

La importancia que adquiere el jaguar en la iconografía olmeca se debe a la creencia en un dios-jaguar todopoderoso. La imagen de la máscara del jaguar estará presente en Mesoamérica, a partir de este momento, como figuración del dios de la lluvia con nombres diversos (Tlaloc, Tezcatlipoca, Tlaltecuhtli). Las figuras de hombres-jaguar, servidores del dios principal e interlocutores de la divinidad, aparecen pronto asociadas a la del dios jaguar. Pero si, en su origen, el papel de hombre-jaguar lo desempeñan los chamanes, pronto, al menos desde 1200 a. de C., una dinastía, que podemos llamar real, toma el poder y desplaza a los chamanes de esa privilegiada posición mediadora con la divinidad. Los dioses se institucionalizan y se asocian con la persona y la figura del que detenta el poder. La aceptación de esta doctrina supuso, evidentemente, la legitimación del poder real y la consolidación del sistema social establecido. Esta vinculación del dios-jaguar con el linaje real, y la afirmación del origen divino de su poder, se mantiene constante en la simbología mesoamericana. Junto al dios-jaguar, los olmecas rendían culto a un número indeterminado de dioses, siempre vinculados a los elementos que intervienen en la agricultura (el sol, la tierra, los volcanes, la fertilidad...) y frecuentemente representados por figuras de animales: pájaros fantásticos relacionados con jaguares, serpientes y seres humanos. El culto a los muertos, a juzgar por las ofrendas depositadas en las tumbas, es otra característica que define la religión olmeca.

El antropólogo mexicano Alfonso Caso acuñó la expresión «cultura madre» para describir la aportación capital de la cultura olmeca en el área mesoamericana. El modelo de vida urbana, las estructuras sociales y las creencias religiosas, las técnicas agrícolas y artesanas se extendieron por las aldeas del centro y el sur de Mesoamérica. Sus influencias son bien visibles a partir del 600 a. de C. El comercio y, probablemente, un cierto mesianismo religioso, debieron ser el motor y los canales de esta difusión. Pero es preciso constatar que junto a estas grandes innovaciones culturales, que señalaron el camino a otros pueblos de Mesoamérica, la civilización olmeca presenta algunas limitaciones notables que marcaron, igualmente, el desarrollo de aquellos pueblos. Así, la ausencia de cualquier aplicación utilitaria de la rueda, tanto en el transporte como en la alfarería, el desconocimiento de las técnicas de metalurgia más elementales y la domesticación de animales. Cierto, algunos autores han minimizado el alcance de estas limitaciones, que no constituyeron un obstáculo insalvable para el desarrollo de civilizaciones superiores. Norman Hammond, por ejemplo, señala, a propósito de estas carencias entre los mayas, cómo la ausencia de animales de carga, y el medio hostil, hacen relativamente útil el uso de la rueda. En cuanto a la alfarería, se ha hecho notar que la privación del torno otorga al ceramista una libertad absoluta en cuanto a la elección de formas (vasijas cúbicas, cilíndricas, escultóricas...). En todo caso, como ha señalado R. Wright, esas carencias se perciben como tales carencias desde la peculiar evolución de las culturas europeas y desde una percepción singular del concepto de tecnología. Si ampliamos la visión al conjunto de elementos inventados por una civilización —no solo herramientas, sino también estructura social, empleo del intelecto, relaciones con el medio...—, la valoración sería más positiva.

Los espléndidos logros del periodo Clásico y sus protagonistas

Los siete u ocho siglos del primer milenio de nuestra era constituyen, en muchos aspectos, la época más brillante de la Mesoamérica prehispana. En estos siglos la población experimenta un crecimiento notable por efecto de la selección de especies agrícolas más productivas y por la mejora de las técnicas agrarias. Se amplían las redes de comercio del periodo Formativo y se incrementan con la incorporación de nuevas regiones a los circuitos económicos. Hay, por todo ello, un impulso de la vida urbana que fructifica en la extensión y apogeo de importantes ciudades. Se trata de ciudades edificadas y ampliadas según trazados urbanísticos meticulosos, equipadas con grandes pirámides, templos y palacios que ocuparían el centro del espacio urbano, y desparramadas a lo largo de varios kilómetros cuadrados en barrios donde habitaba el pueblo llano en sus casas de un solo piso con un pequeño terreno donde cultivaban algunos vegetales. Miguel León-Portilla ha evocado la imagen de esas ciudades como una combinación de bosquecillos y jardines, salpicados por los techos de paja de las viviendas y los palacios y templos pintados con vivos colores sobresaliendo en altura entre la capa verde del paisaje circundante. El mercado y las canchas para el juego de la pelota nos permiten adivinar una vida urbana muy activa. Algunas de estas ciudades extendieron su área de influencia muy lejos de sus dominios. En ocasiones pactaban entre ellas y formaban una especie de federación, pero sin llegar a constituir estados hegemónicos. Será más adelante, en el periodo Posclásico, cuando lleguen a establecerse este tipo de poderes.

El periodo Clásico se caracteriza, también, por la consolidación de instituciones que asumen, integrándolos, los aspectos religioso, político y militar. Una clase gobernante poseedora de los conocimientos, controladora del ritual y de las ceremonias religiosas, dueña del comercio y la administración se hace con el poder y lo transmite a sus descendientes. Para consolidar esa posición elabora e impone una ideología a la medida de sus necesidades. En efecto, en Mesoamérica no existía separación entre ciencia y religión. Como tampoco se podía hablar de una distinción entre la sociedad humana, la naturaleza y el cosmos. Todos estos elementos formaban parte del orden cósmico y estaban regidos por una misma ley. Para comprender y controlar esa ley, los esfuerzos intelectuales de los científicos se destinaron fundamentalmente a la fijación del calendario y, en el empeño, consiguieron resultados admirables. Lograron trazar el movimiento de los planetas, predecir eclipses y medir el movimiento de la Tierra con la misma exactitud que el calendario gregoriano con veinte siglos de antelación. El calendario regía la periodicidad de los mercados, la asignación de nombres a las personas y lugares, los movimientos de los astros y permitía predecir la suerte de los individuos y, sobre todo, el comportamiento de los dioses. Nada ni nadie escapaba al orden establecido por la casta dirigente.

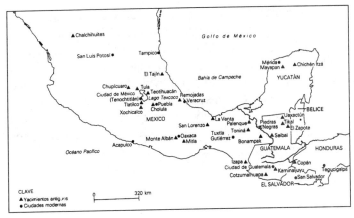

MESOAMÉRICA PRECOLOMBINA

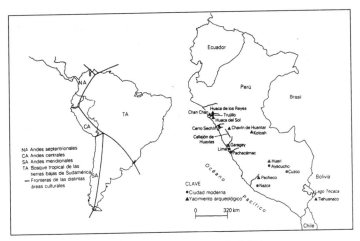

AMÉRICA DEL SUR PRECOLOMBINA

Los mapas indican los principales lugares arqueológicos de la América precolombina. En algunos casos aparecen, junto al nombre de estos lugares, los de las ciudades modernas próximas a los yacimientos arqueológicos. Los yacimientos corresponden a los tres periodos (Formativo, Clásico y Postclásico) de la historia mesoamericana y a los Horizontes y periodos Intermedios de la historia andina.

47

No podemos referirnos aquí a los muchos lugares que, en la época clásica, brillaron con luz propia en el ámbito mesoamericano. Ciudades como Monte Albán, en el valle de Oaxaca, Cholula en el centro de México, El Tajín en la costa del Golfo desempeñaron un protagonismo evidente en algún momento del Clásico. Nuestro análisis se centrará en las dos culturas que, por su duración y proyección, resultan indispensables para entender el periodo: Teotihuacan y la Civilización Maya. Ambos representan, además, un modelo de cada uno de los dos grupos lingüísticos mesoamericanos más importantes: el *náhuatl* y el *maya*.

Teotihuacan: geometría y color

Entre 100 y 700 años d. de C. tiene lugar la aventura de esta ciudad cosmopolita, en el centro de la nación mexicana, a unos 50 kilómetros del actual México D. F. En sus mejores años, entre 450 y 600 años d. de C., llegó a tener 150.000 habitantes y se extendió por más de 20 kilómetros cuadrados. Fue una ciudad cuidadosamente diseñada y ampliada a lo largo de su historia. El trazado, en torno a un eje longitudinal norte-sur, la Calzada de los Muertos, se hace siguiendo un plan ortogonal (calles en ángulo recto). En el extremo norte de la calzada se sitúa el templo de Quetzalcóatl; al borde de la calzada, en el centro geográfico de la ciudad, la Pirámide del Sol, y en el extremo sur la Pirámide de la Luna. El curso del río San Juan fue canalizado para adecuarlo al trazado de la ciudad. La planificación de la ciudad incluía un sistema de alcantarillado y un drenaje que hacía llegar las aguas a un canal central que corría a lo largo de la calzada principal.

Los edificios públicos se concentraban en torno a la Calzada de los Muertos. Por el resto de la ciudad se distribuían los barrios, algunos de ellos habitados por artesanos de la misma especialidad, e incluso por extranjeros de una determinada procedencia, como los de Oaxaca, que ocupaban una zona al oeste de la ciudad. Las viviendas se organizaban en torno a patios descubiertos. Varias familias compartían un conjunto de apartamentos, cercado por altos muros, sin vanos, que aislaban a sus moradores de la vida externa. La ciudad presentaba un brillante colorido. Las figuras que decoraban templos y palacios aparecían pintadas con colores que realzaban su expresividad. Pinturas murales con temas alegóricos decoraban los muros de templos y palacios y contribuían a hacer de la ciudad un impresionante escaparate de las creencias y ritos que daban sentido a la vida.

La vida material teotihuacana se basaba en tres actividades básicas: la agricultura, esencial para la manutención de una población tan numerosa, y centrada en el cultivo de varias especies de maíz, calabaza, frijol, así como en el chile, el jitomate, el amaranto y la tuna; el trabajo de la obsidiana, verdadera especialidad de la ciudad y producto básico para la exportación, y, finalmente, el comercio exterior. La clase dirigente había logrado establecer una red amplia de contactos en todas las direcciones que permitían la provisión de algodón y de algunos minerales como la jadeíta y la turquesa (de Zacatecas) y la exportación de los productos artesanos de la ciudad: objetos de obsidiana y cerámica, principalmente. La prosperidad de la vida material se vio facilitada por una organización eficaz, civil y militar, que se apoyaba, a su vez, en el carácter sagrado de la clase gobernante. Los dioses de la ciudad serán, después, los dioses de otros pueblos de lengua náhuatl: Tlaloc, dios de la lluvia; Chalchiuhtlicue, diosa de las aguas terrestres; Quetzalcóatl, la serpiente emplumada; Xiuhtecuhtli, dios del fuego. Y el carácter del culto, que presenta el sacrificio a los dioses, incluso de la vida humana, como una exigencia de la divinidad para mantener el orden cósmico, se extenderá con esas deidades.

La influencia de Teotiuhacan, visible en lugares de Zacatecas, al norte, Veracruz y Tabasco en el este, Istmo de Tehuantepec y tierras bajas mayas en el sur, no implicó la existencia de un imperio dominador. Probablemente se limitaba al aspecto comercial, a través de pactos encaminados a garantizar el aprovisionamiento de productos clave, y a una cierta preeminencia religiosa que convirtió a la ciudad en centro de peregrinación. La arquitectura y los fantásticos murales de los templos y pala-

49

cios estaban preparados para transmitir al peregrino las enseñanzas de las divinidades y de los poderes teotihuacanos. Esa influencia tuvo un final, tan misterioso como precipitado, hacia el 650 a. de C. Ese año un incendio destruye buena parte de la ciudad. Algunos de los templos y edificios de la Calzada de los Muertos fueron arrasados. Teotihuacan pierde población y otras ciudades pasan a ocupar la hegemonía territorial que aquella había desempeñado durante más de 500 años. Sobre las causas de esta hecatombe, como ocurrirá años después con el ocaso de otros centros del periodo clásico, no tenemos ninguna explicación, solo hipótesis más o menos verosímiles. Sus restos permanecen, más de mil años después, como testigo impresionante de la pasada grandeza.

El misterio desvelado de los mayas

Como el de otros pueblos americanos, nuestro conocimiento de los mayas se sustenta en dos tipos de fuentes: el análisis de los restos arqueológicos y los testimonios que los cronistas de Indias, frailes y conquistadores, dejaron escritos acerca de lo que vieron y oyeron en los primeros tiempos de la conquista. Pero, en este caso, disponemos de un elemento adicional de extraordinario valor: la escritura. Arqueólogos y estudiosos de la cultura maya han rescatado un legado del que apenas se sabía nada hace 150 años. Como ha señalado uno de los grandes estudiosos de los mayas, N. Hammond, *los mayas van siendo llevados, paulatinamente, desde la Prehistoria a la historia, y en ese proceso se les va despojando de gran parte de su misterio, sin menoscabo del interés que presentan.*

Este trabajo de indagación ha sido, en sí mismo, una aventura. Rescatar de la selva las ruinas de las 50 ciudades mayas localizadas hasta el presente, interpretar una escritura sobre cuyo carácter, fonético o jeroglífico, todavía se discute, no ha sido una tarea simple. Paradójicamente, este conocimiento debe mucho a un fraile franciscano español, Fray Diego de Landa (1524-1579), que organizó en Maní, el 12 de julio de 1562, un auto de fe en el que mandó quemar cientos de códices y rollos de corteza de copo en los que los escribas mayas habían registrado sus tradiciones. Pero, castigado por este atropello, y exiliado en España, su actitud hacia los mayas dio un giro total. Buen conocedor de la lengua maya, se dedicó a escribir su obra *Relación de las cosas de Yucatán*. En ella recoge multitud de datos sobre la vida cotidiana y las creencias de los mayas, datos que han permitido interpretar los jeroglíficos cronológicos. En 1573 pudo volver a México, como obispo de Mérida, donde murió en 1579.

El territorio ocupado por los mayas, en el que se han detectado más de 50 centros importantes poblados durante todo el periodo Clásico, se extendía por zonas de México (actuales estados de Chiapas, Campeche, Yucatán y Quintana Roo) y América Central (Belice, Guatemala, buena parte de El Salvador y Honduras) y ocupaba más de 350.000 kilómetros cuadrados. Todo el territorio se sitúa dentro de la zona tropical y se caracteriza por tener una estación lluviosa y otra seca. Pero mientras en algunas regiones caen más de 3.000 milímetros de lluvia al año, en otras apenas se alcanzan los 500 milímetros. La altitud establece, también, una división en dos zonas: las tierras altas, a más de 1.000 metros de altitud, y las tierras bajas, por debajo de esa cota. Los primeros mayas, los que forjaron la originalidad y perfección del periodo Clásico, se establecieron en las tierras bajas del centro y en las montañas volcánicas de la cordillera del Pacífico, y en sus fértiles valles al oeste de la región. Después, en el periodo Posclásico, unos mayas menos sabios y más belicosos se establecieron en las tierras secas y calizas de la península de Yucatán.

La civilización maya se había gestado durante el periodo Formativo. Entre 1300 y 450 a. de C. experimentó la influencia de los olmecas. A finales del primer milenio antes de nuestra era, en numerosos centros, como Tikal y Uaxactún, se construyen edificios públicos, pirámides y tumbas, y se elabora una cerámica con unos rasgos comunes perfectamente definidos. En el periodo Clásico, entre 300 y 900 d. de C., la civilización maya alcanza su cenit. La arquitectura, la codificación del sistema numérico, la escritura adquieren su máximo desarrollo. Ciudades como las citadas, más las de Piedras Negras y Quiriguá en la actual Guatemala, Bonampak, Palenque y Yaxchilán en Chiapas, Dzibilchaltún, Cobá y Labná en Yucatán, Copán en Honduras, Nakún en Belice... se convierten en centros de una actividad económica (artesanía y comercio), ceremonial (centro religioso que atrae a los campesinos y artesanos del entorno), lúdica (baños de vapor, juego de pelota...), artística (arquitectura, pintura, cerámica, música...) y cultural (astronomía, escritura, matemáticas) impresionante.

Entre los años 400 y 550 las relaciones con Teotihuacan habían sido fluidas y constantes. Por ello, la caída de aquella civilización debió suponer un fuerte golpe para la economía de las ciudades mayas. En todo caso, en el siglo IX se produce el colapso de la civilización clásica maya. Muchos centros se abandonan, las tierras bajas se despueblan. Los especialistas han sugerido hipótesis diversas para explicar este desastre. Para algunos, la crisis se debió a motivos naturales y ecológicos —agotamiento de las tierras por una intensificación de los cultivos derivada del crecimiento de la población—; para otros, fue el resultado de crisis sociales profundas —una revolución como respuesta a la presión tributaria y al incremento de las diferencias sociales entre la clase alta y la clase baja—, o de conflictos político-militares, consecuencia de la rivalidad con los poderes vecinos. Finalmente, en los últimos años se considera la influencia que pudo tener un estado colectivo de ánimo relacionado con el concepto cíclico del tiempo que habría conducido a una visión fatalista y a actitudes de desánimo que habrían agravado la crisis.

En el periodo Posclásico, el centro de gravedad se desplazó a la península de Yucatán. Ciudades más preocupadas por su defensa, predominio en la sociedad de elites urbanas militarizadas, fuertes influencias de la cultura tolteca, serían los rasgos que definen a este periodo. Chichén Itzá y, después, Mayapán llegaron a ejercer un dominio despótico que provocó la rebelión contra ellas de las ciudades sometidas a su hegemonía.

Los hallazgos arqueológicos han permitido corregir las primeras interpretaciones sobre la subsistencia y, en relación con

El Castillo, templo piramidal levantado a comienzos del siglo X de nuestra era en la ciudad maya de Chichén Itzá. En cada uno de los lados hay una escalera, con 365 escalones, tantos como días tiene el año, para acceder al templo. En este monumento se aprecia la fusión de elementos mayas y toltecas, consecuencia de la influencia de Tula en la península del Yucatán en la época en que se construyó y brilló Chichén Itzá.

la subsistencia, la composición de la sociedad y la organización de las ciudades mayas. Durante mucho tiempo se creyó que las ciudades no eran tales, sino centros ceremoniales, dirigidos por una casta sacerdotal, a los que acudían periódicamente los campesinos para rendir culto a las divinidades. La sociedad estaría compuesta, por consiguiente, por sacerdotes y aldeanos. Estos últimos practicarían una agricultura extensiva de rozas, es decir, de cultivos itinerantes por la selva, que consistía en talar y quemar la vegetación de un espacio delimitado *(milpa)* para proceder, a continuación, a la siembra y cultivo hasta que el suelo quedara estéril. Entonces se repetía la operación con otro espacio próximo.

Pues bien, en lugar de esta visión de una agricultura primitiva e itinerante, la arqueología nos ha devuelto la imagen de una agricultura estable, con cultivos diversos y con técnicas sofisticadas (terrazas, riego), de unas ciudades con centros ceremoniales y con barrios de viviendas en su derredor y de una sociedad compuesta por personas con oficios y posiciones dispares. Algo, por otra parte, que ya había descrito Diego de Landa: *Antes que los españoles ganasen aquella tierra vivían los naturales juntos en pueblos, con mucha policía, y tenían la tierra muy limpia y desmontada de malas plantas y puestos muy buenos árboles; y que su habitación era de esta manera: en medio del pueblo estaban los templos con hermosas plazas y en torno de los templos estaban las casas de los señores y los sacerdotes, y luego la gente más principal, y así iban los más ricos y estimados más cercanos a estas y a los fines del pueblo estaban las casas de la gente más baja.*

El comercio fue una actividad muy notable, tanto a larga distancia como entre las ciudades vecinas. Los productos iban y venían desde las tierras altas a las tierras bajas. Señala Diego de Landa, desde Yucatán, que: *El oficio a que más inclinados estaban es el de mercaderes, llevando sal y ropa y esclavos a tierra de Ulúa y Tabasco, trocándolo todo por cacao y cuentas de piedra* (obsidiana, jade) *que eran su moneda, y con esta solían comprar esclavos u otras cuentas más finas, las cuales traían sobre sí los señores como joyas en las fiestas; [...] y en los mer-*

cados trataban todas cuantas cosas había en esa tierra. Fiaban, prestaban y pagaban cortesmente y sin usura... Los ríos y la navegación costera eran los vehículos principales de ese trasiego, pues como señala el mismo Diego de Landa: *Sus mulas y bueyes son la gente.*

La complejidad de la vida urbana se refleja en una sociedad estratificada y jerarquizada. Junto a la familia gobernante, cuyas hazañas y matrimonios aparecen consignados en estelas, dinteles y altares, había una burocracia que asumía tareas administrativas y militares, y una casta intelectual compuesta por sacerdotes, escribas y arquitectos. Todos ellos constituían la clase dominante. Después, una amplia gama de artesanos y los campesinos formaban el pueblo llano. Entre algunas ciudades mayas se establecían acuerdos bajo la forma de «confederaciones» o «reinos». De los gobernantes sabemos multitud de detalles, como la fecha de su nacimiento, los casamientos, las expediciones guerreras, los acuerdos con ciudades vecinas..., una vez que el desciframiento de los jeroglíficos ha permitido reconstruir minuciosamente los acontecimientos de su «reinado».

Los hombres y mujeres que describe Diego de Landa, en un capítulo de su obra dedicado a la vida y creencias de los mayas, son tipos de costumbres urbanas. Preocupados todos, hombres y mujeres, por la apariencia física, con el pelo cuidadosamente cortado, amigos de los perfumes y de pintarse la cara, frecuentadores de los baños. En su carácter, aparecen como hospitalarios, acostumbrados a las visitas de cortesía con obsequio para los anfitriones, respetuosos de sus mayores y prestos a ayudarse unos a otros, dispendiosos en los banquetes que las circunstancias de la vida les obligaba a ofrecer. El contrapunto a estos elogios lo pone en los excesos en la bebida: *Muy disolutos en beber y emborracharse, de lo cual seguían muchos males como matarse unos a otros, violar las camas pensando las pobres mujeres recibir a los maridos, pegar fuego a sus casas...* Landa se deshace en elogios a la mujer maya: *De mejor disposición que las españolas y más grandes y bien hechas, que no son de tantos riñones como las negras..., muy honestas en su traje..., grandes trabajadoras y vividoras, porque de ellas cuelgan los ma-*

yores y más trabajos de la sustentación de sus casas y educación de sus hijos y paga de sus tributos...

El arte maya brillaba en todo su esplendor en los centros ceremoniales de las ciudades. Grandes pirámides escalonadas con una escalinata axial y un habitáculo en la cúspide, templos, *tlachtli* o canchas para el juego de la pelota, *temescales* para los baños de vapor y palacios, dispuestos todos ellos en torno a varias plazas, conformaban recintos impresionantes. La construcción de estas obras se hacía en piedra local. Los muros se hacían de mampostería con sillares en fachadas. En la cubierta se empleaba la «bóveda maya» o falsa bóveda realizada por aproximación sucesiva de hiladas de piedra. En la base todos los edificios públicos se sustentaban en plataformas peraltadas con escalinata. Todos los edificios presentaban una ornamentación exuberante: estucos, murales, bajorrelieves, estelas, esculturas adosadas a las fachadas con motivos decorativos muy diversos. Diseños geométricos, combates, ceremonias rituales, escenas del juego de pelota e inscripciones jeroglíficas constituían los motivos más repetidos. Junto a la arquitectura ceremonial, el resto de la ciudad ofrecía una arquitectura sencilla perfectamente adaptada al medio tropical. Bases de tierra apisonada, muros de adobe encalados y techumbres de hojas de palma con la inclinación adecuada *por temor de los soles y aguas* (D. de Landa) constituían los elementos imprescindibles. El ajuar de las clases altas y el equipo de los templos incluían una serie de piezas elaboradas por artesanos de notabilísima pericia. Trabajos en jade, cerámicas policromadas, pinturas de códices reproducen los motivos antes señalados.

La religión maya compartía algunos rasgos básicos con las de toda el área mesoamericana. Como en Teotihuacan, o entre los olmecas, y como en todas teocracias del mundo, la religión desempeñaba la función ideológica de legitimar el orden político y social establecido. Creían en la existencia de varios mundos anteriores que se habían sucedido en el tiempo. La vida tenía, por tanto, un carácter cíclico, lo que confería una importancia capital al estudio del tiempo, a la astrología, al calendario y a la adivinación. Finalmente, rendían culto a los muertos para ayu-

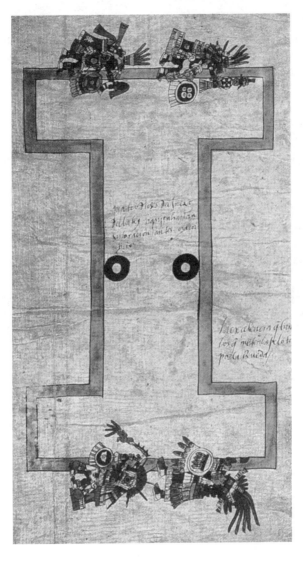

Tachtli, o campo de juego, según el Codex Borbonicus. *El juego de la pelota se practicaba en toda Mesoamérica. Dos equipos se enfrentaban y trataban de hacer pasar una pelota de caucho, que solo podían tocar con sus rodillas o caderas, por las argollas de piedra situadas en los taludes laterales. Perder el juego suponía, en ocasiones, perder la vida.*

57

darles a superar la prueba del inframundo que les permitiría reunirse con sus antepasados. Determinados lugares tenían un carácter sagrado. Las cuevas y los *cenotes* (pozos) eran la puerta de entrada al inframundo.

Los dioses mayas presentan, también, algunas semejanzas con los dioses mexicas y toltecas. Como aquellos, reciben un culto ritual que incluye la exigencia de constantes sacrificios propiciatorios (mutilaciones, derramamiento y ofrenda de sangre, sacrificios humanos). Hay un dios creador del universo, Itzán Na, que adopta diferentes formas y aspectos. Después, una multitud de dioses: el Sol, la Luna Ix Chel, los Chaac, dioses de la lluvia, los dioses de cada día del año, los del maíz, los encargados del viento y muchos más. En la época posclásica, las influencias toltecas propician la adopción de nuevos dioses extranjeros: Quetzalcóatl, la serpiente emplumada, que para los mayas sería Kukulkan, Tlaloc... El popular juego de pelota tiene, en parte, un sentido religioso y ritual. El juego se practicaba en canchas especialmente preparadas, con un espacio abierto entre dos estructuras laterales que forman un talud, terminado en una cornisa de varios metros de altura. Los extremos del pasillo están cerrados en unas ocasiones y abiertos en otras y sus dimensiones son sumamente variables (30 por 95 metros tiene el mayor de los encontrados, en Chichén Itzá, y 1,7 por 16 el más pequeño, encontrado en Tikal). Estas diferencias hacen suponer que existían diversas formas de practicar el juego.

A medida que se amplía nuestro conocimiento de la cultura maya admiramos más la precisión de sus astrónomos, pareja a los avances matemáticos, y superior a la de cualquier otra cultura coetánea o posterior, hasta el Renacimiento, y la formulación de un código preciso de escritura, hecho insólito en el continente americano en la época precolombina. Los códices de París y Dresde, dos de los pocos códices mayas conservados, ofrecen informaciones precisas sobre los ciclos del Sol y la Luna, lo que les permitía predecir los eclipses, y sobre el de Venus. Conocían asimismo varios planetas: Júpiter, Saturno, Marte y Mercurio. Estos logros fueron posibles por el dominio de las matemáticas. Inventaron el concepto cero y un sistema vigesimal. Así pudieron calcular el calendario solar con mayor precisión que el calendario juliano, vigente en Europa hasta finales del siglo XVI, y realizar cálculos astronómicos muy complejos. La traducción de algunos glifos en los últimos tiempos ha permitido descifrar inscripciones en estelas, cerámicas y códices. Se ha comprobado que muchas de estas inscripciones tienen carácter histórico, es decir, narran acontecimientos que la precisión del calendario permite fechar con exactitud. Así, los avances en la interpretación de la escritura, combinados con el creciente rigor en las excavaciones arqueológicas, ofrecen una visión cada día más completa de la vida y pensamiento de los mayas.

El Posclásico: pervivencias y cambios

Entre el ocaso de las grandes ciudades-estado del periodo Clásico, en los siglos IX y X de nuestra era, y la llegada de los españoles se extiende el periodo Posclásico. La caída de las ciudades estado del periodo Clásico generó una situación de inestabilidad. El vacío de poder propició una serie de desplazamientos hacia el sur de pueblos vinculados anteriormente a Teotihuacan, que habitaban las tierras del norte y las protegían de los chichimecas, cazadores recolectores de las tierras áridas al norte del trópico de Cáncer. Estas migraciones del norte hacia el altiplano central, exaltadas después hasta adquirir un carácter mítico, están en el origen de Tula, primero, y de Tenochtitlan (la capital de los mexicas, o aztecas), más adelante. Como fruto de estos movimientos, surgieron nuevas ciudades que aspiraban a desempeñar el protagonismo económico y cultural de las metrópolis clásicas. En el altiplano mexicano, Tula recoge la herencia teotihuacana. En las tierras mayas yucatecas, Chichén Itzá, primero, y Mayapán, después, continuarán las tradiciones mayas. En la última fase del periodo tiene lugar la creación y expansión del poder azteca, lo más parecido a un imperio en el área mesoamericana. De ese imperio nos ocuparemos en capítulo aparte.

Los nuevos poderes continúan la tradición cultural propia de los lugares en que se asientan. Los elementos característicos de la cultura clásica, en cada sitio, se consolidan y se difunden al exterior. Como novedades, hay que señalar la proliferación de códices, no solo entre los mayas, que venían practicando desde antiguo una escritura logo-silábica capaz de expresar conceptos y palabras en toda su complejidad, sino entre los toltecas y, sobre todo, entre los mixtecas del valle de Oaxaca. Se trata de códices hechos con pieles de venado, preparadas con una capa de cal sobre la que se plasmaban dibujos y jeroglíficos, o, como señala Pedro Mártir de Anglería, con hojas de corteza de determinados árboles. Después, formaban tiras en porciones cuadradas que cubrían con tablillas de madera. Otra innovación significativa dentro del área mesoamericana es la metalurgia. Los joyeros mixtecas introdujeron, desde el siglo x, el trabajo del oro, la plata y, más adelante, el del cobre.

Ni en las estructuras económicas, ni en la organización social y política, se producen cambios significativos en este periodo. En todo caso, se ha querido ver un cierto retroceso del poder teocrático y una tendencia a la secularización, y un auge del militarismo.

Tula y Chichén Itzá

La ciudad de Tula fue fundada en el siglo VIII. La leyenda atribuye a Quetzalcóatl, personaje del mismo nombre que el dios (la serpiente emplumada), el mérito de crear y organizar el poder tolteca. Tula alcanzó su apogeo en los siglos XI y XII, durante los cuales extendió su influencia por la mayor parte del centro de México, costa del Golfo, Yucatán (especialmente en Chichén Itzá) y zonas costeras del Pacífico de Chiapas y Guatemala. Alianzas y matrimonios con personajes reales de otras ciudades facilitaron la instauración en ellas de dinastías emparentadas con los toltecas y, por su mediación, la difusión de su cultura y modos de vida. En sus mejores épocas, Tula llegó a ocupar una extensión de 16 kilómetros cuadrados y pudo tener cerca de 100.000 habitantes. Su recinto ceremonial se organizaba en torno a una gran plaza con pirámides, salas con columnas, juegos de pelota (hay seis en la ciudad), *tzompantli* (altares donde colgaban las cabezas de las víctimas de los sacrificios humanos). Una rica decoración a base de bancos con frisos de guerreros y estatuas, perfectamente integradas en el espacio y diseño arquitectónico (atlantes usados para sostener altares y vigas, chacmooles, figuras de Chac-Mool reclinado, con un recipiente para recibir los corazones de los sacrificados en el vientre), contribuía a dar prestancia y tono a ese centro ceremonial.

La demanda de artículos de lujo por parte de los grupos dominantes exigió la importación de productos desde lugares lejanos. Los arqueólogos han encontrado turquesa y cerámica fina procedentes de Guatemala, jades de Oaxaca y de las tierras mayas. Pero las excavaciones en barrios comunes han revelado la presencia de vasijas de cerámica nicoya de Costa Rica y Nicaragua, fragmentos de vasos de Campeche, serpentina y jade de Guerrero. Entre los artículos exportados sobresalen los cuchillos de obsidiana verde de Pachuca fabricados por los artesanos de Tula. Estos hallazgos indican la importancia de las redes comerciales toltecas y el volumen de los impuestos percibidos por esta ciudad-estado. Entre 1168 y 1178, todo el tinglado político y comercial de Tula se desmorona. Gran parte de la ciudad fue abandonada y sus principales edificios incendiados. De nuevo las causas de la ruina de Tula, como las de la de Teotihuacan o de las ciudades mayas, escapan a nuestro conocimiento. Probablemente se relacionan con nuevas migraciones de pueblos del área chichimeca hacia el sur, a los valles del altiplano. El hecho es que, a finales del siglo XIII, una serie de nuevos estados controla territorios más o menos extensos en el centro de México. Algunos de ellos son el resultado de la fusión de los invasores chichimecas con los grupos supervivientes toltecas, otros son el fruto de un cierto renacimiento de las antiguas ciudades toltecas. En este contexto se sitúa la peregrinación azteca hasta llegar a establecerse en Tenochtitlan, a la que nos referiremos en otro capítulo.

El significado y la aportación de Tula fue, probablemente, idealizado y exaltado por los cronistas posteriores. El valor guerrero, el refinamiento y el ingenio de las culturas mexicanas precolombinas se atribuían a los toltecas. Reclamarse heredero de esta civilización se convirtió en un signo de distinción. En todo caso, hay que reconocer el valor de las aportaciones de esta ciudad. Integró a extensas zonas de México en un sistema cultural homogéneo; muchos elementos nahuas de los aztecas son la prolongación de la civilización tolteca. La influencia es más visible en la religión. Los dioses nahuas, sobre todo Quetzalcóatl y su vencedor Tezcatlipoca, se instalaron en el panteón de los mayas y de otros pueblos de Mesoamérica. Con Tezcatlipoca se extienden los sacrificios humanos y una mentalidad guerrera, y sobre todo el ciclo épico de Quetzalcóatl. Este dios/sacerdote habría abandonado Tula con sus fieles y su regreso se convertiria en un mito recurrente en los pueblos mesoamericanos.

Chichén Itzá (boca del pozo de los itzaes, en maya) desempeñó en la península del Yucatán un papel semejante al de Tula en el centro de México. El hundimiento de los grandes centros de las tierras bajas mayas hizo bascular el peso de las rutas comerciales hacia la costa del Golfo. En esas condiciones, la situación de Chichén Itzá, en el centro de la península yucateca, a medio camino entre el Golfo de México y el mar Caribe, en una zona con abundantes cenotes que garantizan el agua necesaria, dotaba a sus moradores de ventajas iniciales. Sus moradores, los itzaes, supieron aprovechar estas ventajas y convirtieron a su ciudad en la metrópoli más influyente del mundo maya en los siglos X al XIII. Se cree que el desplazamiento de grupos toltecas, en el siglo X, que fusionaron su cultura con la maya y le transmitieron el fervor guerrero, facilitó el predominio de Chichén Itzá. Hacia 1250 se produjo una rebelión de las ciudades controladas por los poderosos itzaes y la destrucción de la ciudad. Mayapán, una de las ciudades sublevadas, se erigió en nueva capital de los mayas de Yucatán. Los itzaes, por su parte, abandonaron su ciudad destruida y se dispersaron por el Petén.

Chichén Itzá se extendía por una superficie de 15 kilómetros cuadrados. Un enorme centro ceremonial, distribuido en tres plazas conectadas entre sí por calzadas artificiales *(sacbeob)*, constituía el esqueleto que articulaba la ciudad. En sus construcciones encontramos los elementos clásicos mayas: los muros de mampostería, la bóveda maya, edificios como un observatorio astronómico circular (el Caracol), varias canchas para el juego de la pelota (hasta 16), representaciones de Chaac, dios de la lluvia, y jeroglíficos, mosaicos y cerámica típica maya. Pero, junto a esos elementos, hay otros que denotan la profundidad de la influencia tolteca, sobre todo en arquitectura (escalinatas, columnas y atlantes) y en la iconografía religiosa (serpientes emplumadas, jaguares, murales con temas de guerra y sacrificios humanos). Los especialistas de uno y otro campo discuten, todavía, sobre el carácter y el protagonismo de esta mixtura cultural maya-tolteca. No resulta fácil, ciertamente, explicarla en términos de una colonización por parte de Tula si se considera la distancia que separaba a ambas ciudades, más de mil kilómetros de tierras inhóspitas, habitadas por gentes poco amigas de una y otra ciudad.

Después de Chichén Itzá, la hegemonía de Mayapán perduró hasta cerca de 1450. Sus murallas y sus mercenarios no pudieron evitar que una rebelión, semejante a la que la propia Mayapán había organizado contra Chichén Itzá, acabara con sus días de gloria. La ciudad fue arrasada y abandonada. A partir de ese momento ninguno de los pequeños estados mayas logró ejercer un cierto liderazgo en la península de Yucatán. Así, las redes comerciales fueron decayendo poco a poco y con ellas las ciudades. Por eso, cuando los españoles entran en la península se encuentran con una enconada resistencia de los caciques y señores de cada ciudad. En estas condiciones, la conquista de la península de Yucatán costaría a los españoles más tiempo que la de las tierras altas de México.

4

Formación de las grandes civilizaciones. (II) América andina

El área andina y los periodos de su Historia Antigua

EL TERRITORIO que ocupan las naciones de Ecuador, Bolivia, Perú, el extremo norte de Chile y una zona al NO de Argentina fue el escenario de algunas de las más brillantes civilizaciones americanas. De oeste a este se suceden: una estrecha franja costera bañada por el océano Pacífico, la cordillera de los Andes, que se bifurca en ramales paralelos articulados en sentido norte-sur, el altiplano que se forma a gran altura entre los dos ramales montañosos, y la falda de la cordillera que se vuelca hacia la selva amazónica. La fría corriente marina de Humboldt, que discurre paralela a la costa, convierte a esta en un desierto solo interrumpido por los oasis que forman los ríos que se precipitan al Pacífico desde las cumbres andinas. Si exceptuamos estas verdes franjas, que rompen de tarde en tarde la monotonía del desierto, y a los pescadores que se benefician de la influencia de la corriente fría, la zona costera resulta inhóspita para el hombre.

En el altiplano, las condiciones para la vida humana tampoco resultan, *a priori,* demasiado atrayentes: entre los 3.000 y los 4.000 metros de altura, con heladas nocturnas frecuentes, que alternan con elevadas temperaturas diurnas, la agricultura se presenta problemática. Finalmente, la selva, que trepa desde los confines de la llanura amazónica por el piedemonte de la sierra, hasta los 2.000 metros de altura, formando las yungas, completa el panorama de ecosistemas que constituye el soporte de la vida de las gentes del área andina.

El medio físico descrito repercute de dos maneras en la historia de los pueblos andinos. Por un lado, propicia la rivalidad (en ocasiones la colaboración) entre las tierras altas, que poseen el grifo del agua que necesita la zona costera, y esta última zona, que depende de las corrientes de agua que bajan de aquellas tierras. Este será, como veremos, uno de los argumentos presentes a lo largo de la historia andina. Por otra parte, muestra enormes dificultades para la subsistencia. Cuesta creer que, en este medio hostil, especialmente en el altiplano, hayan podido asentarse y prosperar poblaciones numerosas. La explicación, como quedó apuntado en la introducción, vino de la mano de los historiadores que analizaron los censos e informes de los puntillosos funcionarios de la colonia y encontraron el secreto del éxito de aquellas civilizaciones. No fue otro que el descubrimiento de las ventajas que ofrecía un medio físico con paisajes tan diversos, por un lado, y tan próximos, por otro, y la habilidad para coordinar y organizar su explotación. En efecto, las comunidades aposentadas en el altiplano desplazaban a colonos (*mitmaq,* en quechua; *mitimaes,* en español) a lugares distantes (uno a varios días de distancia), situados en alturas inferiores, donde se asentaban para cultivar y elaborar productos que el grupo matriz necesitaba para su subsistencia y no podía cultivar en su asentamiento principal. En esta práctica, como veremos en otro capítulo, los incas llegaron a establecer una trama compleja y admirable.

En la historia de los pueblos andinos, la división en periodos Formativo, Clásico y Posclásico, empleada en la historia antigua de los pueblos mesoamericanos, suele relegarse, o completarse, con la de «horizontes» y periodos «intermedios». Esta terminología se corresponde mejor con los vaivenes entre centralización y dispersión que caracteriza a la historia de los países andinos con relación a los rasgos geográficos que acabamos de recordar. Un «horizonte» es el periodo en que un poder (estado, imperio), o una cultura determinada, se impone sobre el conjunto del territorio: tierras altas y costa a la vez. Un periodo «intermedio» es la época en que los horizontes se disgregan, las zonas antes dominadas o influidas por el poder o la cultura hegemónica recuperan su autonomía e instauran, en su lugar, poderes locales. De acuerdo con esta terminología, en la historia del área andina suelen establecerse tres horizontes y dos periodos intermedios. El «Horizonte Antiguo» o de Chavín coincide con el Formativo mesoamericano y se extiende por el primer milenio antes de nuestra era. El «Horizonte Medio» de Tiahuanaco y Wari (siglos VIII a XII), y el periodo intermedio que lo precede, vienen a coincidir con el periodo Clásico y, finalmente, el Tahuantinsuyu u «Horizonte Inca» (siglos XIV a XVI), junto con la fase intermedia anterior, ocupan el tiempo que en Mesoamérica hemos denominado Posclásico. No conocemos cuál fue el factor que actuó como pegamento o aglutinante de los distintos «horizontes». Sí sabemos que, en todos los casos, el impulso unificador partió de las tierras altas.

Se ha señalado, respecto a la historia de los pueblos mesoamericanos, que todavía quedan muchas incógnitas por despejar para tener un conocimiento más cabal de la vida, las ocupaciones y las ideas de sus gentes. Pues bien, en el área andina, las preguntas para las que la historia no tiene todavía respuesta son más. La arqueología no ha alcanzado el nivel y la importancia de la arqueología mexicana. Como ha señalado John Murra, la arqueología realizada por extranjeros ha concentrado su interés en la arquitectura espectacular, hecha con adobes, o en las producciones, cerámicas o textiles, que llenan los museos del mundo, pero la arqueología más reciente intenta proporcionar información sobre la cronología y sobre la sociedad que formaban quienes las hicieron. Sobre todo, las fuentes primarias, para extraer datos de primera mano, son más limitadas. En efecto, no hay una escritura como la maya, ni códices como los que se produjeron en el Posclásico mesoamericano. El sistema que empleaban los incas para consignar los datos relevantes para el gobierno de su imperio, el *quipu*, se ha perdido irremisiblemente. Quedan las crónicas de los españoles que recogieron de boca de los indios los relatos de su pasado y describieron lo que se ofrecía a sus ojos (Pedro Cieza de León, sobre todo), queda el relato del Inca Garcilaso de la Vega, hijo de español e india, y el punto de vista de un autor netamente andino Felipe Guamán Poma de Ayala, y quedan, además, los informes minuciosos que los funcionarios encargados de inspeccionar las provincias elevaban a las autoridades con motivo de sus visitas (Ortiz de Zúñiga o Díez de San Miguel, por ejemplo). Con todo esto, tal como señaló Cieza de León, lamentándose de la falta de escritura, a propósito de los orígenes de Tiahuanaco, *están las cosas tan ciegas... y vamos a tino en muchas cosas.*

El formativo andino. Horizonte Antiguo. Chavín

Si prescindimos de la temprana eclosión de la cultura Valdivia, a que se aludió antes, los avances característicos del periodo formativo se dan con cierto retraso en el área andina, respecto a las fechas señaladas para el área mesoamericana. La generalización de la agricultura, especialmente el cultivo del maíz, la cerámica, el tejido, y las formas sociales que suelen acompañar a estas transformaciones: la vida en aldeas, una sociedad más compleja, el paso de las tribus a la formación de jefaturas y estados se instalan en torno a la mitad del segundo milenio a. de C. en la zona que ahora estudiamos. Según el arqueólogo peruano Julio C. Tello, la agricultura pudo nacer en cualquier parte de los límites de la selva amazónica con los Andes. Desde allí trepó por la vertiente de las montañas hasta alcanzar el altiplano y descendió, después, hacia la costas gracias a las obras de irrigación artificial. Pero, sea cual sea su lugar de procedencia, la encontramos con todas las transformaciones anexas en la cultura Chavín.

El Horizonte de Chavín

Se extiende a lo largo del primer milenio antes de nuestra era y se considera el primer periodo en que tribus y pueblos distintos compartieron unas creencias religiosas semejantes, el culto a un dios jaguar a cuya imagen se asocian, también, la serpiente y el águila. Estas creencias se plasmaron en una iconografía y en un estilo artístico comunes. No se trató de una «cultura» homogénea ni, mucho menos, de un imperio político unitario. Probablemente, una casta sacerdotal administraba una serie de santuarios o centros ceremoniales de carácter local.

El lugar que da nombre al periodo es una localidad, Chavín de Huantar, situada al norte del altiplano a más de 3.000 metros de altura. Allí existió un centro ceremonial, activo durante varios siglos, a lo largo de los cuales fue objeto de ampliaciones y reformas sucesivas. El lugar principal lo ocupa un templo, «El Castillo», cuya planta tiene forma de U, con la abertura hacia el este. El edificio tiene tres pisos, pero más que por las habitaciones, corredores subterráneos y escalinatas que contiene en su interior, el edificio se impone por la robustez de su fábrica, por la decoración de sus muros y por la estructura de plataformas que configuran el lugar. En uno de los pasadizos internos, en posición céntrica respecto al conjunto del edificio, se encuentra, en el mismo lugar en que fue instalado, «El Lanzón» un monolito de más de cuatro metros de altura clavado en el suelo por su parte inferior que termina en punta, de ahí el nombre con el que se le denomina. La escultura representa la imagen de una divinidad y presenta, esculpida en bajorrelieve, una serie de atributos que le confieren un aire terrorífico. Su cabeza aparece rodeada de serpientes, su ancha boca deja ver unos feroces colmillos de jaguar, las manos y pies terminan en garras. La misma ubicación del monolito en el cruce de sombrías galerías contribuye a darle ese aspecto misterioso y sobrecogedor. Este lugar, más que una ciudad populosa, debió ser un lugar de peregrinación al que acudían a rendir pleitesía, desde los valles y la costa, los humildes campesinos de su área de influencia.

Esculturas, estelas y losas esculpidas a lo largo de todo el periodo Chavín comparten unos mismos caracteres iconográficos y estilísticos. Las imágenes representadas son animales como el jaguar, la serpiente y las aves de rapiña, pero también criaturas mezcla de hombre y uno de esos animales. La forma de representar esas imágenes huye del realismo y adquiere un carácter simbólico y estilizado. Además, la reiteración de esos motivos, una y otra vez, y una cierta preocupación por el equilibrio denotan unas convenciones que resulta imposible descifrar. Chavín desarrolló, también, una cerámica peculiar. Al principio, era una cerámica más tosca y monócroma, con decoración incisa, después se hace polícroma y se decora con los motivos antes citados. La forma más típica es una botella ventruda con caño recto que nace del asa formando una especie de estribo.

La iconografía descrita (el jaguar, la serpiente, las aves rapaces) se asemeja notablemente a la iconografía olmeca. Este parecido inclinó a algunos arqueólogos a emparentar la cultura Chavín con aquella cultura mesoamericana. De paso, se resolvía el problema de su origen y se explicaba la aparición en la zona andina de una cultura cuyos precedentes no se vislumbraban. Pero, a medida que se conocen mejor las culturas locales precedentes, se comprueba la existencia de relaciones con determinados aspectos de una u otra de ellas. Por eso, el arqueólogo peruano Julio César Tello, que calificó a la de Chavín como «matriz de las civilizaciones andinas», ha sugerido la procedencia de todas ellas de una fuente común que se situaría en la vertiente oriental de los Andes.

El final del periodo Chavín se sitúa en torno a 300 años a. de C. La religión unificada se disgrega en múltiples cultos locales. Es el momento de las culturas regionales.

Las culturas regionales. Comienzos del periodo Clásico

Durante el final del periodo Formativo y los comienzos del Clásico surgen y se consolidan algunas innovaciones importantes. La agricultura se perfecciona (riegos, terrazas, extensión de plantas más rentables), se extiende la metalurgia (oro, plata y cobre) con un carácter más ceremonial y suntuario que de utilidad, la sociedad se jerarquiza y se hace más compleja y, fi-

Vasija antropomórfica moche, con asa en forma de estribo, pintada a mano. Representa a una divinidad, Ai Aepec, con sus atributos característicos. Como la mayoría de dioses de la cultura moche, aparece con colmillos de animal carnicero. Destaca la riqueza expresiva, rasgo definitorio de la excepcional cerámica moche.

71

nalmente, se forman jefaturas poderosas que se revisten de un carácter teocrático y militarista. Estas jefaturas asumen, desde sus comienzos, una función capital: la de acaparar en almacenes públicos y redistribuir, después, una serie de productos esenciales para el sostenimiento de la población. En las creencias religiosas se registra una notable variedad de ritos y de creencias. Un breve recorrido por tres de las culturas locales más significativas, las de Paracas, Nazca y Moche, situadas en lugares diferentes, nos permitirá dar unos perfiles más precisos a las afirmaciones precedentes.

Paracas es una península situada a poca distancia del puerto de Pisco. En los páramos que constituyen el acceso a la península se descubrió un cementerio singular, utilizado durante más de 400 años, entre el siglo IV a. de C. y los comienzos de nuestra era, que evoca prácticas funerarias absolutamente originales. El estudio de estas sepulturas, que corresponden a dos épocas diferentes (Cavernas y Necrópolis), ha permitido apreciar la evolución de la sociedad hacia un aumento de las diferencias entre los individuos, la calidad del trabajo de los tejedores y ceramistas de la época y la progresiva ruptura con la influencia de la cultura Chavín en los motivos y en las formas. Los cadáveres, desnudos y momificados, luciendo sus joyas y otros enseres personales, aparecen envueltos por lienzos de algodón de muchos metros de longitud hasta formar fardos cuyo volumen depende de la calidad del personaje enterrado, y que pueden llegar a tener hasta un metro y medio de diámetro. Las últimas capas que componen la envoltura son mantos bordados en lana de vivos colores de una belleza excepcional. Los motivos decorativos son personajes míticos que parecen suspendidos en la atmósfera sobre una fauna singular. Vasijas de cerámica pintada de vivos colores forman parte del ajuar. Las momias presentan dos fenómenos bien significativos: una deformación artificial en el cráneo producida desde la infancia y la práctica ocasional de la trepanación, que seguiría practicándose hasta tiempos de los incas.

Nazca, localidad y valle situado más al sur, ha dado su nombre a una cultura posterior, que florece entre 100 y 800 años

d. de C. Se trata ya de una cultura «clásica». La mayor sequedad ambiental obligó a sus habitantes a construir sistemas de riego para aprovechar el escaso caudal de sus ríos. Los restos de poblados, algunos con murallas de piedra y adobes, incluyen montículos artificiales sobre los que debieron levantarse pirámides de adobe, cimientos sólidos para algunas viviendas y plataformas que debieron sustentar templos. Los recintos amurallados nos sitúan ante un pueblo que debió verse envuelto en conflictos frecuentes motivados, quizá, por litigios relacionados con el agua, tan necesaria como escasa en aquella región. La ornamentación de la cerámica, en una fase avanzada del periodo, con figuras que portan cabezas cortadas como trofeo de guerra, avala esta suposición. Por lo demás, los pueblos de la cultura nazca fueron hábiles tejedores y magníficos ceramistas. La cerámica nazca utilizó las formas habituales en el área andina: platos, jarras, botellas ventrudas y recipientes modelados como figuras zoomorfas y antropomorfas, pero les supo imprimir un sello personal de gran calidad. La pintura de las vasijas y figuras en colores vivos representa tanto figuras geométricas y motivos de carácter fantástico como imágenes más realistas de vegetales (plantas alimenticias y frutos) y animales (aves, mamíferos, peces).

Pero, más que por la riqueza de su cerámica, la cultura nazca es conocida por las gigantescas y extrañas figuras dibujadas sobre la tierra, a base de retirar las piedras que cubren la superficie del suelo, en la pampa de Ingenio, sobre un área de más de 500 kilómetros cuadrados. Algunas representan animales, como una araña o un ave con las alas desplegadas, un mono o un delfín, otras son espirales o líneas en zigzag. Los geoglifos han sido objeto de interpretaciones peregrinas. María Reiche, en la interpretación más elaborada y razonable de las que se han dado, los relaciona con las constelaciones del cielo de Nazca para señalar el movimiento de los cuerpos celestes.

Moche, topónimo de un río y una aldea situados en la costa, más al norte que Nazca o Paracas, es el nombre de una cultura contemporánea a la de Nazca. Sabemos muchas cosas de la cultura moche por la excepcional riqueza expresiva de la cerámica que constituye un friso vivo de las actividades, costumbres, vestido y utillaje de sus gentes. La cultura mochica supo dotarse de una base material variada y próspera. Mejor provista de agua que las culturas del sur, desarrolló, no obstante, obras notables de irrigación, como la acequia de La Cumbre, o el acueducto de Ascope, y empleó el guano como abono. Sus gentes practicaron la pesca y utilizaron animales domésticos, como el cuy (conejo de indias) y la llama. Eran excelentes tejedores y emplearon la metalurgia del oro, la plata y el cobre, perfeccionada a lo largo de los siglos.

En los centros ceremoniales excavados se han encontrado imponentes pirámides de adobe, entre las que destacan las *huacas* —pirámides— del Sol y de la Luna construidas en el valle del Moche. De los muchos edificios religiosos, civiles y defensivos que debieron tener aquellos centros, solo unos pocos se han conservado en condiciones precarias. La humedad de la zona y el material con el que se construyeron, el adobe, han contribuido al deterioro de los restos y, con ellos, a la pérdida de los murales que los decoraban. No obstante, como se ha señalado, disponemos de abundantes *huacos,* o cerámicas, con una riquísima decoración de carácter narrativo. Estas imágenes nos hablan de una sociedad belicosa y militarista, sólidamente organizada. Las pinturas que decoran las vasijas, o los *huacos* escultóricos, presentan una galería de personajes: guerreros armados con mazas y protegidos por cascos y petos, cautivos sojuzgados, músicos con una gran variedad de instrumentos, individuos enmascarados, enfermos con su patología maravillosamente representada en el rostro, cabezas retrato con los rasgos individuales perfectamente marcados; y los presentan, además, en medio de sus ocupaciones diarias: niños que juegan, madres que acunan a sus hijos, artesanos que elaboran alimentos... Uno de los temas sobresalientes por su abundancia y por su variedad es el erotismo. Figuras representando el coito en todas sus variantes, escenas de masturbación masculina y femenina, representaciones fálicas y vaginales, coito entre animales... No se sabe si la profusión de figuras eróticas tiene algún significado didáctico o religioso especial, o si se trata simplemente de una manifestación más del afán de vivir de las gentes mochicas.

El Horizonte Medio: Tiahuanaco y Huari

Esta segunda fase de unidad política de los Andes se extiende entre los 500 y 1.000 años de nuestra era. Su foco de difusión se localiza en dos lugares: Tiahuanaco, al sur del lago Titicaca, en la actual Bolivia, y Huari, cerca de la ciudad de Ayacucho, en Perú. Ambos centros coinciden en el tiempo y mantienen contactos, pero sus esferas de influencia no se confunden. El poder político de carácter estatal y la vida urbana, que se intuían en las culturas precedentes, se hacen más evidentes en estas civilizaciones. Una arquitectura más rica, un poder militar más fuerte, y algunas innovaciones, como la metalurgia del bronce, en Tiahuanaco, apoyan esa afirmación. Como ha señalado el arqueólogo peruano Luis Lumbreras, el urbanismo y el militarismo empezaron en Huari e influyeron a todas las culturas peruanas posteriores.

Tiahuanaco es una aldea boliviana situada en el altiplano, a 3.800 metros de altura, al sur del lago Titicaca, la laguna *mayor y más ancha que se ha hallado ni visto en la mayor parte destas Indias,* en palabras de Pedro Cieza de León, en cuyos límites se encuentran las ruinas de un imponente centro ceremonial. Tiahuanaco aparece rodeado de misterio, lo que ha propiciado la emisión de hipótesis fantásticas acerca de su origen. La ausencia de precedentes inmediatos produce una natural inquietud sobre el momento y los protagonistas de su construcción. El cronista Cieza de León, después de hacer una descripción del Tiahuanaco que él pudo contemplar, se planteó el problema y lo trasladó a los lugareños: *Yo pregunté a los naturales, en presencia de Juan Vargas (que es el que sobre ellos tiene encomienda), si estos edificios se habían hecho en tiempo de los ingas, y riéronse desta pregunta, afirmando lo ya dicho, que antes que ellos reinasen estaban hechos, mas que ellos no podían decir ni afirmar quién los hizo, más de que oyeron a sus pasados que en una noche remanesció hecho lo que allí se vía.* Tras la respuesta de los indios a Cieza se adivina la explicación mítica de los incas, según la cual fue en ese lugar donde el dios Viracocha creó el género humano, los astros y la luz, sacando así al mundo de las tinieblas. El propio Cieza no se privó de aventurar una teoría: *Pudo ser que antes que los ingas mandasen debió de haber alguna gente de entendimiento en estos reinos, venida por alguna parte que no se sabe, los cuales harían estas cosas, y siendo pocos y los naturales tantos, serían muertos en las guerras.* Antes de sonreír ante la ingenuidad del cronista, debe tener en cuenta el lector que en pleno siglo XX se han formulado hipótesis mucho más pintorescas y aventuradas que las suyas. Pero vayamos ya a la descripción del lugar.

Tiahuanaco fue un centro ceremonial de grandes proporciones con una serie de edificios orientados según los puntos cardinales, a modo de observatorio astronómico, con una arquitectura de piedras *tan grandes y crecidas* —de nuevo Cieza de León—, *que causa admiración pensar cómo siendo de tanta grandeza bastaron fuerzas humanas a las traer donde las vemos,* y con escultura monumental muy notable. Se compone de dos recintos, con varios edificios en cada uno. Destaca el llamado Kalasasaya, en el que se encuentran dos de las piezas más significativas del monumento: la Puerta del Sol, pieza monolítica de andesita, de tres metros de alto por cuatro de ancho, en la que se ha abierto un vano, a modo de puerta, y en la que se ha esculpido un relieve que representa una figura humana, de frente, portando un pectoral y sosteniendo en sus manos sendos cetros decorados con una cabeza de cóndor. La otra figura es un monolito que representa una figura humana, en actitud hierática con los brazos extendidos a lo largo del cuerpo.

Allí se desarrolló un pueblo de campesinos y pastores que supo sacar partido de las condiciones especiales del clima del altiplano. Cultivos de patata y otros tubérculos, así como de quinoa y, en lugares resguardados, de maíz, eran la base de subsistencia que se completaba con el ganado de alpacas y llamas y la pesca en el lago. La influencia de Tiahuanaco se extendió, durante el siglo VIII por el sur, hasta el valle de Loa, en el actual Chile y tuvo en la religión sus señas de identidad y su fuerza principal. Las formas de la Puerta del Sol, repetidas en la cerámica encontrada por las zonas costeras, dan fe de ello. Después del año 1000, las divinidades de Tiahuanaco fueron dejadas a un lado. Los poderes militares desplazan a los poderes religiosos y la influencia de Tiahuanaco desaparece progresivamente. Se instauraba de nuevo una época de culturas locales.

Huari. Situada en una meseta volcánica, cerca de Ayacucho, Huari fue una ciudad de considerables dimensiones, llegando a cubrir una superficie de 18 kilómetros cuadrados. Sus barrios, rodeados de murallas, estaban formados por casas de más de una altura y de planta rectangular dispuestas en ocasiones en torno a una plaza. La cultura huari, muy influida por Tiahuanaco, se extendió hacia el norte, hasta Cajamarca, empujada por el carácter militarista de sus gobernantes. El de Huari fue, ciertamente, un dominio de carácter político. Los pueblos y ciudades aparecen rodeados de murallas, la decoración de murales se llena de guerreros y prisioneros. Se cree que la construcción de algunas de las calzadas que se atribuía a los incas pudo haber sido realizada por la cultura huari en su afán expansionista. El ocaso de Huari, en el siglo XII, como ocurrió en el área de influencia de Tiahuanaco, supuso la fragmentación política y cultural de sus extensos dominios en pequeños reinos. Entre estos reinos, algunos, como el de Chimú, llegaron a alcanzar un notable desarrollo.

El Posclásico andino. Chimú

Los siglos que transcurren entre el ocaso del Horizonte Medio y la formación del Tahuantinsuyu, o imperio Inca, vieron florecer pequeños estados que, continuando el empuje urbano de la última época, trataron de recuperar, al mismo tiempo, sus antiguas tradiciones. En este sentido, se ha hablado de una especie de «renacimiento» para describir los cambios acaecidos en el periodo.

Durante los siglos XIV y XV se formó en la costa norte del actual Perú un estado, rico y poderoso, el de Chimú, con una esplendorosa capital, la ciudad de Chan Chan, próxima a la actual Trujillo. El impulso inicial partió de los valles de Chicama y Moche, en el siglo XIII, y fue protagonizado, probablemente, por gentes llegadas desde la bahía de Guayaquil, por mar. Estos grupos revitalizaron los sistemas de riegos de la cultura mochica, que habían sufrido las consecuencias del periodo de conflictos que acompañó a la expansión y caída de Huari, y sentaron las bases de una economía próspera, visible en la riqueza de los enterramientos. Desde el siglo XIV, los soberanos chimúes inician una constante expansión por la costa sur consolidada por la construcción de fortalezas defensivas. A la larga, este afán expansionista resultaría fatal para los hombres de la costa. En la misma época crecía en las tierras altas el poder inca. Las líneas de expansión de ambos imperialismos llegaron a coincidir y entonces el choque se hizo invitable. En él los chimúes llevaron la peor parte.

Las tumbas de personajes relevantes contienen un ajuar de gran valor, en el que abundan objetos de oro y plata que revelan la competencia de los orfebres que los elaboraron. Los abundantes restos de cerámica encontrados permiten deducir una «fabricación en serie» a base de moldes y de la repetición de formas y ornamentos. Algo parecido ocurría con los relieves de barro que embellecían los muros de las ciudades y que fueron esculpidos, también, con moldes prefabricados. Los tejidos de algodón presentan una decoración inconfundible. Su enorme difusión ha permitido fijar las áreas de expansión del comercio chimú.

Chan Chan, la capital de Chimú, era una buena muestra del afán expansionista y del espíritu creativo de las clases dominantes chimúes. Ciudad construida con arreglo a un plan preciso, incorporó los asentamientos precedentes (huaris y mochicas) y llegó a ocupar 17 kilómetros cuadrados. Sus palacios, templos, pirámides, plazas y calles, construidos de adobe, se agrupaban en 10 barrios diferentes, separados por muros, también de barro. Probablemente los barrios correspondan a las etapas de crecimiento de la ciudad, siempre controlado y regulado por sus meticulosos gobernantes. Durante muchos años, Chan Chan superó, en dimensiones, en población y en vitalidad, a El Cuzco, la capital del imperio que terminaría por imponer su dominio sobre ella y sobre todo el imperio Chimú. Entonces, el Imperio Inca tendría la oportunidad de aprender de Chan Chan el refinamiento de sus costumbres, la gracia de sus orfebres y ceramistas.

5

Las civilizaciones que encontraron los españoles. Los mexica o el Imperio Azteca

D URANTE los siglos XIII y XIV, el vacío de poder que provocó la caída de Tula en el corazón del altiplano de México propicia una serie de migraciones sucesivas de pueblos chichimecas en dirección sur y un largo periodo de enfrentamientos entre los más de veinticinco pequeños estados, antes sometidos a los toltecas, que trataban de asumir en su provecho el papel hegemónico desempeñado hasta entonces por aquella ciudad. En medio de esas turbulencias, uno de los pueblos emigrantes, los mexica, consigue imponer su dominio sobre el altiplano central y extenderse hasta las costas del Pacífico y del Golfo, en una extensión de más de 500.000 kilómetros cuadrados. Los mexica no se limitaron a crear el más vasto imperio del área mesoamericana conocido hasta entonces, actuaron, también, como un crisol de las culturas de los pueblos del área y supieron darle una personalidad propia.

Según las estimaciones más fidedignas, once o doce millones de personas habitaban el imperio en el momento de la conquista española y, a pesar de que hablaban más de quince lenguas diferentes, podían entenderse en *náhuatl,* la lengua franca del imperio. De los acontecimientos de la época, de sus formas de vida, incluso de sus temores y esperanzas, sabemos muchas cosas. Las que descubrimos por los vestigios arqueológicos, las que dijeron de ellos los cronistas españoles, Fray Toribio de Benavente Motolinía, Bernal Díaz del Castillo, Fray Bernardino de

79

Sahagún, o el propio Hernán Cortés. Pero también, y en muchos aspectos, principalmente, las que ellos mismos y sus descendientes nos contaron en los códices de signos y dibujos, algunos de los cuales han llegado hasta nosotros, y en los libros que se apresuraron a escribir en náhuatl o en la lengua impuesta por sus conquistadores.

Evolución histórica: mito y realidad

Como otros muchos pueblos, los mexica se fabricaron una historia a su medida. En su relato aparecen como un pueblo originario de Aztlán, ciudad legendaria construida en una isla de la que les viene su primer nombre —aztecas—. Pero su peregrinación comienza en otro lugar, Chicomóztoc —las siete grutas—, y en ella son guiados por su dios Huitzilopochtli, hasta que, tras innumerables penalidades y avatares, el águila posada en un cacto les revela el lugar donde deben asentarse, México Tenochtitlan, de ahí el nombre de mexicas con el que han pasado a la historia.

En realidad, la fundación del imperio atravesó por tres etapas sucesivas. La primera, la más oscura, es en verdad una etapa de emigración. Sin un territorio y un monarca propios, los aztecas vagan por el valle de México actuando como mercenarios al servicio de pueblos más poderosos. Una vez establecidos en la isla de Tenochtitlan, en el lago de Texcoco, lo que ocurre, probablemente, el año 1325, pasan a depender de los tepanecas de Azcapotzalco, actuando como mercenarios de su señor Tezozómoc. Los gobernantes mexicas consiguen emparentar con Tezozómoc y participan en las intrigas y rivalidades entre los estados limítrofes Culhuacan y Texcoco, tributarios, también, de Azcapotzalco. La segunda etapa se inicia entre los años 1428-30. Desaparecido Tezozómoc, las relaciones entre tepanecas y mexicas se hacen más difíciles. Estalla una larga guerra entre las dos ciudades que México-Tenochtitlan puede, finalmente, ganar merced a la ayuda de otras ciudades, como Texcoco, enemistadas también con Azcapotzalco. Era el comienzo de la Triple

Alianza entre México, Texcoco y Tlacopán. La historia oficial de los mexica asocia a esta guerra un episodio bien significativo de su ideología sobre la estructura de la sociedad. Al estallar la guerra, las clases populares, los plebeyos, eran partidarios de rendirse a los tepanecas, pero los nobles, que creían en la victoria, propusieron un trato. Si no eran capaces de vencer, pasarían a someterse a los plebeyos, pero, si vencían, serían los plebeyos los que deberían obedecerlos eternamente. Sea como sea, la victoria sobre Azcapotzalco convirtió a los mexicas en un pueblo independiente. El soberano mexica Itzcóatl (1426-1440) y su consejero Tlacaélel pasan por ser los artífices de esta nueva era.

La expansión del imperio fue obra del sucesor de Itzcóatl, Moctezuma I (1440-1469) y se hizo siempre bajo el signo de la Triple Alianza. Totonacas y huaxtecas de los actuales estados mexicanos de Puebla y Veracruz, mixtecas y zapotecas de Oaxaca pasan a depender del imperio mexica bajo fórmulas diversas de sumisión. Moctezuma I imprime, además, un carácter solemne a la corte, introduce el refinamiento y la etiqueta y se convierte en un gran legislador. Uno de sus sucesores, Ahuítzol (1486-1502) amplió todavía más el imperio en todas las direcciones (Tehuantepec, Oaxaca) y, como símbolo del poder mexica, inauguró con una fiesta fastuosa el templo mayor de la ciudad. Pero los mexica habían desencadenado una dinámica fatal. Nuevas guerras, cada vez más lejos de su capital, para recabar más tributos y poder satisfacer las crecientes demandas de una corte y una administración insaciables, reclamaban más medios y nuevos tributos que, a su vez, acrecentaban el descontento de las ciudades sometidas y las incitaban a sublevarse.

Moctezuma II (1502-1520), el último emperador, tuvo que hacer frente durante todo su reinado a esas insurrecciones y a los enemigos tradicionales del pueblo mexica, los tlaxaltecas. Gobernante autoritario y hombre de profunda religiosidad, se dejó atemorizar por una serie de malos presagios y encaró con una especie de fatalismo resignado las dificultades a las que se enfrentaba. Mientras tanto, la actitud decidida de los españoles y el apoyo incondicional que les prestaron los enemigos de los mexica resultarían decisivos en el enfrentamiento que se anunciaba. El poderío militar de los mexicas estaba intacto, pero la convicción en la grandeza de su destino, que había impulsado a sus ejércitos, había desaparecido por completo. La ideología de sus clases dirigentes nos dará alguna luz sobre este fenómeno.

El gobierno y la administración del imperio

Entre la coronación de Acampichtli (1375), primer soberano mexica, de linaje tolteca, y la de Moctezuma II (1502), el último de la dinastía, las funciones que debía desempeñar el recién coronado soberano, las relaciones que iba a mantener con sus súbditos e, incluso, las formas por las que se regiría el ejercicio del poder, se habían modificado de manera sustancial. El *Tlatoani,* nombre con que designaban al soberano, era la autoridad máxima en la ciudad. El soberano de México-Tenochtitlan recibía el título de *Huey Tlatoani,* gran rey. El puesto siempre tuvo carácter electivo; al principio, los electores eran los guerreros constituidos en asamblea, pero pronto se redujo el número de electores y quedó limitado a unos pocos nobles influyentes. La elección recaía, siempre, en un miembro de la familia, hijo del soberano anterior. Moctezuma I introdujo grandes cambios orientados a engrandecer la figura del soberano y a aumentar su poder. Jefe del ejército, Sumo Sacerdote y representante de los dioses, juez supremo y señor de los bienes del reino, se hizo rodear de una etiqueta complicada que subrayaba el rango de los personajes y exaltaba al rey. Indumentaria y adornos distinguían a los nobles *pilli* (plural *pipiltin*) de los plebeyos *macehualli* (plural *macehualtin*). Soberano legislador, Moctezuma I consagró las normas que conferían un soporte legal a los cambios señalados. Otro Moctezuma, el II, acentuó el carácter absoluto del gobierno y el monopolio de los pipiltin en la administración.

En teoría, el imperio mexica o azteca estaba formado por una alianza de tres ciudades: México-Tenochtitlan, Texcoco y Tlacopán. En la práctica, las decisiones importantes y, en especial, el curso de las guerras venía dictado por los mexicas. Pero no había una autoridad central. Los soberanos de las tres ciudades estaban emparentados por matrimonios entre ellos y solían reunirse en determinadas ocasiones. El reparto de los beneficios obtenidos en las conquistas solía hacerse en proporción de dos quintos para cada una de las dos primeras ciudades y un quinto para Tlacopán. Texcoco pasaba por ser una ciudad culta y refinada, y su tlatoani Nezahualcóyotl un hombre sabio y prudente que aconsejó en numerosas ocasiones al *Huey Tlatoani* mexicano, pero el poderío militar radicó siempre en México, y el tercero de los aliados, Tlacopán, era tratado más como vasallo que como socio.

Los territorios conquistados pasaban a constituir provincias del imperio con estatutos diferentes y grados de dependencia variados. Casi siempre los señores naturales de las mismas eran mantenidos en sus puestos y continuaban en el desempeño de su autoridad. Solo en territorios rebeldes, o de una importancia estratégica excepcional, el tlatoani del lugar era sustituido por un gobernador impuesto y un destacamento militar aseguraba la ocupación del lugar. Una mezcla de diplomacia y fuerza aseguraba la sumisión. Pero las sublevaciones debieron ser frecuentes, a juzgar por la reiteración con la que algunas ciudades aparecen en los registros de conquistas de los diferentes reinados. Los territorios sometidos debían pagar un tributo considerable, y un funcionario del poder mexica, el *calpixque,* se ocupaba de organizar la recaudación y el transporte del mismo a México-Tenochtitlan. Hernán Cortés quedó muy impresionado de esta eficacia recaudadora del *Tlatoani* y escribió a Carlos I: *En todos los señoríos de estos señores tenía fuerzas hechas y en ellas gente suya, y sus gobernadores y cogedores del servicio y renta que de cada provincia le daban, y había cuenta y razón de lo que cada uno era obligado a dar, porque tienen caracteres y figuras escritas en el papel que hacen por donde se entienden. Cada una de estas provincias servían con su género de servicio, según la calidad de la tierra, por manera que a su poder venía toda suerte de cosas que en las dichas provincias había.*

En verdad, la diversidad ecológica y geológica de los territorios del imperio garantizaba la afluencia de productos agrícolas y minerales variados y abundantes. Además, cada región debía contribuir con artículos elaborados por sus artesanos: tejidos, alfarería, joyas... Con todo ello, los almacenes del emperador se llenaban a rebosar y servían tanto para pagar los gastos de la administración y del ejército, como para distribuir entre la gente alimentos y vestidos. El ejército se encargaría de mantener en paz los caminos para que todo ese flujo de mercancías llegase con regularidad a su destino.

En el gobierno de Tenochtitlan, por debajo del emperador se situaban los señores o *teucli* (plural *teteuctin*). Tenían asignada una misión concreta en la administración o en el ejército y disponían de palacios y tierras en pago a sus servicios. La sucesión en estos cargos seguía el mismo procedimiento que la de los soberanos o tlatoani, solo que debía ser aprobado por estos. Algunos de ellos eran los jefes de los *calpulli,* u organizaciones territoriales en que se dividía al pueblo. Se ocupaban de llevar el registro de las tierras del calpulli, de asignar parcelas a las nuevas familias y de supervisar el uso que los campesinos hacían de las tierras que tenían encomendadas. Todos los señores citados eran pipiltin, nobles, y solían tener un alto sentido de su responsabilidad y de sus deberes. La administración militar debió ser particularmente eficaz. La guerra era una práctica habitual entre los mexica tanto por su afán imperialista como por razones ideológicas a las que más adelante hemos de referirnos. Por eso, la formación militar ocupaba un lugar importante en la educación y en los ritos de iniciación de los jóvenes. Su fama de guerreros experimentados la tenían bien ganada, no en vano habían conseguido movilizar ejércitos numerosos a largas distancias, lo que implicaba resolver problemas importantes de logística y de estrategia.

Tenochtitlan, la capital del imperio, se había engrandecido con él. El conjunto urbano que formaba con las ciudades de Tlatelolco, Texcoco, Xochimilco y Coyoacán no hacía sino resaltar la magnificencia de México-Tenochtitlan. Tal como la vieron los españoles un día de noviembre de 1519, ocupaba una superficie de cerca de mil hectáreas, cubierta de templos y palacios, plazas y barrios, calles, canales y puentes, donde vivían

Los sacrificios humanos existían ya en Teotihuacan y Tula, pero se desarrollaron notablemente entre los aztecas. Se ofrecía la sangre humana que serviría de alimento a los dioses prolongando, así, la existencia del sol y la vida sobre la tierra. El grabado representa los sacrificios en uno de los teocalli del Gran Templo de México.

cerca de 200.000 personas. Su emplazamiento, una pequeña isla y una serie de terrenos pantanosos, ganados al lago tras muchos años de esfuerzos, que parecían flotar en el lago Texcoco sólidamente amarrados a tierra firme por tres calzadas principales. La ciudad había sido construida en torno a un gran centro ceremonial presidido por el Templo Mayor, pirámide en cuya cúspide se encontraban los santuarios de Huitzilopochtli y Tlaloc, y donde se encontraban, también, los templos de Quetzalcóatl, de Tezcatlipoca, el *tzompantli* o altar en que colocaban los cráneos de los sacrificios, el juego de pelota... De allí partían las calzadas que dividían la ciudad en cuatro grandes barrios. La arqueología está rescatando, en los últimos años, vestigios de aquella pasada grandeza en el centro del México D. F. actual.

Bernal Díaz del Castillo, que pudo contemplar la ciudad poco antes de su destrucción, describía así la impresión que le produjo la visión de la ciudad desde el Templo Mayor, al que subió acompañando a Cortés con el mejor de los guías imaginable, el propio Moctezuma II, quien tomó por la mano a Cortés *y le dijo que mirase su gran ciudad y todas las más ciudades que había dentro en el agua, e otros muchos pueblos alrededor de la misma laguna en tierra, y que si no había visto muy bien su gran plaza, que desde allí la podría ver muy mejor, e ansi lo estuvimos mirando, porque desde aquel grande y maldito templo estaba tan alto que todo lo señoreaba muy bien; y de allí vimos las tres calzadas que entran en Méjico... Y víamos el agua dulce que venía de Chapultepec, de que se proveía la ciudad, y en aquellas tres calzadas las puentes que tenían hechas de trecho en trecho, por donde entraba y salía el agua de la laguna de una parte a otra...; e víamos en aquella gran laguna tanta multitud de canoas, unas que venían con bastimentos e otras que volvían con cargas y mercaderías; ... y víamos en aquellas ciudades cúes* (templos) *y adoratorios a manera de torres e fortalezas, y todas blanqueando, que era cosa de admiración, y las casas de azoteas... Y después de bien mirado y considerado todo lo que habíamos visto, tornamos a ver la gran plaza y la multitud de gente que en ella había, unos*

comprando e otros vendiendo, que solamente el rumor y zumbido de las voces y palabras que allí había sonaba más de una legua, e entre nosotros hobo soldados que habían estado en muchas partes del mundo, e en Constantinopla e en toda Italia y Roma, y dijeron que plaza tan bien compasada y con tanto concierto y tamaño e llena de tanta gente no la habían visto.
Esa era, seguramente, la imagen de la ciudad que Moctezuma quería que quedara en las mentes de sus invitados. Porque la ciudad representaba de manera cabal el orgullo, el poder y la fe en su destino de los dirigentes aztecas.

El soporte económico del imperio mexica

La riqueza necesaria para mantener a los once o doce millones de personas que habitaban en las tierras del imperio procedía, fundamentalmente, de la agricultura. Pero los gastos que generaban la administración y el ejército, el culto religioso y el lujo de la corte, no hubieran podido satisfacerse solo con los excedentes del trabajo agrícola. La elevada densidad de población de los valles centrales de México lo hacía, prácticamente, imposible. Era el tributo que pagaban al imperio los territorios conquistados el factor que compensaba la diferencia entre lo producido y lo consumido en el imperio de México-Tenochtitlan. Además, la civilización azteca no logró superar algunas de las limitaciones que hemos señalado como propias de las civilizaciones mesoamericanas desde los olmecas: falta de animales domésticos que proporcionasen fuerza para el transporte y calorías para la alimentación humana y escaso empleo de los metales para la fabricación de herramientas. En estas condiciones, el aprovechamiento de la tierra con la aplicación de los recursos técnicos posibles, la eficacia en el cobro de los impuestos y el mantenimiento de una red comercial activa entre los distintos ecosistemas se revelaban como imprescindibles para el funcionamiento económico del imperio. El Estado azteca asumió, en todos esos capítulos, un papel decisivo y lo desempeñó con suma competencia.

La agricultura ofrecía una amplísima gama de productos. El maíz, originario de la zona, era sin duda el alimento principal. Se consumía tierno en mazorcas, cocido y molido en *tortillas, tamales* y *atoles,* o tostado y triturado en *metates.* Otros productos eran, como el maíz, propios de Mesoamérica: *maguey, cacao* y *vainilla,* múltiples variedades de *tomate* y el *chayote* de las tierras frías. Pero cultivaban, además, frijol, chile, algodón, tabaco, tubérculos y frutas, y recogían del bosque miel y múltiples plantas medicinales. La técnica agrícola se adaptaba a las condiciones físicas de cada región. Cultivos de rozas en las tierras boscosas, parcelas regadas en los valles y *chinampas,* o jardines flotantes, en las riberas pantanosas de los lagos. Las chinampas eran plataformas de junco o cañas cubiertas de limo y ancladas con postes de madera a los fondos de los pantanos. En torno a la plataforma se plantaban sauces para fijarlas mejor al suelo. Sobre la plataforma se cultivaban flores y hortalizas con excelentes rendimientos. La productividad de las tierras regadas era muy elevada y la selección de semillas contribuía a ello.

En teoría, el derecho de propiedad sobre la tierra se basaba en la conquista y su distribución la hacía el poder, el emperador. A partir de la posesión inicial se transmitía por herencia. Había tierras que pertenecían al rey, otras a los señores que desempeñaban alguna función de gobierno, había tierras asignadas a los nobles y tierras asignadas al pueblo. Estas últimas se atribuían a los calpulli y sus jefes las repartían entre los miembros del mismo. Otras se destinaban a sufragar determinadas actividades: tierras para el culto, propiedad de los templos, y tierras para la guerra. De esa forma, la propiedad de la tierra venía a ser el pago o retribución por los servicios que prestaban las personas o instituciones que la poseían, y la transmisión de padres a hijos de los cargos y de las profesiones se convertía, en la práctica, en una forma de heredar las tierras asignadas a los padres.

El trabajo era la aportación de las clases populares, de los macehualtin, al funcionamiento del engranaje social. La mayor parte del trabajo se desarrollaba, como hemos señalado, en el sector agrícola y se prestaba a través de los calpulli que organi-

Preparación de una chinampa o jardín flotante en el lago. Las chinampas eran plataformas de caña o junco, cubiertas de limo y ancladas con postes de madera a los fondos fangosos de la laguna. La productividad en estas plataformas resultaba excepcional.

zaban cuadrillas de trabajo. La edad activa comenzaba a los veinte años y terminaba a los cincuenta y dos. A partir de esa edad, los hombres formaban parte de una especie de consejo que asesoraba al jefe del calpulli. Era habitual en los calpulli alternar el trabajo en el campo con el trabajo artesanal que proveía a la familia de lo necesario para la vida. Pero una sociedad refinada, como era la azteca, exigía artículos de calidad. Vestidos lujosos, adornos de plumas, joyas, instrumentos musicales, vasijas y una larga serie de utensilios eran fabricados por artesanos especialistas agrupados, a veces, en barrios y dedicados enteramente a su función.

La condición sexual actuaba como un determinante esencial en la asignación de funciones y trabajos. Anna-Britta Hellbom ha analizado este fenómeno, a través de los dibujos de los códices y de la obra de fray Bernardino de Sahagún, y ha concluido que la manera de vivir y los papeles asignados a las mujeres aztecas son semejantes a los atribuidos a ellas en la mayoría de las sociedades tradicionales fuertemente jerarquizadas. En efecto, los ámbitos en los que actuaba la mujer azteca eran la casa, principalmente la cocina, el templo, concretamente la provisión de fuego, flores e incienso en determinados santuarios, y sobre todo el hilado y el tejido. Apenas hay alguna referencia en los códices a su papel como vendedoras de prendas de vestir, y ninguna a responsabilidades de gobierno. El cultivo, la caza, la guerra, la política, el sacerdocio, los códices y la mayor parte de las artesanías eran ocupaciones de los hombres. La educación recibida era, a la vez, resultado y factor determinante de este reparto de papeles

El comercio tiene, como hemos señalado, significación especial en el imperio mexica. Los comerciantes mexicanos, los *pochteca,* habían sabido tejer una red comercial que abarcaba todos los rincones del imperio hasta distancias enormes. Gentes decididas y preparadas, actuando con frecuencia como agentes del poder imperial (espías, intérpretes, guerreros), supieron labrarse una posición intermedia —ni nobles, ni plebeyos— en la estratificada sociedad mexica. Tenían sus dioses, sus jefes y riqueza, algo muy importante a medida que la pasión por el lujo prevalecía en la sociedad. Sus hijos podían educarse en los calmecac, con los hijos de los nobles. Una hija de un comerciante de Tula llegó a convertirse en esposa favorita del rey Nezahualpilli de Texcoco; de ella se decía que *era tan culta que podía dar lecciones al rey y a los más sabios, y era muy hábil en poesía.*

En las ciudades, el mercado, *tianguiz,* atraía a diario, o periódicamente según los casos, a multitud de personas que intercambiaban todo tipo de productos. No había moneda metálica, pero su función la cumplía un cierto número de artículos que tenían un valor de cambio fijo admitido por todos: oro, cacao, plumas y mantas. El mercado de Tlatelolco impresionó vivamente a Hernán Cortés y a Bernal Díaz del Castillo, que consignaron en sus obras ese recuerdo. Pero mientras Hernán Cortés lo describe como lo haría un funcionario de alcabalas, Bernal Díaz hace un retrato que refleja, mejor que cualquier pintura, la vida que bulle y el color de esa institución característica de toda ciudad. Después de pasar revista al asombroso escaparate de artículos puestos a la venta: oro, plata, piedras ricas y plumas, esclavos, ropa, mantas, sogas, frijoles, legumbres y hierbas mil, gallinas, gallos de papada, conejos, frutas, loza hecha de mil maneras, maderas, tablas, leña, perfumes, tabaco, sal, hachas de latón y cobre, cuchillos de pedernal... *Para qué gasto yo tantas palabras de lo que vendían en aquella gran plaza, porque es para no acabar tan presto de contar por menudo todas las cosas* —no olvida que, para garantizar el buen orden de las transacciones, también *tenían allí sus casas, adonde juzgaban tres jueces y otros como alguaciles ejecutores que miran las mercancías,* y concluye: *Ya querría haber acabado de decir todas las cosas que allí se vendían, porque eran de tantas diversas calidades, que para que lo acabáramos de ver e inquirir, que como la gran plaza estaba llena de tanta gente y toda cercada de portales, en dos días no se viera todo.*

Una sociedad refinada y desigual

La composición de la sociedad azteca evolucionó en paralelo al crecimiento del imperio. Puede que, en los comienzos de su peregrinación, la tribu azteca tuviera un carácter igualitario, pero en el siglo XVI coexistían dos estamentos claramente diferenciados, los nobles o pilli y los plebeyos o macehualli. Las diferencias entre estos dos grupos eran profundas. Los pipiltin desempeñaban las tareas de gobierno, disponían de propiedades a título personal y subrayaban con su atuendo su condición de tales. Los macehualtin estaban destinados a trabajar, pagar tributos y prestar servicios personales a los pipiltin. Sus condiciones de vida eran precarias, y en los años malos no era raro que tuvieran que venderse como esclavos para poder subsistir.

Había también esclavos, *tlatlacotin*. Su condición no era hereditaria, a veces era provisional. Se caía en la condición de tlatlacotin por causas diversas: los prisioneros de guerra hasta el momento de ser sacrificados a los dioses, como consecuencia de una condena penal por robo, también por deudas o, simplemente, porque uno se vendía a otro a cambio de bienes por un tiempo limitado. La condición de tlatlacotin cesaba en el momento en que la deuda quedara saldada, o como resultado de una «amnistía» decretada por el tlatoani. El riesgo era que mientras duraba la condición de esclavo, el amo podía ofrecerlo para ser sacrificado.

Se era pilli o macehualli por razón del nacimiento, aunque también era posible el ascenso en la escala social por méritos de guerra. A veces el sacerdocio o el comercio ofrecían oportunidades de promoción en la sociedad. El camino inverso, la degradación social, podía producirse como consecuencia de un crimen contra el Estado. No resulta fácil saber el alcance de estas fórmulas de promoción o descenso, pero no es aventurado suponer que, en una sociedad guerrera y cultivadora del prestigio, resultaría difícil resistirse a intentarlo.

Los pipiltin, fuera cual fuera su categoría dentro del estamento, disfrutaban de algunos privilegios. Desempeñaban las funciones políticas, militares y diplomáticas, no pagaban impuestos ni desempeñaban trabajos manuales propios de los macehualtin y estaban sometidos a la jurisdicción de tribunales especiales. En la vida social disfrutaban de un nivel de vida elevado, merced a las tierras que poseían y al trabajo en su provecho de los plebeyos. Podían tener tantas esposas cuantas pudieran mantener, aunque una de ellas tenía la condición de esposa principal, y enviaban a sus hijos, desde la edad de diez años, a unas escuelas especiales, los *calmecac,* dirigidas por sacerdotes. Fray Bernardino de Sahagún recoge, en la *Historia general de las cosas de Nueva España,* tanto el «plan de estudios» de aquella institución, como el carácter que las familias trataban de inculcar a diario en sus hijos. Un uso apropiado del lenguaje, la historia de sus antepasados, las teorías religiosas y el calendario, las leyes y el arte de gobernar a las personas, el dominio de sí mismo, eran las principales enseñanzas del calmecac. A partir de los quince años recibían una enseñanza militar para, después de los veinte, participar, bajo la tutela de los capitanes, en acciones de guerra.

La familia inculcaba, por su parte, el sentido de la responsabilidad y la dignidad asociada a su rango, con un fuerte sentido elitista. Hay toda una «literatura» didáctica, los *huehuetlatolli,* o antigua palabra, que se destinaban a orientar a los jóvenes en los ritos de paso —ingreso en los centros de educación, primera actuación como guerrero, matrimonio, embarazo, enfermedad y muerte—, o a instruir sobre el ejercicio del gobierno o sobre oficios determinados: *Que sea recta vuestra fama, vuestro renombre, y que también aquí, por ti, sea yo un apreciado anciano, y ten respeto, sé considerado en el patio, y también en el fogón... conviene que hables con mucho asosiego, ni alces la voz, porque no se diga de ti que eres desentonado o bobo o rústico... En ninguna parte seáis insolentes con las personas. Tened mucho respeto a los ancianos afligidos, a las ancianas sufridas... así reconocerán en ti a uno de linaje que no te embriaga, que no te pone orgulloso la nobleza, así te tendrán temor, te verán con respeto... E, hijo mío, si solo las desprecias, de tu voluntad, por tu capricho, te aborrecerás a ti mismo, no será verdad que a ellos los desprecies. Allá abandonarás el linaje, el vínculo de descendencia, allá te harás merecedor del braguero viejo, de la capa vieja.* Miguel León Portilla y Librado Silva han editado estos *Testimonios de la antigua palabra* que se inspiran, probablemente, en la época tolteca, y que constituyen un excelente compendio de filosofía moral.

Los macehualtin tenían más obligaciones que derechos. Como se ha señalado, su vida se desarrollaba en el seno de las colectividades, calpulli, unidos generalmente por vínculos de parentesco y responsables colectivos de las prestaciones y tributos. Entre los macehualtin había notables diferencias de posición debidas a la cantidad de tierra de que disponían o a la actividad artesanal que desempeñaban. El matrimonio se efectuaba según un ritual sofisticado que comenzaba a partir de la petición formal por parte del novio. Este enviaba casamenteras a los padres de la novia para pedir su consentimiento a la boda. Una resistencia inicial formaba parte del rito hasta que finalmente accedían, a pesar de *no entender cómo se engaña este mozo que la demanda, porque ella no es buena para nada y es una bobilla,* observación que también formaba parte del ritual. Aunque la poligamia no estaba prohibida, rara vez se daba entre los macehualtin. Sí era frecuente, en cambio, evitar todo el complicado, y muy caro, ritual a base de raptar a la muchacha y, después de convivir con ella, solicitar el perdón de la familia. En la práctica, la pareja así formada era aceptada, a todos los efectos, como un matrimonio formal. Entre los mexica el divorcio era posible y la mujer divorciada podía contraer nuevo matrimonio libremente.

La educación de los macehualtin tenía lugar en las *telpoch-calli,* unas escuelas diferentes de los calmecac. Lucena Salmoral habla de «escuelas para ricos, escuelas para pobres», después de describir los programas educativos de ambas instituciones. Puestas bajo la advocación de Tezcatlipoca, dios guerrero, enseñaban a los jóvenes macehualtin a ser buenos ciudadanos y valientes soldados. Los maestros eran escogidos entre los guerreros de renombre que adiestraban a los jóvenes en el uso de las armas. Una cierta austeridad, *los hacían dormir mal y comer peor para que desde niños supiesen los trabajos y no se criasen con regalos,* que no estaba reñida con la tolerancia hacia las relaciones sexuales tempranas, formaba parte de esa educación militar. Pero aprendían también bailes y danzas para las ceremonias religiosas y las habilidades precisas para prestar el servicio a los señores y al imperio. Su formación incluía «prácticas» tales como cortar leña, abrir zanjas, cultivar la tierra... No se observaba, en cambio, aquella preocupación por el dominio de sí mismo, por la moderación en las pasiones, por la abnegación que eran parte de la educación de los pipiltin. Así, los alumnos de los telpochcalli eran vistos como vulgares y groseros.

El ciclo de la vida venía marcado por una serie de ritos y celebraciones: matrimonio, embarazo, nacimiento de los hijos, entrada en las escuelas —calmecac o telpochcalli—. En esas ocasiones, el anfitrión debía dar muestras de su liberalidad y hacía grandes dispendios. El consumo de pulque en estos banquetes estaba reservado a los ancianos, que bebían copiosamente. En los demás, la embriaguez estaba muy mal vista. El ocio se ocupaba en multitud de juegos, entre los que siempre destacó el juego de la pelota. Dos equipos competían en hacer pasar una enorme pelota de caucho por un aro situado en el centro y en lo alto de cada uno de los taludes que componían la cancha de juego; para ello debían golpear la pelota con cualquier parte de su cuerpo, excepto con las manos o los pies. Como quedó apuntado, a propósito de los mayas, el juego tenía un carácter simbólico, pero entre los aztecas era, sobre todo, ocasión para apostar cuanto tenían.

Vista a través de los testimonios que han llegado hasta nosotros, la sociedad mexica parecía presa de una contradicción evidente. Hemos aludido a los valores que regían la educación de los jóvenes pipiltin, y hemos hablado de austeridad, abnegación, humildad, respeto a las personas de cualquier condición como base de la dignidad de que se sentían revestidos como grupo. Probablemente, estos eran los valores de la sociedad tradicional sentidos y llevados a la práctica por muchos. Sin embargo, en la sociedad que nos describen los códices y los cronistas hispanos aparecen actuaciones y tipos que distan mucho de encarnar aquellos valores. Un gusto creciente por el refinamiento y el lujo, un escalofriante incremento de sacrificios humanos, parecían desmentirlos en la práctica. ¿Cómo casar la sensibilidad que destilan los poemas que han llegado hasta nosotros, y que tanto agradaban a los nobles, con el vértigo ante los sacrificios humanos, cada año más numerosos? La figura del propio Moctezuma II encarna esta contradicción. Guerrero implacable y conquistador ambicioso, se rodeó en su corte de una etiqueta rebuscada que rebajaba a sus visitantes —debían dirigirse a él descalzos, vestidos con ropajes humildes, y nunca debían mirarlo a la cara—, y de un lujo extravagante que provocaba el asombro de sus invitados y que ha descrito, entre escandalizado y admirado, Bernal Díaz.

La religión y el destino del mundo

Las creencias religiosas de los mexica son, como otros muchos elementos de su cultura, el resultado de una larga evolución durante la cual sintetizan los aportes de las culturas con las que se relacionan. Probablemente, los sacerdotes mexicas realizaron un esfuerzo considerable para dar una cierta coherencia al abigarrado conjunto de dioses que integraban su panteón. Los dioses aztecas —*teotl*— son los astros y los elementos de la naturaleza —el sol, las constelaciones, la tierra, la lluvia, el viento, el fuego, el maíz...—, otras veces son los patrones de las actividades humanas —de los barrios, de los guerreros o de los comerciantes...—. Con frecuencia, los atributos de unos dioses son asumidos por otros, y en ocasiones se presentan bajo formas diversas que no debemos identificar como dioses diferentes. Aunque no hay un árbol genealógico de los dioses, los mitos sobre su origen suelen tomar como punto de partida a un padre y una madre, Tonacatecuhtli y Tonacacíhuatl, a los que comúnmente se invocaba como a una sola deidad, con el nombre de Ometeotl —el Dios Dual—. Esta pareja tuvo cuatro hijos, los espejos humeantes —blanco, rojo, negro y azul—, a los que suelen nombrar como Tezcatlipoca rojo y negro, Huitzilopochtli, y Quetzalcóatl. Ellos son los creadores del sol, del mundo y de la vida y, por lo tanto, los responsables de las destrucciones de los cuatro mundos que existieron con anterioridad al nuestro.

Este mito de los cuatro soles se convirtió en el eje central del pensamiento y de la religión azteca. En efecto, habían existido cuatro soles —cuatro vidas— que terminaron con otros tan-

Dios de la sabiduría y de la vida, Quetzalcóatl, la serpiente quetzal (emplumada), proporcionó a los hombres múltiples saberes, como el cultivo del maíz. Su culto se extendió por toda Mesoamérica. La imagen pertenece a la Historia general de las cosas de Nueva España, *de Bernardino de Sahagún, que se conserva en la Biblioteca Medicea Laurenziana de Florencia.*

tos cataclismos. En el primero, los hombres fueron devorados por los jaguares. El final del segundo se debió a una tempestad que asoló la tierra. Una lluvia de fuego y un diluvio habrían ocasionado el fin del tercer y cuarto sol, respectivamente. No quedó otra salida a los dioses, para crear un nuevo sol, que sacrificarse ellos mismos arrojándose a una hoguera y convirtiéndose en el quinto sol. Este nuevo sol habría exigido sacrificios humanos como condición para iluminar al mundo. Por eso los sacrificios humanos se convirtieron en la condición necesaria de la existencia del sol y de la vida. Cierto que ni el concepto cíclico de la vida, ni los sacrificios humanos, eran exclusivos de los aztecas, pero el significado que tiene para ellos es tal que el mito del quinto sol iba a condicionar, en lo sucesivo, todos los aspectos de su vida.

Para empezar, el mito se tradujo en un incremento notable de los sacrificios humanos, y la necesidad de proveer las víctimas necesarias condicionó la política y el sentido de la guerra. No solo eso. Miguel León Portilla ha señalado que para la nobleza mexicana mantener la vida de su propia era cósmica, mantener vivo al sol, mediante las ofrendas de sangre, se convirtió en su razón de ser, en su misión histórica. La construcción de templos, la organización de ejércitos en permanente estado de guerra y la celebración de ceremonias cada vez más espeluznantes no eran sino los instrumentos a través de los cuales cumplían esa misión. Esa es, también, la explicación de la llamada «guerra florida» y del propio concepto de la guerra. No se trataba de destruir totalmente al enemigo, sino de hacer un número suficiente de prisioneros para abastecer los altares del sacrificio. Una derrota definitiva del rival habría terminado con la existencia de cautivos. Por eso, cuando se había completado prácticamente la conquista del imperio, era preciso mantener una especie de torneos con el único objetivo de capturar prisioneros. Estas eran las «guerras floridas». Tal vez por eso, los mexicas nunca derrotaron definitivamente a Tlaxcala, un estado próximo y mucho más pequeño, y tal vez por ello los tlaxcaltecas apoyaron incondicionalmente a Hernán Cortés contra Moctezuma. Finalmente, ¿no era el número de cautivos apresados un signo de distinción social a la vez que el principal mérito para un ascenso militar?

Es difícil valorar hasta qué punto este mito había condicionado el carácter de los gobernantes. Se creía que el quinto sol llegaría a su fin después de 52 años. Como acabamos de ver, buena parte de las energías del imperio se empleaba en tratar de contrarrestar ese sino. Pero el vencimiento de cada uno de los ciclos de 52 años no dejaba de suscitar una evidente ansiedad. Cuando, siguiendo la tradición, se apagasen los fuegos de los templos y de los hogares el último día del año que completaba el ciclo, y los sacerdotes ofrecieran el primer sacrificio del nuevo año y del nuevo ciclo, ¿surgiría del pecho de la víctima la llama que permitiría volver a encender los hogares, saldría de nuevo el sol? Un dirigente profundamente religioso como Moctezuma II iba a mostrarse, en la circunstancia, excesivamente afectado y obsesionado por encontrar la explicación de los fenómenos anómalos que se registraban en la época y leer en ellos el destino que anunciaban.

Las ceremonias religiosas ocupaban una buena parte de la atención, del tiempo y de los recursos de los aztecas. Costaban también, como hemos visto, muchas vidas humanas. En la mente de sus dirigentes, las ceremonias representaban la vinculación del hombre con las fuerzas de la naturaleza a través de los dioses, creadores de todo el orden cósmico. Ellos se hacían presentes en las ceremonias a través de los sacerdotes y las propias víctimas del sacrificio. El atuendo de las víctimas y la forma de morir, diferente según la naturaleza del dios al que se destinaba el sacrificio, lo atestiguaban. A los cautivos sacrificados al sol se les arrancaba el corazón para ofrecerlo, palpitante, al dios. La joven que representaba a la diosa del maíz moría decapitada, como la mazorca de maíz era arrancada de su caña. El joven guerrero sacrificado a Tezcatlipoca Negro —en el mes de mayo— era tratado, durante el año que precedía al sacrificio, como un dios. El canibalismo asociado a determinados ritos no sería otra cosa que una especie de comunión con el dios al que se dedicaba el sacrificio a través del cuerpo del sacrificado. Pero todo este significado esotérico, ¿era evidente para los macehualtin que asistían anonadados a los ritos? En todo caso, las ceremonias no eran

99

improvisadas. Había que prepararse con ayunos, privación de relaciones sexuales y dádivas, y había que participar en los bailes y desfiles programados. El calendario determinaba las fechas de cada ceremonia y los sacerdotes aztecas convocaban con sus tambores y caracolas de mar a la celebración.

Las ceremonias no agotaban las obligaciones del hombre con los dioses. Durante el año cada grupo o persona hacía ofrendas a su dios. Las primicias de las cosechas, piezas obtenidas en la caza, leña para mantener encendidas las hogueras de los dioses, sahumerios quemados en braseros permanentemente encendidos, incluso la propia sangre obtenida por sangrías de cualquier parte del cuerpo, constituían testimonios de la vinculación de los hombres con los dioses. Los mexicas creían en una vida de ultratumba. Pero la suerte en ella dependía de la forma de morir y no de la manera como se había vivido. El cielo del sol, el más destacado, estaba destinado a los guerreros muertos en combate, a las víctimas de los sacrificios y a la mujeres muertas al dar a luz. La mayoría de las personas iba a un inframundo, el Mictlan. Ese era el destino de quienes morían de muerte natural. Pero antes de descansar en paz debían superar una serie de pruebas, tarea en la que debían ayudarles los vivos con su recuerdo y sus ritos.

Las artes, las ciencias y las letras

Como había ocurrido en tantos aspectos materiales, sociales y espirituales, los mexica habían asimilado las formas y las técnicas artísticas, los conocimientos científicos y técnicos de las civilizaciones mesoamericanas de la época clásica. La rica, compleja y despierta sociedad azteca articuló su cultura en torno a ese legado. Pero no fueron unos simples continuadores de aquella fértil tradición, al contrario, supieron dotar a ese depósito de una personalidad que hace que sus obras resulten inconfundibles. Además, hubo algunos aspectos, como la poesía, en los que mostraron una notable creatividad, en ella supieron plasmar, como veremos, los sentimientos de sus almas sensibles y, en ocasiones, desgarradas.

El monolito llamado Calendario azteca *es un resumen plástico de la visión cosmológica de los mexicas. Representa, en el centro, el Quinto Sol, que aparece rodeado de los cuatro soles anteriores. Los motivos geométricos tienen un significado simbólico. El calendario está en el Museo Nacional de Antropología de México.*

En las artes plásticas disponemos de un legado rico en escultura, bastante escaso, por desgracia, en arquitectura, y muy limitado, aunque suficiente para hacernos una idea de su valor, en pintura. De la arquitectura apenas ha quedado nada en pie. Tenochtitlan fue destruida a medida que se edificaba sobre sus ruinas el México colonial. En los últimos años, las excavaciones arqueológicas en las inmediaciones de la Plaza del Zócalo han permitido sacar a la luz la base del Templo Mayor, que conocemos por la descripción que de él hicieron los cronistas españoles. Asimismo, las excavaciones de Tlatelolco, en la actual Plaza de las Tres Culturas, constituyen otro referente de aquella arquitectura. Sabemos que sus edificios eran los habituales en los centros ceremoniales de las ciudades de la época clásica: pirámides escalonadas, templos, tzompantli para las cabezas de los sacrificados, juegos de pelota y palacios para los nobles.

La escultura azteca destaca por la conjunción entre un simbolismo profundo y un naturalismo minucioso o, dicho de otra manera, entre la abstracción del conjunto y el realismo en los detalles. Una de las esculturas más significativas es la de la diosa Coatlicue. Es una estatua de dos metros y medio de altura y más de dos toneladas de peso. Representa a la diosa tierra que concibió un hijo sin el concurso de varón. Sus hijos lo tomaron como una afrenta y decidieron matarla. Pero Huizilopochtli, el hijo que llevaba en sus entrañas, sabedor de lo que tramaban los que serían sus hermanos, nació como un adulto armado, en el momento que sus hermanos habían escogido para consumar su propósito, y los mató a todos. El mito, que sirvió a los aztecas para explicar la sucesión de los días y las noches —el Sol, Huitzilopochtli, mata a la Luna y a las estrellas—, queda representado de modo terrible en la estatua que comentamos. En lugar de cabeza, un par de serpientes, los pechos flácidos cubiertos con los corazones y las manos de las víctimas, los brazos de forma de serpientes y el ombligo cubierto con una calavera. Es todo un símbolo del carácter de la escultura mexica que busca expresar y atemorizar más que conmover con la presencia de lo bello. Octavio Paz lo ha dicho de manera magistral: *La Coatlicue es, simultáneamente, una charada, un silogismo y una pre-*

sencia que condensa un misterio tremendo. Los atributos rea-
listas se asocian conforme a una sintaxis sagrada y la frase que
resulta es una metáfora que conjuga los tres tiempos y las cua-
tro direcciones. Un cubo de piedra que es asimismo una meta-
física. Cierto, el peligro de este arte es la falta de humor, la pe-
dantería de un teólogo sanguinario. Otra escultura célebre es el
llamado Calendario Azteca. Se trata de un monolito gigante de
cuatro metros de diámetro que representa, en el centro, el Quinto
Sol, que aparece rodeado de los cuatro soles anteriores y que resume la visión cosmológica azteca. Junto a las grandes esculturas de dioses o guerreros o gente corriente, se han conservado
innumerables piezas de pequeño tamaño labradas con gran pericia en los materiales más rebeldes: obsidiana, cristal de roca,
jade. Las máscaras, tan del gusto de las culturas precolombinas,
constituyen pequeñas obras maestras por su expresión y realismo. Con frecuencia aparecen revestidas de turquesas, nácar
y obsidiana.

Los mexica, como los mixtecas, utilizaron un sistema de representación, diferente de la escritura maya, a base de caracteres pictográficos, ideográficos y parcialmente fonéticos. Los
autores de estos registros pintados, los *tlacuilloli,* aplicaban la
misma técnica que los pintores, de hecho eran designados con
el mismo término. Su técnica, muy sencilla, se basaba en el empleo del color y la línea, sin claroscuro ni perspectiva. Escribían
sobre un papel elaborado con la corteza de un árbol, el *amatl,*
o con pieles de venado. Una vez pintado, el papel se plega-
ba como un biombo, y el conjunto se guarnecía con unas tablas.
Los templos guardaban gran número de códices que hablaban
de los días y las fiestas, de las creencias vinculadas al templo
y de los ritos y ceremonias. Algunas ciudades, como Texcoco y
Tenochtitlan disponían de bibliotecas. Lamentablemente, la mayoría fueron destruidos en la conquista y únicamente se han
conservado trece, de los cuales solo uno es precolombino, el Bor-
bónico, mientras los demás son copias de los originales realizadas en los años inmediatos a la conquista.

A pesar de la destrucción de la mayoría de los códices, se
ha conservado una parte significativa de la literatura mexica.

103

La colección de cantares mexicanos de la Biblioteca Nacional de México, los *huemetlatolli* o pláticas de los ancianos, la colección de cantares de la universidad de Texas, son importantes muestras de esta literatura. Misioneros, como Fray Bernardino de Sahagún, o Diego Durán, recogieron códices y los testimonios orales de los indios y los tradujeron al castellano. Además, algunos indígenas aprendieron pronto el alfabeto latino y escribieron sus tradiciones y sus poemas en lengua náhuatl. Gracias a ellos podemos apreciar la sensibilidad de aquellos hombres amantes de los mitos, de la oratoria y de la poesía. Hay, ciertamente, poemas religiosos llenos de un sentimiento de reverencia hacia los dioses y poemas épicos, que exaltan el ardor guerrero de los jóvenes, pero no faltan testimonios escépticos que reflejan las dudas de muchos, quizá el desgarro social a que se ha aludido antes, como estos versos:

¿Vivimos realmente en la tierra?
No para siempre en la tierra, solo por poco tiempo aquí...
Simplemente soñamos, todo es un sueño.
¿Hay algo estable y que dure?
¿Adónde vamos? ¿Adónde vamos?
¿En el más allá encontraremos Muerte o Vida?
¿Hay algo que permanezca?
En la tierra solo
la dulce canción, la hermosa flor.

Como en las culturas clásicas mesoamericanas, la especulación científica no se distinguía de los mitos y tenía como objeto de investigación los astros y su influencia en los destinos personales y colectivo. Así, la ciencia se resume en el calendario. El año tenía, para los mexica, 365 días agrupados en 18 meses de 20 días cada uno más cinco que se añadían al final y que eran considerados como días nefastos. Fuera del calendario, los conocimientos médicos entrecruzaban, también, la experimentación, por ejemplo, de los efectos curativos de determinadas plantas, con la adivinación y las prácticas mágicas sugeridas por la diosa Toci, la diosa del gremio.

6

Las civilizaciones que encontraron los españoles. El Imperio Inca

Los *awqa runa* o tiempos de soldados, es decir, las guerras continuas entre los pequeños estados de las tierras altas y de la costa, que caracterizaban al periodo Intermedio, finalizan con el Imperio Inca que protagoniza el último Horizonte andino. Desde el sur de la actual Colombia hasta el norte del actual Chile, por un lado, y desde los nevados andinos hasta la costa del Pacífico, por otro, los incas establecieron su imperio e implantaron «la paz andina». Al menos, ese era el motivo confesado de su expansión, llevar la civilización a las tierras que progresivamente caían en su poder. Para los incas, civilización significaba cultivo del maíz, la vida urbana y la paz, y el culto al Sol. *En los tiempos pasados* —dice Cieza de León—, *antes que los incas reinasen, los naturales destas provincias no tenían los pueblos juntos como ahora los tienen, sino fortalezas con sus fuertes, que llaman pucaraes, de donde salían a se dar los unos a los otros guerra; y así siempre andaban recatados y vivían con grandísimo trabajo y desasosiego. Y como los incas reinaron sobre ellos, paresciéndoles mal esta orden y la manera que tenían en los pueblos, mandáronles a que tuviesen por bien de no vivir como salvajes, mas antes, como hombres de razón, asentasen sus pueblos en los llanos y laderas de las sierras juntos en barrios...* Pero los incas no crearon una nueva civilización; antes bien, implantaron su poder sobre pueblos que tenían una cultura superior que no dudaron en asimilar. Así, el retrato que hicieron los cronistas españoles de los incas del momento no refleja solo la imagen de su civilización sino, a su través, los rasgos de los pueblos andinos sobre los que dominaron los incas. Detenernos en la descripción de ese retrato servirá, por tanto, para completar la visión que nos hemos formado de los indios del altiplano y de la costa anteriores a la conquista.

La construcción de un imperio: mito y realidad

Como los aztecas, los incas rodearon su origen de una leyenda que los vincula a los dioses y los hace portadores de una misión, de un destino. Hay distintas versiones del mito. Como entre los aztecas, todo comienza en una caverna, la de Pacari Tampu, cerca de El Cuzco, y en una peregrinación. El dios Viracocha hizo salir de esa caverna a cuatro hermanos, los Ayar, con sus gentes. La leyenda presenta a Manco Cápac, o Ayar Manco, lanzando un bastón de oro al viento en los lugares por los que pasaba con el fin de localizar un emplazamiento para asentarse con su pueblo. Finalmente, el bastón se hincó en Huanaypata y allí mismo edificó Manco Cápac un templo en honor del Sol y, en torno a él, la ciudad de El Cuzco. Los otros hermanos quedaron convertidos en piedra en alguna fase de su peregrinación. Manco casó con su hermana Mama Ocllo y, con su ayuda, reunió bajo su autoridad a varias etnias a las que civilizó. Manco Cápac fue, por tanto, el primer *Inca* (emperador) fundador de la etnia inca y el civilizador de pueblos.

La tradición, recogida por los cronistas españoles ha conservado los nombres de los sucesores de Manco. Casi todos aparecen asociados a leyendas que enaltecen sus reinados. El noveno de ellos, Pachacuti Inca, fue coronado en 1438, tras destituir a su padre Viracocha Inca. En torno a él la realidad y el mito se trenzan, aunque todo parece indicar que en su reinado comienza el despegue del Imperio Inca. Hasta Pachacuti, los dominios de El Cuzco no iban más allá de 40 kilómetros alrededor de El Cuzco, y la consolidación de ese dominio fue bastante más difícil de lo que sugiere la leyenda. De uno de los pueblos sobre los que impusieron su dominio tomaron los incas la lengua, el *quechua,* que después impusieron como lengua de la administración imperial, sin abandonar por ello la suya, *runa sini* (lengua del pueblo). El acceso de Pachacuti al poder se produce como consecuencia de la invasión de los chancas, vecinos más poderosos que los incas. Mientras Viracocha Inca decide retirarse de El Cuzco con su hijo Uru, Pachacuti opta por resistir. Contra todo pronóstico, logró detener y derrotar a los chancas, y aprovechó ese momento pera destituir a su padre y ceñir en su frente la *mascapaicha* (cinta), símbolo del poder imperial.

La derrota de los chancas dejó a los incas como poder más fuerte de las tierras altas. Los incas aprovecharon esa circunstancia y avanzaron sobre las tierras de los chancas, después lo hicieron en todas las direcciones. Por el norte llegaron hasta Cajamarca y por el sur sometieron a los pueblos aymará que ocupaban las riberas del lago Titicaca. El episodio más significativo de la expansión inca es la ocupación del reino Chimú. En realidad, el reino Chimú estaba condenado desde el momento en que el curso superior de los ríos que fertilizaban sus llanuras costeras cayó en poder de los incas y no ofreció excesiva resistencia. Tupa Inca, hijo de Pachacuti, nombrado *sinchi* (jefe militar) por su padre, descendió desde Cajamarca a la costa, tomó posesión de Chan Chan, la capital, y de todo el imperio y regresó a El Cuzco con las riquezas obtenidas en la campaña. Después, ya como Inca, completó el imperio con la conquista de las tierras del sur, hasta Jujuy y Tucumán, en la actual Argentina, y las el río Maule, en el actual Perú.

La tradición presenta a Pachacuti como el artífice de la grandeza inca. No solo amplió considerablemente las fronteras, sino que fue capaz de crear una organización que hizo efectivo el dominio. La burocracia imperial, la red de caminos y el ejército fueron una creación suya. Además, Pachacuti es el constructor de El Cuzco como una capital imponente y como una ciudad urbanísticamente planificada. Tupa Inca, por su parte, comparte la gloria de conquistador de su padre y fue impulsor de la construcción de ciudades en las que se asentarían los funcionarios del imperio. Cajamarca, Vilcashuamán, Jauja y Huánuco son algunas de esas ciudades.

El imperio se extendía, a comienzos del siglo XVI, por un área de 900.000 kilómetros cuadrados en una distancia de casi 4.000 kilómetros de norte a sur. Su población podía estar, según diferentes estimaciones, entre los tres y los trece millones de habitantes. El control de un imperio semejante ofrecía múltiples problemas y dificultades. Las relaciones entre el Inca y las jefaturas sometidas, dispuestas a sublevarse llegada la ocasión, la coexistencia entre la religión impuesta por los incas, el culto al Sol, y las religiones de los pueblos sometidos, la adaptación de las viejas estructuras andinas, de cultivo en pisos ecológicos, a distancias y proporciones gigantescas eran algunas de esas dificultades. En los párrafos que siguen veremos cuáles fueron las soluciones adoptadas.

De cómo se gobernaba y administraba «el Imperio del Sol»

Los cronistas españoles nos presentan la figura del emperador, el Inca, rodeada de un ceremonial y de unos atributos que contribuían a enaltecer su función. El Inca solía presentarse junto a la imagen de *Inti,* el dios Sol, revestido de todos sus atributos: la *mascapaicha,* el cetro, el atuendo. Una etiqueta que enfatizaba la sumisión al soberano regía la conducta y las maneras de cuantos a él se acercaban. Todo lo concerniente al Inca aparecía revestido de magnificencia. La diferencia que separa a la corte del Inca de los últimos tiempos de la figura austera, militar *(sinchi),* de Manco Cápac y los primeros incas debe mucho, seguramente, a la influencia de Chan Chan. Como se ha señalado, Tupa Inca no se trajo únicamente riquezas de la capital de Chimú, importó, también, el refinamiento, el ceremonial y el boato de aquella civilización. Los *curacas* (señores) de las provincias debían acudir a la capital a refrendar, periódicamente, su fidelidad al Inca. El culto al Sol se convirtió en una religión oficial. El sumo sacerdote de su culto era nombrado por el Inca y la casta sacerdotal se convirtió, prácticamente, en un cuerpo de funcionarios del imperio. Junto al Inca, un consejo de cuatro miembros *(apu)* asesoraba sobre las cuestiones de gobierno de los cuatro territorios *(suyus)* en los que se dividía el imperio.

El carácter divino asumido por el Inca no bastó para resolver el problema de la sucesión. El mito presentaba a los incas como «huérfanos» y «pobres». Al asumir el imperio renunciaban a su familia y a su herencia para formar su propio linaje. Pero nunca se estableció un sistema claro de sucesión. El poder correspondía a aquel de los hijos o parientes del Inca que los dignatarios del imperio considerasen más capaz. De hecho, la capacidad se demostraba adueñándose del poder antes que los otros hermanos. Así, tras la muerte del Inca se instauraba una etapa de anarquía y violencia que no terminaba hasta que uno de los aspirantes triunfaba sobre su rival. El último de estos enfrentamientos, entre Huáscar y Atahualpa, facilitó la conquista española y precipitó la ruina del imperio. Pero no faltaron, tampoco, conjuraciones contra el Inca que ejercía el poder por parte de alguno de sus hijos. Hemos aludido al destronamiento de Viracocha por parte de su hijo Pachacuti, que, además, mandó eliminar a su hermano Capa para evitar que hiciera lo propio con él. En los últimos años, algunos historiadores consideran la posibilidad de que hubiera no un Inca sino dos. De hecho, un cierto dualismo aparece continuamente en el mundo andino prehispánico. La capital, El Cuzco, estaba dividida desde antiguo en dos mitades: una superior, *Hanán,* y otra inferior, *Hurín.* Nos consta que los *lupaqas,* pueblo de la región del lago Titicaca sometido por los incas, tenían a dos gobernantes al frente de cada una de sus siete provincias. La mentalidad monárquica de los cronistas españoles habría sido la causa de la inadvertencia de este fenómeno en las crónicas que nos dejaron.

El Cuzco, la capital del imperio, estaba organizada en torno al emperador de la misma manera que el universo en torno al Sol. Inca y dios Sol aparecían juntos rigiendo desde el centro de la ciudad el imperio y el cosmos. En el templo dedicado al Sol *(Coricancha),* junto a la imagen del dios Sol, se colocaban las estatuas de los emperadores difuntos y, junto al templo, los palacios de los once linajes *(panacas)* formados por los antiguos emperadores en los que conservaban la momia del Inca del que descendían. A partir de estos edificios centrales, los curacas de las distintas provincias habían hecho construir sus palacios. En ellos residían temporalmente cuando se desplazaban a cumplimentar al Inca, y en ellos se conservaba habitualmente la *huaca* (objeto o lugar sagrado) del linaje. Los cronistas españoles que vieron la ciudad antes de su destrucción la describen como una ciudad llena de palacios señoriales, *ya que no había rastro de gentes pobres,* construidos en piedra y de casas construidas en ladrillo, todas en perfecto orden en calles adoquinadas por medio de las cuales discurría un canalillo de agua. La colosal fortaleza de Sacsahuaman coronaba la ciudad. La importancia de El Cuzco, y su significado como centro del imperio y del universo, quedaba subrayada por el calendario de festividades cívico-religiosas que se celebraban a lo largo del año en la ciudad. El calendario coordinaba los fenómenos astronómicos (equinoccios y solsticios, fases de la Luna, comienzo del periodo de lluvias) con el ciclo de los cultivos (siembra, maduración y recogida de los cultivos básicos) y, finalmente, con los ritos de identificación social (ritos de iniciación de los jóvenes, atribuciones de los grupos diferentes grupos sociales). Otras fiestas y ceremonias tenían carácter ocasional, conmemoraban triunfos militares, funerales del Inca fallecido... Solo durante un corto periodo El Cuzco dejó de ser la capital. Ocurrió durante el reinado de Huayna Cápac, que trasladó su corte a Tumipampa (Cuenca, Ecuador) en el norte. En su edificación, Huayna Cápac trató de copiar la estructura de El Cuzco. Pero aquella capital improvisada no logró eclipsar, ni siquiera durante sus mejores momentos, el brillo de la ciudad del Sol.

El gobierno de las provincias se efectuaba a través de dos instituciones: los señores naturales *(curacas)* que ejercían su autoridad en el territorio antes de que hubiera sido incorporado al imperio, o sus sucesores, y la burocracia federal designada por el Inca. La expansión de los incas se limitó, en la mayoría de los casos, a someter a las jefaturas de los territorios ocupados, permitiéndoles conservar su personalidad étnica y cultural. Los señores locales eran mantenidos en sus puestos y seguían desempeñando sus competencias sobre los *ayllu* (comunidades) o sobre los grupos étnicos sometidos. Solo en caso de que se sublevaran eran sustituidos por un miembro de su propia familia. Ciertamente, cada vez que se producía un relevo en el mando, el nuevo jefe debía acudir a El Cuzco a cumplimentar al Inca. A partir de esta situación, el Inca trataba de atraerse la adhesión de estos jefes locales. Sus hijos debían permanecer y educarse en El Cuzco, donde aprendían el quechua, la historia y las costumbres de los incas, al tiempo que se convertían en rehenes del poder imperial. En sus visitas a la capital, los curacas recibían un trato deferente y el emperador los hacía objeto de su amistad y de su magnificencia. Pero estas medidas no ocultaban un descontento creciente por la efectiva pérdida de poder. La actitud de los curacas ante la invasión española lo refleja con toda nitidez.

El brazo del poder federal era la burocracia imperial. Un *tuticruc*, o gobernador, ejercía su autoridad sobre una o varias jefaturas, desde cada uno de los grandes centros administrativos (Tumipampa, Huilca-Huanán, Huánuco...). Los gobernadores tenían poder de juzgar en casos de vida o muerte, velaban por la conservación de calzadas y edificios y supervisaban la recogida de los bienes producidos por la *mita,* las prestaciones de trabajo a que estaban obligados los miembros de los ayllu. En este último cometido contaban con un cuerpo de funcionarios especializado, los *quipucamayac,* responsables del censo. Además, inspectores reales controlaban periódicamente el funcionamiento de los servicios y la conducta de los responsables. La mayoría de estos funcionarios de confianza eran reclutados dentro de la etnia inca.

El control inca sobre las poblaciones integró los mecanismos tradicionales de las sociedades andinas en el marco mucho más amplio del imperio. El imperio estaba dividido en cuatro *suyus* o partes, de ahí el nombre de *Tahuantinsuyu,* o imperio de los cuatro *suyus.* Estos se dividían, a su vez, en varias provincias que podían coincidir, o no, con jefaturas anteriores a la conquista. Cada suyu se subdividía, a efectos de prestar la contribución en trabajo (la *mita*), en unidades de 10.000 familias, y estas de nuevo en otras más reducidas, siempre según un orden decimal. Seguramente esa división matemática no se aplicaba con rigor, pues difícilmente coincidiría con las agrupaciones naturales de familias, los ayllu, a los que pronto nos referiremos. Pero son indicativos del afán de control y de la eficacia del mismo. El control se extendía, en no pocas ocasiones, al desplazamiento de poblaciones enteras, sea para reforzar con gentes adictas la fidelidad de una provincia recientemente conquistada, o para dispersar un pueblo especialmente levantisco, sea para garantizar la producción de determinados artículos necesarios, como veremos más adelante.

La cohesión de la organización inca quedaba asegurada por una red de comunicaciones tan perfecta como era posible dadas las dificultades del terreno y las bestias de carga disponibles. Viajaban más veloces las noticias. Hombres correo, los *chasquis,* se hallaban distribuidos por toda la red de caminos dispuestos a memorizar los mensajes del relevo anterior y a transmitirlos al siguiente, hasta llegar al punto de destino, a la velocidad que les permitían sus piernas, unos diez kilómetros a la hora. Era una velocidad superior a la que podía alcanzar una llama con un máximo de 30 kilos a cuestas. La red de caminos llegó a tener más de 20.000 kilómetros, distribuidos en dos calzadas que atravesaban el imperio de norte a sur: una por el interior, la otra por la costa. Entre ellas, una serie de ramales transversales comunicaba las tierras altas y la costa. Escalinatas empinadas, puentes —consistentes a veces en unas simples cuerdas que enlazaban los dos lados de un precipicio— y veredas esculpidas en la pared de la montaña permitían sortear las impresionantes pendientes de la cordillera andina. De trecho en trecho, los *tambos,* o posadas, ofrecían al viajero alimentos y descanso para reponer fuerzas.

¿De qué vivían los incas?
Los fundamentos económicos del Tahuantinsuyu

La expansión del imperio inca por regiones marginales, no asociadas anteriormente a las civilizaciones andinas, permitió una amplísima difusión de los modos de vida propios de aquellas civilizaciones. Recordemos que la base del sustento era la agricultura. En las tierras más altas, hasta los 4.000 metros, el único cultivo practicable era la patata, en sus múltiples variedades. Un tratamiento especial, la exposición sucesiva de los frutos a las heladas nocturnas y al sol radiante del altiplano, deshidrataba la patata y la convertía en *chuño,* apto para una prolongada conservación y un fácil transporte. También en las tierras altas, aunque en lugares menos expuestos a los fríos vientos andinos, se cultiva la *quinua* que se empleaba como cereal (harina). En lugares abrigados y más bajos, donde no se registran heladas nocturnas, y donde era posible el riego, predominaba el maíz que, además de un alimento esencial, se empleaba para elaborar *chicha,* una especie de cerveza. En las zonas más cálidas una gran variedad de tubérculos (yuca) y frutas (piña, aguacate, guayaba) servía para completar la dieta. Mención especial merece el cultivo de la coca, propio de las yungas, cuya hoja era (y es) masticada por los campesinos del altiplano, o bebida en infusiones. El ganado domesticado (llamas y alpacas) proporcionaba lana, pieles y carne. La carne, cortada en tiras finas y secada al sol, *charqui,* se conservaba durante mucho tiempo.

Los incas ampliaron las tierras de cultivo, mediante la construcción de andenes, o terrazas, en las laderas pronunciadas, y difundieron las técnicas de riego y abono practicadas desde antiguo en la región. La abundancia de pescado y guano en la costa y la construcción de acequias para el riego hacían posible el cultivo intensivo en determinadas zonas. En el altiplano, el rigor del clima apenas admitía un cultivo extensivo y forzaba a dejar descansar las tierras durante algún tiempo después de cada cosecha. El uso de los metales había facilitado una cierta mejora del utillaje agrícola. Puntas de cobre o bronce cubrían el extremo de los palos empleados para arar la tierra (*taclla,* semejante a las layas del campesino europeo). En la fabricación de tejidos la técnica alcanzó progresos notables. Telares más manejables y de mayor rendimiento, mano de obra profesionalizada, las aclla y los yana, unidos a la peculiar eficacia en la organización del trabajo en los talleres, explican la calidad y variedad de las piezas de tela incas.

113

La economía inca estaba regulada por el Estado en un grado superior al que hemos visto entre los mexica. El Estado controlaba los medios de producción, el trabajo y la mayor parte de la distribución de bienes. El derecho de conquista hacía al Inca dueño de las tierras ocupadas y, una vez en sus manos, procedía a distribuirlas conforme a la práctica habitual en esta civilización. En efecto, la tierra se dividía en tres partes: una pasaba a ser propiedad del Inca y servía para abastecer con sus frutos al gobierno y funcionarios y para incrementar el patrimonio del Inca y su estirpe; otra parte se atribuía al Sol, es decir, a la religión, de forma que cada templo o institución de carácter religioso disponía de los bienes necesarios para el culto en sus propios almacenes; finalmente, quedaba la parte de los campesinos que era asignada a los ayllu para su reparto entre las familias, según el número de miembros aptos para trabajarla. Muchas veces el reparto hecho por el Inca no hacía sino confirmar la distribución existente antes de su ocupación. Pero quedaba claro, en todo caso, que a partir de ese momento poseían la tierra por donación del Inca. En los casos en que el dominio inca se extendió a zonas andinas en que existía la institución del ayllu, los curacas del lugar conservaron sus puestos y atribuciones por decisión del Inca, y no se alteró la propiedad asignada a las familias. Dado que la parte de tierra asignada a los ayllu se distribuía, como queda dicho, en función del número de miembros de cada familia, el reparto se hacía con carácter anual. Así, los miembros incorporados a las familias y las nuevas familias podían obtener la parcela que garantizaría su subsistencia.

De una u otra forma, el Estado dirigía el trabajo de todo el imperio. El control lo ejercía de manera directa e inmediata, a través de los gobernadores o del propio Inca, según los casos, sobre dos colectivos principales: los *yana*, o criados, y las *aclla*. Los primeros eran personas especializadas en alguna tarea y se debían de por vida a su dueño. Sus funciones eran sumamente variadas: campesinos, artesanos expertos, vigilantes y controladores de los almacenes del Estado, funcionarios cualificados..., y su rango era, evidentemente, diverso. Alguno llegó a ser nombrado curaca de una provincia, otros tenían un alto nivel como funcionarios del imperio. Las aclla eran adolescentes escogidas por su belleza y gracia, sacadas de sus familias y concentradas en residencias situadas en las principales ciudades del imperio. Después de recibir una educación en actividades como hilar, tejer, cocinar y elaborar la chicha pasaban a ejercer destinos diferentes. Algunas eran ofrecidas como esposas a guerreros o curacas importantes, la mayoría era destinada a los templos, como sacerdotisas del dios Sol. Estas últimas debían permanecer vírgenes durante toda su vida.

El trabajo del común de los campesinos era controlado por el Estado a través de la *mita* (sorteo). El imperio no percibía tributos, pero sí exigía la *mita,* o trabajo de parte de sus súbditos, un periodo durante el cual los campesinos debían trabajar para el Estado en ocupaciones diferentes. Las prestaciones de trabajo estaban minuciosamente reglamentadas en cuanto al tiempo de duración y a la edad de los prestatarios y se organizaban a partir de los ayllu. Consistían, sobre todo, en servicio militar, cultivo y pastoreo en las propiedades del Inca, transporte de mercancías, minería y construcción de edificios públicos. Los frutos del trabajo de la mita llenaban los almacenes del Inca y, mediante el reparto de esos bienes a las personas y regiones necesitadas, venían a desempeñar una cierta función de redistribuir los bienes. El trabajo se cumplía bajo la vigilancia de capataces y, mientras duraba, la manutención y las herramientas corrían a cargo del Estado.

Un caso peculiar de trabajo para el Estado era el de los mitimaes instalados fuera de sus ayllu de origen y desplazados en grupo. A las funciones tradicionales de los mitimaes los incas añadieron otras, como la de artesanos especializados o la de militares con encargo de defender las fronteras. Los mitimaes desplazados a otros lugares para cultivar o fabricar productos que no se daban en el ayllu seguían perteneciendo al ayllu. Pero cuando los desplazamientos superaban varios días de camino (a veces debían emplear más de 20 días en el viaje), la relación con la comunidad de origen se hizo casi imposible. En Huancané, a orillas del lago Titicaca, se fundó una comunidad de alfareros y tejedores con mitimaes traídos de otros puntos del imperio. Los mitimaes enviados a las regiones más cálidas conquistadas en el norte se encontraban con unos ecosistemas que se prestaban poco a la función complementaria de la institución del mitmaq. Aquí y allá, las necesidades políticas (control de poblaciones rebeldes, defensa, provisión de productos «estratégicos») acabaron por desvirtuar el significado original del mitmaq y muchos mitimaes se convirtieron en criados, yanas, desarraigados de sus grupos de origen.

Finalmente, el control estatal de la economía incluía la distribución de los productos elaborados. En parte, este hecho era anterior a los incas y resultado de la peculiar organización de la economía andina (el aprovechamiento de los ecosistemas de las diferentes alturas por el sistema de mitimaes). La transferencia de productos de un mismo ayllu entre los diferentes pisos ecológicos sustituía, en buena parte, el papel de un mercado libre en otras economías. La «paz inca» contribuyó, sin duda, a facilitar el traslado pacífico de mercancías desde las «colonias» al ayllu, y viceversa. Pero el carácter intervencionista se manifestaba a través del uso que los incas hacían de sus bienes. El Estado almacenaba los productos obtenidos de la mita en una red de depósitos, bien preparados para la conservación de los diferentes productos, y llevaba un minucioso control de sus existencias. Una parte de estos bienes se destinaba a reservas estratégicas, en previsión de malas cosechas futuras, otra servía para realzar la magnanimidad del Inca y otorgar dádivas a la nobleza de El Cuzco y de las diferentes provincias. En ocasiones, se destinaba a fines asistenciales y se entregaba a regiones o colectivos afectados por alguna desgracia. De esta forma, se devolvía a la gente del común una parte de los bienes que se le habían arrebatado por la vía de la mita. En cierto modo, se puede hablar de una reciprocidad y de una redistribución de la riqueza. Este sistema dejaba un margen muy estrecho al comercio a larga distancia que antes de los incas era importante. Prácticamente todo era del Estado y el propio Estado se encargaba de transportarlo de unos lugares a otros. No había lugar, por tanto, al intercambio entre la zona costera y las tierras altas propio de otros tiempos. Solo el trueque de artículos por artículos, sin referencia alguna a la moneda, tenía algún sentido en esta economía centralizada.

Una sociedad estamental

La base de la sociedad inca la constituían la familia y el ayllu. Los ayllu estaban formados por un conjunto de familias unidas, frecuentemente, por lazos de parentesco, hecho que era causa y efecto, a la vez, del alto grado de endogamia. La familia constituía la unidad de producción, y la división del trabajo, en su seno, se hacía según edades y sexo. En las sociedades andinas se establecía una clara diferenciación entre los nobles y la gente común, el pueblo. No se trataba solo de una desigualdad en la posesión y disfrute de bienes —vestido, vivienda, alimentación—, sino de privilegios y modos de vida diferentes, de verdaderos estamentos, a los que se pertenecía por nacimiento.

La nobleza original era la que descendía de los propios Incas, cada uno de los cuales formaba un linaje, una *panaca,* propia. Como el emperador tenía muchas mujeres, la descendencia era muy numerosa. Cada panaca conservaba en su palacio la momia del Inca del que descendía, en medio de unos cuidados semejantes a los prodigados al propio emperador. Con motivo de las grandes festividades, las panacas sacaban en procesión las momias de los Incas muertos junto con los dioses del templo del Sol. Los curacas de los territorios sometidos y sus descendientes tenían, también, la consideración de nobles. A los nobles correspondía en exclusiva la tarea de gobernar y los puestos elevados de la administración. Estaban libres de las prestaciones de trabajo que se imponían a la gente común, practicaban la poligamia y podían casarse con parientes de primer grado. Su condición se hacía visible por el atuendo, los adornos corporales, como las grandes orejeras de oro, que les valieron el apelativo de «orejones», y la educación recibida. Entre la gente común, la poligamia era excepcional, y el matrimonio se contraía en una ceremonia oficial presidida por el gobernador. La pareja

117

convivía durante algún tiempo antes del matrimonio y, una vez casados, pasaban a ejercer plenos derechos y obligaciones: recibían del ayllu las tierras que les permitirían subsistir y comenzaban a prestar la mita. Para la construcción de su nueva casa podían contar con la colaboración de toda la comunidad, práctica de trabajo cooperativo, prevista para esta y otras contingencias, que se denominaba *minga*.

A diferencia de los mexica, que disponían de escuelas para nobles y escuelas para la gente común, los incas solo tenían escuelas para los hijos de la nobleza. El Inca Garcilaso de la Vega cuenta que Inca Roca era contrario a que los hijos de las gentes del común aprendiesen las ciencias *porque no se ensoberbeciesen y amenguasen la república* que *les enseñasen los oficios de sus padres, que les bastaban.* Por el contrario, los hijos de los nobles debían recibir una larga educación a cargo de los *amautas.* La lengua quechua, la religión, la administración y el uso de los quipu, la astronomía y la historia, además de la urbanidad y la educación militar, eran los elementos básicos de su formación.

Entre la nobleza inca y la gente del común, en posiciones que resulta difícil encasillar, se encontraban los dos grupos especializados de yanas y acllas. Para los individuos que formaban parte de estos colectivos era la función, y no el nacimiento, el factor que los situaba en la jerarquía social. Un destino relevante en la burocracia inca, o un buen matrimonio podían representar para los yana o las aclla la carta de naturaleza que los elevaba en la posición social. Sabemos poco de los yana, pero el incremento del número, la ruptura de los lazos que los vinculaban a sus ayllu de origen y el desarraigo cultural que suponía el desplazamiento de muchos de ellos podía convertirse en un factor de inestabilidad social en un mundo tradicional como el andino.

Cieza de León elogia a los incas como *gente de gran razón y que tenían justas y santas costumbres y leyes,* es decir, como gentes de orden. En efecto, *para la gobernación de la ciudad (El Cuzco) y que los caminos estuviesen seguros y por ninguna parte se hiciese insultos ni latrocinios, nombraban a los más*

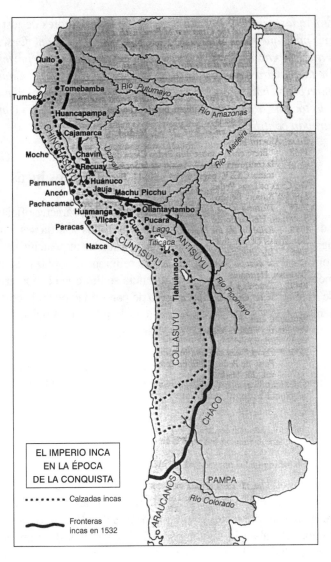

El Tahuantinsuyo, o imperio de los cuatro suyus, se extendía a lo largo de casi 4.000 kilómetros de norte a sur. Entre las cumbres andinas y las costas del Pacífico consiguió controlar una extensión de más de 900.000 km² mediante una organización administrativa compleja y eficaz, y merced a una red de comunicaciones que lo vertebraban.

119

reputados destos (se refiere a consejeros y ejecutores de justicia) *para que siempre anduviesen castigando a los que fuesen malos; y para esto andaban siempre mucho por todas partes. De tal manera entendían los Incas en proveer justicia que ninguno osaba hacer desaguisado ni hurto. Esto se entiende cuanto a lo tocante a los ladrones, a los que forzaban mujeres o conjuraban contra los reyes...*

Ideas, creencias, ciencia y arte entre los incas

La religión tenía, como se ha señalado, un carácter oficial. Los incas impusieron a los reinos sometidos sus dioses, sus fiestas, su clase sacerdotal. Probablemente esta imposición creó conflictos con los sacerdotes de las religiones desplazadas, al menos sabemos que esta circunstancia se dio con el santuario de Pachacamac, importante centro de peregrinación en la costa central. Pero no hubo problemas con la religión popular. Los cultos locales, las creencias populares, la devoción a las *huacas* —objetos, lugares y personas que, por tener alguna anomalía en su cuerpo eran considerados de carácter sagrado—, las prácticas adivinatorias y las ofrendas a los espíritus continuaron sin que los dioses del panteón oficial se mostraran ofendidos.

La religión oficial era politeísta. Había ciertamente un dios creador, Viracocha, que después de crear el mundo y los seres que lo habitaban, desapareció en el mar tras anunciar que sus mensajeros retornarían para iluminar a los hombres. Pero otros dioses recibían más atención que Viracocha, al que se representa con figura humana. El primero *Inti,* el Sol, del que había tres imágenes diferentes en el templo del Sol en El Cuzco, y cuyo nombre llevaban la mayor parte de los templos del imperio; después *Illapa,* el Rayo; *Mama Quilla,* la Luna, y *Pachamama,* la Tierra, a la que los campesinos representaban con una piedra que colocaban en sus tierras, y muchos dioses más. En la costa central, los incas permitieron que continuara el culto a *Pachacamac,* célebre por sus oráculos y profecías, que continuó teniendo una gran afluencia de fieles a su santuario. Las ofrendas

Las tareas agrícolas del mes de agosto, según Guamán Poma. El trabajo de labranza se hace con la taclla (especie de layas) y en él participaban los hombres de manera colectiva. Una mujer acerca bebida a los labradores. Una vez labrada, la tierra quedaba lista para la siembra, que se hacía entre ese mes y enero, según las zonas.

eran habituales, sobre todo en determinadas épocas del año, de acuerdo con el calendario de fiestas, o con motivo de acontecimientos relevantes. Consistían, según los casos, en productos agrícolas, animales y objetos de valor que eran arrojados al fuego. A veces se ofrendaban víctimas humanas, por ejemplo con motivo de una victoria importante o en caso de derrotas, pestes o hambre. Cieza de León se apresura a declarar que las víctimas eran muchas menos de lo que *unos y otros publican...; y esto y otras cosas son testimonio que nosotros los españoles levantamos a estos indios queriendo con esta cosas que dellos contamos encubrir nuestros mayores yerros y justificar los malos tratamientos que de nosotros han recibido. No digo yo que no sacrificaban y que no mataban hombres y niños en los tales sacrificios, pero no era lo que se dice ni con mucho.* Las víctimas, en estas ocasiones, solían ser niños o niñas, escogidos por la perfección de sus cuerpos, a los que cortaban la cabeza, estrangulaban con un cordón o arrancaban el corazón.

El destino que esperaba a los muertos dependía de sus actos en vida y de su condición social. Había un cielo, lugar de deleites preparado por Viracocha, al que estaban destinados los nobles y los que habían llevado una vida recta, y un infierno, lugar asociado al hambre y el frío. Al morir el Inca, su cuerpo era momificado y, vestido con sus mejores galas, conservado por su linaje. Lo mismo hacían las familias de los nobles con los cuerpos de los curacas. Determinados días del año, las familias sacaban las momias de sus casas, las conducían en andas a sus heredades con grandes ceremonias y les ofrecían sacrificios. Años después, tras la conquista española, el arzobispo Jerónimo de Loayza ordenó enterrar todas las momias para evitar, de ese modo, el culto a los antepasados. La muerte del Inca, y la de los curacas poderosos, resultaba fatal para las esposas y los amigos del Inca. Algunos de ellos seguían su misma suerte y eran sacrificados al morir aquel. No todos podían organizar una despedida a los suyos como la que les ofrecía la nobleza, pero todas las familias rendían culto a sus muertos.

Una clase sacerdotal se ocupaba de todo lo relacionado con el culto. La componían principalmente sacerdotes varones, pero había también un nutrido grupo de mujeres, las *mamaconas,* elegidas entre las aclla y destinadas al culto al Sol. Las mamaconas debían guardar castidad, al igual que los más importantes sacerdotes, los *huillca,* un escogido grupo de diez sacerdotes de origen noble que elegía al sumo sacerdote, normalmente entre la familia del Inca. En cada santuario, por pequeño que fuera, había un sacerdote encargado del culto. Un grupo de inspectores, nombrado y dirigido por el sumo sacerdote, controlaba la admisión de los candidatos a sacerdotes, y vigilaba la pureza de la fe y el cumplimiento de las normas en los templos y en las casas de mamaconas. Aunque conservó algunos privilegios propios de la nobleza, el poder de la casta sacerdotal disminuyó con el paso del tiempo. Dejó de ser un coto reservado a los nobles y se abrió a las clases populares.

La ausencia de cualquier tipo de escritura nos impide conocer las claves de la ciencia y del pensamiento de los incas con el detalle y la seguridad que tenemos acerca de la cultura mesoamericana. Los testimonios de los cronistas son, en este punto, bastante confusos y, sin embargo, nos hablan de una cultura rica en leyendas, en la que el canto y la danza tenían gran importancia. Los *amautas* eran los depositarios de las tradiciones y su saber, el depósito de leyendas y gestas históricas, se transmitía de padres a hijos. Estos profesionales grababan en su memoria los acontecimientos que consideraban importantes de cada reinado, los codificaban en poemas o cantares de gesta y los recitaban después en las ocasiones apropiadas. Los cronistas españoles tuvieron la oportunidad de escuchar de su boca esos relatos y de plasmarlos, después, con mayor o menor fidelidad, en sus escritos. A través de su mediación han llegado hasta nosotros. No ha sido posible, sin embargo, descifrar los *quippu,* un sistema de cordones y nudos, de distintos colores y tamaño, que, además de un eficaz instrumento de contabilidad, debía servir para memorizar fechas y datos. Quizá este doble carácter indujo a Cieza de León a hablar de quipus de «cuentas» y quipus «retóricos». Las matemáticas fueron la forma de pensamiento más cultivada entre los incas. Empleaban el cero y seguían el sistema métrico decimal. Probablemente el cultivo

123

de las matemáticas era una consecuencia del interés por la astronomía y la astrología, cuyas fronteras estaban poco claras para los incas. El calendario inca dividía el año solar en doce meses que correspondían al ciclo de la Luna y que no coincidían exactamente con el año solar. El desfase de casi once días al año entre el ciclo solar y el ciclo lunar se corregía de alguna manera que no conocemos.

Las artes plásticas tuvieron un desarrollo desigual. Ciertamente el inca no fue un pueblo creador y, en muchos aspectos, no estuvo a la altura de los precedentes que existían en la región. En comparación con algunas culturas precedentes, la inca presenta un aire de rudeza que les llevó, por ejemplo, a ignorar la escultura monumental. Su genio brilló en otros campos, como la arquitectura, especialmente en el urbanismo, o la ingeniería. Sin ser originales, supieron continuar los modelos y las formas de las zonas ocupadas y les dieron grandiosidad, orden y una dimensión desconocida. Los restos de Machu Picchu, y El Cuzco que describieron los cronistas españoles, son buena muestra de ello. En las tierras altas las construcciones se hacían en piedra tallada, solían tener un solo nivel y adquirían un carácter macizo y horizontal. A veces, las paredes se revestían de una lámina de oro que reflejaba la luz solar. En el litoral, los materiales de construcción eran el adobe o el ladrillo para los muros, que se decoraban con figuras geométricas de estuco, y cañas o esteras para cubrir los techos. La cerámica y el tejido tuvieron un desarrollo notable, su elaboración es fina y cuidada, pero la fantasía y la inspiración de la cerámica moche o nazca brillan por su ausencia. La metalurgia, en cambio, constituye uno de los aspectos en que los incas superaron a todos sus antecesores. Disponían de la riqueza minera de los Andes en oro, plata, cobre y estaño que se prestaba a experimentar todo tipo de aleaciones. La construcción de hornos en los que conseguían las temperaturas necesarias y el dominio del procedimiento de fabricación conocido como de la cera perdida completaban las bases sobre las que asentaron esta actividad. Los artículos fabricados se destinaban más a la ornamentación de templos y palacios, como paneles para tapizar los muros en algunas zonas

Los cultos locales y la devoción a las huacas (objetos, lugares y personas sagradas) constituían la religión popular de las gentes que poblaban el imperio. Guamán Poma refleja en este dibujo cultos populares de una de las provincias —el Collausuyo—. Dos fieles se disponen a sacrificar un carnero negro y otros presentes a la huaca que los vigila desde la cueva.

del templo, o al adorno personal —joyas, pectorales, brazaletes, collares...— que a usos más utilitarios, como herramientas o armas.

Caída del imperio

La existencia de contradicciones no resueltas y la pervivencia de alguno de los problemas a que se aludió al comienzo de este capítulo facilitaron notablemente a los Pizarro y Almagro la conquista del Imperio del Sol. La rivalidad entre los dos hijos de Huayna Cápac —Atahualpa y Huáscar—, que disputaban la sucesión al trono, era más que una simple lucha por el poder. Significaba, en primer lugar, la rivalidad entre El Cuzco y Tumebamba, la ciudad a la que Huayna había trasladado la capitalidad y desde la que Atahualpa disputaba su herencia. Reflejaba, también, una oposición de intereses y formas de vida. Atahualpa y Tumebamba representaban las regiones del norte «bárbaro», los curacas recién incorporados al imperio, el ejército de la frontera, mientras que Huáscar y El Cuzco significaban la etnia inca y los intereses del sur «civilizado», la aristocracia y los sacerdotes cuzqueños. Pero en la ciudad de El Cuzco no todos apoyaron a Huáscar. En el fondo, como ha señalado H. Favre, en el interior de esta vieja estructura apoyada en el parentesco, la lucha representaba la rivalidad entre las panacas del Bajo y del Alto Cuzco. Atahualpa procedía de Hurín, la parte baja de la ciudad, Huáscar de Hanan, la parte alta, y los linajes de ambas mitades no habían olvidado sus rencores tradicionales. La presencia de los españoles puso a prueba la escasa fidelidad al sistema de dos tipos de personas: los curacas sojuzgados que toleraban mal la supremacía del Inca, y los yana descontentos con sus amos a los que Pizarro se apresuraría a declarar libres de sus obligaciones. El conquistador español sabría aprovecharse de estas ventajas con las que no contaba al iniciar su aventura.

7

Las culturas de la mayor parte de América en 1492

FUERA DEL ÁREA de influencia de las grandes civilizaciones mesoamericana y andina, a las que nos hemos referido, quedaba un enorme espacio, la mayor parte de lo que hoy llamamos Iberoamérica. La imagen de América que proyectan las grandes civilizaciones que acabamos de considerar vale para las zonas mesoamericana y andina a las que se había extendido su poder. Las regiones situadas en la zona intermedia entre las civilizaciones citadas, es decir, la costa del océano Pacífico desde el sur de las tierras mayas hasta el norte de Ecuador: Colombia, Panamá, Costa Rica y el sur de El Salvador y Nicaragua, habían desarrollado culturas comparables, en muchos aspectos, a las citadas. Cierto, no habían llegado a constituir estados centralizados, como los mexica o los incas, ni tenían una vida urbana floreciente. Eran, más bien, jefaturas locales que dominaban espacios reducidos y que mantenían con sus vecinos relaciones de enfrentamiento, más que de cooperación. Pero, no obstante esa circunstancia, suelen incluirse en la denominada América nuclear.

Más allá de estas tierras, las gentes que habitaban las islas del Caribe y las zonas costeras que rodean este mar —Venezuela, Guayanas—, Brasil y las zonas del Cono Sur no incluidas dentro del Imperio Inca, habían desarrollado culturas muy diversas. Les había tocado vivir en un medio poco propicio para el cultivo estable o la cría de animales. No tenían más remedio que desplazarse de un lugar a otro para cazar, pescar o recolectar todo tipo de animales y plantas susceptibles de ser digeridos. Sus formas de subsistencia, por tanto, iban desde la agricultura del maíz hasta la caza-recolección, y sus vínculos sociales se regían por niveles de complejidad dispares; pero tenían un rasgo en común. En la teórica escala de progresión de las organizaciones sociales primitivas hacia las cotas más elevadas de organización y complejidad social que representan los estados, estas culturas se encontrarían ancladas en una de las dos primeras fases de ese recorrido: o bien constituían tribus unidas por vínculos de parentesco bajo la jefatura de un miembro de la tribu, en la que todos los miembros eran iguales, o bien habían llegado a instaurar cacicazgos, es decir, jefaturas en las que un dirigente, electo o hereditario, asumía el liderazgo sobre la comunidad arropado por un grupo de parientes que disfrutaban de una situación privilegiada. No debe descartarse que algunos de estos pueblos hubiera recorrido un camino inverso. En efecto, en determinadas regiones de Brasil, como en Marajó, los restos de cerámica encontrados certifican la existencia de culturas más complejas que las que encontraron, después de 1500, los portugueses.

Los españoles percibieron pronto que los indios con los que se enfrentaban tenían formas de vida diferentes. Fray Bartolomé de Las Casas, mucho antes de que los antropólogos hubieran establecido sus tipologías, resumía la situación en estos términos, con motivo de la polémica suscitada en el siglo XVI sobre el «derecho de conquista»: *Se hallan tres maneras de linajes de bárbaros. La primera, la gente que tiene alguna extrañeza en sus opiniones o costumbres pero no les falta policía ni prudencia para regirse. La segunda es porque no tienen las lenguas aptas para que se puedan expresar por caracteres y letras como en algún tiempo lo eran los ingleses. La tercera son los que por sus perversas costumbres, rudeza de ingenio y brutal inclinación son como fieras que viven por los campos sin ciudades ni casas, sin policía ni leyes, sin ritos ni tractos.* Los españoles, y en cierto modo los portugueses, centrarían sus esfuerzos en las áreas más civilizadas, las que vivían «en policía», y más densamente pobladas y se desentenderían de aquellas inmensas regiones que, además de no disponer de atractivos económicos de interés comercial para la época, estaban habitadas por gentes que mostraban poca disposición a ser sometidas y ofrecieron una resistencia encarnizada, como los chichimecas en el norte de México y los araucanos en el centro de Chile.

A pesar de ello, la primera imagen que los europeos se formaron de América, y que se extendió en las ilustraciones y en el imaginario de la época, corresponde a estas sociedades, precisamente a las menos evolucionadas. El medio tropical sin inviernos y con lluvias abundantes, tan diferente de los inviernos europeos y de la aridez de las tierras mediterráneas, los medios de subsistencia al alcance de la mano, la desnudez ingenua de los indios en ese medio paradisíaco y la sociedad igualitaria, en la que hombres y mujeres se repartían las tareas sin rendir a nadie cuentas ni tributos, conformaban unas formas de vida que en las mentes europeas estaban asociadas al paraíso terrenal. Solo la práctica del canibalismo ensombrecía esta imagen idílica.

Nuestro conocimiento de estas culturas es, generalmente, muy limitado. No tenían escritura, ni numeración, tampoco dejaron construcciones en piedra o materiales duraderos, lo que dificulta en gran manera el trabajo de los arqueólogos. Así, hemos de conformarnos con los relatos de los cronistas: el ya citado Cieza de León, Gonzalo Fernández de Oviedo, Fray Bartolomé de Las Casas y, para las gentes del Brasil, los portugueses Pero Vaz de Caminha y Gabriel Soares de Sousa, los franceses André Thevet y Jean de Léry y los alemanes Hans Staden y Ulrich Schmidel. Pero disponemos, también, de una fuente adicional de información para algunas de estas culturas. La extraordinaria pervivencia, hasta nuestro siglo, de algunas tribus indígenas en las selvas del Amazonas y del Orinoco apegadas a sus viejos hábitos y ajenas a influencias externas, ha permitido a los antropólogos analizar sus costumbres y formular algunas conclusiones sobre estas tribus y pueblos en la época que nos ocupa.

Ante la dificultad de efectuar un recorrido, por somero que este sea, por las culturas propias de cada región, hemos optado

129

por reseñar alguna de las más características dentro de cada uno de los niveles a los que acabamos de aludir. Nos referiremos, primero a los muiscas, como arquetipo de una cultura de un alto nivel técnico encuadrada dentro del sistema de cacicazgo; a los tupí brasileños, como uno de los ejemplos característicos de la vida en tribus, y a los araucanos andinos, gentes con formas de vida a caballo de las tipologías enumeradas. Esta breve incursión en culturas tan dispares servirá, al menos, para poner de manifiesto la diversidad en las formas de vida de un continente que, a la llegada de los europeos, no se agotaba en las civilizaciones azteca e inca con las que muchas veces se ha identificado.

Caciques y guerreros: los muiscas

La región que se extiende al norte del ecuador, por los Andes septentrionales, los valles del Cauca, el Magdalena y el Orinoco, la parte sur de Centroamérica, actuales Panamá y Costa Rica, y las Antillas, estaba ocupada por cacicazgos de pequeñas dimensiones entre los que sobresalieron los muiscas, o chibcha. Los mismos muiscas, que se extendían por una zona de unos 30.000 kilómetros cuadrados, tampoco constituían un estado unitario. Varios caciques independientes, normalmente enfrentados entre sí, regían los distintos territorios de la etnia. Entre ellos, el *Zipa* de Bogotá y el de Tunja, destacaban al tener bajo su poder una mayor área de influencia.

En la región conocían desde antiguo la metalurgia. Trabajaban el oro y el cobre, metales con los que hacían una aleación llamada tumbaga, con dos partes de oro y una de cobre, y eran hábiles orfebres. La riqueza agrícola —cultivos de maíz y otros en régimen intensivo—, y la abundancia de pesca y caza, garantizaban la subsistencia y permitían la formación de excedentes que revertían, en forma de ofrendas o tributos, a los almacenes de los caciques. Estos se beneficiaban, además, de las prestaciones de trabajo por parte de sus súbditos. Precisamente la posesión de esos excedentes aseguraba a los caciques el acceso a una serie de bienes escasos y valiosos, como oro y esmeraldas, llegados de lugares distantes y provistos de cierto carácter sagrado en los que se asentaba su prestigio.

En realidad, la superioridad del cacique tenía componentes muy diversos. Mantener abiertos los canales de distribución de productos, y facilitar el comercio a larga distancia, era una demostración de eficacia y autoridad; la ostentación en el vestido y en las formas de vida, y el ceremonial de que se rodeaban, eran una manifestación y un símbolo del poder sobrenatural del que se decían revestidos. No faltaban ritos de una teatralidad evidente, como el que celebraban en el lago de Guatavita y que, probablemente, dio pie a la leyenda de El Dorado. El cacique de Guatavita, después de ayunar seis años recogido en una cueva, era investido como tal en una ceremonia que describe así Juan Rodríguez Freyle: *A este tiempo desnudaban al heredero en carnes vivas y lo untaban con una tierra pegagosa y espolvoriaban con oro en polvo y molido, de tal manera que iba cubierto todo de este metal. Metíanlo en la balsa, en la cual iba parado, y a los pies le ponían un gran montón de oro y esmeraldas para que ofreciese a su dios. Entraban con él en la balsa cuatro caciques, los más principales, sus sujetos, muy aderezados de plumería, coronas de oro, braceles y chagualas y orejeras de oro, también desnudos, y cada cual llevaba su ofrecimiento. En partiendo la balsa de tierra, comenzaban los instrumentos, cornetas y fotutos y otros y con esto una gran vocería que atronaban montes y valles, y duraba hasta que la balsa llegaba al medio de la laguna, de donde una bandera hacía señal para el silencio; hacía el indio dorado su ofrecimiento echando todo el oro, que llevaba a los pies, en medio de la laguna, y los demás caciques que le acompañaban hacían lo propio.* El carácter sagrado de los caciques se ponía de manifiesto en los enterramientos. Esposas y amigos eran sacrificados al morir el cacique y enterrados con él. Las momias de los caciques se sacaban al frente de las tropas con motivo de las guerras que mantenían.

Los jefes de las unidades menores que vivían dentro del territorio del cacique compartían la posición privilegiada de aquel. Los cronistas suelen hablar de capitanes menores y mayores para distinguir el rango de estos dirigentes. Su poder y

131

prestigio emanaban, como hemos señalado, de la acumulación de riquezas y del acceso a determinados bienes. Esa posición social se transmitía por herencia y se manifestaba en la práctica por el ejercicio de funciones y derechos: la justicia y el mando militar en las guerras. Tratándose de una sociedad belicosa, los guerreros destacados, los *guechas,* disfrutaban de una serie de privilegios, que los asemejaban a los nobles, y distinciones en su atuendo y en los adornos corporales. La sociedad muisca comparte algunos rasgos de las sociedades precolombinas, como la poligamia, ligada a la posesión de riqueza suficiente para mantener a las esposas, pero presenta otros singulares como la organización matrilinial —transmisión hereditaria por línea materna— y la aversión hacia el canibalismo, práctica frecuente en la zona, que los muiscas consideraron abominable.

Las creencias religiosas incluían una serie de mitos en los que mezclaban elementos divinizados de la naturaleza con caciques legendarios de cada territorio. La explicación del origen del hombre y del mundo ocupa un espacio inevitable en todos esos mitos. El Sol (Sua) y la Luna (Chía) aparecen como una referencia clave. El mito de Bochica, en Bogotá, se asemeja a los de Quetzalcóatl y Viracocha en las culturas mexica y andina, respectivamente. Bochica, un ser astral, habría llegado desde el oriente para enseñar a los muiscas las artes y las leyes y habría desaparecido después sin dejar rastro. Chipchacum, el dios de la tierra, se dejó llevar por la ira y arrojó un diluvio que inundó el altiplano de Bogotá, pero Bochica se apresuró a salvar a los hombres. Con su bastón de oro dio salida a las aguas por el salto de Tequendama y castigó a Chipchacum a llevar la tierra sobre sus espaldas.

Aunque había templos dedicados al culto, determinados lugares, como lagos y montes, llegaban a adquirir carácter sagrado. El culto estaba dirigido por sacerdotes, consagrados como tales por los caciques, después de llevar una vida retirada y casta durante varios años. Ellos administraban las ofrendas entregadas a los templos, que consistían en sahumerios, figurillas de oro, esmeraldas y cuentas. Pero, como en la mayoría de las culturas indígenas americanas, se ofrecían sacrificios humanos al sol. Las víctimas eran jóvenes capturados en las guerras contra sus rivales o muchachos criados desde niños, dedicados desde su niñez al culto y especialmente destinados a este fin, los *mojas.*

Tribus de la selva y prácticas comunales: tupinambás

La costa brasileña, desde la desembocadura del Amazonas hasta el Río de la Plata, y los llanos al sur del Amazonas estuvieron habitados por gentes de lengua tupí. Se desenvolvían entre los bosques lluviosos del Amazonas y otros ríos y el bosque de las mesetas, el *mato,* sitios poco favorables para la agricultura. La debilidad del suelo laterítico, que obligaba a cambiar continuamente el emplazamiento de los cultivos, condicionaba el carácter provisional de los asentamientos. Quizá esa constante movilidad fuera responsable de que su lengua, el tupí, se hubiera convertido en la lengua franca de buena parte de las tierras del Brasil de la época.

Los tupís son, también, las tribus mejor conocidas, puesto que la mayor parte de los relatos que nos dejaron los cronistas versan sobre ellos. Las descripciones de los cronistas traslucen la sorpresa, no exenta de admiración, que suscitó en ellos la contemplación de aquellos seres físicamente perfectos. En verdad debían presentar una estampa atractiva. Hombres y mujeres iban desnudos, con los cuerpos totalmente depilados, y pintados en ocasiones con llamativos colores, sobre todo de rojo y negro. Los primeros guerreros indios que vieron los portugueses que acompañaban a Álvarez Cabral tenían su cuerpo dividido en cuatro campos pintados alternativamente de rojo y negro, y entre un grupo de bellas muchachas les llamó la atención una que *tenía sus muslos y nalgas pintadas por completo con tinte negro, pero el resto de ella era de su propio color.* U. Schmidel describía a los jurús, de lengua tupí, *los hombres llevan una gran piedra de cristal azul atravesando el labio y se pintan de azul de las rodillas para arriba, asemejando sus pinturas a las*

*calzas y jubones que allá en Alemania se usan. Las mujeres es-
tán pintadas en forma muy hermosa desde los senos hasta las
vergüenzas, también de color azul. Esta pintura es muy hermosa, y un pintor de Europa tendría que esforzarse para hacer
este trabajo. Las mujeres son bellas a su manera y van completamente desnudas.* Pintarse unos a otros y adornar sus cuerpos con plumas y colgantes eran, al parecer, los cauces preferidos de expresión artística de aquellas gentes.

La agricultura de rozas y, en lugares apropiados, el cultivo
con riego proporcionaban a los tupís algunos de sus alimentos
y productos básicos: mandioca, algodón, maíz, tabaco... Otros
productos se recolectaban tal como los ofrecía la naturaleza,
como piñas, papayas, guayabas, miel, cera... Finalmente, de la
caza y, sobre todo, de la pesca obtenían el complemento indispensable de su dieta. Hombres y mujeres se repartían las tareas
conforme a patrones establecidos por la costumbre. Caza, pesca,
tala y quema de la selva o la sabana para preparar los terrenos
agrícolas y fabricación de vasijas y utensilios, como flautas y
tambores, eran tareas propias de los hombres tupís; el cultivo
de la tierra, la cocina, el acarreo de agua, hilar y tejer el algodón, eran tareas de las mujeres. Como otros aspectos de la vida
social, el trabajo tenía un fuerte componente comunitario. Cada
mañana el jefe de cada maloca programaba el trabajo del día y
distribuía las tareas entre los miembros de la comunidad.

La vivienda de los tupís era la *maloca,* una gran casa de
planta rectangular, de dimensiones variables, construida con
palma y paja en forma de bóveda de medio cañón. Tenía capacidad para albergar a varias familias que se repartían el espacio
interior según el número de miembros de cada una. En ese espacio preparaban su fogón, colgaban sus hamacas para dormir
y guardaban sus escasas pertenencias. Las familias de cada maloca, unidas entre sí por lazos de parentesco, estaban sometidas
a la autoridad de un jefe. Un número reducido de malocas, entre 4 y 10, construidas en torno a un recinto y protegidas por
una empalizada formaban una aldea. Cada aldea tenía, a su vez,
un jefe elegido por sus cualidades guerreras o, simplemente,
por ser el cabeza de familia de una prole numerosa. Un consejo

de ancianos asesoraba al jefe y ordenaba las normas de conducta en el seno del poblado. Cuando la tierra cultivada se agotaba, era el momento de abandonar la aldea y levantar una nueva en otro lugar.

Era una sociedad igualitaria en la que no había distinciones de clases sociales. La vida en sociedad se regía por una serie de ritos a los que se sometían por igual todos los miembros de la tribu: el retiro de las jóvenes con ocasión de la pubertad, la demostración del valor en el combate por parte de los jóvenes como condición previa a la autorización para contraer matrimonio, las reglas del matrimonio, el sacrificio de los cautivos, las ceremonias de difuntos. Las formas en torno al matrimonio se relacionan con el carácter patrilineal del parentesco. Se prefería el matrimonio de un hombre con su sobrina, hija de hermana, o con otras muchachas nacidas de mujeres de la familia. Pero si no existía esa relación de parentesco, el futuro yerno debía pedir al padre de la novia el consentimiento para la boda y servirle durante un tiempo. Solo después de cumplir ese servicio podía la pareja trasladarse a la maloca del hombre. Era frecuente la poligamia, especialmente entre los jefes de poblado que llegaban a tener más de veinte mujeres.

La guerra era una ocupación habitual, más que un suceso extraordinario, y desempeñaba un importante papel en la vida social y en las creencias religiosas tupís. El prestigio de un hombre se medía por el número de enemigos muertos o capturados en las luchas cuerpo a cuerpo que mantenían con algunos de sus vecinos, toda vez que aprehender cautivos para las ejecuciones rituales era, precisamente, la finalidad de estas contiendas. Hasta el momento de la ejecución, la vida del cautivo transcurría entre vejaciones y cuidados. Había que engordar al cautivo, que sería comido después del sacrificio, pero sin permitirle olvidar su condición. Este, por su parte, se consolaba amenazando con la venganza que llevarían a cabo sus parientes.

Conocemos mal las creencias religiosas de las tribus tupís. Tenían una serie de mitos para explicar la creación del mundo, pero su vida transcurría mucho más pegada a los espíritus o demonios que los rodeaban. Como la mayoría de estos espíritus era de carácter maligno, las actividades del culto trataban de neutralizar esas influencias. Los chamanes, o *pagés,* desempeñaban un importante papel en este negocio. Adivinar el sentido de los acontecimientos, interpretar los presagios y curar las dolencias eran tareas del chamán.

Iguales e independientes: los araucanos

Diego de Rosales, en su *Historia General de el Reyno de Chile* escrita en el siglo XIX, describe a los araucanos como gentes entre las que *cada quien se sirve a sí mismo y se sustenta con el trabajo de sus manos.* Mucho antes, el conquistador español Alonso de Ercilla quedó cautivado por los enemigos a los que intentaba sojuzgar y les dedicó el poema épico de *La Araucana* en el que cantaba el valor, la destreza guerrera y el ideal independentista de este pueblo. Espíritu independiente e igualitarismo social, estos son, probablemente, los rasgos más sobresalientes de las tribus picunches, huichiles y mapuches, conocidas como araucanos, que habitaron los valles de los Andes meridionales. Solo en el último tercio del siglo XIX fueron sometidos por la civilización urbana y el Estado a los que durante tanto tiempo habían resistido.

Su organización política es el reflejo de ese espíritu independiente. Los araucanos no formaron nunca una unidad política, ni siquiera estructuras estables de gobierno. Así, no había tributos ni prestaciones personales a una autoridad superior. Comunidades locales regidas por cabezas de familia, a los que solo a falta de un término apropiado podemos designar como caciques, constituían la base de organización de este conjunto de tribus. Los grupos se reunían periódicamente, en un lugar llamado *regua,* para dirimir pleitos y hacer justicia, celebrar alguna ceremonia y decidir el inicio de una guerra. Estas reuniones, que podían durar varios días, incluían comidas que corrían por cuenta del cacique convocante. Uno de esos cabezas de familia, al que los demás reconocían cierta preeminencia por su antigüedad, ejercía de *Gen Toqui,* señor del hacha. Solo en caso

*Campesinos incas recogen la cosecha de papas en el mes de junio.
Para los habitantes de las sierras andinas, también para los araucanos, las múltiples variedades de papas eran un elemento básico de la
dieta. Para conservarlas se convertían en chuño merced a la exposición
sucesiva al sol de altiplano y a las heladas nocturnas.*

137

de una guerra se formaban alianzas entre caciques y se elegía a los capitanes que dirigirían el ejército común. El Gen Toqui convocaba a los caciques para acordarla, elegir a los jefes provisionales y decidir el plan de campaña. Finalizada la guerra, cada uno volvía a sus ocupaciones.

La sociedad araucana reúne los caracteres de una sociedad estrictamente igualitaria. Cada familia proveía a sus necesidades, incluida la del propio cacique, de manera que nadie vivía del trabajo de otro. No había ciudades ni núcleos de población, las familias vivían en caseríos dispersos, cercanos entre sí los de familias emparentadas. El matrimonio se regía por prácticas habituales en las sociedades indígenas americanas. La poligamia era práctica habitual; el novio debía pagar al suegro por la novia y el pago se repartía entre los parientes de aquella. El divorcio, si era la mujer quien abandonaba al marido, implicaba la devolución de lo pagado por la novia. Los conflictos surgidos por este u otros motivos, como no existía una autoridad constituida, con poderes de juzgar y de coerción, se dirimían entre las partes, aunque podían acudir al arbitraje de los caciques. El carácter belicoso se manifestaba en los entrenamientos continuos y en la preparación para la guerra. Las cabezas de los enemigos abatidos se mostraban, como trofeo preciado, en las lanzas de los guerreros araucanos.

Los araucanos se adaptaron al medio en que vivían con una actividad agrícola variada. Cultivos de rozas en zonas boscosas, roturación de tierras para arrancar al monte y a las mesetas pedregosas parcelas de cultivo, barbechos prolongados, aprovechamiento de pastos para sus rebaños de llamas, eran la respuesta a las dificultades de un medio físico agreste. De esa manera obtenían maíz, papas, calabazas, frutillas y todos los productos de las llamas: lana, carne, cuero, además de un auxiliar para el transporte. Hombres y mujeres compartían el trabajo del campo y la fabricación de utensilios; cazar, pescar y roturar y preparar el terreno para el cultivo eran tareas de los hombres; sembrar, hilar y tejer la lana con la que hacían sus vestidos eran las tareas de las mujeres. Para determinadas labores se asociaban y realizaban el trabajo en común, la *mingaca*.

Por ejemplo, para edificar las casas de madera y paja, o para roturar las tierras. En estos casos, parientes y amigos prestaban su colaboración de buen grado a cambio de una comilona que terminaba en fiesta.

Es muy poco lo que sabemos acerca de las creencias religiosas de los araucanos. ¿Rendían culto a los dioses? ¿A qué tipo de dioses? Sí nos consta su temor hacia unos seres sobrenaturales, los *pillán,* asociados al fuego y al rayo. Estos pillán eran las almas de los caudillos y guerreros muertos en la guerra y provocaban, cuando estaban enojados, la erupción de los volcanes. También había espíritus malignos responsables de los contratiempos y desgracias de la vida, y no faltaban los hechiceros, *machi,* que, como los chamanes, se ocupaban de adivinar los designios de los espíritus, de aplacar sus iras y de curar las enfermedades. Entre los mitos que conocemos figura el de un diluvio o, más bien, una inundación de la que solo pudieron salvarse una o dos parejas. Después de aplacar al ser que lo provocó pudieron multiplicarse y poblar de nuevo la región.

ÉPOCA COLONIAL

8

Españoles y portugueses irrumpen en América

---

*E*N AMANECIENDO *mandé aderezar el batel de la nao y las barcas de las carabelas... para ver la otra parte, que era la parte del este, qué había. Y también para ver las poblaciones, y vide luego dos o tres, y la gente que venía todos a la playa llamándonos... Los unos nos traían agua, otros otras cosas de comer... y entendíamos que nos preguntaba si éramos venidos del cielo. Y vino uno viejo en el batel dentro, y otros a voces grandes llamaban todos, hombres y mujeres: «Venid a ver los hombres que vinieron del cielo, traedles de comer y de beber».*

(C. Colón, Diario de a bordo, domingo 14 de octubre de 1492.)

Venidos del cielo. Eso creyeron, al ver llegar a los españoles, los primeros indígenas americanos con los que se encontró Colón en la isla que él llamó San Salvador. También Moctezuma II se preguntó algunos años después, en 1517, cuando un macehual que acudió a informarle desde las tierras del Golfo le comunicó la llegada de *unas como torres o cerros pequeños que venían flotando por encima del mar,* si sus ocupantes no serían los enviados del dios Quetzalcóatl que regresaba según habían anunciado códices y tradiciones. Y algo parecido debieron creer los indígenas andinos al considerar a los españoles *viracochas* que retornaban del mar, según las creencias a que nos referimos en el capítulo correspondiente. El trato que inicialmente dispensaron los *indios* a los descubridores españoles res-

141

pondía a estas creencias. Pero muy pronto tuvieron ocasión de constatar que no era del cielo de donde procedían aquellos extraños hombres y que sus objetivos estaban fijados más a ras del suelo. Para explicar cómo habían llegado y para entender de manera cabal las razones que los condujeron hasta allí debemos retroceder en el tiempo y desplazarnos al lugar de procedencia, a la Península Ibérica, en la Edad Media.

Europa antes de 1492

Durante la Edad Media, Europa se caracterizó en lo político por manifestar una notoria fragmentación en cuanto a la tenencia del poder. Si comparamos el mapa político de la Europa moderna con el del mismo continente en los tiempos medievales, constataremos que en este último no había unidades políticas de gran extensión territorial. Lo que por entonces abundaba eran los señoríos: extensiones geográficas no muy grandes, que estaban bajo el poder de un determinado señor territorial. Estamos refiriéndonos, claro, a la Europa feudal.

Ahora bien: es verdad que durante el Medievo existieron instituciones que tuvieron vigencia sobre buena parte de lo que hoy conocemos como continente europeo: nos referimos al Papado y al Sacro Imperio Romano Germánico. Sin embargo, se trató de autoridades fundamentalmente simbólicas, ya que el poder efectivo —el que directamente recaía sobre las personas— era el de la ya mencionada autoridad señorial. En lo político, el poder del Papa estaba referido a los denominados Estados Pontificios, que abarcaban buena parte de la península italiana. Era la autoridad espiritual del Papa la que llegaba a todo el continente, al menos hasta que la mitad oriental se separó de la obediencia romana. Y en cuanto al Emperador, sabemos que nunca tuvo un poder efectivo sobre la integridad del Imperio.

Por tanto, la fragmentación del poder político fue una característica de la Europa medieval. Sin embargo, lo que unía a todos los europeos era la común fe cristiana. Es más: en esos tiempos no se hablaba tanto de Europa, sino de *Cristiandad*.

Dicho de otro modo, por ese entonces *Cristiandad* y *Europa* eran sinónimos.

Durante la Baja Edad Media, los europeos habían sufrido graves padecimientos. Unos fueron políticos: cabe citar, por ejemplo, la célebre guerra de los Cien Años. Otros fueron sociales, y con graves repercusiones demográficas: en cuanto a ello, debemos mencionar lo que fue la terrible «Peste Negra» (1348-1350). Se trató de una peste bubónica y neumónica que causó un dramático descenso poblacional, del cual Europa tardó cerca de un siglo en recuperarse. En general, los estragos de las epidemias eran devastadores. No existían vacunas, las condiciones sanitarias eran muy deficientes y el desarrollo de la ciencia médica era muy elemental. Es ilustrativo referir, en este sentido, cómo las muertes que se producían en las guerras no se debían tanto a la actividad de las armas en el campo de batalla, sino fundamentalmente a las enfermedades producidas por los contagios suscitados a raíz del paso de los ejércitos.

Durante el siglo XV empezó el lento desarrollo de lo que más adelante sería conocido como *Estado moderno.* Este es un punto crucial, dado que precisamente la vigencia del Estado moderno es el factor que distingue —siempre en el ámbito político— la Edad Media de la Moderna. Pero ¿qué es el Estado moderno? Se trata, ante todo, de una entidad política que supone la existencia de un poder centralizado, que abarca una gran extensión territorial y que está dotado de una serie de instrumentos que hacen posible la efectividad de ese poder: una organización burocrática, un ejército permanente y sujeto a las órdenes del poder central y una estructura diplomática que lo represente frente a otros Estados. Con su aparición y extensión el mapa político de Europa ya no aparecerá como un rompecabezas compuesto por numerosas piezas pequeñas: se irá convirtiendo en uno que tendrá cada vez menos piezas, y estas de mayor tamaño.

Al frente de los Estados modernos aparecen los reyes o monarcas. Sin embargo, debe aclararse que ya muchas dinastías monárquicas existían en la Edad Media; aunque en esos tiempos el rey no era más que un *primus inter pares:* el primero en-

143

tre los iguales. El rey era un señor territorial más, al que los otros señores reconocían como superior, pero solo desde un punto de vista simbólico. El poder político efectivo del rey no traspasaba los límites de su señorío particular. Con el advenimiento del Estado moderno, los monarcas buscan que ese poder sobre los otros señores deje de ser simbólico.

Pero sería inexacto afirmar que la aparición del Estado moderno se debió exclusivamente al afán de poder de los monarcas. En realidad, a partir del siglo XV fueron diversas las circunstancias históricas que favorecieron su implantación. Fijémonos, por ejemplo, en el ámbito del comercio. Con el aumento de las actividades mercantiles en el siglo XV se percibió como una necesidad la mejora de las comunicaciones. Esto es fácil de entender: la recuperación demográfica llevó a que se diera una mayor demanda de productos. Esa demanda debía ser satisfecha por medio de actividades comerciales más dinámicas. Y para ese dinamismo se necesitaban comunicaciones más rápidas. Para que se diera esa rapidez debían confluir dos factores: el avance en los aspectos técnicos de las vías de comunicación y la superación de las múltiples trabas administrativas propias de la Europa medieval.

Recordemos el ejemplo del rompecabezas que acabamos de mencionar; al estar tan fragmentado el poder político en el Medievo, el transitar por los caminos de Europa era sumamente complicado. Esos caminos estaban salpicados por muchas aduanas, peajes o controles de diverso tipo, que los diferentes señoríos establecían para manifestar su autoridad y buscar beneficios económicos. Por tanto, esa situación iba en contra de los afanes de rapidez en el comercio que la sociedad europea exigía de manera creciente. Así, la búsqueda de una mayor agilidad en el comercio y en las comunicaciones es un factor que debe considerarse al mencionar las causas de la aparición del Estado moderno. Para completar la idea, digamos que los pujantes sectores sociales dedicados al comercio y al manejo del dinero —que comúnmente han recibido el nombre de burguesía— estuvieron muy interesados en el establecimiento de un esquema político presidido por el Estado eficaz. Por tanto, diversas circunstancias fueron las que propiciaron el progresivo surgimiento del Estado moderno. Y a su vez, su presencia se convirtió en elemento fundamental para distinguir los tiempos medievales de los modernos.

En el extremo occidental de la Europa del Sur se encuentra la Península Ibérica, que en el siglo XV albergaba diversos reinos, de los cuales eran los más importantes los de Castilla, Aragón y Portugal. La historia de la Península Ibérica es compleja y variada. En todo caso, fueron los romanos quienes por vez primera plantearon un concepto unitario de la Península. La «Hispania» romana constituyó uno de los más importantes dominios del Imperio. Aun hoy en día son muchas las manifestaciones materiales —sobre todo complejos arquitectónicos— que podemos apreciar de la presencia romana en esas tierras. Es más: son muy numerosas las actuales ciudades españolas que fueron fundadas precisamente por los romanos. Además, la huella de la Península Ibérica en Roma fue muy importante: no en vano hubo emperadores nacidos allí —como Trajano, Adriano y Teodosio—, al igual que figuras intelectuales importantes, como Séneca.

Luego de la caída del Imperio Romano a causa de las invasiones bárbaras, fueron los visigodos —entre otros— quienes se asentaron de manera definitiva en la Península. Sin embargo, a partir del siglo VIII se inició la decisiva ocupación árabe. En efecto, en el año 711 desembarcaron en el sur peninsular y mantuvieron una presencia dominante durante varios siglos. Solo en 1492 los cristianos lograron vencer el último de los enclaves políticos árabes en la Península: el reino de Granada. Así, en los siglos que median entre los años 711 y 1492 tuvo lugar la coexistencia de una comunidad inicialmente preponderante, la musulmana, y otra, progresivamente más pujante, la cristiana. La alternancia de periodos de enfrentamiento y de apaciguamiento favoreció la experiencia de vida de frontera entre los castellanos. La frontera se convirtió en lugar de oportunidades para los más arriesgados; fue, a la vez, una escuela militar y ofreció posibilidades de promoción en una sociedad cerrada y estamental. Además de su dimensión política, el dominio árabe de buena parte de la Península Ibérica tuvo una gran importancia cultural y científica. Por ejemplo, fue a través de los árabes como la Europa occidental tomó conocimiento de muchas de las ideas de los filósofos griegos de la Antigüedad. En ese sentido tuvo gran trascendencia la Escuela de Traductores de Toledo. Junto con los cristianos y musulmanes, fue muy significativa la presencia de judíos en la Península Ibérica.

Entre los reinos cristianos sobresalieron los de Castilla, Aragón y Portugal. La Corona de Aragón estaba compuesta por una serie de territorios orientados hacia el mar Mediterráneo. Portugal, en cambio, era un reino que miraba al océano Atlántico. Los portugueses tenían una gran tradición marinera: podría decirse que era un pueblo fundamentalmente marítimo. Lo contrario ocurría con Castilla. Los territorios de la Corona de Castilla eran básicamente de «tierra adentro», y la vida de sus habitantes estaba centrada en actividades que poco tenían que ver con el mar. Entre ellas la más importante era la producción lanar.

En 1469 se celebró el matrimonio de los herederos de las coronas de Castilla y de Aragón: Isabel y Fernando. Conocidos posteriormente como *Reyes Católicos,* establecieron en la Península Ibérica —y sobre todo en Castilla— las características propias del Estado moderno. Así, buscaron crear una eficiente burocracia a sus órdenes; procuraron sanear las finanzas públicas y organizar eficaces sistemas de recaudación de impuestos; fomentaron la unidad lingüística en torno a la lengua castellana y la unidad religiosa en torno al catolicismo. A pesar de que Isabel era reina de Castilla y Fernando rey de Aragón, desarrollaron acciones coordinadas con los propósitos que hemos indicado. Por tanto, si bien entonces no se hablaba de «reyes de España», puede decirse que ambos fueron, de algún modo, los fundadores, en términos políticos, de la España moderna.

La navegación transoceánica en el contexto de la expansión europea

Si bien durante la Edad Moderna el continente europeo se convirtió en el «centro del mundo», el panorama había sido muy distinto durante el Medievo. Como ha señalado un autor, antes de 1492 Europa era un pequeño apéndice del gran continente asiático. En efecto, si por entonces alguien hubiera tenido la posibilidad de contemplar nuestro planeta en conjunto, no habría dudado en admirar, en primer lugar, el poderío y la importancia de la China. Si bien ya había iniciado su decadencia, la China seguía manifestando gran fuerza y, en conjunto, Asia resultaba mucho más importante que Europa. Este último era, en efecto, un pequeño continente, para cuyo sostenimiento era vital el intercambio comercial con Asia, y cuya cultura, en gran medida, era tributaria de conceptos orientales.

Para la Europa medieval, efectivamente, el intercambio comercial con Asia era de gran importancia. Sobre todo en los siglos finales de ese periodo histórico, diversos productos asiáticos empezaron a ser fundamentales para la vida europea. En el campo de la dieta alimenticia, por ejemplo, las especias se convirtieron en elementos propios de la vida cotidiana europea: la pimienta, el comino, el jengibre, constituían ingredientes básicos para la condimentación de los alimentos, o para la conservación de los mismos. De otro lado, la pujanza económica que fueron adquiriendo los sectores burgueses en la Baja Edad Media hizo que se diera una gran demanda de objetos de lujo procedentes del Asia y que se convirtieron en símbolos de refinamiento y de poder económico: pensemos en las sedas o en las porcelanas.

Por eso el año 1453 se presentó con gran dramatismo: Constantinopla cayó en poder de los turcos otomanos. Siendo esa ciudad el punto fundamental de comunicación entre Oriente y Occidente, dicha acción bélica trajo consigo la aparición de graves dificultades para continuar con los mencionados contactos. Así, muchos autores consideran que la toma de Constantinopla está en la raíz de lo que fueron los afanes de expansión territorial de los europeos: el interés por buscar otras rutas para llegar a Asia habría hecho que los europeos occidentales organizaran numerosas expediciones de exploración que los llevaron a expandirse geográficamente.

Sin embargo, no debemos olvidar otros aspectos de la coyuntura europea de entonces que contribuyeron a la expansión.

147

Mencionemos, por ejemplo, el citado crecimiento demográfico o el mayor desarrollo comercial. Esto último debió influir en el afán por buscar nuevos territorios con los cuales establecer vínculos.

Lo cierto es que a partir de la segunda mitad del siglo xv se produce una impresionante expansión, en términos territoriales, de Europa y de los europeos. Pero debemos ser más específicos: el protagonismo en esa expansión estuvo inicialmente en la Península Ibérica, y sobre todo en los portugueses y castellanos. Ya nos hemos referido a la tradición marinera portuguesa: basta ver un mapa para advertir la íntima vinculación de los portugueses con el mar. Además, en el siglo xv, en la localidad costera de Sagres, el célebre príncipe Enrique *El Navegante* creó una Escuela de Navegación. Dicha Escuela, y los marinos que se formaron en ella, fueron fundamentales en el desarrollo y perfeccionamiento de importantes instrumentos de navegación. Igualmente, la carabela —indudable protagonista de los viajes de Colón— fue difundida por portugueses, aunque su origen era oriental. De forma ligera, era un navío muy ágil, y el tipo de velamen que tenía era muy apto para aprovechar todos los vientos. Los portugueses pudieron mantener su presencia en muchas zonas del mundo por el modo característico de expansión que utilizaban: la *feitoria* (factoría). Se trataba de una plaza comercial fortificada que seguía una vieja tradición mediterránea y que evitaba la necesidad de profundizar en el dominio de tierras interiores.

A los portugueses se les debe mucho en materia de descubrimientos geográficos: fueron ellos quienes impulsaron diversas expediciones por las costas atlánticas de África, con el afán de buscar una ruta alternativa para llegar a la India, al Japón y a la China. Finalmente, encontraron esa ruta, cuando a fines del siglo xv Vasco da Gama logró la circunnavegación de África. Pero ya para entonces un marino genovés —con el patrocinio de la Corona de Castilla— había llegado —luego de atreverse a cruzar el *Mar Tenebroso*— a un continente que daría muchas más riquezas que las que el Asia brindaba. Sin embargo, no sería temerario afirmar que los portugueses merecieron descubrir

América, por su tradición marinera, y por su gran interés en el desarrollo científico de las navegaciones. Lo cierto, en todo caso, es que por obra de castellanos y portugueses Europa empezó a estar presente —con una presencia dominante— en inmensos territorios hasta entonces desconocidos.

En cuanto a la figura de Cristóbal Colón, no es mucho lo que se sabe de su vida antes de 1476, año que se ha señalado como el de su llegada a Portugal. Nacido en Génova en 1451, fue un hombre, al parecer, dedicado desde su juventud a la vida marinera. Hay versiones muy diversas sobre sus actividades: algunos lo han identificado con el mundo del comercio, otros con el de la piratería. En definitiva, hay muchas dudas y pocas certezas en los relatos sobre esa etapa de su vida. Al llegar a Portugal, Colón era un marino que mostraba ya muchas ambiciones. Como afirma el historiador español Francisco Morales Padrón, el ambiente portugués era el más adecuado para un hombre con esas características. Y Lisboa una ciudad en la que estaban íntimamente mezclados los conceptos de aventura, comercio, ciencia y náutica. Para entonces, Colón se mostraba ya como un hombre muy interesado en los avances científicos referidos a la navegación, y en su espíritu había un claro deseo de aventura.

La idea de la esfericidad de la Tierra era aceptada ya en los círculos científicos desde tiempo atrás. Por eso, los planteamientos de Colón no fueron originales en cuanto a ello. La novedad que Colón planteó fue la de que a Asia se podía llegar desde la Europa occidental cruzando el Atlántico, y que esa travesía debía ser breve. En otras palabras, Colón afirmaba que las costas portuguesas estaban mucho más cerca del extremo oriental de Asia de lo que por entonces comúnmente se pensaba. Eso había sido sostenido también por el médico humanista Paolo del Pozzo Toscanelli, en un trabajo publicado en la década de 1470, al que Colón tuvo acceso. Además, diversas obras científicas que pudo consultar le ofrecieron indicios que lo llevaron a formular la idea mencionada. Colón solicitó al rey Juan II de Portugal, en 1484, el patrocinio para la realización de una expedición marítima que confirmara esa hipótesis. Sin embargo, la solicitud fue rechazada por una comisión de expertos geógrafos que se constituyó para estudiarla.

En realidad, la idea de Colón estaba equivocada. En primer lugar, consideraba que el globo terráqueo era de un tamaño mucho más pequeño que el real. Además, pensaba que los continentes europeo y asiático eran mucho más extensos de lo que son. Si bien era cierto que se podía llegar al *Levante por Poniente* —es decir, arribar a la India navegando hacia el Oeste—, Colón nunca imaginó que un inmenso «Nuevo Mundo» se iba a interponer en su camino. Es más: al parecer, murió creyendo que había llegado al Cipango y al Catay. Es decir, confundió las islas caribeñas y las costas centroamericanas con el Japón y la China.

Pero volvamos a sus planes: luego de recibir el rechazo portugués, se dirigió en 1485 hacia tierras andaluzas y, a través de ciertos personajes que valoraron sus planteamientos, pudo tener acceso a la reina Isabel. A pesar de que la Corona castellana estaba en los años decisivos de la lucha final contra los musulmanes, la soberana prestó oídos a las ideas de Colón. Sin embargo, diversas juntas de expertos consideraron que no se debía apoyar al marino genovés. En cuanto a eso, debemos precisar que la ambición de Colón —los muchos beneficios que pedía— fue un elemento negativo. Pero, finalmente, la reina le mostró su confianza, y así se pudieron celebrar las capitulaciones de Santa Fe. En sus cláusulas se contemplaron grandes ventajas para Colón, que se harían efectivas si realmente se llegaba a nuevas tierras. Así, se le daba el título de Almirante, Virrey y Gobernador General de los lugares que se descubrieran, e igualmente se le daba la décima parte de las riquezas que allí se obtuvieran [1].

Con el decisivo apoyo que significaron las capitulaciones de Santa Fe, Colón se dirigió a la localidad de Palos de la Fron-

---

[1] Imaginemos la magnitud de la décima parte de las riquezas americanas. Por eso, pocos años después de 1492 empezaron los «pleitos colombinos»: desacuerdos y procesos judiciales entre la familia de Colón y la monarquía castellana, la cual se negaba a otorgar esa décima parte.

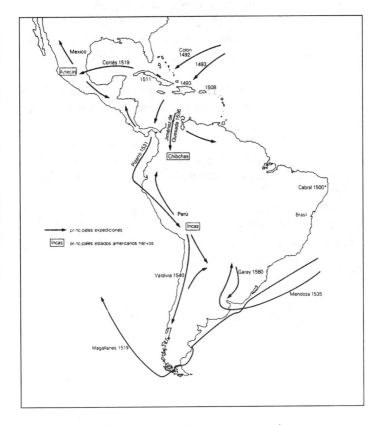

LA PENETRACIÓN HISPANA EN AMÉRICA CENTRAL Y AMÉRICA DEL SUR

Personajes, fechas y dirección de las principales expediciones de conquista. Las islas del Caribe aparecen claramente como trampolín desde el que se produce la penetración en los dominios de las grandes civilizaciones azteca, chibcha e inca.

151

tera. La zona de Palos era conocida por sus experimentados marinos. Esa debió ser una de las razones por las que Colón eligió el lugar para iniciar su expedición. Además, la reina Isabel ordenó que se le ayudara, contribuyendo con dos carabelas equipadas. Un hombre clave para el proyecto fue Martín Alonso Pinzón. Este marino de Palos era hombre de gran experiencia y fue el organizador de la expedición entre sus paisanos. Al parecer, utilizó diversos argumentos para animarlos a participar: prometía que saldrían de la miseria, o que encontrarían casas con techos de oro. En todo caso, lo cierto es que su participación fue fundamental en los preparativos del viaje. Todo indica que fue él también quien contrató los barcos que finalmente se usaron: dos carabelas y una nao. La *Niña* debía su nombre al hecho de que un tal Juan Niño —habitante de la vecina Moguer— era su propietario. Los gastos que demandó el uso de esa carabela fueron pagados por los vecinos de Palos. La *Pinta* fue la carabela en la que hizo el viaje el propio Pinzón. Y en la *Santa María* lo hizo Colón.

Viajes y rutas de penetración

¿Cuántos hombres participaron en el primer viaje de Colón? Aunque hay versiones distintas, debieron ser en torno a noventa, distribuidos en esos tres barcos, que eran realmente bastante pequeños. El 3 de agosto zarpó la expedición. La travesía duró algo más de dos meses. Durante ese tiempo se produjeron diversos momentos de tensión entre los tripulantes, dado lo prolongado del viaje y las diferentes ocasiones en que se creía equivocadamente que se divisaba tierra. En esos episodios difíciles, Colón repetía estar seguro de que iban por el camino correcto, y que las costas de la *India* aparecerían ante sus ojos. Finalmente, luego de falsas alarmas, de intentos de motín y de momentos de desesperanza, llegó el 12 de octubre. En ese primer viaje, Colón pisó tres islas caribeñas: Guanahaní —a la que se le dio el nombre de San Salvador—, Cuba —que recibió el nombre de Juana— y La Española, que es la actual isla que comparten Haití y la República Dominicana. Colón estaba convencido de que se confirmaban sus predicciones: según él, habían llegado a la *India;* es decir, al Oriente. Por tanto, consideró que, por fin, se había logrado el anhelo de llegar al *Levante por Poniente.* Y que se había encontrado la tan ansiada ruta alternativa a la China, el Japón y la India.

Luego de ese primer viaje, Colón realizó tres más a América. El segundo se inició en 1493. En este caso, estuvo acompañado de más de mil hombres —entre soldados, sacerdotes, artesanos y aventureros— y la expedición constó de diecisiete navíos. Era evidente el interés que despertaban las tierras descritas por Colón, en particular en los reyes Isabel y Fernando, quienes veían que podía acrecentarse notablemente el poder de la Corona de Castilla aunque, probablemente, Cristóbal Colón había pensado más en un tipo de asentamiento parecido a la factoría portuguesa. El viaje permitió a Colón tomar posesión de otras islas del Caribe, entre las que estaba Puerto Rico. Sin embargo, le supuso también una primera experiencia desgraciada, al encontrar destruida la fortaleza de *Navidad* en la isla Española, y muertos todos los europeos que había dejado allí en su primer viaje. Tras ese amargo episodio, Colón emprendió la fundación, en la misma isla, de un asentamiento más estable, aunque él seguía empeñado en alcanzar las zonas más ricas y civilizadas del continente asiático, al que creía haber llegado. En ese contexto, comenzaron ya las primeras protestas graves contra el gobierno de Colón en la isla Española. En los meses finales de 1495 llegó a La Española un agente enviado por la Corona, con el fin de tomar conocimiento de las protestas producidas contra el almirante. Este decidió retornar a la Península con el objeto de defenderse personalmente, embarcándose con ese rumbo en marzo de 1496. En realidad, se estaban iniciando los primeros capítulos de una historia que sería muy larga: la de los llamados *pleitos colombinos,* que constituyeron una larga disputa judicial entre la Corona y Colón —y luego sus descendientes— en torno a los derechos que al almirante le concedieron las capitulaciones de Santa Fe.

El tercer viaje de Colón se inició en 1498, y fue en el curso del mismo cuando llegó por primera vez a tierras continentales americanas, tocando las actuales costas de Venezuela. Por último, el cuarto viaje, desarrollado entre 1502 y 1504, llevó a Colón a tierras centroamericanas. Ya en los años de sus dos últimos viajes, los problemas entre Colón y la Corona habían aumentado. Por un lado, los monarcas habían percibido que eran inmensas las riquezas que podrían encontrarse en las tierras descubiertas, como inmensa era la extensión que iban mostrando. Además, comenzaba a sospecharse que se podía tratar de tierras distintas al continente asiático. Todo ello, unido a la falta de capacidad administrativa en el propio Colón, hizo que la Corona, por medio de su burocracia, fuera adquiriendo un poder cada vez más efectivo en las islas caribeñas. Además, a pesar de que Colón invocaba que las capitulaciones de Santa Fe le otorgaban el monopolio en la exploración de esas tierras, la Corona no dudó, en los años iniciales del siglo XVI, en otorgar licencia a otros navegantes para hacer más descubrimientos. Las noticias que iban llegando de América, en efecto, despertaban la ambición de muchos en Europa.

De este modo, a partir de 1499 se llevaron a cabo varias expediciones importantes, dirigidas por navegantes andaluces, que llegaron a tocar diversos puntos de las costas septentrionales de la América del Sur. Precisamente, el geógrafo y comerciante italiano Américo Vespucio, quien poco después alcanzaría celebridad, formó parte de uno de esos denominados *viajes andaluces*. Igualmente, distintas expediciones de esos años ayudaron a precisar los conocimientos geográficos europeos sobre ciertas islas del Caribe, y también sobre algunas zonas de las costas orientales norteamericanas. Un antiguo compañero de Colón en sus primeros viajes, Juan de la Cosa, fue el autor del mapa que reproduce los descubrimientos de las expediciones a las que nos estamos refiriendo. El mapa —que se suele fechar en 1500— es especialmente interesante porque da a entender que ya por entonces se intuía que las tierras a las que había llegado Colón no formaban parte del continente asiático.

Paralelamente, los portugueses hicieron sus primeras incursiones en las costas del Brasil. En el mismo año de 1500 llegó a esas costas una expedición comandada por Pedro Álvares

Cabral, estableciendo allí un primer asentamiento. Recibida la noticia en Portugal, la Corona lusitana patrocinó la salida de una expedición compuesta de tres carabelas, comandadas por el mencionado florentino Américo Vespucio. Hasta 1502 se dedicó Vespucio a hacer diversas expediciones a lo largo de la costa oriental de la América del Sur, llegando probablemente hasta las proximidades del Río de la Plata. Sus relatos fueron muy importantes en el proceso de perfeccionamiento de la noción de las *Indias* como un continente distinto al asiático, hasta el punto de que en un mapa del mundo publicado en 1507 se denominó *América* al espacio que se intuía como un nuevo continente.

En lo referido a Centroamérica, Colón fue pionero, dado que —como ya hemos señalado— en su cuarto viaje llegó a las costas caribeñas centroamericanas, recorriéndolas en una buena parte, desde las actuales tierras hondureñas hasta la zona del istmo de Panamá.

En la primera década del siglo XVI no hubo mayores descubrimientos por parte de los españoles ya asentados en el Caribe. Iniciada la segunda década de esa centuria, en cambio, se multiplicaron las exploraciones y nuevos asentamientos. Utilizando las islas del Caribe como base de nuevas exploraciones, los expedicionarios pudieron adentrarse en el continente. Así, en 1509 se realizaba el primer asentamiento permanente en el golfo de Urabá, en 1513 se producía el descubrimiento de la península de Florida, y en 1517 el primer intento de ingreso hacia tierras mexicanas. Fue también en 1513 cuando Vasco Núñez de Balboa descubría el Mar del Sur (océano Pacífico), teniendo como punto de partida la recientemente fundada localidad de Santa María de la Antigua del Darién, en el istmo de Panamá. Uno de los acompañantes de Balboa en el descubrimiento del océano Pacífico fue Francisco Pizarro, quien en el curso de esa década se convirtió en uno de los más importantes españoles de la zona de Panamá, situación de la que años después se valdría para proyectar la conquista del Perú.

En los años finales de la segunda década del siglo XVI se desarrolló la célebre expedición, patrocinada por la Corona cas-

155

tellana y dirigida por el marino portugués Fernando de Magallanes, que logró realizar la primera vuelta al mundo, y pasar por el estrecho que lleva su nombre. La expedición duró varios años, la mayoría de sus integrantes —incluido Magallanes— pereció en el empeño, y quienes sobrevivieron regresaron a la Península Ibérica en 1522 comandados por el marino vasco Juan Sebastián Elcano.

De este modo, fue en las dos primeras décadas del siglo XVI cuando, a partir de diversos puntos, se inició el progresivo poblamiento europeo de las tierras continentales americanas, anunciándose lo que poco después sería el triunfo de los conquistadores sobre la denominada América nuclear: Mesoamérica y los Andes.

El impacto de los «descubrimientos» en Europa

Los viajes de Colón, y las otras expediciones dirigidas por europeos a fines del siglo XV y en las primeras décadas del siglo XVI, enriquecieron de un modo impresionante los conocimientos en el Viejo Mundo en torno a la variedad y riqueza del planeta. En efecto, la información creciente que por entonces fue llegando a Europa, unida al hecho de la facilidad que para su difusión brindaba la imprenta, supuso el conocimiento de incontables novedades, que fueron acrecentando también la imaginación de los europeos de entonces. Tal como gráficamente ha dicho el historiador británico John Elliott, *la imprenta y la navegación llevaron el mundo al umbral de Europa.*

El mismo Elliott —parafraseando al historiador francés Jules Michelet— nos recuerda que en esos tiempos se produjeron en Europa dos fenómenos fundamentales: el *descubrimiento del hombre* y el *descubrimiento del mundo*. Entiende por descubrimiento del hombre el proceso mediante el cual se fue conociendo con mayor profundidad la riqueza de la naturaleza humana, en sus dimensiones física y moral. Este descubrimiento del hombre, obviamente, estuvo íntimamente vinculado con lo que fue el humanismo renacentista y su interés por todo lo relacionado con el estudio del individuo. Y el descubrimiento del mundo estuvo muy unido al descubrimiento de América, ya que la creciente información que en Europa se recibía sobre lugares lejanos y hasta entonces desconocidos, enriqueció los conocimientos en torno a la naturaleza humana desde diversos puntos de vista, como —por ejemplo— el racial.

Como es natural, las fuentes iniciales de conocimiento de lo americano fueron los primeros relatos de testigos de las expediciones de descubrimiento. El primer documento que se publicó fue, precisamente, una de las cartas que Cristóbal Colón escribió para dar cuenta de su descubrimiento; la dirigida a Luis de Santángel. La carta, fechada el 15 de febrero, se imprimió en Barcelona, probablemente en los primeros días de abril de 1493, y se tradujo pronto a varios idiomas. De esta carta se ha dicho que es el primer documento impreso referente a la historia de América, o el primer noticiario en lengua española que recorrió el mundo o, finalmente, el primer prospecto turístico que pregonaba las delicias del trópico a los hombres de las tierras áridas y frías de Castilla. Algo de todo ello se contiene en esta descripción de La Española y de sus gentes. *La Española es maravilla: las sierras y las montañas y las vegas y las campiñas y las tierras tan hermosas y gruesas para plantar y sembrar, para criar ganados de todas suertes, para edificios de villas y lugares. Los puertos de la mar, aquí no habría creencia sin vista, y de los ríos muchos y grandes y buenas aguas; los más de los cuales traen oro. En árboles y frutos y hierbas hay grandes diferencias de aquellas de la Juana: en esta hay muchas especierías y grandes minas de oro y otros metales. La gente desta isla y de todas las otras que he hallado y habido he noticia andan todos desnudos, hombres y mujeres, así como sus madres los paren, aunque algunas mujeres se cobijan un solo lugar con una hoja de hierba o una cosa de algodón que para ello hacen. Ellos no tienen hierro ni acero ni armas ni son para ello; no porque no sea gente bien dispuesta y de hermosa estatura, salvo que son muy temerosos a maravilla.*

A la carta y al *Diario* de Cristóbal Colón siguieron multitud de obras escritas por los descubridores y conquistadores. A algunos de ellos nos hemos referido en la primera parte de esta obra como fuentes que nos permiten conocer las culturas prehispánicas que ellos combatieron. Así, Hernán Cortés o Bernal Díaz del Castillo para la conquista de México, o Cieza de León para la del imperio de los incas. Más adelante, una vez establecidos los españoles en el continente, se publicaron obras que fueron fruto de un más detenido análisis de las realidades americanas. La mayor parte de estas fueron escritas por frailes de diferentes órdenes religiosas. En este segundo capítulo hay que mencionar las de Bartolomé de Las Casas, *Historia de las Indias;* de Diego de Landa, *Relación de las cosas de Yucatán;* de Gonzalo Fernández de Oviedo, *Sumario de la natural historia de las Indias;* de Fray Bernardino de Sahagún, *Historia general de las cosas de Nueva España,* y muchas más. Todas ellas contribuyeron, en mayor o menor medida, a generar una curiosidad extraordinaria por el nuevo continente descubierto.

En realidad, el impacto producido en Europa por los descubrimientos fue múltiple: no solo significó mayores conocimientos, sino también supuso el inicio de trascendentes discusiones en torno a temas fundamentales, como el de la condición de los indígenas o el de la justicia de la conquista, de lo cual trataremos más adelante. Así, hubo quienes pensaron que los indígenas americanos reunían las bondades propias de todo ser humano, mientras otros consideraron que se trataba de gente disminuida física y culturalmente.

9

La conquista

Factores que permiten la conquista

VEINTICINCO AÑOS después de su llegada al Caribe, los españoles estaban en condiciones de conquistar el continente. Aquellos veinticinco años fueron importantes, como ha señalado Céspedes del Castillo, para recabar información y reunir recursos suficientes para acometer empresas de más envergadura. Las islas del Caribe fueron el lugar de aclimatación de los europeos y vivero donde se forjaron los grandes conquistadores, los líderes capaces de ir más allá de la pura y brutal codicia y de mostrar la extraordinaria mezcla de feroz energía y de inteligente moderación que iba a ser el rasgo más admirable de los conquistadores. Mas la energía de estos hombres no basta para explicar la rapidez de sus éxitos.

Era en la América nuclear, en los altiplanos mesoamericano y andino, donde estaban situadas las formaciones políticas prehispánicas más complejas y mejor organizadas. Y, sin embargo, en los veintiún años que transcurren entre 1519 y 1540 los dos imperios que constituían los modelos más acabados de organización, el azteca y el inca, habían sido sojuzgados. Más de dos millones de kilómetros cuadrados habían pasado a depender del rey de España. Por ello, resulta fundamental cuestionarnos por las razones que explican la rápida conquista de esos territorios. Ambas empresas de conquista —dirigidas, respectivamente, por Hernán Cortés y por Francisco Pizarro— tuvieron en común diversos factores que sirven para explicar su éxito: por ejemplo, la superioridad técnica desde el punto de vista bélico, o el apoyo de ciertos grupos étnicos que estaban descontentos con el poder central, azteca o inca.

En el caso azteca, las dificultades que afrontó Hernán Cortés fueron especialmente graves, y más prolongado el periodo previo a la derrota de la máxima autoridad indígena. Son conocidos, en este sentido, diversos episodios dramáticos que los españoles tuvieron que afrontar antes de vencer definitivamente a Moctezuma II.

En el caso de los Andes, ¿cómo puede explicarse la rápida captura del Inca en Cajamarca, teniendo en cuenta la gran superioridad numérica de los hombres de Atahualpa? Muchos historiadores se han hecho esta pregunta, considerando no solo la superioridad numérica aludida, sino también el hecho de que para los hombres del Tahuantinsuyu —al igual que para los aztecas— el guerrear no les era extraño sino que, por el contrario, se trataba de una actividad muy frecuente entre ellos. Lo cierto, sin embargo, es que 168 españoles —de los cuales solo sesenta tenían caballos— pudieron someter en un tiempo muy corto los dominios del Inca. Porque no solo debemos preguntarnos por las razones de la captura de Atahualpa, sino también por los factores que permitieron la rápida sumisión del Tahuantinsuyu en su conjunto a los designios de los españoles. Variadas circunstancias pueden explicar ese fenómeno. Frente a las antiguas versiones de los cronistas en torno a la ayuda divina recibida por los conquistadores —ya que ellos se consideraban portadores del mensaje de la verdadera fe—, o referidas a la superioridad racial y cultural de los españoles, surgieron posteriormente otras explicaciones que, en conjunto, pueden ayudarnos a entender las razones de la caída del Tahuantinsuyu.

Un elemento importante que debe considerarse es el de las contradicciones políticas que existieron en el seno del Tahuantinsuyu, entre la etnia dominante inca y los grupos étnicos regionales que habían sido conquistados y subyugados por ella. En opinión de Waldemar Espinoza, el desagrado de los más importantes señores regionales frente al dominio inca fue *el motor vital del triunfo de los españoles*. Por otro lado, se ha hablado también de la división que existía entre las *panacas* o familias reales de El Cuzco, que conformaron dos bandos, apoyando uno de ellos a Huáscar y el otro a Atahualpa. Obviamente, la guerra entre ambos fue una circunstancia muy favorable para los planes de conquista de Pizarro. Se ha aludido también a otros factores que, de un modo o de otro, ayudaron a que se produjera la caída del Tahuantinsuyu. Solo a título de ejemplo enunciamos algunos de ellos: el temor que los indígenas sintieron ante la presencia del caballo; la buena red de caminos, puentes y tambos, que facilitó la ocupación del territorio por los españoles; o el poder destructivo de las armas de fuego; factores todos que pueden ser aplicables también al análisis del caso mexicano.

En efecto, para los casos de México y de los Andes la mayoría de circunstancias que explican la conquista son las mismas, existiendo, claro está, algunas diferencias. En realidad, la primera descripción que hicieron de los españoles los embajadores de Moctezuma II contiene, en su sencillez, algunos de los elementos que explican la ventaja, y el texto que citamos, tomado de la *Visión de los vencidos* recopilada por Miguel León Portilla, refleja la impresión que causó a los embajadores el despliegue del armamento de los conquistadores y los sentimientos que la descripción produjo en el dirigente azteca: ... *se le aturden a uno los oídos. Cuando cae el tiro una como bola de piedra sale de sus entrañas, va lloviendo fuego, va destilando chispas, y el humo que de él sale es muy pestilente, huele a lodo podrido, penetra hasta el cerebro causando molestia. Pues si va a dar en un cerro, como que lo hiende, lo resquebraja, y si da contra un árbol, lo destroza hecho astillas, cual si alguien le hubiera soplado desde el interior. Sus aderezos de guerra son todos de hierro: hierro se visten, hierro ponen como capacete a sus cabezas, hierro son sus espadas, hierro sus arcos, sus escudos, sus lanzas. Los soportan en sus lomos sus «venados». Tan altos están como los techos. Por todas partes vienen envueltos sus cuerpos, solamente aparecen sus caras... Pues sus perros son enormes... tienen ojos que derraman fuego, están echando chispas. Son muy fuertes y robustos... Cuando hubo oído esto Moctezuma se llenó de grande temor y como que se le amorteció el corazón, se le encogió el corazón, se le abatió con la angustia.*

Las ventajas técnicas de los españoles en lo relativo al armamento fueron decisivas. Y no solo por ser más eficaces —los arcabuces, las espadas, etc.— que las armas de los indígenas, sino también por efectos colaterales —tales como el ruido generado por las armas de fuego, o el humo consiguiente— que, sobre todo en los inicios de las conquistas, causaron gran impresión en los indígenas. Sin embargo, y como es fácil suponer, rápidamente los indígenas se habituaron a la presencia de las armas de fuego. En ese sentido, fue más importante el hecho de disponer del caballo, el cual permitía —entre otras facilidades— combatir a mayor altura que el enemigo. Junto con ello, los españoles empleaban mejores tácticas guerreras, dándose la circunstancia adicional de que los indígenas tenían una visión ritual de los combates, que en muchos sentidos los limitaba. Así, por ejemplo, y con referencia al caso mexicano, los propósitos de los combatientes eran distintos: los españoles se enfrentaban al enemigo con el propósito último de matarlo, mientras que entre los aztecas el objetivo era el de apresar al contendor para ofrecerlo en sacrificio. Igualmente, la guerra entre los aztecas estaba regida por una serie de reglas —como la de anunciar los ataques— que, como es obvio, los españoles no utilizaban, lo cual les daba una gran ventaja.

Por otro lado, tanto Cortés como Pizarro supieron aprovechar las ventajas derivadas de las rivalidades internas en el seno de los imperios azteca e inca. En este punto, Cortés recibió mucha más ayuda de los grupos étnicos enemigos de los aztecas que Pizarro en el caso del Tahuantinsuyu. La descripción que sigue, tomada también de la *Visión de los vencidos* antes citada, nos indica la significación de esta ayuda: *Hecha su gente comenzaron a marchar y a mover sus ejércitos españoles y tlaxcaltecas con mucho orden de su milicia, número y copia de gentes y bastimentos bastantes para tan grande empresa, con muy principales y famosos capitanes ejercitados en la guerra*

162

según su uso y manera antigua. Fueron por capitanes Pilte-chutli, Tecpanécatl, Cahuecahua [...] y otros muchos que siempre tuvieron fidelidad con Cortés hasta el cabo de su conquista... Después de relatar la conquista de Cholula, los testimonios se refieren al eco de la noticia en México *donde puso horrible espanto, y más en ver y entender que los tlaxcaltecas se habían confederado con los dioses* (los españoles).

Es claro que la superioridad técnica no era suficiente, como indica el hecho de la resistencia de los araucanos. Además de todo lo anterior, debemos ponderar la concurrencia de factores de carácter psicológico en la percepción de los conquistadores por parte de los indígenas. Hemos aludido ya a la identificación inicial de los conquistadores con dioses que retornan. Así ocurrió entre los aztecas, que pudieron llegar a identificar a Cortés con el dios Quetzalcóatl, o en el área andina, donde el retorno de Viracocha era esperado. En todo caso, como señalaremos más adelante, los factores de tipo *religioso* debieron desempeñar un papel relevante que desmoralizó y confundió a los indígenas.

Son, pues, múltiples los factores que debemos ponderar para explicarnos la rapidez de las conquistas españolas, sobre todo en el caso de la América nuclear. Precisamente en esos casos, una vez vencido el representante supremo del poder político, la conquista de los correspondientes territorios fue rápida, ya que se aprovecharon los mecanismos de poder y la infraestructura existente, como la red de caminos incaicos para la conquista de muchas zonas andinas. Contrariamente, en algunas zonas americanas en las que no existían formaciones políticas complejas, fue mucho más difícil la conquista, y en ciertos casos el clima de guerra duró siglos: pensemos, por ejemplo, en el caso de Chile, o de ciertas zonas del virreinato de la Nueva España alejadas de la capital virreinal.

Etapas y límites de la conquista

En líneas generales pueden establecerse dos grandes etapas en el desarrollo de la conquista americana por los españoles: la primera es la antillana, situada cronológicamente entre el primer viaje de Colón y los preparativos para la conquista de México; la segunda es la continental, que tiene sus hitos fundamentales en las conquistas de los imperios azteca e inca. El esquema, sin embargo, no es tan simple. Mientras que en las islas del Caribe la resistencia a la conquista había sido mínima, hubo zonas —como acabamos de ver— que resistieron durante siglos a la dominación española. Aunque la experiencia de la conquista del Caribe había permitido intuir algunos de los problemas que se plantearían a los conquistadores, en cuanto al carácter de la apropiación de las tierras conquistadas y en cuanto al trato dispensado a los indígenas, en el presente epígrafe nos referiremos fundamentalmente a los procesos de conquista de aztecas e incas.

La conquista de México —y los sucesos que la prepararon— significó el inicio de una nueva etapa en la presencia española en América. En efecto, hasta entonces los españoles no habían llegado a la América nuclear; por tanto, aún no se habían sometido los territorios más ricos y políticamente más complejos en cuanto a su organización. Los sucesos que prepararon lo que luego sería la conquista del imperio azteca se iniciaron hacia 1516, año en el que un puñado de españoles afincados en Cuba —y que hasta entonces no habían obtenido éxito en términos económicos ni sociales— buscó la aprobación del gobernador de la isla, Diego Velázquez de Cuéllar, para iniciar una expedición por aguas caribeñas hacia el oeste. Al año siguiente la expedición llegó a las costas de la península de Yucatán, en las que pudieron apreciar con asombro complejas construcciones y evidencias de una organización sociopolítica más acabada y con ciertas manifestaciones de riqueza.

Las noticias llevadas a Cuba por los expedicionarios animaron al gobernador a organizar una empresa más grande con dirección a esas costas. Fue así como zarpó la expedición comandada por Juan de Grijalva, la cual no solo llegó a las costas de Yucatán, sino que también alcanzó otras costas mexicanas, en las que ya pudieron apreciar manifestaciones del poderío azteca. Todas esas noticias convencieron al gobernador Velázquez de la necesidad de organizar una expedición de mayor envergadura, con propósitos de conquista. Sin embargo, temía que quien fuera designado por él como jefe de la expedición tuviera luego la tentación personalista de erigirse en la autoridad máxima del nuevo asentamiento, desconociendo al gobernador de Cuba. En realidad, Velázquez no esperó la autorización real para disponer la organización de la expedición de conquista, y escogió para comandarla a Hernán Cortés, quien precisamente actuaría luego desligándose de la autoridad del gobernador, haciéndose realidad los temores de este. Se sabe, además, que Velázquez quiso destituir a Cortés antes de zarpar la expedición, y que este último se apresuró a disponer la salida —en febrero de 1519— para evitar su destitución.

Hernán Cortés era un hidalgo extremeño que sabía de leyes y de milicia. Político nato, excelente diplomático y con un don de gentes considerable, había reunido la experiencia suficiente, en la administración de Cuba y en la expedición de Núñez de Balboa en la que participó, para acometer la empresa con todas las garantías posibles. Cortés asumió el riesgo de ser un insubordinado, con la perspectiva de legalizar posteriormente ante la Corona su situación, apostando al éxito de la empresa, y al interés que consecuentemente la Corona habría de tener en su continuación. Así llegó a México sin ninguna autorización oficial.

La conquista de México es un episodio histórico que adquirió tintes dramáticos, y sobre el cual hay, afortunadamente, relatos pormenorizados de las dos partes en lucha. Cortés —a la cabeza de una expedición de más de medio millar de hombres distribuidos en once navíos— concibió la ruta desde Cuba siguiendo los derroteros de las dos expediciones anteriores. Ya en las costas de Yucatán —en Tabasco— tuvieron los españoles un primer enfrentamiento armado —exitoso— con los indígenas. Fue precisamente allí donde Cortés conoció a quien sería su amante —conocida entre los españoles como Marina o Malinche—, una de las cautivas de los españoles tras el encuentro bélico. Pero la importancia de esa mujer —cuyo nombre original era Malintzin— no radica solo en su relación personal con Cortés o en haberle dado un hijo, sino sobre todo en el hecho de que se constituyó en una fundamental intérprete entre españoles y aztecas.

En abril de 1519 ya habían llegado los españoles al lugar posteriormente conocido como San Juan de Ulúa, en el cual permanecieron algunos meses, disponiéndose para dejar atrás las costas e ingresar ya propiamente al territorio azteca. Cortés, además, preocupado como estaba por la legitimidad de su autoridad, hizo gala de gran habilidad para alcanzarla. Así, tras la fundación de la ciudad de Veracruz —que luego sería el principal puerto mexicano—, Cortés renunció —con una bien calculada estrategia— a su autoridad ante los vecinos de la recién fundada localidad, los cuales luego acordaron devolvérsela. Con esa hábil actuación, Cortés pretendió revestir de legalidad su poder. Durante los meses de permanencia en las costas mexicanas, Cortés y los suyos pudieron comprobar dos hechos importantes: la riqueza del imperio azteca —que se revelaba, por ejemplo, a través de los obsequios que recibían— y la inexistencia de una férrea unidad en el mismo. Esto último se hizo evidente para los españoles al ser testigos de los recelos de ciertos grupos étnicos frente al dominio azteca.

Ya en la segunda mitad de mismo año 1519, Cortés y los suyos se adentraron en el territorio mexicano. Entre los sucesos acaecidos en el trayecto hasta la capital azteca, Tenochtitlan, el más destacable fue la alianza celebrada con los indígenas tlaxcaltecas. En efecto, los de Tlaxcala —localidad situada a menos de 100 kilómetros al este de Tenochtitlan—, disconformes con el dominio azteca, vieron una alternativa para liberarse de él en la alianza con los españoles. Por su parte, los aztecas pudieron comprobar, a través de los contactos habidos entre los enviados de Moctezuma y Cortés, que la naturaleza de los invasores no era precisamente divina. A este respecto, el relato que hicieron los embajadores de la reacción de los españoles, en el momento de recibir el oro que les ofrecían, es bien expresivo: *Les dieron a los españoles banderas de oro, banderas de pluma de quetzal y collares de oro. Y cuando les hubieron dado esto, se les puso risueña la cara, se alegraron mucho, estaban deleitándose. Como si fueran monos levantaban el oro, como*

Primer encuentro de Cortés con los enviados de Moctezuma II, en abril de 1519. El tono apacible de la entrevista que refleja el cuadro de A. Solís (Museo de América, Madrid), no se corresponde con los temores y dudas que los invasores despertaron en los embajadores del Tlatoani, y que estos le trasladaron fielmente, ni con la determinación de Cortés para iniciar cuanto antes la conquista.

167

que se sentaban en ademán de gusto, como que se les renovaba y se les iluminaba el corazón. Fue el 8 de noviembre cuando los españoles, tras haber ingresado al valle de México, llegaron a Tenochtitlan. Allí, Moctezuma recibió a Cortés de modo cordial, y lo alojó en uno de los palacios cercanos al principal templo azteca. Consciente de que Moctezuma estaba confundido por la presencia española, y de que, además, dudaba en torno a la naturaleza de los conquistadores, Cortés se arriesgó a capturarlo, intuyendo —acertadamente— que esa captura podría causar notable desconcierto y, consecuentemente, la inacción de su gente. Calculó bien su accionar, ya que, en efecto, al menos durante los meses siguientes no hubo manifestaciones de resistencia indígena.

La situación empezó a cambiar luego de transcurrido el primer trimestre de 1520, coincidiendo con la salida de Cortés hacia la costa, a raíz de las noticias recibidas en torno a la llegada de fuerzas españolas enviadas por el gobernador de Cuba. Con su habilidad característica, Cortés logró que los recién llegados aceptaran su liderazgo. Pero si bien sus fuerzas aumentaron, tuvo que afrontar la resistencia indígena en Tenochtitlan. Allí, en su ausencia, Pedro de Alvarado había preparado la matanza de un grupo selecto de nobles aztecas aprovechando la fiesta anual en honor de Huitzilopochtli en el Templo Mayor. La reacción valiente de los aztecas consiguió cercar a los españoles en los aposentos reales. Esta es la situación que encontró Cortés al regresar.

El intento de Cortés de abandonar la capital azteca dio lugar al episodio conocido como la *noche triste,* en el que muchos españoles y tlaxcaltecas perdieron la vida. Pero Cortés pudo escapar y preparar con nuevas alianzas de nativos y con refuerzos llegados de Cuba el asalto definitivo contra Tenochtitlan. Después de violentísimos combates, finalmente, en mayo de 1521, se rindió definitivamente Tenochtitlan, con su líder Cuauhtémoc a la cabeza. Moctezuma había muerto meses atrás, en los sucesos de la «noche triste». Uno de los episodios más dramáticos de la *Historia verdadera de la conquista de la Nueva España* de Bernal Díaz del Castillo se refiere a estos combates:

Tornó a tocar el tambor muy doloroso del Huichilobos (Huitzilopochtli) *y otros muchos caracoles y cornetas, y otras como
trompetas, y todo el sonido era espantable, y mirábamos al alto
cu en donde tañían, y vimos que llevaban por fuerza las gradas
arriba a nuestros compañeros que habían tomado en la derrota
que dieron a Cortés, que los llevaban a sacrificar; ... luego les
ponían de espaldas encima de unas piedras algo delgadas que
tenían hechas para sacrificar, y con unos navajones de pedernal los aserraban por los pechos y les sacaban los corazones
buyendo y se los ofrecían a sus ídolos que allí presentes tenían, y
los cuerpos dábanles con los pies por las gradas abajo; y estaban aguardando abajo otros indios carniceros, que les cortaban
brazos y pies, y las caras desollaban y los adobaban después
como cuero de guantes... y se comían la carne con chilmote...*

Los precedentes de la llegada de los conquistadores españoles al territorio del Tahuantinsuyu están vinculados al istmo
de Panamá. En efecto, en los primeros años del siglo XVI se inició la ocupación española de esas tierras, lo cual llevó a que se
crearan dos gobernaciones: Castilla del Oro y Nueva Andalucía. La ciudad más importante fundada allí fue Santa María de
la Antigua del Darién, en tierras de Castilla del Oro. Uno de los
colonos de aquella ciudad, Vasco Núñez de Balboa, reorganizó
el dominio sobre los indígenas con una actitud humanitaria poco
frecuente. En 1513 atravesó el istmo y encontró el océano
Pacífico. Las expediciones que llevaron al descubrimiento del
océano Pacífico fueron impulsadas en buena medida por ciertas
noticias que llegaron a Núñez de Balboa en torno a la existencia
de un gran mar y de ricas tierras en dirección al sur. Como ya
hemos señalado, uno de los que lo acompañaban era precisamente
Francisco Pizarro.

Luego del descubrimiento del océano Pacífico empezó el
gran desarrollo de Panamá como centro a partir del cual se proyectaron diversas iniciativas de expansión y conquista. Allí
tuvo un papel protagonista el gobernador Pedrarias Dávila, quien
desde esa ciudad patrocinó expediciones hacia diversos lugares,
tanto de Centroamérica como de la América del Sur. Allí fijaron
también su residencia Francisco Pizarro y Diego de Almagro.

169

Podemos imaginar que a esa ciudad seguirían llegando noticias o rumores en torno a la supuesta existencia de tierras que encerraban grandes riquezas hacia el sur. Se hablaba, por ejemplo, del «país del oro». Eso fue, indudablemente, lo que movió a ambos a constituir una «compañía» en 1524, y a asociar a ella al clérigo Hernando de Luque. Este último era representante de un acaudalado hombre de negocios, Gaspar de Espinosa, que fue quien proporcionó los más importantes recursos económicos. Por eso, al constituirse la compañía quedó establecido que Hernando de Luque estaría encargado de la provisión de los fondos. A su vez, se dispuso que Pizarro sería quien dirigiera militarmente las expediciones, quedando a cargo de Almagro el reclutamiento de hombres y la obtención de todo lo necesario para que aquellas se llevaran a cabo. Además, obtuvieron con facilidad la licencia del gobernador Pedrarias Dávila para el desarrollo de las actividades de la compañía. No olvidemos que las empresas de conquista eran de carácter privado, y que las capitulaciones daban el respaldo de la Corona, pero sin que esta aportara recursos económicos.

La conquista del Perú por Pizarro y los suyos tuvo una larga preparación, que incluyó dos viajes exploratorios, entre 1524 y 1527, en los que Pizarro obtuvo informaciones precisas de la existencia de un gran imperio, y las negociaciones necesarias en España para conseguir el apoyo real. El 26 de julio de 1529 se firmó en Toledo la célebre capitulación, por medio de la cual Pizarro y los suyos obtuvieron ese apoyo. Eso significaba que los territorios se conquistarían en nombre de la Corona de Castilla; Pizarro recibió el título de Adelantado, Gobernador y Alguacil Mayor, y se estableció que percibiría un sueldo anual. La capitulación otorgó a Almagro, por su parte, el gobierno de la fortaleza de Tumbes, un sueldo anual y el título de hidalgo. Hernando de Luque recibió el nombramiento de obispo de Tumbes, e igualmente se le fijó un sueldo anual. Además, la capitulación estableció que las tierras que se descubrieran recibirían el nombre de Nueva Castilla, y autorizó a Pizarro y a sus socios a reclutar tropas, llevar caballos y todos los pertrechos necesarios. Tras visitar su natal Trujillo de Extremadura, con el fin de reclutar gente a la que le interesara incorporarse a la expedición de conquista del «país del oro», Pizarro volvió a Panamá.

El tercer y definitivo viaje se inició allí a comienzos de 1531, y en él participaron cerca de dos centenares de hombres, que se embarcaron en tres navíos. A Tumbes llegaron al año siguiente, luego de la travesía marítima y de un largo y penoso camino terrestre. Allí se enteraron de que el enfrentamiento entre Huáscar y Atahualpa había terminado con el triunfo de este último. Además, entraron en contacto con unos enviados de Atahualpa, quienes tenían órdenes de indagar en cuanto a la identidad y los planes de los españoles.

Siempre en dirección al sur, fundaron, el 15 de julio de 1532, la primera ciudad española en el Perú: San Miguel de Tangarará, en las orillas del río Chira, en Piura. Allí Pizarro otorgó las primeras encomiendas, y quedó establecido un destacamento de españoles, con el fin de mantener un vínculo de comunicación con Panamá. Pero el grueso de los expedicionarios siguió camino con Pizarro hacia la serranía, con dirección a Cajamarca, en busca de Atahualpa. Luego de un penoso trayecto, acechados por el mal de altura y, a la vez, impresionados por la magnificencia y la magnitud del paisaje, los españoles llegaron a las proximidades de Cajamarca, donde sabían que se encontraba Atahualpa. Luego de entablar conversaciones, acordaron encontrarse con el Inca en la propia ciudad.

Allí tuvo lugar el episodio de la captura de Atahualpa por Pizarro. Sabiéndose en minoría frente a las tropas del Inca, Pizarro preparó un ataque por sorpresa que logró hacer prisionero a aquel. Atahualpa estuvo apresado por Pizarro durante más de seis meses, en el transcurso de los cuales el Inca ofreció al conquistador la entrega de oro y plata en gran cantidad, con el objeto de ser repartido entre todos los miembros de la hueste. Pero, después de cobrar el rescate, los españoles ejecutaron a Atahualpa en Cajamarca el 26 de julio de 1533, bajo la acusación de haber dispuesto la preparación de un ataque contra los españoles, y de haber ordenado la muerte de su hermano Huáscar. Se ha especulado mucho en torno al verdadero motivo que decidió a los españoles a acabar con la vida de Atahualpa, aunque lo más probable es que influyera más de una circunstancia. Así, algunos autores mencionan el hecho de que el Inca hubiera enviado desde su prisión una orden para matar a Huáscar. Otros señalan como decisivo el afán de los españoles de llegar cuanto antes a El Cuzco, y consolidar así el dominio sobre el territorio del Tahuantinsuyu, ya que en Cajamarca se seguían sintiendo inseguros. Su ejecución se produjo ante los asombrados ojos de muchos indígenas.

Luego de la muerte de Atahualpa, Pizarro se encaminó hacia El Cuzco. Lo cierto es que cuando los españoles llegaron allí, en noviembre de 1533, el Tahuantinsuyu estaba sin cabeza. Así, Manco Inca Yupanqui —otro de los hijos de Huayna Cápac— fue nombrado por Pizarro como nuevo gobernante. Pero, desde la llegada de los españoles a El Cuzco, la situación de Manco Inca fue bastante delicada, subordinado como estaba a la autoridad de los conquistadores y expuesto a maltratos y a crecientes exigencias económicas. El inevitable saqueo de El Cuzco por las tropas de Pizarro y la evidencia de la consolidación del dominio español llevaron a Manco Inca a la resistencia.

Tras huir de la ciudad imperial, Manco Inca se estableció en el cercano valle de Yucay y encabezó la mayor y más peligrosa resistencia a la que tuvieron que hacer frente los españoles. Desde allí procedió a organizar un ejército indígena, con el cual se encaminó hacia El Cuzco, logrando establecer el cerco de esa ciudad en mayo de 1536. La defendían dos centenares de españoles dirigidos por Hernando Pizarro, y ayudados por numerosos indígenas aliados. El cerco fue muy duro, logrando los hombres de Manco Inca hacer diversas entradas en la ciudad, causando graves daños. La situación se tornó del todo desesperada para los españoles cuando el Inca rebelde logró tomar la fortaleza de Sacsahuamán, lugar desde donde se dominaba la ciudad. Luego de varios días de sangrientos enfrentamientos, la fortaleza fue recuperada por los españoles. Manco Inca mantuvo el cerco de El Cuzco. Sin embargo, el tiempo jugó en su contra, dado que muchos de sus hombres querían ya volver a sus tierras, y además empezaban a escasear los alimentos.

Estas circunstancias, unidas a las noticias de envíos de refuerzos militares españoles desde la costa, llevaron a Manco Inca a decidir el levantamiento del cerco de la ciudad imperial, tras lo cual se retiró a la ciudadela de Vilcabamba. Esta simboliza la resistencia inca frente a la conquista española. Desde allí, Manco Inca emprendió diversas acciones de ataque, aunque ninguna tuvo ya la magnitud de la representada por el cerco de El Cuzco en 1536. Manco Inca murió en 1545 en Vilcabamba [1], asesinado por unos españoles —partidarios de Diego de Almagro— a los cuales había dado refugio luego de las guerras civiles entre pizarristas y almagristas. Pero su muerte no significó el final de la resistencia. Sus sucesores siguieron planeando algunas acciones de ataque a los españoles, aunque paralelamente establecieron conversaciones con las autoridades virreinales en busca de algún tipo de acuerdo que respetara ciertas prerrogativas en los descendientes de los Incas.

El sucesor de Manco Inca fue Sayri Túpac, quien luego de varios años llegó a un acuerdo con las autoridades españolas, en virtud del cual salió de Vilcabamba y llegó a Lima. En la capital virreinal se declaró vasallo del rey de España, a cambio de lo cual se le reconoció el control sobre el valle de Yucay, cercano a El Cuzco, y que había sido muy importante para los incas, tanto desde el punto de vista económico como religioso. Pero luego de la muerte de Sayri Túpac la situación volvió a ser tensa. Su hermano y sucesor, Titu Cusi Yupanqui, emprendió algunas acciones de ataque contra los españoles. Sin embargo, a la vez entró en conversaciones con las autoridades virreinales, llegando a celebrar con ellas un acuerdo. Este consistía en reconocerle los mismos privilegios que le habían sido concedidos a Sayri Túpac, a cambio de que abandonara el reducto de Vilcabamba. Sin embargo, el acuerdo nunca fue efectivo, ya que

---

[1] Paralelamente al cerco de El Cuzco, la ciudad de Lima estuvo en peligro por el cerco establecido por Titu Yupanqui, quien apoyaba las acciones de Manco Inca. Francisco Pizarro pudo derrotar a Titu Yupanqui —luego de su intento de tomar la plaza principal de Lima— gracias a la ayuda de diversos grupos de aliados indígenas.

Titu Cusi Yupanqui siguió manteniendo un gran recelo con respecto a los españoles. Murió en Vilcabamba en 1570.

El último Inca de Vilcabamba fue Túpac Amaru. En cuanto sucedió a Titu Cusi Yupanqui, tuvo que enfrentar a las fuerzas del virrey Francisco de Toledo, quien estaba absolutamente decidido a terminar con ese reducto inca. Así, en 1572 entraron las tropas virreinales en Vilcabamba. Túpac Amaru había huido con dirección hacia la selva, pero poco después fue capturado por los españoles. Trasladado a El Cuzco, fue decapitado en esa ciudad. La muerte del inca Túpac Amaru significó la victoria española sobre la resistencia incaica simbolizada por el reducto de Vilcabamba.

Retrato de los conquistadores

Merece la pena que nos detengamos a considerar el carácter y el talante de los hombres que componían la tropa conquistadora. Las diferencias entre el Medievo y la Modernidad no se dieron solo en el ámbito político. Es importante tener esto en cuenta, porque precisamente los denominados conquistadores de América fueron hombres que vivieron entre la Edad Media y la Moderna. Pero no decimos esto simplemente por un factor cronológico sino porque, en su propia mentalidad, los conquistadores fueron hombres *entre medievales y modernos.* Es claro que los cambios de época en la historia no son tajantes. Por tanto, en los tiempos finales del Medievo ya aparecían muchas características de la modernidad y, a la vez, en los primeros tiempos de lo que se considera Edad Moderna siguieron perviviendo elementos medievales.

De raíz medieval era, por ejemplo, el providencialismo, que llevó a los conquistadores a considerarse como los portadores de la verdadera fe, que por su intermedio debía propagarse a quienes aún la desconocían. Esto está vinculado también con el espíritu caballeresco, que los impulsaba a servir a Dios y al rey. Revelador del naciente espíritu moderno era, en cambio, el individualismo, de acuerdo con el cual los conquistadores anhelaban realizar hazañas con el fin de ser recordados después. No era otra cosa que la concepción renacentista de la «fama». Junto con ello, el afán de obtener riquezas es otro factor característico de los conquistadores, muy relacionado con el espíritu de la modernidad. Quizá fue Bernal Díaz del Castillo, soldado a las órdenes de Cortés desde el comienzo de su aventura y celebrado cronista, a quien nos hemos referido en varias ocasiones, quien mejor expresó ese doble objetivo que los animaba; la obtención de riquezas y la propagación de la fe cristiana: *Por servir a Dios, a Su Majestad, y dar a luz a los que estaban en tinieblas, y también por haber riquezas, que todos los hombres comúnmente buscamos.*

Ahora bien, en cuanto al modo de actuación de la generalidad de los conquistadores, podemos situarlos plenamente en la mentalidad moderna, si por tal entendemos, por ejemplo, el pragmatismo que llevaba a legitimar cualquier medio que condujera a obtener un fin determinado; no olvidemos, en este sentido, la figura modélica de Fernando el Católico, considerado por el propio Maquiavelo como ejemplo de gobernante moderno.

Por otro lado, para entender el interés de los conquistadores por impulsar la evangelización de los indígenas, no solo debe tenerse en cuenta el ya mencionado providencialismo. Junto con eso, debemos considerar el contexto de la Península Ibérica en la que esos hombres nacieron. Nos estamos refiriendo a lo que significó la Reconquista. Como ya se ha explicado antes, la segunda mitad del siglo XV —que fue la época en la que nacieron muchos de los conquistadores de América— fue la etapa decisiva en la lucha de la monarquía castellana por terminar con lo que quedaba del dominio político musulmán en su territorio. Por eso, la Reconquista no fue solo un conflicto político, sino fundamentalmente una guerra de religión: una «cruzada». Así, los conquistadores de América se formaron en ese espíritu de cruzada, de lucha contra los «infieles». Y ese factor debe tenerse en cuenta, para entender el afán de propagación del cristianismo que mostraron en América.

Además, los conquistadores eran conscientes de que la evangelización era la base de la justificación de la conquista: era el gran argumento que podía legitimar el dominio político que buscaban establecer en América. La Iglesia proveía la sanción moral que elevaba una expedición de conquista a la categoría de cruzada. En este sentido, no olvidemos que todavía tenía cierta vigencia la teoría política del Papa como *Dominus Orbis* (Señor del Mundo). Durante la Edad Media se consideraba, en efecto, que el Romano Pontífice, como representante de Cristo, ejercía ese señorío. Si bien ya en el siglo XV esa doctrina estaba muy cuestionada, no había sido del todo superada. Eso explica, por ejemplo, la promulgación de las célebres bulas por parte del papa Alejandro VI, haciendo donación a los Reyes Católicos de los territorios «descubiertos y por descubrir» en el Nuevo Mundo.

A la vez individualistas y hombres de equipo, los conquistadores nunca estaban solos. Pertenecían a un grupo comandado por un jefe cuya capacidad se ponía a prueba por su aptitud para garantizar la supervivencia del grupo y para conducirlos al éxito. El tantas veces citado Bernal Díaz del Castillo ofrece en su crónica la mejor caracterización de los conquistadores como grupo. En realidad, su obra es una reacción contra la obra de López de Gómara *(Historia General de las Indias)* que ensalza a Cortés y olvida que *aunque Cortés fuera de hierro no podía acudir a todas partes y nosotros le dábamos esfuerzo y rompíamos los escuadrones y le sustentábamos y... que* en la historia de Gómara *los capitanes y soldados que lo ganamos quedamos en blanco, sin haber memoria de nuestras personas y conquistas...*

Claro que la figura del conquistador resulta polémica. En efecto, para ciertos historiadores los conquistadores son modelos humanos dignos de admiración. Para otros, en cambio, son seres despreciables. Las rivalidades entre los conquistadores, las traiciones y la codicia suponen, para estos, elementos que los descalifican. El reparto del botín llevaba a frecuentes disputas. Había, desde el comienzo, una notable desigualdad que se basaba en la posición social y en las supuestas diferencias

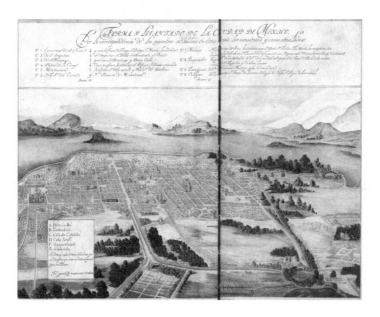

El plano de México de J. Gómez de Trasmonte (Museo de la ciudad) subraya las dimensiones de la ciudad en la época (1628) y el predominio de los edificios religiosos, una de las características del siglo (18 conventos de frailes, 15 de monjas, 2 parroquias y la catedral), además de la universidad y varios hospitales y colegios. El crecimiento y la transformación más acusada se produciría en el siglo siguiente.

en el valor de los servicios: los hombres que luchaban a caballo recibían el doble que los que lo hacían a pie. Algunos lograban verdaderas fortunas en el reparto, pero no era extraño que las perdieran pronto en el juego. Mientras algunos conquistadores regresaban a casa con sus ganancias otros esperaban a incrementar su fortuna para regresar. Por todo ello, es difícil *enjuiciar* al conquistador. Y es difícil porque no hubo un *prototipo*. Si bien compartieron las características comunes antes mencionadas, hubo también muchas diferencias entre ellos, por su talante, educación y posición social. En todo caso, su actuación debe analizarse en el contexto histórico en el que esos hombres vivieron.

La encomienda

Si bien ya nos hemos referido a la mentalidad y a las expectativas de los conquistadores, no quedaría completa la explicación sobre estas últimas sin hacer alusión a la institución de la encomienda, tan apreciada y codiciada por los conquistadores y, también, por muchos que llegaron después a América. Para entender adecuadamente esa institución, debemos recordar que una de las características de la mentalidad medieval de los conquistadores tendía a asociar servicio al monarca con mercedes otorgadas por este en pago a los servicios recibidos. Además, el ideal señorial de vida, propio del mundo medieval, consistía, entre otras cosas, en tener vasallos, como manifestación externa de autoridad y de prestigio. Como sabemos, en la Edad Media europea el señor tenía vasallos a su servicio, lo cual no solo implicaba que debían servirlo, sino también suponía el que hubiera una sujeción al señor en diversos aspectos de la vida.

Así, los conquistadores y primeros pobladores de América ambicionaron convertirse en señores de vasallos. Esa ambición pudo concretarse a través de la institución de la encomienda. Consistía en «encomendar» un determinado grupo de indígenas a un español [2], lo cual generaba en este —el encomendero— una serie de deberes y derechos. El derecho fundamental consistía en la cobranza del tributo indígena. Todo indígena varón, que tuviera entre 18 y 50 años de edad, era considerado tributario: es decir, estaba obligado a pagar un tributo al rey, en su condición de «vasallo libre» de la Corona de Castilla. ¿Cuáles eran las obligaciones del encomendero? Entre otras, velar por que los indígenas a ellos encomendados fueran adecuadamente adoctrinados en la fe cristiana; residir en la ciudad de españoles que fuera la cabecera de los términos en los que vivían sus indígenas encomendados; acudir a la defensa de la tierra en caso de que fueran llamados por las autoridades. El encomendero debía pagar los gastos del cura doctrinero, que era el encargado de evangelizar a la población indígena. La obligación de que el encomendero residiera en una ciudad —y no junto a sus indígenas— se estableció a raíz de que en los primeros años de la colonización muchos de los abusos se dieron por la cercanía física del encomendero con sus indígenas.

La encomienda fue, en sentido estricto, una cesión de tributos: el monarca, que era quien debía cobrar el tributo de los indígenas, cedía ese derecho de cobranza en favor de los encomenderos, en razón de que estos merecían tal recompensa por los servicios prestados a la monarquía en la conquista. De este modo, la encomienda fue un premio otorgado a los españoles que más méritos hicieron en la conquista. Debemos aclarar, sin embargo, que en los primeros tiempos de la colonización no hubo ningún control sobre las exigencias que los encomenderos podían hacer a sus indígenas encomendados. En aquel entonces los encomenderos cometieron, por lo general, todo tipo de abusos con sus indígenas, con el propósito de conseguir el máximo beneficio de ellos, exigiéndoles trabajo, entrega de productos y eventualmente de dinero. Posteriormente, y a me-

---

[2] Ya en la España medieval había existido la encomienda. Sin embargo, la encomienda americana presentó una particularidad. A diferencia de la española, la encomienda en América no significó concesión de tierras, sino tan solo de la fuerza de trabajo de los indígenas.

dida que los funcionarios de la Corona empezaron a tomar un mayor control del territorio americano, se establecieron las primeras tasaciones. La tasación era una valoración de lo que los indígenas podían entregar como tributo, bien fuera en trabajo —denominado servicio personal—, en especies o en dinero. Pero hasta entonces, como dijo un personaje de la época, *la tasa y medida era la voluntad del encomendero.* Con el establecimiento de las primeras tasaciones se intentó limitar esos abusos.

En cualquier caso, es claro que la encomienda fue la institución vertebradora de la colonización. Es decir, hizo posible el asentamiento permanente de los españoles en América. Fue un premio que consideraron lo suficientemente atractivo como para permanecer en esas tierras, dado que la mayor riqueza —sobre todo en lo que luego serían los virreinatos mexicano y peruano— era precisamente su población indígena, ya que con su trabajo podía obtenerse los diversos recursos —en especial los metales preciosos— que los españoles buscaban. Hay que tener en cuenta que a estos hombres les costaba arraigar. Por eso la posesión de una casa, y la incorporación como vecino a una comunidad, aparecía como condición necesaria para lograrlo.

Así, la encomienda fue el medio a través del cual los españoles pudieron obtener riquezas a partir del trabajo de los indígenas. Sin embargo, en pocas décadas la encomienda dejó de tener la importancia fundamental que tuvo en los primeros tiempos. Esto se debió, en primer lugar, a que la Corona nunca concedió la merced de la encomienda a perpetuidad, sino por un plazo determinado, que fue de dos vidas: la del beneficiario y la de su inmediato sucesor[3]. Muchos encomenderos pidieron que se concediera la perpetuidad, pero no fue otorgada por el temor de la Corona a que surgiera una aristocracia señorial que dificultara el afianzamiento del poder de la monarquía a través de sus funcionarios.

---

[3] En la tercera década del siglo XVII se estableció que los encomenderos podrían gozar de sus mercedes por una vida más, a cambio de un pago a la Real Hacienda.

Con el tiempo, concurrieron muchas circunstancias que hicieron decaer la importancia de la encomienda, sobre todo en la América nuclear. En primer lugar, el fuerte descenso poblacional indígena que se produjo a lo largo del siglo XVI. Esto fue definitivo, ya que sin población indígena no podía haber encomiendas. Por otro lado, pronto surgió una creciente diversificación económica. Nuevas actividades —la minería, el comercio, la agricultura, etc.— generaban cada vez mayores beneficios y exigían una mano de obra más especializada, todo lo cual contribuyó para que la importancia de la encomienda fuera decayendo: ya no era, como al principio, la principal fuente de riquezas. Ahora bien, reiteramos que este panorama se dio sobre todo en la América nuclear. En otras zonas de América —que desde la perspectiva de la dominación española podríamos denominar periféricas, como Yucatán, Tucumán, Paraguay o Chile—, la situación fue distinta, y la institución de la encomienda siguió siendo importante hasta las postrimerías de los tiempos coloniales. Esto se explica, por ejemplo, por el hecho de que en esas zonas no había mayores riquezas, con lo cual el proceso de diversificación económica no pudo darse tan fuertemente como en la América nuclear.

La Corona y los «justos títulos»

Tal como hemos indicado páginas atrás, en el contexto de lo que fue el impacto en Europa de los descubrimientos geográficos llevados a cabo por españoles y portugueses, un punto importante fue el de las polémicas que se desarrollaron —sobre todo en España y en sus dominios americanos— en torno a la justicia y la licitud de la conquista. En definitiva, se discutieron intensamente los *justos títulos* de España para colonizar América y servirse de la mano de obra indígena.

Se suele señalar el célebre sermón del fraile dominico Antonio de Montesinos en La Española, en 1511, como el hito iniciador de la *lucha por la justicia* —en palabras del historiador norteamericano Lewis Hanke— en la conquista de América.

Ese sermón tuvo como tema central el cuestionamiento de la licitud del dominio español en las Antillas, así como la censura frente a la explotación a la que los colonizadores —y sobre todo los encomenderos— sometían a la población nativa. Montesinos planteó tres graves preguntas a los colonos de dicha isla: ¿en qué condiciones podía hacerse la *guerra justa* contra los indígenas?; ¿con qué título ejercía el rey de Castilla su dominio sobre América?; ¿podía emplearse la fuerza contra los indígenas para predicar el cristianismo, o esta predicación debía realizarse solo por medios pacíficos?

Por tanto, el gran problema que se planteaba era el de la justificación de la conquista. En un principio, los españoles la habían justificado a partir de las ya mencionadas teorías medievales que afirmaban que el Papa era *Dominus Orbis:* por lo tanto, las concesiones papales realizadas en favor de los Reyes Católicos suponían, según ese criterio, una plena justificación de la conquista de América. Sin embargo, esa justificación, apoyada en argumentos de carácter teológico, empezó pronto a ser criticada no solo en la propia Península Ibérica, sino también por ciertos soberanos europeos.

Si Montesinos fue el iniciador de la polémica, sin duda el también dominico Bartolomé de Las Casas se erigió en el principal abanderado de los argumentos que buscaban un mejor trato del indígena. Las Casas fue muy influyente en la corte castellana, al punto de que se ha considerado un triunfo de sus argumentos la promulgación de las *Leyes Nuevas* de 1542, las cuales incluían claras disposiciones en favor de un mejor trato al indígena, y establecían un mayor control en cuanto al comportamiento de los españoles para asegurar ese objetivo. Sin embargo, la disposición más dura de ese cuerpo de leyes —desde el punto de vista de los conquistadores— fue la drástica limitación en la posesión de las encomiendas, lo cual suscitó protestas en diversos lugares de América, siendo las voces de los encomenderos peruanos las que generaron la rebelión más cruenta, dirigida por Gonzalo Pizarro. A pesar de que poco después de su promulgación buena parte de las Leyes Nuevas fueron suspendidas —precisamente por las protestas suscitadas entre los

La mayoría de los nobles aztecas terminó por convertirse al cristianismo. Esta decisión les permitía conservar buena parte de su poder e influencia, al tiempo que se convertían en agentes que facilitaron el control del territorio por parte de los españoles. La cristianización constituyó uno de los más poderosos agentes de la pérdida de los rasgos culturales de las civilizaciones indígenas.

183

colonizadores—, su sola publicación es reveladora de la preocupación que por la justicia en la conquista había en las más altas esferas de la corte castellana.

La polémica sobre la justicia de la conquista tuvo, en realidad, dos grandes protagonistas: el ya mencionado Bartolomé de Las Casas y Juan Ginés de Sepúlveda. Las Casas afirmaba que no era justo hacer la guerra a los naturales, y que la evangelización debía realizarse de modo pacífico. Sepúlveda, en cambio, aludía a la gravedad de los pecados de los indígenas y a la rudeza de su naturaleza como razones que —entre otras— hacían legal y necesaria la guerra contra los naturales. La polémica tuvo su punto culminante en el debate que ambos protagonizaron en Valladolid entre 1550 y 1551. Si bien es conocido que, por diversas razones, Las Casas no tuvo éxito en sus intentos de poner en práctica una conquista pacífica en ciertos lugares de América, y a pesar de haber incurrido en ciertas exageraciones al hacer referencia a la historia de la conquista y colonización de América, lo cierto es que fue un hombre que se adelantó a su tiempo.

Francisco de Vitoria es otro personaje que marca un hito en esa línea de defensa de la igualdad de todos los hombres. Con sus lecciones en la Universidad de Salamanca se convirtió en el primer español que afirmó que la donación papal de los territorios americanos carecía de valor político. En su condición de firme seguidor del iusnaturalismo católico —corriente de pensamiento que afirma la existencia de unas leyes naturales creadas por Dios y que rigen la vida del hombre y de las sociedades—, Vitoria definió una serie de títulos justos a partir de los cuales la Corona castellana podría declararse como legítima poseedora del continente americano. Se trataba de unos títulos que buscaban fundamentarse en la razón natural, y como tales aspiraban a tener reconocimiento universal. En otras palabras, Vitoria procuró dejar de lado los argumentos teológicos. Así, fueron siete los «justos títulos» que planteó: la «sociedad y compañía naturales», consistente en el derecho que tiene toda persona de viajar y permanecer en el continente americano, sin dañar a los naturales; si estos le impidieran ejercer ese derecho de tránsito y permanencia, dicha situación se configuraría como el primer justo título para adueñarse de las tierras y soberanía de los indígenas. El segundo título era el derecho de los españoles de «predicar y declarar el evangelio en países bárbaros». En tercer lugar, afirmaba que si los príncipes indígenas pretendieran forzar la vuelta a la idolatría de algún natural convertido al cristianismo, se estaría ante otro título justo de conquista. Igualmente, la «elección cierta y voluntaria» de los españoles como señores por los indios y sus soberanos, se configuraría como otro título válido, al igual que el uso de la fuerza para salvar a gente inocente de una muerte injusta, con fines —por ejemplo— de canibalismo. Igualmente, afirmaba Vitoria que los españoles podían hacer suya la causa de sus aliados o amigos indígenas, y además que el Papa, en el caso de indígenas convertidos al cristianismo, podía darlos a un soberano cristiano destronando a los soberanos infieles.

En definitiva, Vitoria buscó establecer criterios razonables que pudieran ser aceptados por todos los hombres como títulos válidos de conquista. Por eso, no sin razón, diversos autores lo consideran el fundador del Derecho internacional público.

La visión de los vencidos

Así como fue grande el impacto que los europeos experimentaron en el contacto con la realidad americana, terrible fue el trauma que los nativos sufrieron tras la llegada de los españoles. ¿Qué pensaron los hombres del Nuevo Mundo al ver llegar a sus costas a los *descubridores y conquistadores*? ¿Qué sentido dieron a su lucha? ¿Cómo valoraron su propia derrota? Por fortuna disponemos de testimonios directos de algunos de los nativos que nos permiten responder a estas preguntas. Estos testimonios fueron plasmados en imágenes por los propios testigos de los hechos, relatados a personas que los pusieron por escrito, como Fray Bernardino de Sahagún, o consignados por escrito por los propios testigos una vez que aprendieron el alfabeto latino. Las antologías de Miguel León Portilla, *Visión de los vencidos, Relaciones indígenas de la conquista* (1959) y *El reverso de la conquista. Relaciones aztecas, mayas e incas* (1964), ofrecen un impresionante cuadro de los sentimientos y actitudes de los vencidos.

El temor ante las primeras noticias de la llegada de los españoles se había extendido entre los aztecas y causaba honda preocupación a su dirigente: *Moctezuma cavilaba en aquellas cosas, estaba preocupado; lleno de terror, de miedo: cavilaba qué iba a acontecer con la ciudad. Y todo el mundo estaba muy temeroso. Había gran espanto y había terror. Se discutían las cosas, se hablaba de lo sucedido. Hay juntas, discusiones, se forman corrillos, hay llanto, van con la cabeza caída... Los padres de familia dicen: —¡Ay, hijitos míos!... ¿Qué pasará con vosotros?*

A medida que los españoles avanzan, llegan noticias de la destrucción y derrota de los pueblos por los que pasan. En ese momento se impone la sensación de abandono por parte de los dioses en los que se ha creído y a los que se han sacrificado tantas víctimas, cuando no de su falsedad: *Más visto que los españoles apellidaban a Santiago, y comenzaban a quemar los templos de los ídolos y a derribarlos por los suelos, profanándolos con gran determinación, y como veían que no hacían nada, ni caían rayos, ni salían ríos de agua, entendieron la burlería y cayeron en la cuenta de cómo era todo falsedad y mentira.*

Los sufrimientos ocasionados por la guerra y los relatos de la derrota conmueven por la espontaneidad del sentimiento y la profundidad del dolor que revelan. El ataque de Alvarado a la nobleza mexica durante la fiesta de Tóxcatl es descrito en estos términos: *Pues así las cosas, mientras se está gozando de la fiesta, ya es el baile, ya es el canto, ya se enlaza un canto con otro, en ese preciso momento los españoles toman la determinación de matar a la gente... Vienen a cerrar las salidas y luego que hubieron cerrado todas ellas se apostaron: ya nadie pudo salir... Inmediatamente cercan a los que bailan, se lanzan al lugar de los atabales: dieron un tajo al que estaba tañendo, le cortaron ambos brazos. Luego lo decapitaron, lejos fue a caer su cabeza cercenada. Al momento a todos acuchillan, alancean a la gente y les dan tajos, con las espadas los hieren. A algunos los* acometieron por detrás, inmediatamente cayeron por tierra dispersas sus entrañas. A otros les desgarraron la cabeza; enteramente hecha trizas quedó su cabeza. Pero a otros les dieron tajos en los hombros: hechos grietas, desgarrados quedaron sus cuerpos. A aquellos hieren en los muslos, a estos en las pantorrillas, a los de más allá en pleno abdomen. Todas las entrañas cayeron por tierra. Y había algunos que en vano corrían: iban arrastrando los intestinos y parecían enredarse los pies en ellos. Anhelosos de ponerse en salvo, no hallaban a donde dirigirse... La sangre de los guerreros cual si fuera agua corría: como agua que se ha encharcado, y el hedor de la sangre se alzaba al aire...

Es, quizá, en los poemas, en los cantos tristes, donde se pone mejor de manifiesto la desesperación de quienes son testigos de la destrucción de los fundamentos de su cultura: *En los caminos yacen dardos rotos / los cabellos están esparcidos. / Destechadas están las casas / enrojecidos tienen sus muros. / Gusanos pululan por calles y plazas / y en las paredes están los sesos. / Rojas están las aguas, están como teñidas, / y cuando las bebimos / es como si bebiéramos agua de salitre. / Golpeábamos, en tanto, los muros de adobe / y era nuestra herencia una red de agujeros. / Con los escudos fue su resguardo, / pero ni con escudos puede ser sostenida su soledad...*

En el ámbito andino, es la obra de Felipe Guamán Poma de Ayala, *Nueva crónica y buen gobierno,* dirigida en 1615 a Felipe III, el mejor testimonio de la visión de los incas vencidos. Guamán Poma se refiere a sí mismo como *cacique prencipal.* Era descendiente de indígenas por parte de padre y madre y, a diferencia del Inca Garcilaso de la Vega, siempre residió en el Perú. Algunos de los cuatrocientos dibujos que contiene la obra, y sobre todo el texto que los acompaña, mucho más explícito, contienen una denuncia de los abusos cometidos por los conquistadores, fueran estos laicos o sacerdotes, y una visión pesimista de la colonización. Pero, además, la obra de Felipe Guamán Poma es un alegato contra los motivos de la conquista y la colonización. Los peruanos no habían dado ningún motivo para que los españoles les hicieran una guerra justa (Guamán Poma conocía las tesis del padre Vitoria), puesto que los antiguos andinos eran de la descendencia de Noé y adoraban al Dios judeocristiano. Las primeras conversiones al cristianismo se habían producido mucho antes de la llegada de los españoles, merced a la predicación de San Bartolomé (la idolatría vino más tarde al fundar Manco Cápac su dinastía) y, finalmente, los andinos no habían sido vencidos en una guerra justa sino que habían aceptado voluntariamente la soberanía de Carlos I.

Al hacer referencia a la visión de los vencidos, debemos ponderar no solo el trauma profundo de la derrota en las civilizaciones indígenas, sino también la diversidad de reacciones ante la misma. En teoría, los indígenas tuvieron y ejercieron varias opciones: integrarse en el sistema de vida de los vencedores; quedarse más o menos al margen de ese modelo y, finalmente, resistir. En muchos casos se produjo en los indígenas una doble actitud: de asimilación de los valores europeos, pero también de conservación de los propios. Puede apreciarse esto, por ejemplo, en los múltiples modos en los que fue ingresando el cristianismo en la mentalidad indígena, o también en las actitudes ambivalentes de muchos de los caciques americanos, que eran señores naturales a cuya autoridad tradicional se añadía el reconocimiento de los europeos como intermediarios entre ellos y los naturales.

Por otro lado, son numerosos los casos de grupos étnicos que opusieron tenaz y prolongada resistencia a la colonización. En este sentido, hemos ya mencionado el caso de los indígenas chilenos. Sin embargo, las resistencias no se dieron solo en zonas periféricas, sino también en la América nuclear. Por ejemplo, es muy ilustrativo el caso de los últimos incas de El Cuzco, que se mantuvieron resistiendo en su reducto de Vilcabamba hasta cuatro décadas después de la llegada de Pizarro a los Andes.

Tuvieron más éxito en su resistencia, como ya se ha indicado, los araucanos, en el sur del Perú, y los chichimecas, en el norte de México. En principio eran pueblos con culturas menos sofisticadas que las de los aztecas o incas; pero una vez que supieron adaptar sus técnicas guerreras a la estrategia de los españoles se convirtieron en un problema que obligó a estos a tener en pie de guerra un ejército permanente.

10

Hacia la formación de Iberoamérica

Desestructuración del mundo indígena y unificación colonial

TRAS LAS VICTORIAS ESPAÑOLAS sobre las civilizaciones indígenas se inició un doble proceso: por un lado, el de desestructuración de las mismas, y paralelamente el de la definición de la autoridad española y la conformación de una nueva identidad a partir del substrato indígena y de los nuevos aportes. No debemos olvidar, al analizar este proceso, que, en rigor, no puede hablarse de uno, sino de muchos «mundos indígenas», dada la diversidad que había en América en los distintos órdenes de la vida.

Si bien el concepto «desestructuración» ha sido utilizado sobre todo para hacer referencia al impacto sufrido en el mundo andino a raíz de la llegada de los españoles, puede muy bien aplicarse al resto de las civilizaciones americanas. La conquista, en efecto, propició un cambio radical para los naturales americanos en las diversas vertientes de la vida: en lo político, en lo social, en lo económico, en lo religioso y en lo demográfico. Así, los patrones de organización existentes en los tiempos prehispánicos dejaron de estar vigentes, o al menos experimentaron cambios radicales. Es cierto que el impacto no afectó en la misma medida a todas las culturas precolombinas. Si las islas del Caribe llevaron la peor parte en el plano demográfico, pues sus habitantes perecieron en masa, parece que el mundo andino resultó más afectado que la meseta mexicana, y hubo regiones enteras, fuera de la llamada América nuclear, a las que ni siquiera llegaron los conquistadores.

Para seguir un orden lógico, e incluso cronológico, en la explicación de este fenómeno, deberíamos comenzar por la desestructuración demográfica. En efecto, la conquista significó un descenso poblacional de gran magnitud entre los indígenas americanos, debido a muy diversas causas. Entre ellas, una de las más importantes estuvo constituida por las epidemias: los indígenas no tenían defensas biológicas frente a diversas enfermedades portadas por los españoles. Así, por ejemplo, la gripe —tan habitual e inofensiva para nosotros— cobró miles de víctimas entre la población americana. Las epidemias solían ser mucho más mortíferas en las zonas de baja altitud —fundamentalmente costeras— que en las tierras altas. En buena parte de las costas pacíficas sudamericanas, por ejemplo, la población prehispánica vivía congregada en angostos valles, y eso hizo que los contagios fueran más rápidos. En las tierras altas, por el contrario, dado que la población vivía más dispersa, y teniendo en cuenta la existencia de diversos niveles de altitud, la velocidad de desarrollo de los contagios fue bastante más lenta.

Hubo otras importantes causas del descenso poblacional: los maltratos sufridos por los indígenas a causa de las exigencias laborales de los encomenderos; el impacto que la población indígena sufrió al alterarse los patrones de organización económica y social; el «desgano vital» que embargó a muchos indígenas al comprobar las radicales transformaciones que trajo consigo la dominación española. En efecto, a las pérdidas materiales y al sufrimiento propio de la violencia de la conquista, se añadió en la población indígena la constatación del colapso definitivo de su forma de vida, sus costumbres y su visión del mundo. Incluso sus dioses habían quedado derrotados. Si bien el terrible efecto psicológico que todo ello tuvo en los indígenas es imposible de ser descrito con precisión, hay ciertas huellas que nos permiten imaginarlo: desde situaciones extremas que se suscitaron, como rebeliones e incluso suicidios colectivos, hasta la apatía y el silencio en el que muchos de ellos trabajaron para los españoles, tal como anota Guillermo Céspedes.

En el ámbito social, la desestructuración se dio con la introducción de los patrones de organización occidentales, absolutamente distintos a los criterios de organización del mundo prehispánico. El establecimiento de nuevas formas de tributo, desconocidas hasta entonces, la introducción de la moneda y de la economía de mercado trastocaron las formas de vida tradicionales basadas en los *ayllu* andinos o en los *calpulli* mexicanos. Esto resultó especialmente grave en el mundo andino, donde los tradicionales criterios de reciprocidad y redistribución, vigentes hasta entonces, fueron sustituidos por la imposición de los conceptos occidentales referidos al ahorro individual y a la economía monetaria, entre otras cosas. Así, para el hombre andino fue, por lo general, bastante traumático el proceso de adaptación a los patrones de organización impuestos por los españoles. Un ejemplo ilustrativo nos lo ofrece lo referido a las contrapuestas concepciones del espacio. En el mundo andino estaba vigente la noción de dominio discontinuo del espacio, lo cual se entiende, por ejemplo, a la luz de lo que fue el control vertical de pisos ecológicos, al que nos referimos al tratar de las civilizaciones precolombinas. Así, por ejemplo, los indígenas de una determinada comunidad podían trabajar tierras ubicadas en lugares muy distantes y distintos. Los españoles no comprendieron esa noción de dominio espacial, ya que ellos estaban familiarizados, más bien, con una concepción de dominio continuo del territorio, que buscaron imponer en América tras la conquista. Las guerras de conquista y las luchas entre los partidarios de Pizarro y Almagro contribuyeron a desarraigar a importantes contingentes de población, que se convirtieron en vagabundos.

La cristianización fue, quizá, el más poderoso agente de desestructuración. Al convertir a los antepasados en idólatras, y al proscribir todas las tradiciones religiosas, se produjo una ruptura profunda con el pasado. Los sacerdotes católicos cerraron las escuelas en las que los hijos de la nobleza se impregnaban de los saberes antiguos, prohibieron los sacrificios humanos, suprimieron la poligamia e impusieron el modelo de matrimonio de los españoles. La conversión al cristianismo ponía en peligro, incluso, la cohesión de las familias. El matrimonio monógamo excluía a las esposas secundarias y a sus hijos, a partir de ese momento considerados bastardos. La barrera inicial de la lengua será, por algún tiempo, un obstáculo que se opondrá a la labor de los misioneros. Por el contrario, las mujeres desempeñarán un importante papel en la asimilación de los nuevos valores. Sea como concubinas, sea como esposas legítimas de los conquistadores, muchas princesas indígenas facilitaron la transición entre ambos mundos y el mestizaje subsiguiente. Es significativo el ejemplo de Tecuichpotzin, la hija de Moctezuma. Se casó con los dos últimos monarcas mexicas: Cuitlahuac y Cuauhtémoc; al quedar viuda de este último, a los 16 años, recibió el bautismo y tomó el nombre de Isabel, convirtiéndose en modelo de hispanización y piedad cristiana. Cortés le otorgó, a título vitalicio, las rentas de la ciudad de Tacuba, e hizo que se casara con el conquistador Alonso de Grado. Después de la muerte de Grado, vivió algún tiempo con el propio Cortés, a quien dio una hija y todavía volvió a casarse dos veces con españoles.

Se ha repetido que el grado de asimilación no fue uniforme en todas las capas sociales. La aculturación fue más rápida entre los señores y la tradición se conservó más tiempo entre la gente del común. En efecto, aquellos aprendieron a hablar y escribir español en las escuelas creadas para los hijos de la nobleza en Tlatelolco (1530), en El Cuzco y en Lima mucho más tarde y comenzaron a vestir como los españoles. Muchos de ellos aceptaron colaborar con los españoles y pudieron mantener así su posición privilegiada, sin dejar de constituir un grupo de presión indígena bastante poderoso. En cambio, las comunidades rurales indígenas continuaron hablando sus lenguas y trataron de armonizar en la práctica el respeto a las creencias tradicionales —los astros, el fuego, el agua, las *huacas*— con los símbolos y las imágenes que les predicaban los misioneros católicos.

Con todo, el vacío que experimentaron los indígenas ante el derrumbamiento de las instituciones tradicionales y el abandono de las formas tradicionales de conducta, sumieron a las poblaciones en el desconcierto e indujeron a muchos a buscar refugio en el alcohol. Es este un fenómeno constatado por todos los cronistas. Las reglamentaciones severas que pesaban sobre el consumo de alcohol en las sociedades prehispánicas desaparecieron con la conquista *y por todas partes muy desenfrenadamente se daban al vino, y que sin ninguna mesura se embeodaban, asi los principales como la gente, hombres y mujeres.*

En resumen, después de cincuenta años de conquista, la sociedad indígena había experimentado un proceso de desestructuración en todos los órdenes de la vida: demográfico, social, económico y espiritual. No obstante, sobrevivieron algunos rasgos, sobre todo entre la población rural, que garantizaron la continuidad y la transmisión de las tradiciones, si bien modificadas por la cultura colonial hegemónica.

Fórmulas de explotación del trabajo de los indígenas

Tal como los españoles advirtieron desde un principio, el mayor tesoro que América les podía ofrecer era el de la mano de obra indígena, sin la cual resultaba imposible la obtención de las riquezas que el Nuevo Mundo encerraba. Después de tentativas frustradas de establecer en las Antillas de modo formal la esclavitud indígena, que no se llegaron a aplicar por la oposición de la Corona castellana, los conquistadores y primeros pobladores españoles utilizaron compulsivamente la mano de obra indígena para la extracción —sobre todo— de metales preciosos. Así, en los primeros tiempos de la colonización de los territorios americanos, los indígenas estuvieron a merced de lo que los españoles exigían.

En realidad, los españoles se enfrentaban a una paradoja. Debían salvar las almas de los indios, tal como la bula *Inter coetera* del papa Alejandro VI había prescrito, y al mismo tiempo servirse de sus cuerpos para su particular provecho. La fórmula jurídica que arbitraron fue la encomienda, a la que ya nos hemos referido en páginas anteriores. La voluntad del encomendero era la que establecía la exigencia a los indígenas. Esta situación llevó a los grandes abusos cometidos en las islas. Posteriormente, cuando se fue institucionalizando la autoridad española por medio de la presencia de funcionarios enviados por la Corona, empezaron a establecerse limitaciones en cuanto a lo que se podía exigir a los indígenas. Así se formularon las primeras tasaciones, que eran valorizaciones de lo que cada encomendero podía recibir de sus indígenas encomendados, bien fuera en trabajo, en especie o en dinero. En los tiempos iniciales, lo que fundamentalmente obtenían los encomenderos era el «servicio» de los indios —es decir, mano de obra para los trabajos que fueran necesarios para el beneficio de los españoles— y la entrega de especies, de acuerdo con las características de la producción de los correspondientes territorios. En ese contexto, las tasaciones establecieron el límite máximo de lo que los encomenderos podían exigir.

Sin embargo, la encomienda fue solo una de las instituciones en cuyo seno se aprovechó el trabajo indígena. Pronto surgió un modelo de explotación nuevo: *el repartimiento* del trabajo, que en el Perú se llamó *mita*. El fundamento de esta práctica era el derecho del gobierno de forzar a sus súbditos a trabajar en lo que fuere necesario para el bien común. Se consideraban trabajos necesarios: la producción de alimentos, la minería, la construcción de edificios públicos, caminos, pueblos y canales de riego. En realidad eran pocos los servicios manuales no necesarios para el bien común, pero parecía quedar claro en lo concerniente a los indios que ninguno de ellos podía ser obligado a trabajar en provecho de particulares y que sus servicios debían pagarse en efectivo. Desde sus comienzos el nuevo sistema dio lugar a abusos y despertó la condena de los frailes franciscanos, igual que la encomienda había provocado la de los dominicos. Gonzalo Gómez de Cervantes, corregidor de Tlaxcala (1597), describía y denunciaba así las corruptelas del sistema de repartimiento en la ciudad de México: *En esta ciudad se mandan repartir por mandato del virrey cantidad de in-*

Denuncia de los malos tratos que los corregidores de minas infligían a los caciques cuando faltaban indios a la recluta de la mita. Guamán Poma atribuye este comportamiento a que no se aplicaban los controles previstos sobre los funcionarios (la visita y los juicios de residencia), por lo que operaban como señores absolutos.

dios cada semana, para el reparo y servicio de las casas de los
vecinos della, y para esto se nombra un juez repartidor, el cual
lleva por cada cuatro indios que reparte un real de plata... si
ha de usar bien su oficio, reparte los dichos indios a los Oido-
res, Alcaldes de Corte y otros oficiales de la Audiencia sin que
ningún vecino goce de este beneficio; y si alguno o algunos le
gozan, son los que pueden tener muy cohechado al repartidor,
y la gente pobre no alcanza jamás ningún socorro. Y la tasa
como se ha de pagar es: al carpintero y albañil, a dos reales
cada día y de comer; al peón, medio real cada día... Hay otros
repartimientos de indios que se dan para las labores de pan...
y son de manera las insolencias y agravios que a los indios se
hacen en las labores cuales no se pueden imaginar... Ante to-
das las cosas ponen con los indios un negro o criado que ande
con ellos y les de priesa para que trabajen, a los cuales hacen
trabajar más que pueden, y sobre esto les dan palos y aun les
quitan la comida que traen y las mantas con que se cubren, to-
mándosela por prenda porque no se huyan, haciéndolos dormir
encerrados y en cueros vivos... otros se sirven dellos quince o
veinte días (el repartimiento estaba previsto para ocho) *y des-*
pués de haber servido quince o veinte días devuélvenles su ha-
tillo y quítanles la guarda, y mándanlos trabajar, y los misera-
bles indios como se ven en libertad, huyen y dejan la paga.

Los abusos cometidos dieron lugar —entre otras— a las ordenanzas de 1609 que trataban de atajar de forma realista esos
desmanes. Así, por ejemplo, prohibían traer indios desde distancias excesivas, o de climas distintos; establecían que sus salarios fuesen adecuados y proporcionales al trabajo; que se les
pagase el tiempo consumido en el desplazamiento; que, de ser
posible, se les permitiera pasar la noche en sus casas, etc. De
hecho, entre las numerosas quejas planteadas ante el Juzgado
General de Indios, no se encuentran objeciones de principio,
sino denuncias por los abusos cometidos. La *mita,* como sistema de trabajo compulsivo por turnos, fue especialmente importante en la explotación minera en los Andes. Sin embargo,
la figura de la mita no fue exclusiva del ámbito minero, ya que
hubo otros ramos de actividad —como, por ejemplo, los obra-

jes, que eran centros de producción textil— en los que se utilizó ese trabajo por turnos.

La necesidad de contar con trabajadores profesionales y especializados para determinadas tareas, como la minería, y la falta de mano de obra para esos menesteres, hizo que se abandonara el repartimiento y se sustituyera por otros mecanismos. En efecto, el trabajo por días del repartimiento no permitía tener obreros hábiles y especializados, y la diferencia con los salarios del trabajo libre dio lugar a frecuentes protestas por parte de los indios. Así se extendieron otras fórmulas para ligar a los trabajadores a sus puestos, como los contratos con elevados salarios en la minería o el peonaje por deudas.

En el caso de la colonización portuguesa del Brasil, fueron más prolongadas las tentativas dirigidas al establecimiento de la esclavitud indígena. Así, por ejemplo, en el siglo XVII existieron frecuentes actividades de captura y tráfico de esclavos en el interior del Brasil, aunque siempre el grueso de la población esclava era de origen africano.

La esclavitud

Los esclavos africanos significan el origen de uno de los componentes de lo que sería la sociedad virreinal y luego la republicana. En efecto, sin el aporte cultural de los descendientes de los esclavos africanos no podrían entenderse muchas de las características de numerosos estados iberoamericanos de hoy. Así, ya desde el propio siglo XVI, aparecieron las denominadas castas, o «castas de mezcla», nombre que se dio a los grupos humanos que surgieron como fruto de las uniones interraciales entre españoles, indígenas y negros. Así surgieron los zambos —producto del cruce entre negro e indio— y los mulatos, que eran el resultado de las uniones entre españoles y negros. Pero los mestizos —fruto de la unión entre español e indígena, de los cuales trataremos más adelante—, zambos y mulatos eran el resultado de las uniones que podríamos denominar de primer grado. Sin embargo, con el paso del tiempo, las mezclas racia-

197

les se fueron complicando, y surgieron denominaciones específicas referidas a las múltiples mezclas, que podían ser muy complejas: zambo con indio, mulato con zambo, zambo con mestizo, y así sucesivamente.

Los mulatos aparecieron en la sociedad virreinal con el estigma que suponía el considerarlos fruto de uniones ilegítimas de esclavas con sus amos. Además, con mucha frecuencia eran también esclavos, al tener sus madres tal condición. En principio, el caso de los zambos fue menos negativo, dado que, cuando eran hijos de esclavos con mujeres indígenas, no corrían el peligro de que se los considerara esclavos, al ser hijos de madres libres. Además, en esos casos, los zambos tampoco estaban obligados al pago del tributo, ni a cumplir con las prestaciones compulsivas de trabajo, ya que no eran considerados en los padrones que registraban a la población indígena.

Los esclavos integraban los niveles más bajos de la sociedad. En realidad, eran considerados jurídicamente como objetos, y justamente los derechos reales eran los que los regulaban. Por tanto, los derechos reales de propiedad, o de posesión, podían referirse a un esclavo, al igual que podían referirse a una casa o a un caballo.

Para entender la esclavitud debemos recordar que fue un fenómeno generalmente aceptado en el mundo occidental hasta hace poco más de doscientos años. Su fundamento intelectual es muy antiguo, y podríamos señalar como muy representativo el razonamiento aristotélico en torno a que había hombres que nacían para ser servidos, y hombres que nacían para servir. Se trataba de la denominada esclavitud natural. En el caso del derecho castellano, estaban establecidas algunas causales que permitían esclavizar a una persona. Así, por ejemplo, se podía esclavizar a los infieles que atacaran a los cristianos. Este concepto no encajaba con la situación de los indígenas americanos. Por ello, como ya lo hemos señalado, aunque se produjeron algunos intentos de convertirlos en esclavos —sobre todo en los tiempos iniciales de la colonización caribeña—, finalmente la Corona lo prohibió.

Los esclavos africanos solían ser adquiridos de comerciantes portugueses, quienes los capturaban en ese continente. Llegados a América, tenían diversos precios, en razón de sus edades, estado físico y capacidad. En lo referido a la América española, fueron México y el Perú los territorios que recibieron el mayor número. Ya en las décadas finales del siglo XVI, por ejemplo, las correspondientes capitales virreinales —Ciudad de México y Lima— albergaban una importante proporción de esclavos, que se dedicaban básicamente al servicio doméstico, de forma que su posesión era un signo de distinción y prestigio. Se estima que en la segunda mitad del siglo XVI el número de esclavos en esas ciudades era muy semejante al de españoles.

En cuanto a la ocupación laboral, había fundamentalmente dos posibilidades: el ya mencionado trabajo en la ciudad —sobre todo de carácter doméstico— y las labores agrícolas. Fue mejor, por lo general, la suerte de quienes trabajaron en las ciudades: solían hacerlo en las casas de sus dueños, con cuyas familias surgían, en ciertos casos, lazos de afecto, que redundaban en un mejor trato hacia el esclavo y, en ocasiones, en la concesión de la libertad. Además, en algunos casos los amos permitían que sus esclavos se dedicaran a alguna actividad remunerada, con lo cual podían llegar a acumular cierta cantidad de dinero que les podía servir para la compra de su libertad. Los esclavos dedicados al trabajo en el campo, por el contrario, padecieron mucho más duras condiciones de vida y grandes abusos. Su presencia debe vincularse con el colapso demográfico sufrido por la población indígena tras la conquista. Además, como ya hemos explicado, fue en las tierras bajas donde la disminución demográfica indígena fue más dramática. No es casualidad, por tanto, que el número de esclavos dedicados al trabajo agrícola haya sido más elevado en esas zonas: un ejemplo claro es el de las plantaciones azucareras de la costa peruana, o el de la producción de cacao en la zona de Guayaquil.

En general, hubo mucha violencia en las relaciones entre amos y esclavos. La prueba de ello está en los numerosos casos de huidas protagonizadas por estos. A los esclavos huidos se les conoció como cimarrones, dedicándose muchos de ellos al bandidaje. Cuando las actividades violentas de los cimarrones adquirían especial virulencia —con el consiguiente temor de la población—, las autoridades solían organizar expediciones para capturarlos, lo que generó en ocasiones auténticas batallas.

En definitiva, la situación y la suerte de los esclavos en América no fue, ni mucho menos, uniforme. Si bien puede trazarse una línea de diferenciación entre los urbanos y los rurales, en muchos casos los destinos personales dependían en gran medida del azar. En este sentido, no debe olvidarse que, si bien formalmente los esclavos ocupaban el nivel más bajo de la sociedad, en la práctica muchos de ellos desempeñaban funciones que los situaban en una posición más elevada que la que legalmente les correspondía. No nos referimos a quienes desempeñaban labores en el campo, sino sobre todo a los esclavos urbanos. Y es que entre los españoles —como diversos autores lo han puesto de relieve— era frecuente el considerar a los esclavos africanos como más confiables que los indígenas, al igual que más hábiles para diversas tareas. Consecuentemente, no fueron raros los casos de esclavos que recibieron responsabilidades que los situaron en posiciones importantes.

La ciudad y su importancia

En el proceso mediante el cual se fue consolidando la presencia europea en América, la ciudad tuvo un papel preponderante. La aldea, el pueblo o la ciudad eran instituciones ancestrales en la Península Ibérica. La comunidad de vecinos venía a ser una especie de sociedad de socorros mutuos y, en un medio desconocido y hostil, esta forma de asentamiento se hacía mucho más necesaria. La defensa y el acopio de recursos humanos y económicos eran más fáciles viviendo juntos. Además, solo al insertarse en una comunidad, el castellano se revestía de los derechos políticos de autogobierno y de petición ante la Corona. Así es que, al llegar al Nuevo Mundo, los españoles comenzaron por fundar ciudades.

Las ciudades constituían hitos en el dominio del territorio y se convirtieron muy pronto en agentes de culturización. En un capítulo posterior señalaremos el importantísimo papel que desempeñaron las ciudades en los aspectos artístico y cultural y la forma de disposición del plano urbano que adoptaron. Nos detendremos ahora en su organización y gobierno y aludiremos al proceso de extensión y crecimiento.

Las ciudades solían situarse en puntos económicamente útiles. Las primeras se establecieron en zonas de densa población indígena que coincidían con lugares de importante riqueza agrícola; en ocasiones se establecían sobre ciudades indígenas preexistentes, caso de El Cuzco, o se edificaban sobre las ruinas de aquellas, caso de México. Pero la mayoría debieron su fundación a una situación propicia para el intercambio comercial, como La Habana, Lima, Cartagena de Indias o Panamá; y no faltaron ciudades mineras, como Potosí o Zacatecas, o industriosas, especializadas en la producción artesanal de obrajes, como Puebla. Con el tiempo, las ciudades que asumieron funciones administrativas, en lo civil o en lo militar, encontraron en esta actividad una oportunidad de crecer.

Como señala Céspedes del Castillo, el número y tamaño de las ciudades aumentó considerablemente hasta 1630. En ese año existían unas 330 ciudades en la América española. El crecimiento fue más espectacular entre 1580 y aquella fecha. En esos años la población urbana se triplicó. Luego, la crisis que afectó a la metrópoli en el siglo XVII se dejó sentir en América y ya no hubo un renacer urbano hasta el siglo XVIII.

El gobierno de cada ciudad estaba a cargo de su correspondiente cabildo. Este nacía junto con la ciudad, y tenía a su cargo todo lo referido a la organización de la misma. En realidad, el régimen de gobierno y de organización de las ciudades en América estuvo claramente inspirado en el del municipio medieval castellano. Las figuras más importantes del cabildo eran los alcaldes ordinarios y los regidores. Nótese que hablamos de alcaldes —en plural—, dado que solían ser dos, elegidos por periodos anuales por el cabildo. Se escogían entre los vecinos más antiguos que supieran leer y escribir, y además de las funciones de gobierno de la ciudad ejercían jurisdicción en primera instancia en lo civil y en lo criminal. En el ámbito de la organización política y administrativa de la ciudad, el cabildo tenía funciones muy diversas: entre otras, la de supervisar los precios de los artículos en los mercados, la de repartir tierras a quienes quisieran establecerse en la ciudad, la de vigilar la construcción de nuevos edificios con el objeto de que se mantuviera el trazado original, o la de cuidar las diversas obras públicas, tales como las acequias o los puentes.

En el caso del poblamiento del Brasil por parte de los portugueses, las ciudades tuvieron un desarrollo más lento, dado que los colonizadores comenzaron por asentarse a través del establecimiento de factorías comerciales, y después en núcleos creados en el ámbito rural, vinculados con el desarrollo de las plantaciones. Sin embargo, las ciudades —al igual que en la América española— tuvieron una importancia fundamental, al constituir los lugares en los que estaban establecidas las principales autoridades. Esta circunstancia tuvo lugar a partir del momento en que la Corona portuguesa estableció un gobernador real y decidió recuperar parte de la autoridad que había concedido a los agentes privados. Algunas de las primeras capitanías fundadas por los colonos portugueses se consolidaron. Entre ellas las de Bahía y Pernambuco alcanzaron mayor esplendor.

11

La administración colonial

L A ÉPOCA COLONIAL significó el establecimiento de un marco institucional uniforme a lo largo de todo Iberoamérica. Así, zonas americanas que antes no habían tenido contacto entre ellas —o que habían tenido contactos muy difusos— fueron unificadas por ese marco institucional. En efecto, no sería exagerado afirmar que la colonia trajo consigo el inicio de lo que sería un destino histórico común para los diversos territorios americanos, que puede ser advertido, por ejemplo, en lo que se refiere a la difusión —entre otros aspectos— del cristianismo, de las lenguas castellana y portuguesa y de una nueva estructura institucional y jurídica. No obstante, si bien el mencionado marco institucional fue uniforme para todo Iberoamérica, su desenvolvimiento no fue idéntico en todo el continente. Así, en muchos casos dicho nuevo esquema *convivió* con instituciones indígenas que no desaparecieron de modo abrupto. Los dominios portugueses del Brasil presentaron ciertas diferencias en lo que se refiere al marco institucional; a las más significativas nos referiremos más adelante.

Con frecuencia, la instalación de las instituciones de gobierno se produjo después de haber doblegado muchos de los intereses particulares de los conquistadores. En efecto, en el caso de los dominios españoles debe distinguirse una primera etapa caracterizada por el control político de los propios conquistadores. Este control fue favorecido por las concesiones de encomiendas: a través de ellas, como ya se ha señalado, muchos conquistadores y primeros pobladores españoles de América se consideraron señores de las Indias. Si bien la condición de encomendero no significaba —al menos en teoría— propiedad de tierras, sí permitía el aprovechamiento del trabajo de los indígenas. Después de ese tiempo inicial, la Corona fue consiguiendo progresivamente el establecimiento de funcionarios enviados desde España, con el propósito de hacer valer la autoridad de la monarquía sobre los intereses privados de los conquistadores y de sus familias. En diversos territorios, el establecimiento de los funcionarios reales generó manifestaciones de rechazo de parte de los conquistadores y primeros pobladores, adquiriendo en ocasiones carácter muy violento, tal como sucedió con la rebelión de Gonzalo Pizarro en el Perú, en la década de 1540. En resumen, y como ya hemos señalado, los conquistadores, imbuidos de la mentalidad señorial de la España de la Reconquista, aspiraban a ser los señores de las Indias. Esa aspiración fue rechazada por la Corona: no olvidemos, en este sentido, lo ya referido en cuanto a que se estaban viviendo los inicios de la formación del Estado moderno.

Administración territorial y organismos de gobierno

En los tiempos inmediatamente posteriores a la primera llegada de Colón a América, los máximos cargos gubernativos estuvieron en manos del propio marino genovés, de acuerdo con lo estipulado por las capitulaciones de Santa Fe. Además, Colón no fue solo virrey y gobernador de las tierras por él descubiertas, sino que también tenía la prerrogativa de proponer a las personas que cubrirían los cargos de menor rango que se crearan. Pero no pasó mucho tiempo hasta que se suscitaron las primeras fricciones entre la Corona y Colón, traducidas en la llegada a América de los primeros funcionarios directamente dependientes de la monarquía, lo cual marcó el inicio de lo que ha sido denominado —en palabras de Richard Konetzke— la *administración puramente burocrática* de América. La Corona luchó para disminuir el poder político de los conquistadores, pero fue a partir de mediados del siglo XVI cuando empezó a hacerse efectiva la prevalencia de los intereses de la Corona —a través de la burocracia real— sobre los de los conquistadores.

Ya desde los años iniciales del siglo XVI, la Corona dispuso la creación de instituciones dirigidas a controlar desde la Península Ibérica lo que entonces era la colonización de las Antillas. Así, en 1503 dispusieron los Reyes Católicos la creación, en Sevilla, de la *Casa de Contratación,* siguiendo el modelo portugués de la *Casa da India.* Este organismo se concebía como una institución de carácter mercantil, y tuvo como cometido fundamental la organización y el control de todo lo vinculado al transporte de carga y de pasajeros entre la Península y América, al igual que la percepción de los ingresos correspondientes a la Corona en relación con esas actividades.

Más adelante, en 1524, se produjo la creación de la que sería la institución más importante para el gobierno de América española: el *Real y Supremo Consejo de Indias,* bajo cuya autoridad funcionaría incluso la propia Casa de Contratación. El Consejo de Indias, en realidad, fue mucho más que un ente administrativo. Es verdad que de él dependían los aspectos vinculados al gobierno y la administración americanas, pero además de ello fue la máxima instancia judicial en asuntos relacionados con el Nuevo Mundo. En definitiva, se trataba del máximo órgano gubernativo y judicial referido a América. Para entender esta institución, que no tuvo equivalente en la Corona portuguesa hasta 1643, debe considerarse que la estructura administrativa de la Corona castellana estaba signada por la existencia de diversos Consejos, cuya misión era la de asesorar al monarca —y en la práctica frecuentemente tomar las decisiones— con respecto a cuestiones vinculadas a ciertos asuntos, o a determinados territorios. En efecto, había Consejos de las dos clases: entre los referidos al gobierno de determinados territorios, pueden mencionarse los Consejos de Castilla, de Aragón, de Navarra, de Italia, de Flandes —y, por supuesto, el de Indias; entre los vinculados específicamente a un asunto, se contaban los Consejos de Guerra, de Hacienda o de la Inquisición.

De este modo, del Consejo de Indias dependían todas las autoridades americanas en la·colonia española. De ellas, las de mayor jerarquía eran los *virreyes*. Aparte del caso excepcional de Cristóbal Colón —quien tuvo el título de virrey en virtud de lo estipulado en las capitulaciones de Santa Fe, aunque luego sus descendientes perdieron tal dignidad—, los virreyes aparecieron en el panorama americano luego del ingreso de los españoles en la América nuclear. En efecto, el primer virreinato fue el de la Nueva España (México), creado en 1535. Sin embargo, fue frecuente que los virreinatos se crearan con posterioridad a otras instituciones, como fue el caso de las audiencias, de las que trataremos más adelante. Por otro lado, ello respondía a la lógica de los acontecimientos, ya que normalmente la creación de un virreinato presuponía un cierto dominio político previo. No obstante, esto no fue una regla: así, un caso distinto fue el peruano, no solo porque la audiencia de Lima y el virreinato se crearon a la vez —en virtud de lo dispuesto por las Leyes Nuevas—, sino también porque la llegada del primer virrey —como ya se ha analizado— se produjo en pleno desarrollo de una rebelión de los encomenderos contra la Corona.

Originalmente, el virreinato de la Nueva España abarcó todos los territorios en los que se establecieron los españoles en América Central, América del Norte y las Antillas. Y el virreinato del Perú abarcó toda la América del Sur española, además de Panamá. Ya en el siglo XVIII surgieron dos nuevos virreinatos en Sudamérica —con la consecuente disminución territorial del virreinato peruano: el de Nueva Granada, teniendo como capital la ciudad de Santa Fe de Bogotá, y el del Río de la Plata, con la ciudad de Buenos Aires como su capital. Si bien la creación de estos nuevos virreinatos se enmarcó dentro de la serie de cambios que el siglo XVIII trajo consigo —y de lo cual trataremos más adelante—, lo cierto era que la autoridad efectiva del virrey del Perú no iba más allá del territorio comprendido por la Audiencia de Lima, el cual, *grosso modo,* vendría a corresponder con el del Perú actual.

El virrey, como representante personal del monarca, cumplía las funciones del rey y era la máxima autoridad de la administración. Los virreyes provenían, normalmente, de familias de la nobleza española, y muchos de ellos poseyeron además personalmente títulos nobiliarios. Las llegadas de los virreyes a sus correspondientes sedes gubernativas suponían grandes festejos y muestras de homenaje, y en torno de ellos se formaron verdaderas cortes. Pero el virrey no solo ostentaba tal dignidad. Además de su condición de vicesoberano, era gobernador, capitán general, presidente de la Real Audiencia establecida en la capital virreinal, superintendente de la Real Hacienda y vicepatrono eclesiástico.

Los monarcas solían escoger a los virreyes con sumo cuidado. Refiriéndose a los 62 que se sucedieron en el gobierno de Nueva España, L. B. Simpson ha señalado que *con rarísimas excepciones, fueron admirables servidores públicos, preparados para su profesión y con una elevadísima integridad personal*. Merece la pena destacar a algunos de ellos: a los tres grandes administradores del siglo XVI Antonio de Mendoza (1535-1550), Luis de Velasco (1550-1564) y Martín Enríquez (1568-1580) que aseguraron un periodo de calma, progreso y expansión. Entre los virreyes del Perú destacan el propio Antonio de Mendoza, trasladado desde el virreinato de Nueva España ya muy anciano (1551-1552) para que repitiera la excelente tarea que había desarrollado allí, y Francisco de Toledo (1569-1581). A la energía desplegada por los virreyes del siglo XVI sucedió la habilidad y la paciencia de muchos de los del siglo XVII, obligados a mediar entre facciones y conflictos de intereses. De nuevo en el siglo XVIII hubo una oportunidad para hombres enérgicos y buenos organizadores. Tal fue el caso del segundo conde de Revillagigedo, el último virrey nombrado por Carlos III para Nueva España, que aplicó las reformas del Despotismo Ilustrado con notable autoridad y prudencia.

Para entender la concepción que del gobierno de América tuvieron las autoridades españolas, debemos distinguir dos tipos fundamentales de gobierno: el *gobierno secular* y el *gobierno eclesiástico*. Este último era el referido a la Iglesia, a su organización y al desarrollo de la evangelización en el Nuevo

Mundo, y estaba íntimamente vinculado al rey, al Consejo de Indias y a los virreyes, en virtud del Regio Patronato Indiano, cuyo contenido y función explicaremos posteriormente. Del *gobierno secular,* referido a los asuntos *terrenales,* trataremos a continuación.

El gobierno secular estaba dividido en cuatro ramos o secciones: *Gobierno, Justicia, Guerra y Hacienda.* Interesa destacar que, en los virreinatos, a la cabeza de cada uno de esos ramos se situaba el virrey. Por tanto, no estamos ante una división de poderes, aunque sí se daba una delimitación de funciones. Sin embargo, no solo en el caso del virrey —sino también en los casos de otras autoridades— se daba la presencia del mismo funcionario en más de uno de los ramos: es decir, los ramos no estaban compuestos por autoridades dedicadas en exclusiva a ellos, sino que fue frecuente que las autoridades estuvieran involucradas, a la vez, en más de un ramo.

El ramo de *Gobierno* estaba referido al gobierno político en sí mismo. Así, el virrey —en el caso de los virreinatos— era la máxima autoridad gubernativa. Como gobernador, correspondía al virrey la administración directa de la provincia en la que se situaba la capital virreinal; en cambio, con respecto a las otras gobernaciones del virreinato, su vínculo era de mera supervisión de la conducción de los asuntos políticos. En el nivel intermedio del ramo de gobierno podemos situar a los *gobernadores:* eran ellos las autoridades más importantes de circunscripciones de menor rango —las gobernaciones—, que usualmente estaban incluidas en los virreinatos. En el nivel inferior de ese mismo ramo se encontraban los *corregidores,* o los *alcaldes mayores,* encargados de la dirección política de jurisdicciones más pequeñas. En el virreinato de la Nueva España hubo tanto corregidores como alcaldes mayores, aunque debe destacarse que el corregidor tenía atribuciones más amplias que el alcalde mayor. En el virreinato del Perú, en cambio, la figura predominante, en ese nivel, fue la del corregidor. En ese virreinato, además de los corregidores vinculados a los asentamientos españoles, se creó la figura del *corregidor de indios.* Este fue el esquema predominante en cuanto a las autoridades políti-

El primer virrey de Nueva España fue don Antonio de Mendoza (1535-1550). Administrador competente y honesto, supo garantizar un periodo de calma, progreso y expansión del virreinato. En 1551, ya anciano, fue nombrado virrey del Perú ante la situación conflictiva que vivía aquel territorio. Una pintura, sobre biombo, de autor anónimo y de mitades del siglo XVI, representa el palacio de los virreyes de Nueva España.

cas, hasta el advenimiento de las reformas borbónicas, en el siglo XVIII.

El ramo de *Justicia* tenía como máximo órgano la *Real Audiencia* —cuerpo colegiado integrado por hombres de leyes—, que era el tribunal de apelación de las sentencias de instancia inferior. En lo que fue la jurisdicción del virreinato de la Nueva España hubo tres audiencias, además de la de México: la de Santo Domingo, creada en 1511; la de Guatemala, creada en 1543, y la de Guadalajara, creada en 1548, teniendo esta última carácter de subordinada. En lo referido a la jurisdicción del virreinato del Perú, fueron más numerosas, aunque también creadas en épocas muy distintas: se trataba —además de la de Lima— de las audiencias de Panamá (1538), de Santa Fe de Bogotá (1548), de La Plata (1559), de Quito (1563), de Chile (1563, aunque su creación definitiva fue en 1606), de Buenos Aires (1661, aunque su creación definitiva fue en 1776), de Caracas (1786) y de El Cuzco (1787). De estas audiencias tuvieron el carácter de subordinadas las de Quito y La Plata, establecida esta última en el Alto Perú (actual Bolivia) [1].

La sección de *Hacienda* —de la cual el virrey era *superintendente*— estaba organizada a partir de las *Cajas Reales*. Estas eran los entes encargados de la cobranza de los diversos impuestos establecidos y estaban ubicadas en las más importantes ciudades y en los más significativos centros de actividad económica. El ramo de *Guerra* —del cual el virrey era *capitán general*— tenía una existencia puramente formal, dado que tan solo en el siglo XVIII surgió el ejército profesional y permanente. Hasta entonces, no había fuerzas armadas estables. Por

---

[1] Las audiencias no fueron importantes solo en cuanto a sus funciones judiciales y administrativas. Su trascendencia es mayor si consideramos que las circunscripciones comprendidas por esos tribunales diseñaron, en líneas generales, lo que más adelante sería el mapa político de la América independiente. En efecto, con la sola excepción de las Audiencias de Guadalajara y del Cuzco, las jurisdicciones audienciales corresponden con las de posteriores estados independientes. Así, si bien la estructura administrativa española estableció instituciones similares para toda América, a la vez prefiguró lo que a partir del siglo XIX sería la América republicana.

lo general, se organizaban las defensas del territorio de acuerdo con las necesidades coyunturales, fuera para enfrentar ataques de piratas o corsarios, o eventuales movimientos internos de descontento.

De igual forma que los virreyes estaban involucrados en los cuatro ramos de la administración, ocurría algo parecido con ciertos funcionarios de rango menor. Fijémonos, por ejemplo, en el caso de la figura del corregidor de indios, tan difundida en los Andes. Dicho funcionario tenía atribuciones gubernativas y judiciales, y también desempeñaba funciones vinculadas con la Real Hacienda. En efecto, el corregidor de indios —figura que fue creada en la década de 1560— surgió debido al interés de la Corona por lograr la presencia efectiva, en diversos luga-res de sus dominios, de una autoridad que representara los in-tereses del monarca. Así, el corregidor de indios gobernaba la circunscripción a su cargo, y a la vez constituía la primera instancia judicial. Además, estaba encargado de la recolección del tributo indígena y de su envío a las Cajas Reales. Junto con ello, tenía la obligación de velar por el buen trato de la pobla-ción indígena. Como es sabido, lejos de cumplir su cometido, la figura del corregidor se convirtió, con mucha frecuencia, en sinónimo de abuso hacia los propios indígenas, y de búsqueda de beneficios personales incompatibles con el sentido de su función.

En el caso de la administración territorial de los dominios portugueses en el Brasil, el panorama era algo diferente. La Co-rona portuguesa no manifestó urgencia por constituir rápida-mente instituciones centrales para el gobierno de sus posesio-nes extraeuropeas. De todos modos, el sistema inicial de las «donaciones» —basado en el derecho feudal— empezó a decaer para dejar paso a la progresiva presencia de funcionarios reales desde mediados del siglo XVI.

Podría decirse que 1549 es el año que simboliza los inicios del establecimiento de una administración territorial depen-diente de modo más directo de la Corona portuguesa, ya que fue entonces cuando el rey Juan III —inducido también por el fracaso del sistema de las capitanías hereditarias— nombró como gobernador general a Tomé de Sousa, el cual fijó la sede de su gobierno en la ciudad de Salvador de Bahía. A esa primera figura gubernativa —a quien estaban subordinados los gobernadores provinciales— se le encargó no solo la coordinación de la explotación colonial de los dominios portugueses, sino también la organización de expediciones dirigidas a la búsqueda de riquezas en el interior del Brasil —sobre todo con la esperanza de encontrar metales preciosos.

Además, el gobernador general también presidía el tribunal judicial de apelación, y era la máxima autoridad militar. Fue décadas después, a mediados del siglo XVII, cuando el gobernador general recibió el título de virrey. Además, permanecieron las capitanías como circunscripciones territoriales menores, las cuales a su vez se subdividían en «comarcas». En todo caso, la gran diferencia que presentaron los dominios portugueses frente a los españoles radicó en que en aquellos —sobre todo en los siglos XVI y XVII— no se estableció una centralización administrativa tan fuerte como en las posesiones de la Corona castellana.

El siglo XVII trajo consigo algunos cambios en la administración territorial del Brasil: así, por ejemplo, en 1622 la Corona portuguesa creó el estado de Marañón como una circunscripción administrativa separada y sin vínculo de subordinación con el gobernador general residente en Salvador de Bahía. Dicho estado, que comprendía tres capitanías, tenía su propio gobernador. En 1604 se creó un *Conselho da India* que centralizaba los asuntos relativos a la administración de las colonias en Asia, y en 1643 se constituyó en *Conselho Ultramarino,* asumiendo la jurisdicción de todas las colonias portuguesas, incluido el Brasil.

La burocracia real

El funcionario —también llamado burócrata, u oficial, o agente de la administración pública— era una figura clave para que todo el entramado de la administración funcionara de modo eficaz: esto es, para que se transmitieran las disposiciones de la Corona con respecto a las diversas vertientes de la vida de los dominios americanos de España. Así, en el contexto del afianzamiento de los criterios políticos del Estado moderno, la monarquía entendió que debía otorgar especial importancia a la organización de un eficaz cuerpo de funcionarios.

No es fácil, sin embargo, tipificar a los diversos funcionarios reales en la América española. Diversos autores han ensayado algunas clasificaciones. Una especialmente ilustrativa es la que distingue a los funcionarios en dos grandes grupos: los que ocuparon cargos fundamentalmente políticos, es decir, con atribuciones de gobierno territorial, como era el caso del virrey, y los que ocuparon cargos más especializados, y para los que se requería formación jurídica o de otro tipo —son los casos, por ejemplo, de los jueces de las Audiencias, o de los oficiales encargados de las Cajas Reales. En realidad, todos los funcionarios que componían el ramo de Justicia, por ejemplo, requerían necesariamente de una formación jurídica especializada. Debían ser letrados, es decir, graduados en Derecho.

A lo largo de la Edad Moderna fue notoria en España la creciente presencia de los letrados en los diversos niveles de la administración del Estado. Lo mismo ocurrió en la América hispánica: la Corona confiaba de modo especial en personas con formación jurídica, ya que se revelaron como muy eficaces en el manejo de los asuntos administrativos, además de los propiamente judiciales.

Con el fin de lograr la mayor eficacia posible en el desempeño de los funcionarios públicos, la Corona estableció una serie de normas que tuvieron como propósito *aislar* a sus funcionarios del ámbito social en el cual desempeñaban sus funciones. Se buscaba que no tuvieran vinculaciones de ningún tipo con sus administrados para conseguir que fueran leales solo a los intereses de la monarquía. Fijémonos en el caso de los oidores de las Audiencias, quienes formaban parte de la más alta instancia de justicia en América: entre otras cosas, les estaba prohibido contraer matrimonio con damas del lugar en el que

213

estaban destinados, si no era con especial licencia dada por el rey; no podían actuar como padrinos de bautizo o de matrimonio, ni debían asistir a entierros; no podían ser propietarios de bienes raíces; no podían tener negocios de ningún tipo. En definitiva, se buscaba que el oidor viviera en un «mundo aparte», dedicado exclusivamente a sus funciones judiciales, las cuales iría a desempeñar de modo absolutamente imparcial gracias a ese aislamiento.

A pesar de las normas legales que se dictaron en ese sentido, por razones diversas, los funcionarios establecieron importantes vinculaciones de intereses con quienes integraban las sociedades en las que desempeñaban sus funciones. Este fenómeno fue especialmente grave en cuanto a los funcionarios encargados de administrar justicia. Por ejemplo, fueron múltiples las vinculaciones sociales establecidas por los oidores de las Audiencias, lo cual influía negativamente en la administración de justicia, ya que podían presentarse casos judiciales en los que tuvieran intereses personales involucrados. En definitiva, la realidad se encargó de demostrar que el aislamiento buscado no era posible. Además, la propia Corona no puso los medios necesarios. Por ejemplo, en muchos casos mantuvo a los oidores en un determinado destino por un tiempo mucho mayor al inicialmente previsto, con lo cual aumentaban las posibilidades de vinculación con la sociedad. Otro factor importante fue el hecho de que la remuneración percibida por los oidores no fue especialmente alta, con lo cual aumentaron las «tentaciones» de vinculación con la sociedad en busca de eventuales ganancias económicas.

La organización administrativa disponía de diversos sistemas de control. Entre ellos, los más importantes fueron la *visita* y el *juicio de residencia*. La visita era una institución cuyos orígenes se encuentran en la España de la Baja Edad Media. Consistía en la inspección, por parte de un visitador, del funcionamiento de una determinada institución, y de los funcionarios que en ella se desempeñaban. La *visita* podía tener diversas motivaciones: en unos casos, podía originarse en quejas llegadas al Consejo de Indias sobre supuestas irregularidades en una institución; o podían disponerse con el fin de instaurar ciertas reformas, entre otras cosas. Fueron también frecuentes los reclamos frente al desarrollo de las visitas. Por ejemplo, muchas de ellas eran prolongadas, y eso podía originar malestar en los funcionarios de las instituciones visitadas, o perturbaciones en el funcionamiento de las mismas; hubo también críticas en torno al fuerte gasto que suponían las visitas para la Real Hacienda, o con respecto a enfrentamientos surgidos en su desarrollo. En todo caso, lo cierto es que en ocasiones las visitas contribuyeron a introducir mejoras en la administración, a pesar de la presencia de factores negativos como los mencionados.

El *juicio de residencia* era el examen a que se sometía a los funcionarios que acababan de terminar el desempeño de alguna función. La visita involucraba a funcionarios en ejercicio, mientras que el juicio de residencia era una evaluación en torno al modo en que se había desenvuelto un determinado funcionario recién cesado. Todos los funcionarios debían someterse al juicio de residencia. Incluso el Consejo de Indias dispuso que nadie pudiese entrar a desempeñar un nuevo cargo si es que no se había sometido a juicio de residencia con respecto al anterior que hubiera ejercido. El juicio de residencia suponía las declaraciones de testigos que daban sus testimonios en torno a la forma en que el funcionario se había desempeñado. Se buscaba dilucidar las acusaciones que solían presentarse, y finalmente se dictaba una sentencia. En los casos en los que se hallaba responsabilidad, se aplicaban diversas penas, siendo la más frecuente la multa. Las penas más graves eran la inhabilitación temporal o perpetua y el destierro.

En el siglo XVII, el aislamiento que la Corona buscó para sus burócratas había quedado en mera intención. Los funcionarios públicos de diversos niveles transgredían habitualmente las normas establecidas para su desempeño. Así pues, fueron muchos los que aprovecharon su posición para obtener ventajas de carácter personal. Esto fue particularmente notorio en el citado siglo XVII, durante el cual —y no es simple casualidad— la Corona española pasó por la peor crisis financiera de su historia moderna. Es importante hacer notar esto, porque precisamente a raíz de esa crisis se generalizó una práctica que iba a terminar de distanciar la ley de la realidad en lo relativo al desempeño de los funcionarios. Nos referimos a la venta de cargos públicos, que fue una práctica generalizada por la Corona en el siglo XVII, como una medida desesperada para obtener fondos para las arcas reales. Si bien no todos los cargos públicos se pusieron a la venta, esta práctica fue sumamente perjudicial para la propia Corona. No es difícil imaginar que una persona que accedía a un cargo público a través de la compra iría a tener como prioritaria preocupación la recuperación del capital invertido en dicha transacción.

En cualquier caso, lo cierto es que la Corona tuvo un éxito muy desigual en su empeño por hacer de los funcionarios públicos ejecutores fieles de sus designios. Parece que fue en el Perú donde los abusos alcanzaron mayores proporciones. Al involucrarse con los intereses de sus habitantes, con frecuencia los burócratas llegaron incluso a actuar contra los criterios del gobierno metropolitano.

La situación en Brasil no fue muy diferente. Allí los abusos, más que a la corrupción de la burocracia, se debieron a la ausencia de esta.

La Iglesia y su organización

La propagación de la fe cristiana entre la población indígena constituyó la gran justificación de la conquista al tiempo que un poderosísimo factor de desestructuración de las culturas prehispánicas, como se ha señalado antes. De acuerdo con la mentalidad providencialista de los españoles de entonces —muy imbuida del espíritu de cruzada propio de los tiempos de la Reconquista—, la posibilidad del conocimiento de la verdadera fe por parte de los aborígenes era para ellos el mayor bien que podían recibir, y compensaba con creces todos los males que pudieran sufrir con la llegada de los españoles. Este punto de vista queda perfectamente retratado en el balance que el historiador de la conquista Francisco López de Gómara hace en el siglo XVI: *Nunca jamás rey ni gente anduvo y dominó tanto en tan breve tiempo como la nuestra, ni ha hecho ni merecido lo que ella, así en armas y navegación, como en predicación del santo Evangelio y conversión de idólatras... Buena loa y gloria es de nuestros reyes y hombres de España que hayan hecho a los indios tomar y tener un Dios, una fe y un bautismo y haberles quitado la idolatría, los sacrificios de hombres, el comer carne humana, la sodomía y otros grandes pecados que nuestro buen Dios mucho aborrece... les han mostrado las letras, pues sin ellas los hombres son como animales, y el uso del hierro [...] Todo lo cual, y hasta cada cosa en sí, vale, sin duda ninguna, mucho más que la pluma, ni las perlas, ni la plata, ni el oro que les han tomado...*

En cualquier caso, la Corona castellana, en aras de la mencionada justificación, y de acuerdo con la aludida mentalidad providencialista, tuvo el firme propósito de propagar la fe cristiana en América. Y al no tener el Papa la posibilidad de realizar directamente tal evangelización, se apoyó en la Corona para tal fin. Ese fue el origen del denominado *Regio Patronato Indiano*. El Regio Patronato implicaba que el monarca ejercía el patrocinio de la labor evangelizadora en América. Eso significaba que la Corona se comprometía a correr con los gastos que dicha labor suponía —es decir, los que se derivaban del envío de los evangelizadores a América y de las tareas propias de la difusión de la fe—, a cambio de lo cual se le reconocían ciertos privilegios, como el de una decisiva intervención en el nombramiento de obispos y de sacerdotes para trabajar en América.

La labor evangelizadora requería de una organización, que se estableció a través de una estructura administrativa representada por las diócesis, al frente de las cuales había un obispo. Estas fueron las circunscripciones territoriales en torno a las cuales la Iglesia se organizó. Si bien en virtud del Regio Patronato indiano hubo una clara dependencia de la Iglesia frente al Estado en lo referido a aspectos de organización, esto se vio más claramente a partir de la creación del Consejo de Indias en 1524: dicho Consejo fue la suprema autoridad estatal también para cuestiones eclesiásticas. De este modo, de él dependía, por ejemplo, la definición territorial de las diócesis.

Desde el punto de vista jerárquico, las primeras diócesis americanas dependieron de la metropolitana de Sevilla. Con el desarrollo de la colonización, sin embargo, la Corona consideró que debían crearse iglesias metropolitanas en América. De este modo, a mediados del siglo XVI adquirieron la categoría de arzobispados los hasta entonces obispados de Santo Domingo, México y Lima. En la década de 1560 se fundó un cuarto arzobispado, el de Santa Fe de Bogotá. Junto con esos arzobispados, hubo diversos obispados, creados progresivamente en los territorios de ambos virreinatos. Así, la primera diócesis creada en México fue la de Tlaxcala, en 1526, seguida poco después de la creación de la diócesis de México, para encabezar la cual la Corona propuso al Papa al franciscano Juan de Zumárraga. A medida que los españoles fueron ocupando el territorio mexicano, se crearon otras diócesis, como las de Oaxaca, Michoacán y Guadalajara, todas ellas del siglo XVI. En el territorio del virreinato del Perú la primera diócesis en crearse fue la de El Cuzco, en 1537, y al frente de ella se nombró al dominico Vicente de Valverde, el fraile que tuvo papel protagónico en el encuentro con el inca Atahualpa en Cajamarca, cinco años antes. En 1541 se creó el obispado de Lima, años después convertido en arzobispado. En definitiva, la fundación de las sedes episcopales se hacía al ritmo del avance de los españoles en sus afanes de conquista y poblamiento de América. Por eso, resulta significativo subrayar que del total de cuarenta y cuatro diócesis creadas en la época colonial, veintidós fueron establecidas antes de 1550. Y después de 1600 se fundaron solo catorce.

En cada sede episcopal debía construirse una catedral, la cual era gobernada por el cabildo eclesiástico, que era un cuerpo compuesto por diversos sacerdotes con sus respectivas funciones en la vida de la catedral. Los puestos en los cabildos catedralicios —a cuyos integrantes se les conocía genéricamente como canónigos— implicaban un importante ingreso económico para sus titulares, al igual que otros puestos eclesiásticos. Sin embargo, en la labor de propagación de la fe cristiana entre los indígenas, la importancia fundamental fue la de los curas doctrineros. En las primeras décadas de la presencia española en América, tuvieron un papel preponderante los regulares (pertenecientes a una orden religiosa y sometidos a una regla específica: franciscanos, dominicos, etc.); después tuvieron mayor peso los seculares (sometidos exclusivamente a la autoridad del obispo).

La presencia de las órdenes religiosas, en virtud del Regio Patronato, dependía de una autorización de la Corona, que era concedida por medio del Consejo de Indias. De ese modo, las órdenes religiosas que llegaron a América establecieron casas y conventos en muy diversos lugares, se organizaron en provincias y se dedicaron, con sus peculiaridades propias, a la evangelización. A los dominicos ya nos hemos referido al tratar de la polémica sobre la justicia de la conquista, y al mencionar el decisivo papel que les cupo en la misma a partir de su importante presencia en la colonización de las Antillas. En cuanto a la colonización del continente, franciscanos fueron los primeros religiosos que llegaron a México, aunque en la propia década de 1520 llegaron allí también los dominicos, produciéndose en la siguiente década la llegada de los mercedarios y de los agustinos. En 1572 llegaron a México los primeros integrantes de la Compañía de Jesús, institución fundada en la década de 1530 por San Ignacio de Loyola, y que tendría una decisiva presencia en la América española. En el caso del Perú, llegaron también tempranamente dominicos, franciscanos, mercedarios y agustinos, produciéndose en 1568 la llegada de los primeros jesuitas.

Fueron diversos los pareceres que se plantearon entre los religiosos en cuanto al modo de realizar la evangelización. Indudablemente, eran muchas las dificultades para desarrollar tal labor: por ejemplo, existía el problema del idioma, y el más grave de las características de la cosmovisión indígena, desde la cual era muy complejo el entendimiento de la doctrina cristiana. Por eso, en las décadas iniciales de la colonización no fueron pocas las voces que se oyeron, en el seno de la propia Iglesia, cuestionando la forma con la que se estaba evangelizando. Se decía que se bautizaba a los indígenas, pero que no se producía una interiorización de la doctrina cristiana por su parte. En definitiva, se criticaba el carácter meramente externo de la evangelización.

Fue en la segunda mitad del siglo XVI cuando se produjo un importante cambio en los modos de evangelización. Para explicarlo vamos a tomar como ejemplo el caso peruano, especialmente ilustrativo, y que puede personificarse en dos figuras de especial relieve: el virrey Francisco de Toledo —que se ocupó, en la década de 1570, de los asuntos religiosos en sus esfuerzos de organización política y administrativa del Perú— y el segundo arzobispo de Lima, Santo Toribio de Mogrovejo, quien ejerció sus funciones entre 1580 y 1606. Él presidió el tercer *concilio limense* (1582-1583), en el que se establecieron los criterios fundamentales para el posterior desarrollo de la evangelización. De acuerdo con lo dispuesto por ese concilio, se publicaron —entre otras cosas— dos catecismos, un sermonario y un confesonario, este último en castellano, quechua y aymará. Lo que se buscaba era establecer homogeneidad en los modos de transmisión de la fe cristiana a la población indígena. Así, por ejemplo, el sermonario servía de guía a los sacerdotes para preparar las alocuciones que dirigían a los indígenas. Además, fue creciente el interés de los religiosos por aprender las lenguas nativas.

Por tanto, a partir de la segunda mitad del siglo XVI fueron muchos los esfuerzos por hacer una evangelización verdaderamente eficaz: es decir, que no fuera un mero proceso externo de bautismo y de seguimiento de ceremonias religiosas, sino que se produjera una verdadera adopción de la nueva doctrina por parte de los indígenas. Así, y siguiendo con el ejemplo peruano, el empeño que puso el virrey Toledo en la creación de las reducciones o pueblos de indios tuvo también un importante efecto en lo relativo a la evangelización, ya que el tener a la población congregada en pueblos facilitaba la enseñanza de la fe cristiana.

Junto con la labor de evangelización iniciada en el siglo XVI, debe destacarse la labor misionera, que tuvo especial expansión en los siglos XVII y XVIII. Se entiende por misiones las iniciativas de propagación de la fe cristiana hacia territorios aún no dominados del todo por los europeos. Así, por ejemplo, en el caso del Brasil las misiones jesuitas contribuyeron decisivamente a la expansión de la frontera colonial; y esto ocurrió desde los tiempos iniciales de las misiones de São Paulo, hasta las épocas subsiguientes de las misiones de Maranhao. En el caso de la América española, las misiones jesuitas estuvieron también fundamentalmente situadas en zonas de frontera, debido —entre otras cosas— a que las órdenes religiosas llegadas con anterioridad trabajaban ya misionalmente en diversas zonas de los virreinatos de la Nueva España y del Perú. En el caso del virreinato norteño, los jesuitas desarrollaron misiones primordialmente en la zona nororiental de México y en lo que hoy es el sur de los Estados Unidos. Y a partir del virreinato peruano trabajaron hacia la Amazonia y en el Paraguay.

Una peculiaridad de las misiones jesuitas fue su objetivo de gozar de mayor autonomía, tanto con respecto a las autoridades españolas, como frente a los intereses de los pobladores peninsulares y criollos. Precisamente, dicha autonomía podía lograrse más fácilmente en territorios de frontera. En sus misiones, los jesuitas destacaron por lograr una eficaz evangelización de los indígenas, combinándola con un trato humano digno. Es más: son conocidos, por ejemplo, los óptimos resultados de las misiones paraguayas, en las que los jesuitas tuvieron grandes logros tanto en la evangelización como en el desarrollo social y político de los indígenas, dándose además una ejemplar convivencia con los misioneros.

En el siglo XVIII, los monarcas de la dinastía borbónica —con sus propósitos centralizadores a los que aludiremos más adelante— mostraron desconfianza frente a las órdenes religiosas por su carácter más autónomo, mientras que el clero secular era más dependiente de la Corona. La expulsión de los jesuitas de España y de todos sus dominios, por ejemplo —producida precisamente en la segunda mitad de ese siglo— debe analizarse en ese contexto.

Otra dimensión del desarrollo de la Iglesia en la América hispana es la referida a su importancia económica. El origen de la riqueza de diversas instituciones eclesiásticas estuvo, entre otras cosas, en los donativos que recibieron de numerosos benefactores, los cuales buscaban, con esas muestras de generosidad, demostrar arrepentimiento por malas acciones realizadas y obtener la salvación eterna. En el siglo XVI, particularmente, muchas donaciones a instituciones religiosas estuvieron relacionadas con la «crisis de conciencia» sufrida por muchos conquistadores y encomenderos en relación con los abusos que hicieron sufrir a la población indígena. También esas dádivas podían estar vinculadas con ciertos deseos de reconocimiento, que podían plasmarse en la obtención de lugares preferenciales de enterramiento en un templo, o de lápidas exaltando virtudes en un determinado altar o capilla, entre otras cosas. Normalmente esas muestras públicas de reconocimiento iban unidas a las oraciones y celebraciones de misas por las intenciones de los benefactores o por el eterno descanso de sus almas.

Además, para entender las riquezas de la Iglesia debe considerarse que esta gozaba, en virtud del Patronato Regio, de una total exención de impuestos. Junto con ello, desde los inicios de la presencia española en América recibió tierras por parte del Estado. Todo ello contribuyó para que espontáneamente diversas instituciones eclesiásticas se fueran convirtiendo en importantes agentes de crédito. En efecto, fueron frecuentes las solicitudes de préstamo de dinero que recibían. En otros casos, las propias instituciones eclesiásticas manejaron de modo directo su patrimonio: un caso ejemplar es el de los jesuitas con sus explotaciones agrícolas.

Al igual que en la Europa del Antiguo Régimen, también en la América española el ingresar a las filas del clero significaba para muchos, en términos terrenales, una buena expectativa de vida. Debe entenderse esto teniendo en cuenta la unión existente entre la Iglesia y el Estado, al igual que el poder y los beneficios económicos que reportaban numerosos puestos eclesiásticos. Así, por ejemplo, los hijos de familias prominentes que no alcanzaban a participar de la herencia familiar por las limitaciones que imponía la institución del mayorazgo, eran educados para entrar en la vida religiosa. No olvidemos que en la sociedad estamental europea de entonces el pertenecer al estamento eclesiástico suponía el beneficiarse con no pocos privilegios, lo cual hizo que no fueran raros los casos de eclesiásticos que abrazaban ese estado pensando en que sería una eficaz vía para la obtención de riquezas. Eso explica que hayan sido muy frecuentes las disposiciones emanadas desde España prohibiendo que los sacerdotes se dedicaran a actividades económicas. Sin embargo, es claro también que la carrera eclesiástica debió ser seguida por otros muchos a partir de una auténtica vocación. Son abundantes, en este sentido, los ejemplos de sacerdotes y religiosos que en diversos lugares de América se esforzaron de modo sincero por la propagación del cristianismo, al igual que por que se brindara un adecuado trato a la población indígena, de acuerdo con las enseñanzas evangélicas.

Mención aparte merecen los monasterios y conventos femeninos, que fueron especialmente importantes y numerosos en la América española. Igualmente puede decirse en estos casos que la explicación de su desarrollo está también vinculada, frecuentemente, a razones de carácter económico. Si bien tampoco debemos dejar de considerar los casos en los que se dio una auténtica vocación religiosa, lo cierto es que motivaciones de otro tipo estuvieron muy presentes. Así, por ejemplo, la vida conventual solía ser el destino de doncellas de familias que no podían afrontar los gastos de la dote matrimonial. Si bien el ingreso al convento suponía también el pago de una dote, esta solía ser considerablemente inferior a la matrimonial. Pero en los conventos no solo vivían monjas: a medida que estos se desarrollaron, se fueron poblando de mujeres que no habían hecho votos religiosos —en muchos casos, por su condición social o económica— y que recibían el nombre de «donadas», estando al servicio de las monjas. Todas esas circunstancias ocasionaron que fuera frecuente el relajo disciplinar en los conventos. En cualquier caso, es claro que, a pesar de todo ello, los conventos —tanto los masculinos como los femeninos— fueron centros muy importantes en la vida de las ciudades, no solo en lo religioso y lo cultural, sino también en lo económico y social.

En relación con lo eclesiástico debemos también hacer referencia al *Tribunal del Santo Oficio,* conocido vulgarmente como Tribunal de la *Inquisición.* Los orígenes del Santo Oficio estuvieron en la Europa medieval, y debe entenderse como una institución fundamentada en la estrecha unión que por entonces existía entre la Iglesia y el Estado. En efecto, la finalidad de la Inquisición era la de velar por el mantenimiento de la pureza de la fe cristiana, en una época en la que el hereje era considerado como una figura potencialmente peligrosa para la paz y estabilidad de la sociedad. La Inquisición no tuvo competencias sobre la población indígena. Un decreto dictado por Carlos I, en 1538, eximió a los indios de la jurisdicción del Santo Oficio. Dio ocasión a este decreto el trágico episodio del cacique Carlos de Texcoco, condenado a morir en la hoguera por relapso y por haber practicado sacrificios humanos.

En cuanto a la presencia de la Iglesia en Brasil, las características de su desarrollo manifestaron semejanzas con lo ocurrido en la América española. Sin embargo, su crecimiento fue mucho más lento y de proporciones modestas. Es ilustrativo, en este sentido, advertir que hasta la década de 1670 solo hubo allí un obispado, con sede en Bahía. A pesar de ello, debe subrayarse la importancia de ciertos hombres de Iglesia, sobre todo jesuitas, en cuanto a su celo evangelizador, al igual que en la defensa de la población indígena frente a los abusos de los colonizadores. En esta labor destacó el jesuita canario José de Anchieta.

El menor desarrollo de las ciudades, señala Guillermo Céspedes, dificultó la consolidación del poder religioso, y su relativa pobreza no hizo del estado clerical una carrera brillante. Por eso, la Iglesia portuguesa fue más rígida y más débil, lo que explicaría la supervivencia de elementos religiosos nativos, indígenas y africanos, y la posterior proliferación de supersticiones, sectas religiosas y movimientos mesiánicos.

Leyes de Indias

La relativa indefinición jurídica de las tierras del Nuevo Mundo terminó en 1542 con la promulgación de las *Nuevas Leyes para el buen Tratamiento y Preservación de los Indios*. Las leyes se inspiraban en la concepción de los reinos de Indias como otros tantos más de la Corona española, como podían ser los de Aragón, Navarra, Valencia, Sicilia, etc. Según esta concepción, los indios eran considerados como súbditos de la Corona, lo que implicaba que no podían ser esclavizados. Es más, el artículo 35 prohibía las encomiendas y el artículo 31 ordenaba que los indios sometidos a encomiendas en el momento de la promulgación debían ser transferidos a la Corona con la muerte del tenedor. El cuerpo legal se basaba en las premisas sentadas por Francisco de Vitoria, pero distaba de tener una finalidad exclusivamente humanitaria. Con dichas leyes, la Corona trataba de rescatar el nuevo Mundo de manos de sus conquistadores y someterlo a los dictados de la Monarquía.

Fácil es imaginar que la noticia de la nueva legislación fue muy mal recibida por los conquistadores. La mayor parte de sus ingresos eran los tributos de las encomiendas que ellos consideraban el pago a sus esfuerzos e inversiones en la empresa de conquista. Tal como manifestaba el cabildo de Guatemala a Carlos I: *Estamos tan escandalizados como si nos enviara a mandar cortar las cabezas, porque si es ansí como se dice, todos los de acá somos malos cristianos y traydores a nuestro Rey a quien con tanta fidelidad habemos servido con vidas y haciendas, muchos de treinta años, otros de veinte y cinco, y ninguno baja de veinte... Obligado estaba V.M. como Cristianísimo Príncipe amar a sus vasallos y al fin y remate de sus vidas mostrarles mayores señales de amor, y esto es cumplirles las mercedes y aumentarlas y no que hayamos venido a ser condenados y privados de las que V.M. esta obligado a hacer a nosotros y a nuestros sucesores.* Solo la habilidad del virrey Mendoza evitó en Nueva España la guerra civil que la aplicación inflexible de las leyes desató en el Perú.

225

Fue precisamente el primer virrey del Perú, Blasco Núñez de Vela, quien llevó el encargo de aplicar allí las Leyes Nuevas. Sin embargo, cuando llegó la noticia de la promulgación de esas Leyes, se suscitó una grave rebelión de encomenderos, dirigida por Gonzalo Pizarro. En definitiva, los rebeldes exigieron su derogación, por considerarlas atentatorias contra derechos legítimamente adquiridos. Debe decirse también que el temperamento del virrey Núñez de Vela no contribuyó a apaciguar los ánimos. Hombre inflexible, el primer virrey del Perú llegó decidido a proceder a la aplicación inmediata de lo dispuesto en ese cuerpo legislativo. Ante ello, los encomenderos nombraron a Gonzalo Pizarro como su procurador para manifestar al virrey su protesta frente a la disposición que establecía la extinción de las encomiendas, lo cual era considerado por ellos como un acto de traición de la Corona. Sin establecer el diálogo, el virrey condenó a muerte a Gonzalo Pizarro, lo cual precipitó el inicio de la rebelión armada propiamente dicha.

Desde su inicio, el conflicto fue favorable a Gonzalo Pizarro y los suyos. Luego de tomar la capital virreinal, sus fuerzas se dirigieron al norte, donde derrotaron a Núñez de Vela en la batalla de Iñaquito (1546), tras la cual el virrey fue decapitado. En cuanto llegaron a la Península Ibérica las noticias en torno a la rebelión de Gonzalo Pizarro, la Corona dispuso el nombramiento de Pedro de La Gasca como «pacificador» del Perú. A diferencia de Núñez de Vela, Gasca era un personaje bastante pragmático y realista, y desde un principio vio con claridad que la resistencia frente a las Leyes Nuevas era abrumadora entre los encomenderos del Perú. Además, reconoció como su primera tarea la de lograr la restauración de la autoridad del monarca entre los encomenderos peruanos.

En ese sentido, Gasca manifestó, desde antes de llegar al Perú, su propósito de perdonar a todo rebelde que se arrepintiera, e incluso de otorgar encomiendas a todos los que se manifestaran leales al rey, incluyendo a los rebeldes arrepentidos. En el fondo, estaba ofreciendo la revocación de las Leyes Nuevas en lo relativo a las encomiendas, con lo cual animaba a los seguidores de Gonzalo Pizarro a dejar las filas rebeldes. El éxito final de Gasca se produjo en la batalla de Jaquijahuana (1548), en la cual los seguidores de Gonzalo Pizarro fueron abandonando sus filas para plegarse a las de Gasca. Fue tan notoria la deserción entre los rebeldes, que Gonzalo Pizarro tuvo que entregarse ante Gasca, tras lo cual fue condenado a muerte. Es de notar que el triunfo de Gasca solo se pudo dar con la promesa de otorgar más encomiendas. Es decir, la pacificación del Perú no se produjo tras imponer la aplicación de lo normado en las Leyes Nuevas, sino precisamente por haber cedido la Corona frente a los reclamos de los encomenderos.

Es cierto que Gasca logró derrotar la rebelión de Gonzalo Pizarro. Sin embargo, no logró desterrar del Perú el resentimiento frente a la Corona en el ánimo de no pocos españoles. Por tanto, puede decirse que la pacificación lograda por Gasca no fue del todo efectiva. En 1550 regresó a España, y poco después surgieron otras protestas de parte de los encomenderos. En esa oportunidad estuvieron motivadas por la decisión de las autoridades virreinales de cumplir otro de los mandatos de las Leyes Nuevas: la abolición del servicio personal; es decir, del trabajo obligatorio al que eran sometidos los indígenas por los encomenderos. Debido a la rebelión de Gonzalo Pizarro, no se había hecho efectiva esa disposición. Sin embargo, tras la llegada del segundo virrey del Perú, Antonio de Mendoza, las autoridades del virreinato decidieron aplicar esa medida. Ante esa situación, volvió a surgir gran malestar entre los encomenderos, dado que hasta entonces habían tenido la costumbre de beneficiarse con el trabajo obligatorio de sus indígenas —en diversas actividades— sin que hubiera mayor control. Fueron varias las manifestaciones de protesta, siendo algunas de ellas verdaderas rebeliones. La de mayor alcance fue la dirigida por Francisco Hernández Girón, que tuvo El Cuzco como lugar de origen. Iniciada en 1553, tenía como fundamento las dificultades económicas en las que se iban a encontrar los encomenderos al no disponer del trabajo obligatorio de los indígenas por medio del servicio personal. Como prueba de que ese era un sentir bastante generalizado entre los encomenderos, rápidamente quienes eran titulares de encomiendas en las zonas de Arequipa, Huamanga y

Jauja se unieron a Hernández Girón. Ese apoyo permitió al jefe rebelde llegar a las proximidades de Lima. Sin embargo, nunca intentó tomar la ciudad, y volvió con sus tropas hacia el sur. Posteriormente —y en el mismo año de 1554— se produjo la batalla de Chuquinga, en la sierra sur, que significó un triunfo para Hernández Girón frente a las fuerzas virreinales. Sin embargo, el 8 de octubre de ese mismo año fue derrotado en Pucará, y varias semanas después fue capturado por las tropas realistas. Finalmente, fue decapitado en Lima en diciembre de 1554.

La corona española promulgó muchas otras leyes antes y después de las citadas. En otro lugar nos hemos referido, por ejemplo a las que en 1609 reformaron la práctica de los repartimientos. Sobre la eficacia de estas leyes, es ya un lugar común, en los libros de historia colonial iberoamericana, la afirmación en torno a la gran distancia que, en la práctica, separaba la ley de la realidad. Y es cierto. Si analizamos los preceptos legislativos, y a continuación intentamos comprobar su plasmación en la realidad, notaremos cómo en una gran cantidad de casos eso no se produce. Ya páginas atrás, por ejemplo, hemos percibido este fenómeno al estudiar las vinculaciones sociales de los jueces de las audiencias.

¿Por qué fue tan frecuente el incumplimiento de la ley en la América colonial? Deben considerarse dos tipos de causas: unas de orden práctico, y las otras referidas a la mentalidad de la época con relación a lo jurídico. En cuanto a las causas de orden práctico, un factor fundamental es el de la distancia y la dificultad de las comunicaciones. Si ya dentro de la propia Península Ibérica eran muy notables las dificultades en las comunicaciones, lo que ocurría con respecto a América era mucho más grave. Eran muchos meses —si no años— lo que tardaba la llegada de una noticia, e igualmente la recepción de las disposiciones gubernativas. Ese factor debe tenerse en cuenta al evaluarse el escaso cumplimiento de la legislación. Además, debe considerarse el poco conocimiento que sobre la realidad americana tenían los gobernantes metropolitanos.

Pero más importantes son las causas vinculadas a la concepción que entonces se tenía del Derecho y de sus fuentes.

La explotación del trabajo de los indígenas no fue una exclusiva de los encomenderos. Guamán Poma denuncia que algunos padres doctrineros explotaban en su provecho a viudas y solteras, a las que hacían tejer ropa por la fuerza sin ninguna retribución.

229

Para entenderlo, puede ser útil partir de lo que para nosotros significan las fuentes del Derecho. Hoy en día, no dudamos al afirmar que la ley es la más importante de ellas. La ley, entendida en sentido amplio como la norma surgida de la voluntad de las autoridades constituidas, es para nosotros la más relevante de las fuentes del Derecho. Dicho de otro modo, entre nosotros es claro que quien infringe una norma legal está actuando en contra del ordenamiento jurídico vigente. Sin embargo, esta preeminencia de la ley como principal fuente del Derecho no es muy antigua. Fue a partir el siglo XVIII cuando quedó definida, con ocasión de la creciente influencia que por entonces adquirió el pensamiento de la Ilustración. Hasta entonces, otras fuentes del Derecho eran tan importantes —o incluso más— que la ley. Es el caso, por ejemplo, de la costumbre. Hoy en día la costumbre sigue siendo reconocida como fuente del Derecho. Sin embargo, en los tiempos que estamos estudiando la preeminencia de la costumbre en este sentido era notable. Igualmente, la doctrina jurídica y la jurisprudencia eran fuentes del Derecho que no tenían importancia inferior a la de la ley.

En definitiva, y por lo que acabamos de explicar, en los tiempos que estamos estudiando se consideraba que había diversas circunstancias que legitimaban el incumplimiento de lo preceptuado por las leyes. A esa idea responde el aforismo que fue tan común por entonces: «La ley se obedece pero no se cumple». ¿Qué significaba obedecer y no cumplir? Obedecer era el acto formal de acatamiento que toda autoridad debía hacer con respecto a las normas legales que recibía de sus superiores. Sin embargo, ese acto formal no impedía que de inmediato esa persona procediera a solicitar la exoneración en el cumplimiento de lo ordenado por esa norma. A ese acto se le denominaba suplicación: se suplicaba a las autoridades superiores el incumplimiento. Por ejemplo, los virreyes suplicaban al Consejo de Indias el incumplimiento de una norma por considerar que su tenor iba en contra de las costumbres del virreinato. La costumbre solía ser la razón más invocada en esas situaciones. Además, muchas veces esas suplicaciones estaban relacionadas con el ya aludido escaso conocimiento que de la realidad americana tenían las autoridades metropolitanas.

En virtud de la importancia que por entonces tenía la costumbre como fuente del Derecho, diversos autores han referido que el casuismo habría sido la característica fundamental del orden jurídico en los siglos XVI y XVII. Se entiende por casuismo la consideración del caso particular como criterio fundamental para diseñar el orden jurídico. Dicho de otro modo, esta corriente no ve conveniente el establecimiento de normas de carácter general, al considerar que las leyes deben adecuarse a las características particulares de cada lugar. El casuismo no concebía el derecho como una ciencia con principios muy ordenados ni sistematizados, sino simplemente como una actividad humana empeñada en buscar la justicia y la equidad.

A pesar de ello, desde el propio siglo XVI se hicieron algunos esfuerzos por dar a conocer, de modo ordenado, la legislación referida a América. Destaca, entre otras obras, el *Cedulario indiano* de Diego de Encinas, aparecido en 1596. Pero la *Recopilación de leyes de los reinos de las Indias* (1680) fue la más importante publicación que intentó comprender toda la legislación producida para América.

Las reformas borbónicas

El siglo XVIII fue testigo del creciente predominio político y militar inglés. Sin embargo, y paralelamente a ello, en esa misma centuria fue adquiriendo vigencia la noción de equilibrio. Es decir, entre las más importantes potencias europeas se empezó a otorgar valor al equilibrio de fuerzas, con el objeto de reducir la frecuencia de los conflictos bélicos. En ese sentido, el siglo XVIII fue —si vale la expresión— una centuria menos bélica que la anterior. No es que no hubiera conflictos internacionales que involucraran a las potencias europeas: los hubo, pero se desarrollaron sobre todo en ultramar —por intereses coloniales—, y no tanto en la propia Europa. Además, y a diferencia de la centuria anterior, el siglo XVIII trajo consigo una situación económica de prosperidad y de crecimiento, la cual hizo posible el surgimiento de doctrinas que exaltaban con optimismo el valor de lo que el hombre podía hacer en el mundo.

El siglo XVIII es conocido también como el *Siglo de las Luces* por la gran importancia que adquirieron las *luces de la razón* en el ámbito intelectual. En efecto, el importante papel que la razón adquirió como criterio supremo de conocimiento estuvo en la base de lo que fue la ideología de la Ilustración. Ciertas ideas del pensamiento ilustrado se apoyaban en los progresos científicos del siglo XVII, pero muchas otras tenían su base en el mundo del Renacimiento y, a través de él, en la época clásica grecorromana. En efecto, el pensamiento de la Ilustración presenta una clara vinculación con las inquietudes intelectuales del humanismo renacentista. El común denominador fue, fundamentalmente, el optimismo con el que se veía el actuar del hombre en el mundo y la importancia primordial que se le daba.

Las ideas de la Ilustración influyeron sobre todo en la elite de la sociedad, entendiendo por tal a los grupos sociales privilegiados en el contexto del Antiguo Régimen, al igual que a la burguesía. Es decir, el sector que podríamos denominar como pueblo o clases populares no se vio influido por esos planteamientos. Por tanto, los propios monarcas europeos recibieron influencia ilustrada. Se trata de un fenómeno interesante, ya que debemos recordar que el contexto en el que se desenvolvían las monarquías en el siglo XVIII estaba marcado por el absolutismo. De este modo, y en el contexto del Antiguo Régimen, hablar de un monarca ilustrado resulta una contradicción. Sin embargo, es cierto que diversos monarcas absolutos fueron por entonces influidos por las ideas ilustradas. En realidad, resulta explicable que algunos de ellos vieran con interés ciertas ideas ilustradas. Un ejemplo claro es el de la educación. Los pensadores ilustrados consideraban que en los planes educativos debía darse primera importancia a las denominadas ciencias útiles, entendiendo por tales a las disciplinas que conducían al logro del progreso material. Así, ciencias útiles eran, entre otras, la física, la química, la ingeniería o la mineralogía.

En este caso, a los monarcas absolutos les pareció interesante impulsar el cultivo de esas disciplinas, ya que podían llevar al logro del progreso económico.

Igualmente, las propuestas ilustradas en el ámbito de la organización administrativa de los estados fueron bien acogidas por ciertos monarcas. Así, los ilustrados propusieron una división política del territorio del estado que respondiera a criterios racionales. Por ejemplo, plantearon que las provincias debían ser homogéneas en cuanto a sus dimensiones, y sobre todo en cuanto a sus características sociales y económicas. Todo ello era enfocado con el objetivo final de lograr una mejor administración del territorio del respectivo estado y, por ende, una mayor recaudación tributaria.

El interés ilustrado por el conocimiento del mundo fue también visto con entusiasmo por ciertos monarcas del siglo XVIII. Por entonces se realizaron numerosas expediciones científicas destinadas a obtener mayor información en cuanto a las características de los diversos continentes, y en cuanto a sus recursos. En este sentido, por ejemplo, Carlos III de España fue un gran impulsor de dichas expediciones —en su caso, específicamente dirigidas al continente americano—, ya que comprendía que podían brindarle beneficios, tanto políticos como económicos. Políticamente, un mejor conocimiento de sus dominios podía llevar a una mayor presencia de la autoridad de la monarquía, y en lo económico podía significar la obtención de mayores recursos. La expedición de Jorge Juan y Antonio de Ulloa, dirigida a medir un grado del meridiano en el Perú, de la que resultó el valiosísimo informe *Noticias secretas de América,* y la que dirigieron Malaspina y Bustamante bordeando toda América, desde Montevideo hasta Alaska, son las más notables. Pero hubo muchas más que, tomando como punto de partida el puerto de San Blas, se orientaron a asegurar el control del Pacífico.

Esa atracción que manifestaron ciertos monarcas hacia planteamientos ilustrados llevó a la aparición de lo que se conocería como despotismo ilustrado. También conocido como *absolutismo ilustrado,* consistió en la adopción, por parte de ciertos monarcas absolutos del siglo XVIII, de iniciativas reformistas del pensamiento ilustrado. Se trataba, por tanto, de utilizar el poder absoluto del monarca para aplicar reformas ilustradas. *Todo por el pueblo pero sin el pueblo* es un lema que refleja muy bien el espíritu del despotismo ilustrado: se pretendía implantar una serie de medidas conducentes a lograr beneficios para el pueblo, pero sin tener en cuenta la opinión de este. Ese lema manifiesta la contradicción del despotismo ilustrado: su propósito era beneficiar al pueblo y al propio Estado con reformas de inspiración ilustrada, pero sin tener en cuenta el pensamiento ilustrado en su conjunto, en especial las teorías sobre la soberanía nacional y la igualdad ante la ley. Sin embargo, y como ya lo hemos señalado, había otros aspectos de la Ilustración que los monarcas absolutos consideraron atractivos. Así se explica el surgimiento del despotismo ilustrado

El rey Carlos III de España fue uno de los más representativos déspotas ilustrados, y además el principal impulsor de las denominadas reformas borbónicas en América. Desde que llegó al poder, en 1759, tuvo como objetivo lograr para la Corona española la recuperación de una posición preeminente en el panorama político europeo. Recordemos que desde mediados del siglo XVII España había perdido su condición de gran potencia. Carlos III se propuso mejorar —en el caso de sus dominios americanos— los aspectos defensivos, con el fin de evitar agresiones de potencias extranjeras, o despojos territoriales, sufridos con frecuencia en el siglo XVII. Junto con ello, otro de sus objetivos fue el de mejorar la recaudación fiscal, para fortalecer al Estado y hacer más eficaces las disposiciones gubernativas. Para lograr sus propósitos, consideró necesaria la aplicación de ciertas ideas ilustradas. En el fondo, dicho monarca continuó la línea previamente trazada por sus antecesores Felipe V y Fernando VI. En efecto, el acceso al trono de la dinastía borbónica en el siglo XVIII supuso importantes cambios para España, ya que sus monarcas plantearon ideas nuevas con respecto al gobierno del Estado y al desarrollo de la economía. Por ejemplo, se esforzaron por impulsar la producción y circulación de bienes, con el fin de que se produjera un mayor movimiento de la riqueza. En el ámbito gubernativo, se propusieron otorgar más responsabilidades a los sectores sociales burgueses, en desmedro de los nobles.

Carlos III, en particular, favoreció a la burguesía frente a los estamentos privilegiados. No solo promovió su ingreso a los más importantes puestos públicos, sino también impulsó aquellas actividades económicas a las que los burgueses más se dedicaban. El monarca consideraba —y esta era una idea compartida por los ilustrados— que los privilegios o premios debían ser otorgados a aquellas personas que por sus méritos o habilidades se hicieran acreedoras de ellos. En el fondo, por tanto, se cuestionaba la legitimidad de los privilegios propios del Antiguo Régimen. En efecto, durante el reinado de Carlos III fue notorio el ascenso político y económico de los miembros de la burguesía. Así, fue importante la creación de la célebre Orden de Carlos III, en 1771. Equiparándola a las grandes órdenes militares españolas, el monarca estableció que sus integrantes podrían llegar a ocupar los más altos puestos del gobierno. Lo interesante es que el acceso a esa Orden no estaba ya relacionado con la nobleza de sangre, sino con los méritos que cada persona pudiera mostrar. En ese sentido, es esclarecedor el lema que se estableció para dicha Orden: *pro virtute et merito;* es decir, en razón de las virtudes y méritos personales de cada individuo.

Lo que Carlos III buscaba con su política de reformas era la recuperación del carácter de gran potencia que España había tenido en el pasado. Para el logro de ese gran objetivo era preciso alcanzar ciertas metas previas, tales como —por ejemplo— la mejora de la economía, el logro de una política defensiva eficaz con respecto a los dominios españoles y el cambio de mentalidad en cuanto a la estructura social y económica española. Es de destacar la creación de las denominadas Sociedades Económicas de Amigos del País. Trasplantadas a los territorios americanos, llegaron a fundarse quince. Dichas Sociedades se convirtieron, de diversos modos, en entes propagadores de las ideas del reformismo. Fueron integradas por personas interesadas en la difusión de cambios en la economía española, y en el desarrollo de estudios —a partir de bases científicas— en torno a los problemas vinculados con los cambios que se pretendían. También las *tertulias,* mucho más extendidas, actuaron como focos de difusión de las nuevas ideas y preocupaciones.

En lo referido al gobierno y la administración, la gran preocupación de Carlos III fue la de poner los medios para lograr que el poder monárquico fuera más efectivo. Algunos autores se refieren a la *uniformidad centralista* como una de las metas de las reformas de este monarca. Por ejemplo, mediante diversas medidas se suprimieron ciertas libertades municipales anteriormente existentes, con el propósito de dotar de mayor poder de supervisión a las instancias administrativas estatales. Otra medida fundamental en esa dirección fue la creación de la Junta de Catastro, que tenía como labor la de confeccionar una relación de las propiedades inmuebles en España y, en consecuencia, evaluar la magnitud de esa riqueza. Lo que subyacía tras esa medida era el propósito de crear un impuesto único y universal: es decir, una contribución a la que todas las personas estuvieran afectas, de acuerdo con su patrimonio [2]. En cuanto a la economía, se buscó la liberalización del comercio, por medio de la supresión de gravámenes con respecto a importantes productos. El propósito fue el de exonerar de algunos impuestos a las materias primas, cargándolos más bien sobre los productos considerados de lujo. Esta liberalización del comercio fue, sin duda, muy positiva para el sector social burgués, cuyos integrantes se dedicaban, en buena medida, a actividades comerciales y económicas.

Las reformas borbónicas en América comprendieron aspectos muy diversos, de acuerdo con los propósitos descritos. Un punto fundamental fue el referido a la defensa de los dominios españoles, ligado a la reorganización territorial que en el siglo XVIII se emprendió. En ese sentido, fueron numerosas las

---

[2] Debemos recordar que, durante el Antiguo Régimen, la vigencia de los privilegios hacía que la estructura fiscal no dependiera de la riqueza que se poseía, sino de los privilegios de las personas.

medidas adoptadas por la Corona, sobre todo en la segunda mitad de esa centuria. Así, en las costas del Pacífico del virreinato mexicano se fundó el puerto de San Blas, convirtiéndose rápidamente en un importante núcleo militar, al igual que en punto de partida de exploraciones dirigidas hacia las costas septentrionales. En efecto, la Corona española dio por entonces importancia al conocimiento y dominio de las costas norteamericanas del océano Pacífico, dado que se trataba de una zona en la que convergían intereses comerciales ingleses y rusos, vinculados con el negocio de pieles de animales. En esas circunstancias, las autoridades españolas reforzaron sus planes defensivos, teniendo en cuenta que el México del siglo XVIII era la región americana de mayor desarrollo económico. A la preocupación defensiva respondió también la creación, en 1776, de la «Comandancia General de las Provincias Internas», que comprendió los territorios septentrionales del virreinato mexicano, tales como la Alta y la Baja California, Nuevo México y Texas. En el flanco oriental del virreinato se tomaron también algunas medidas de seguridad, sobre todo tras las adquisiciones inglesas de la Florida y del sector oriental de la Luisiana. Así, se mejoró militarmente la isla de Cuba y se construyó una gran fortificación en San Juan de Puerto Rico.

Las rivalidades territoriales entre españoles y portugueses en relación con la frontera meridional del Brasil, al igual que las frecuentes incursiones de buques ingleses en el Atlántico Sur, fueron muy importantes para la creación, en 1776, del virreinato del Río de la Plata, cuyo territorio comprendió, además de las gobernaciones de Buenos Aires y Tucumán, la Audiencia de Charcas —que hasta entonces había pertenecido al virreinato peruano—, el corregimiento de Cuyo, el Paraguay y la denominada Banda Oriental hasta el discutido límite con el sur del Brasil. Así, la creación de ese virreinato respondió al propósito de establecer en Buenos Aires una autoridad de más elevada jerarquía y con mayores recursos. A raíz de la creación del virreinato, Buenos Aires adquirió gran importancia económica y comercial, convirtiéndose en un puerto importador y exportador de primer orden, y ocasionando la disminución del movimiento comercial del Callao, puerto que hasta entonces había centralizado dichas actividades en la América del Sur.

Las reformas territoriales del siglo XVIII, en efecto, se hicieron sobre todo en desmedro del antiguo territorio del virreinato peruano. Así, este no solo perdió el Alto Perú —Charcas— con sus importantes yacimientos mineros; Chile, a partir de 1778, se convirtió en capitanía general independiente del virrey del Perú; y el territorio de la Audiencia de Quito pasó a integrar el virreinato de Nueva Granada, el cual fue creado de modo definitivo en 1739. En el territorio de dicho virreinato estaba Cartagena de Indias, que fue el punto costero americano que tuvo mayores fortificaciones, de acuerdo con la preocupación del Gobierno español por defender sus posesiones en el mar Caribe.

Pero las reformas administrativas no consistieron solo en la fundación de esos dos nuevos virreinatos. Un punto fundamental fue el de la creación de las *intendencias,* que respondieron al propósito de las autoridades españolas de lograr una efectiva centralización y racionalización burocráticas. En efecto, una gran preocupación de los monarcas del siglo XVIII fue la de lograr que sus designios pudiesen efectivamente ponerse en práctica en América, sobre todo por la experiencia del siglo XVII, centuria durante la cual muchos de los agentes de la administración pública estuvieron lejos de satisfacer los intereses de la monarquía. El modelo para la creación del sistema de intendencias fue francés, y la reglamentación para su funcionamiento se publicó en 1786: la «Real ordenanza para el establecimiento e instrucción de intendentes». Sin embargo, ya años antes se había nombrado a los primeros intendentes en España, y en 1764 se estableció el sistema en Cuba. Fue en la década de 1780 cuando se establecieron las intendencias en casi toda la América española. Hubo más de cuarenta, dividiéndose en partidos, los cuales estaban encabezados por los denominados subdelegados.

Los cometidos fundamentales de los intendentes eran los de lograr la prosperidad económica en sus correspondientes territorios y aumentar los ingresos fiscales. Sin embargo, tuvieron también algunas funciones judiciales, e incluso militares. El establecimiento de las intendencias supuso la eliminación de los antiguos criterios de división territorial, con la consecuente desaparición de los corregimientos y las alcaldías mayores. Además, esos antiguos funcionarios habían generado manifestaciones de descontento en diversos territorios americanos. Quizá el ejemplo más elocuente sea el de la gran rebelión andina dirigida por José Gabriel Condorcanqui —Túpac Amaru II—, quien en la región de El Cuzco encabezó una gran rebelión anticolonial que tuvo repercusiones en buena parte del Perú y del Alto Perú. Simbólicamente, el inicio del movimiento se identifica con el ajusticiamiento del corregidor de Canas y Canchis, Antonio de Arriaga, en manos de los rebeldes, en noviembre de 1780. Una de las exigencias de los rebeldes era precisamente la eliminación de los «repartos de mercancías», práctica consistente en la venta forzosa a los indígenas de diversos productos por parte de los corregidores.

En el ámbito fiscal, la Corona planteó una reforma tributaria dirigida a simplificar el esquema de impuestos hasta entonces existente. En realidad, se trataba de una maraña de contribuciones, establecidas en diversos momentos, que no había permitido a las autoridades tener un panorama claro en cuanto a lo referido a los ingresos del Estado. Pero esta reforma tributaria no pretendía solo aumentar los ingresos económicos de la Corona. Debe analizarse en un contexto mayor, como parte de un esquema que, junto con ello, se proponía lo ya mencionado anteriormente: aumentar las actividades comerciales, al igual que la protección de la producción española frente a la extranjera. La reforma tributaria, por medio de diversos mecanismos, buscó una eficaz cobranza de determinados impuestos —en especial de la alcabala—, lo cual generó protestas en diversos territorios americanos. Reveladoras en ese sentido fueron, por ejemplo, las diversas revueltas y rebeliones suscitadas en el mundo andino, y sobre todo el gran movimiento dirigido por Túpac Amaru II.

A pesar de haber producido parcialmente buenos resultados, es claro que el programa de las reformas borbónicas, en conjunto, no logró sus objetivos fundamentales. Quizá el más importante fue el de tener un más eficaz control de los dominios españoles en América a partir del logro de una estricta obediencia de los dictados de la Corona por parte de los agentes de la administración pública. En ese sentido, una dificultad que la nueva legislación no logró vencer fue la representada por la solidez de los vínculos que desde mucho tiempo atrás se habían establecido entre los miembros de la burocracia y las elites criollas americanas. Además, esas elites vieron, por lo general, con desagrado el intento de la Corona por tener un más directo control de unos territorios que desde muchas décadas atrás habían gozado, en la práctica, de notable autonomía.

Y en cuanto al siglo XVIII brasileño, como ocurrió también en los dominios españoles, se dieron notables novedades relativas a la administración territorial. Así, en 1714 se consolidó de modo definitivo la institución virreinal, y en 1763 pasó a ser la ciudad de Río de Janeiro la sede de gobierno del virrey. Fue precisamente en la segunda mitad del siglo XVIII cuando desde Lisboa se promovió una mayor centralización administrativa, dotando al virrey de mayores atribuciones. Durante el reinado de José I (1750-1777) y bajo los designios del marqués de Pombal, primer ministro portugués, se emprendió una política reformista según los planteamientos ilustrados. Las reformas comenzaron antes que en los dominios españoles y perseguían los mismos fines que hemos señalado como característicos de la época ilustrada: eliminar el gobierno de los grandes propietarios, reprimir la corrupción e ineficacia de los funcionarios y mejorar la producción agrícola y minera.

Para lograr la unificación administrativa del Brasil, las atribuciones del virrey crecieron considerablemente. Al igual que en los dominios españoles, se establecieron intendencias, situándose en Río y en Bahía las sedes de los denominados intendentes generales. En definitiva, la Corona portuguesa buscó también con esas medidas reforzar su autoridad en esos dominios ultramarinos. En 1775 la esclavitud de los indios quedó abolida definitivamente, lo que motivó un aumento de esclavos africanos procedentes de Angola.

12

Economía y sociedad

La minería

YA HEMOS MENCIONADO anteriormente cómo en los inicios de la presencia española en América la encomienda significó la fuente de riquezas más importante. Al tener la posibilidad de disponer de la mano de obra indígena, los encomenderos se convirtieron en el sector social más rico, sobre todo en esos tiempos en los que aún no se habían establecido limitaciones formales a lo que aquellos podían exigir de sus indígenas. Vimos también, sin embargo, que por diversas razones —el colapso demográfico indígena fue la más importante de ellas— con el paso del tiempo la encomienda dejó de ser la principal fuente de riqueza.

Se inició así —ya en el propio siglo XVI— una notable diversificación económica en muchos lugares de América, en virtud de la cual fueron adquiriendo gran importancia actividades tales como la minería, la agricultura o el comercio. Debe aclararse, sin embargo, que ya desde los primeros tiempos fueron muchos los encomenderos que —aprovechando la mano de obra a su disposición— emprendieron actividades mineras, agrícolas o comerciales. Pero eran actividades que pudieron realizar precisamente en virtud de la ventaja que les brindaba la posibilidad de acceder a la mano de obra indígena. En cambio, la diversificación económica a la que nos referimos —y que fue ya muy notable en la segunda mitad del siglo XVI— consistió en el surgimiento de actividades económicas exitosas por parte de españoles no encomenderos, o bien por parte de personas que ya habían perdido sus encomiendas. En otras palabras, la encomienda dejó de ser la vía más rápida para el logro de beneficios económicos.

La ambición por obtener oro y plata estuvo presente desde los primeros viajes de descubrimiento. Ya hemos referido, por ejemplo, cómo los rumores o vagas noticias en torno a la existencia de yacimientos de metales preciosos movieron a muchos a organizar expediciones de conquista hacia diversos lugares del Nuevo Mundo. En cuanto a la obtención de oro y plata, deben distinguirse, al menos, dos fases. La primera estuvo caracterizada por los botines de los tiempos de las conquistas, procedentes, en su mayoría, de los saqueos realizados por los españoles en los asentamientos prehispánicos, o de la búsqueda de tesoros en las tierras recién conquistadas. Terminados los primeros tiempos de la conquista se inició ya una fase distinta, caracterizada por la búsqueda de una explotación ordenada de los yacimientos mineros.

En cuanto a la primera fase mencionada, hubo diversas formas de adquirir oro y plata por parte de los conquistadores. Una de ellas —pacífica— fue el trueque con los indígenas, y otra —violenta— fue el saqueo. Sin embargo, esa primera fase no duró mucho. Los tesoros que se solían obtener estaban básicamente compuestos por objetos de carácter ritual, o elaborados por los indígenas con otros fines, con lo cual en poco tiempo los españoles pudieron apoderarse de ellos. En definitiva, estos tomaron conciencia, más pronto que tarde, de que si querían obtener mayores cantidades de oro o de plata había que trabajar.

La primera forma de ese trabajo estuvo vinculada, en el caso del oro, al lavado del metal procedente de las arenas de los ríos. Sin embargo, rápidamente se inició la explotación propiamente minera del oro y de la plata. Esta última, en realidad, fue la verdadera protagonista de la gran producción minera americana, y está simbolizada —por citar dos yacimientos emblemáticos— por las minas de Potosí, en el virreinato del Perú, y por las de Zacatecas, en México. Dado que la producción peruana

242

de plata fue la más significativa a lo largo del siglo XVI y en buena parte del XVII, empezaremos por referirnos a ese virreinato.

Vale un Perú o *vale un Potosí* son expresiones que denotan la fama que, en el contexto del imperio español, adquirió el Perú como productor de metales preciosos, y especialmente de plata, siendo Potosí el más importante centro productor de plata del virreinato. Un año fundamental fue el del inicio de la explotación de los yacimientos mineros de Potosí, en el Alto Perú (actual Bolivia): 1545. Hasta el siglo XVIII la plata extraída de Potosí significó, aproximadamente, dos terceras partes de toda la producida en ese virreinato.

Sin embargo, el proceso de extracción de la plata no fue nada sencillo. Es cierto que ya en tiempos prehispánicos se trabajaron algunas minas, pero en muy pequeña escala. Cuando los españoles emprendieron las actividades mineras, el gran problema era el de la purificación de la plata. En efecto, la plata no se podía extraer en estado puro, sino mezclada con otras sustancias. En los primeros tiempos, para la purificación de la plata se utilizó el tradicional sistema indígena de la *huaira*. Se denominaban así los pequeños hornos de piedra en los que se introducía la plata extraída de las minas para su purificación. El fuego, con la ayuda del viento (*huaira* en lengua quechua), hacía que se derritiera la plata, y saliera purificada. El sistema, sin embargo, era bastante imperfecto y hacía que se perdiera buena parte del mineral. Ya para la década de 1560 las dificultades eran mayores, sobre todo porque el mineral ya no se podía encontrar en la superficie, sino en vetas más profundas. Este problema, unido al hecho de la imperfección del sistema de la huaira, generó consecuencias graves.

No obstante, para entonces se había patentado en México el sistema de beneficio de la plata mediante el empleo del azogue. El sistema requería, en primer lugar, que el mineral en bruto extraído de la mina estuviera en polvo. Así, para triturar el mineral se requería del establecimiento de molinos. Una vez triturado el mineral, el azogue absorbía la plata, y como consecuencia de eso se generaba la «pella», que era una amalgama. Luego se separaba el azogue de esa amalgama, con lo cual ya se obtenía la plata pura. Por diversas razones técnicas, la purificación de la plata mediante el azogue resultó mucho más efectiva y barata. Además, ya en la década de 1560 se habían descubierto en el Perú las minas de azogue de Huancavelica. De modo que, una vez que se probó la eficacia del nuevo sistema, no hubo problemas para conseguir el azogue.

Con la introducción del sistema de la purificación con azogue se multiplicó por tres la producción de plata en el Perú. Se estableció una ruta para el envío del azogue a Potosí. Desde Huancavelica se trasladaba el mineral a Tambo de Mora, puerto desde el cual se embarcaba hasta Arica, desde donde se llevaba por tierra a Potosí. Con el aumento de la producción de plata, y paralelamente a la introducción del nuevo sistema de purificación, se establecieron las normas para la utilización de la mano de obra indígena. Fue el virrey Francisco de Toledo quien, en la década de 1570, generalizó el sistema de la mita. Fundamentándose en el trabajo por turnos vigente en los tiempos del Tahuantinsuyu, se dispuso el trabajo obligatorio por turnos de la población indígena en las labores mineras.

En el caso de la Nueva España, las minas de plata de Zacatecas, situadas al norte de México, empezaron a explotarse casi a la vez que Potosí: en 1546. Allí se produjeron los mismos problemas técnicos que en los yacimientos andinos: luego de unos primeros tiempos de fácil explotación debido a que el mineral estaba bastante cercano a la superficie, empezaron a manifestarse crecientes dificultades cuando las vetas se encontraban en niveles más profundos. Además, no olvidemos que en esos grandes yacimientos la inversión requerida era muy considerable, no solo en la propia extracción, sino en las labores de amalgamación del mineral.

Hacia los años finales del siglo XVI, estaba claro que la minería —y específicamente la de la plata— se había constituido en la actividad productiva que concentraba la mayor cantidad de capitales. Junto con ello, era la actividad en la que más notoriamente se presentaba la división del trabajo y la especialización, al igual que la implantación de tecnologías de origen europeo. La radical importancia de la actividad minera puede también apreciarse al considerar que Potosí se convirtió, a fines del siglo XVI, en la ciudad más poblada del continente, con más de 100.000 habitantes, cifra comparable a la de la población de las más importantes ciudades europeas del momento. Si consideramos que dicha ciudad se encuentra a una altitud de más de 4.000 metros sobre el nivel del mar, queda claro que la fuerza de la plata era el mayor atractivo de entonces.

En efecto, en torno de la producción de plata se fueron organizando otras actividades económicas muy significativas, y a las cuales nos referiremos más adelante. En definitiva, la producción de plata constituyó la base de la riqueza que los dominios americanos pudieron ofrecer a la Corona española. Tan cierto es esto, que todo el sistema de relaciones comerciales entre la metrópoli y América estuvo basado en la idea de tener al Nuevo Mundo como proveedor de plata de la Corona, buscando —a la inversa— que en América se generara un mercado para todo lo que se producía en España.

Actividades agropecuarias

Siendo la obtención de metales preciosos, y de tesoros en general, el objetivo más frecuente de los primeros pobladores europeos de América, es natural que en los primeros tiempos no se hubiera prestado mayor atención a las actividades agrícolas. Incluso cuando, a partir de la década de 1520, se inició la colonización de la América nuclear, tampoco se dio ese interés de parte de los españoles, toda vez que tuvieron a su disposición la mano de obra indígena para la obtención de todo lo que requerían. Claro está que no fue eso una regla general: en aquellas regiones americanas en las que no se contaba con una numerosa población indígena, o en las que no había agricultura, los colonizadores tuvieron que emprender por sí mismos labores agrícolas. Sin embargo, reiteramos que lo más frecuente fue la manutención de los españoles a partir de las prestaciones de las comunidades indígenas. El ejemplo más claro es el de la población encomendada, que debía dar al encomendero, en con-

245

cepto de tributo —y además de dinero y de servicio personal— especies diversas que no solo servían para el sostenimiento del encomendero, sino que también se ponían a la venta en los mercados urbanos.

La presencia española en América trajo importantes novedades en el campo agropecuario. Además de los cultivos prehispánicos que fueron aprovechados por los españoles, entre los productos introducidos por los europeos debemos mencionar de modo especial, por su trascendencia, el trigo, la vid, el olivo y la caña de azúcar. El cultivo de esta última —realizado fundamentalmente a partir del empleo de mano de obra esclava— merece ponerse de relieve de modo especial, por su difusión en muy diversas zonas del continente. En cuanto a la ganadería, llegaron también nuevas especies con los españoles: la vaca, el burro, el caballo, al igual que el cerdo, la cabra y la oveja.

De este modo, el panorama cambió por completo. Si bien en los tiempos prehispánicos se desarrolló la agricultura y la ganadería, los aportes occidentales generaron una muy notable transformación. Es más: los cultivos occidentales llegaron a desarrollarse masivamente, aunque los propios españoles dieron especial importancia a algunos de los cultivos prehispánicos: en el caso de los Andes, por ejemplo, ocurrió así con productos tales como el maíz o la coca.

En el último tercio del siglo XVI se produjo, tanto en el virreinato mexicano como en el peruano, un notable crecimiento de la agricultura, paralelo con el aumento de la producción de plata, sobre todo en el Perú. Esto se explica por el hecho de que el desarrollo de la minería generó el crecimiento de ciudades muy densamente pobladas en torno a los yacimientos. El caso más notable es el ya mencionado de Potosí. Todo ello generó una gran demanda de alimentos. Además, en cuanto a la agricultura, ya para fines del siglo XVI se habían empezado a desarrollar características que podríamos denominar de especialización regional: es decir, empezaron a definirse, por ejemplo, zonas básicamente dedicadas al cultivo de la caña de azúcar, o del algodón, o de la vid.

Debe destacarse, igualmente, la importancia de la ganadería, no solo en lo referido a la producción de carne y de leche, sino también en lo relacionado al desarrollo del transporte. En este sentido, debe resaltarse la importancia de la mula, que con justicia fue denominada la reina de los caminos coloniales. En efecto, la mula combinaba una mayor capacidad de carga que los caballos o los auquénidos, con una especial habilidad para transitar con seguridad por los escarpados caminos de las serranías.

Diversos autores señalan que fue en el siglo XVII cuando la agricultura adquirió un mayor desarrollo, a partir de la aparición de la *hacienda,* caracterizada por la explotación agrícola a gran escala. En realidad, en cuanto a las propiedades rurales de gran magnitud, debe destacarse la presencia de la hacienda y también la de la *estancia.* La hacienda era la gran propiedad agrícola, y la estancia era la gran propiedad territorial dedicada fundamentalmente a actividades ganaderas. El desarrollo de estas grandes propiedades en manos de españoles —o de criollos— estuvo muy vinculado a la pérdida de tierras por las comunidades indígenas, en parte a causa de la caída demográfica, y también debido a diversos mecanismos —muchos de ellos ilícitos, como la simple usurpación— por los cuales fueron despojadas de muchas de sus tierras. En ese sentido, fue importante la figura de la *composición de tierras.* Fue esta una fórmula establecida por las autoridades por medio de la cual quienes poseían tierras ilegalmente podían legalizar su tenencia, a cambio de un pago a la Real Hacienda. En realidad, la composición de tierras —que se desarrolló con gran fuerza durante el siglo XVII— debe entenderse en el contexto de la crisis económica de la Corona, la cual llevó a que se tomaran diversas medidas conducentes a aumentar los ingresos fiscales. En relación con la actividad ganadera, debemos mencionar la importancia que adquirieron los obrajes textiles. Se trataba de centros de producción textil que tuvieron su principal mercado en los habitantes de las ciudades y en toda la población que se congregaba en torno al trabajo minero.

Un tipo especial de explotación era el destinado al cultivo de la caña y a la elaboración del azúcar, actividades de suma importancia en Brasil. El cultivo era relativamente fácil; había que talar un trozo de selva y roturar después la tierra. No era preciso regar y los plantones crecían con suma facilidad. Problema diferente era la elaboración del azúcar. Una vez cortada, la caña debía exprimirse para extraer su jugo. Después se hervía y se dejaba cristalizar en moldes de arcilla. Los bloques de azúcar así obtenidos eran envasados en cajas y exportados a Lisboa. Todas estas actividades se efectuaban en plantaciones azucareras que constituían verdaderos enclaves de población: cultivos alimenticios y pastos para el ganado, talleres de alfarería y carpintería, herrería, y la planta industrial propiamente dicha con el *trapiche* o molino de azúcar. Este complejo de actividades recibió el nombre de *engenho* o *ingenio* en Hispanoamérica. A veces, el cultivo de la caña se complementaba con el del *palo del Brasil,* de forma que el tiempo en que los operarios de la caña estaban ociosos se empleaba en este otro cultivo.

El descenso ininterrumpido de población a lo largo de todo el siglo XVI complicó el sistema agrícola en muchas regiones americanas. En el caso del virreinato mexicano, por ejemplo, a fines del siglo XVI fue notoria la caída en la producción de medios de subsistencia básicos, por ese motivo. Ello generó notables cambios en la producción: así, las actividades agrícolas de españoles, dedicadas sobre todo al cultivo de trigo, se ampliaron, ya que disminuyó notablemente la competencia de la producción agrícola aborigen. Para diversos autores, esta circunstancia favoreció la constitución de los primeros latifundios de españoles, para cuyo trabajo contaron no solo con la mano de obra indígena que quedaba, sino también con la de los negros esclavos.

Como se ha apuntado ya, la actividad minera estuvo siempre muy vinculada a la agropecuaria. En unos casos, cuando decrecía en determinado lugar la producción de metales preciosos, o cuando la realidad demostraba que las expectativas de obtención de plata u oro no habían tenido fundamento, los españoles se enfrentaban a la inevitable situación de dirigir sus actividades hacia la agricultura o la ganadería para sostenerse. En otros casos —y estos fueron los más notorios—, la riqueza de importantes yacimientos mineros atraía a una población cada vez más considerable, lo cual repercutía en una mayor demanda de productos agropecuarios. Además, teniendo en cuenta que la mayoría de yacimientos mineros se encontraban en lugares bastante inhóspitos y áridos, la demanda de productos requeridos para la subsistencia generaba actividades económicas importantes en áreas territoriales bastante grandes. A todo ello nos referiremos posteriormente, al aludir a las actividades comerciales.

Articulación de la economía colonial: el comercio

Las relaciones comerciales entre América y la metrópoli estuvieron estrictamente reguladas, desde el principio, por la Corona. Se estableció oficialmente un sistema caracterizado por el exclusivismo, el denominado monopolio comercial, en virtud del cual todo el comercio debía ser controlado desde la metrópoli. En ese sentido, a los dominios americanos no solo se les prohibió comerciar con otras potencias europeas, sino que se les impuso, también, una serie de restricciones en el comercio intercolonial.

El *mercantilismo,* teoría económica en boga durante la Edad Moderna, respaldaba ese esquema de organización. Los mercantilistas afirmaban que la base de la riqueza de un Estado era la posesión de la mayor cantidad de metales preciosos. De este modo, lo que la Corona española intentó establecer fue un modelo de organización comercial que convirtiera a sus dominios americanos en meros abastecedores de plata, siendo, por su parte, la metrópoli proveedora de los diversos productos que en América se requirieran. Esto explica, por ejemplo, el que la Corona no viera con agrado el desarrollo de los obrajes textiles en América, o el propio cultivo de la vid. Consideraban las autoridades metropolitanas que todo debía comprarse en España, con el fin de que las remesas de plata fueran en aumento. El propósito de la Corona, por tanto, era que América no tuviera una producción propia que estuviera en posición de competir con lo que desde Europa se podía enviar. Por eso, productos tales como las aceitunas, el papel, la ropa y telas en general, o el vino

—por citar solo algunos ejemplos— debían ser exportados desde España a América, de acuerdo con la citada concepción comercial exclusivista.

Sin embargo, ese esquema no logró cumplir sus objetivos. En realidad, el problema que tuvo que afrontar la Corona consistió en la creciente autosuficiencia económica que desde los años finales del siglo XVI se fue haciendo evidente en diversos lugares de América. Ejemplo ilustrativo es el del virreinato peruano: este mostró un notable crecimiento económico desde las décadas finales del siglo XVI, alentado por la creciente demanda que se iba suscitando en las ciudades, y en particular en los centros mineros, que acogían a poblaciones cada vez más numerosas. Ese panorama llevó a que se creasen importantes mercados regionales. Uno muy notable fue el que se formó en el sur andino, que tuvo como centro neurálgico las minas de Potosí. En efecto, la demanda suscitada por la población potosina fue creando un gran mercado regional, en el que jugaron un importante papel producciones como la vitivinícola de los valles de Arequipa o de Moquegua, o la cocalera de los valles bajos de El Cuzco. Igualmente, se fue creando un importante mercado intercolonial a partir de diversas rutas comerciales que espontáneamente unieron el puerto del Callao con otros importantes puertos, tales como Guayaquil, Valparaíso o Acapulco. Guayaquil —por ejemplo— se convirtió en el gran astillero peruano, al igual que en punto de salida de importantes producciones de cacao, de madera y de la producción textil proveniente de los obrajes ubicados en el territorio comprendido por la Audiencia de Quito.

Todo lo anteriormente explicado nos indica que las ideas mercantilistas que inspiraron las disposiciones metropolitanas relativas al comercio no tuvieron una real aplicación. Al contrario, los diversos agentes económicos americanos pudieron, de muy diversos modos, evadir el cumplimiento de esas normas. El gran desarrollo del contrabando es una prueba de ello [1].

---

[1] Ya hemos considerado páginas atrás, al estudiar las reformas borbónicas, cómo en el siglo XVIII la regulación de las actividades comerciales dejó de lado las concepciones exclusivistas.

Es también importante señalar que en el curso del siglo XVII fue cuando se agravó la crisis financiera de la Corona española. Y justamente fue en ese siglo cuando se hizo cada vez más evidente la autosuficiencia económica de muchos territorios americanos. Es decir, en el tiempo en el que a la Corona le era más necesaria la llegada de los metales preciosos del Nuevo Mundo, fue cuando aquellos empezaron a quedarse en mayor proporción en América, debido a la aludida autosuficiencia económica. Por otro lado, la población indígena americana fue integrándose, con ritmos diversos, en la economía colonial impuesta por los europeos. Si bien hubo sectores o comunidades de indígenas que mantuvieron por periodos más prolongados su organización económica ancestral, lo cierto es que, tarde o temprano, la población aborigen en su conjunto se articuló en el nuevo esquema económico. El establecimiento de las encomiendas es uno de los ejemplos más claros: aquellas, en definitiva, obligaron a la población indígena a formar parte de la economía colonial. En este contexto, sin embargo, debe advertirse —tal como afirma Guillermo Céspedes— que en las zonas en las que se desenvolvieron culturas indígenas menos complejas y desarrolladas, la asimilación económica de la población aborigen fue mucho más lenta. Es, por ejemplo, lo que en líneas generales ocurrió en el Brasil, si exceptuamos las plantaciones azucareras a que nos hemos referido.

Desde 1543, la travesía del Atlántico se realizaba con los buques agrupados en flotas, protegidos por una escolta militar, formando un convoy. Dicho esquema de organización de los viajes respondía a razones de seguridad —la protección por parte de los buques de guerra, y la posibilidad de apoyarse unos barcos a otros en caso de naufragio— y de carácter fiscal, ya que se pensaba que de ese modo podría evitarse mejor el comercio ilícito o contrabando. Sin embargo, fue evidente que el sistema de flotas no pudo evitar el contrabando —que fue creciente en el siglo XVII—, y en cuanto a la defensa de las flotas, hubo numerosos episodios —protagonizados, por ejemplo, por corsarios holandeses— que demostraron la vulnerabilidad de las mismas. A partir de 1864, la organización de convoyes se regularizó. Cada año, salían de España dos: uno para Sudamérica, *los galeones de tierra firme,* y otro para México, *la flota de Nueva España.* La duración de la travesía variaba, lógicamente, según las incidencias del tiempo

Las reformas económicas en el siglo XVIII

Las preocupaciones de los ilustrados tenían en lo económico uno de sus principales focos de interés. Ya aludimos al empeño por revalorizar el trabajo y al anhelo por el fomento de las ciencias. Nos toca ahora referirnos a la política económica que aplicaron en América. Su finalidad era incrementar la producción, facilitar el comercio entre los virreinatos y la Península y, en definitiva, aumentar los ingresos fiscales de la Corona y disponer de numerario para acometer una política más ambiciosa en todos los órdenes. Las medidas arbitradas fueron muy variadas.

Particular importancia se dio a la minería, con el fin de lograr mayor producción y, por ende, mayores utilidades. Buena prueba del interés de la Corona por el desarrollo de la minería es, por ejemplo, el auspicio que dio Carlos III a expediciones mineralógicas que se dirigieron al Nuevo Mundo con el fin de intentar el empleo de nuevas técnicas para lograr esos objetivos. Interesaba sobre todo la minería de la plata. Había que abaratar los costos para competir en un mundo que experimentaba cambios importantes

Para estimular la minería se crearon escuelas técnicas de minería en México y en Lima, se establecieron sistemas de crédito y se flexibilizaron los impuestos cobrados a los mineros para favorecer la inversión en las minas. La creación de algunos monopolios de la Corona, como el del azogue, contribuyó a estabilizar los precios, e incluso a su abaratamiento.

Pero fue en el comercio donde se produjeron las transformaciones de mayor relieve. Se trataba de liberalizar las actividades comerciales. Ocurrió no solo en España, sino también en otros estados europeos, como Francia e Inglaterra. La Corona española entendió que era necesaria la promulgación de leyes que introdujeran cierta libertad comercial, ante el nuevo panorama que el siglo XVIII trajo consigo. Además, estaba claro que el sistema de monopolio comercial hasta entonces vigente no había cumplido con sus objetivos, siendo una muestra de ello la importancia que había adquirido el contrabando. Debe tenerse en cuenta, entre otros factores que explican esa nueva legislación, el hecho del considerable aumento que en el siglo XVIII experimentó el comercio transatlántico, como consecuencia del crecimiento del consumo en Europa a raíz del importante desarrollo demográfico y económico que en esa centuria se dio en el Viejo Continente.

Ya en la década de 1760 la Corona española dictó algunas medidas parciales permitiendo el comercio directo entre distintas islas del Caribe, al igual que entre ellas y ciertos puertos peninsulares. Fue en 1778 cuando se promulgó el denominado *Reglamento del Comercio Libre*. Sin embargo, y a pesar de su nombre, no se trató de una total libertad comercial: se autorizó el tráfico directo entre veinticuatro puertos americanos y doce peninsulares, e igualmente el tráfico interprovincial en América. Además, dejó de existir la Casa de Contratación, lo cual supuso que hubiera mayor flexibilidad en cuanto a las exigencias administrativas para la navegación, cuyo control se estableció en torno a *juzgados de arribadas* que se establecieron en cada puerto. El mencionado Reglamento, además, supuso la eliminación o disminución —según los casos— de gravámenes fiscales para ciertos productos cuyo comercio se buscaba fomentar, y, a la inversa, creció la presión tributaria para los productos extranjeros.

Los resultados de estas reformas en América fueron muy desiguales. Se incrementó la exportación de mercancías (azúcar, tabaco en rama, cacao, cuero y pieles, etc.), que llegaron a suponer el 25 % de las exportaciones (el 75 % lo constituían las exportaciones de plata) y aumentó el comercio entre los virreinatos, en artículos que no interfirieran en la importación de productos desde España (cueros y pieles argentinos). En cuanto a la repercusión en los distintos territorios, es claro que los efectos positivos se produjeron en aquellas regiones que a la vez habían experimentado reformas territoriales. Un caso claro en este sentido es el del virreinato del Río de la Plata, que tuvo un gran desarrollo a partir de la decisiva importancia económica y comercial que fue adquiriendo el puerto de Buenos Aires. También fueron un éxito en Nueva España, no así para el Perú y Nueva Granada.

La sociedad: «república de los españoles» y «república de los indios»

La sociedad que resultó de la mezcla de europeos trasplantados, de esclavos africanos llevados por la fuerza y de la población indígena sojuzgada, era inevitablemente compleja. El estudio de la conformación y evolución de esa sociedad tan peculiar nos lleva a tratar del mestizaje, de la consolidación de un grupo social criollo y del estatuto jurídico de los diferentes grupos que la conformaban. En un capítulo anterior tratamos ya de los esclavos, por lo que no será preciso volver otra vez sobre su consideración y su situación.

Jurídicamente, los Reinos de Indias se concebían como el conjunto de dos comunidades distintas con intereses antagónicos: la *república de los españoles* y la *república de los indios*. En la primera se incluye también a los mestizos legítimos y a la aristocracia indígena. Las leyes que sancionaban esta división tenían un carácter protector con respecto al indígena. A partir de las duras polémicas desatadas entre los españoles desde los tiempos del sermón de Montesinos en 1511, con respecto al trato que se debía brindar a la población indígena americana, la Corona fue madurando la idea de elaborar un conjunto de normas legales que garantizaran el buen tratamiento de los naturales. Bien sabemos, sin embargo, que a pesar de que la letra de la ley fue protectora del indígena, la realidad discurrió por cauces muy distintos.

Las dos repúblicas o comunidades debían desarrollarse separadamente: la «república de españoles» y la «república de indios». El fundamento que llevó a su creación fue la consideración de los indígenas como «miserables en Derecho». Es decir, eran considerados vasallos libres de la Corona de Castilla, pero, a la vez, se les veía incapaces de administrar adecuadamente su libertad, y los derechos que esta traía consigo. De este modo, se pensaba que había que introducir progresivamente al indígena a la vida civilizada, siendo el primer paso el de adoctrinarlos en las verdades de la fe cristiana. No olvidemos que la propagación del cristianismo era la principal justificación de la presencia española en América. Para realizar esa labor, consideró la Corona que era necesario procurar la separación física de la población indígena con respecto a los españoles. A este respecto, la Recopilación de Indias (Ley XXI) ordena: *Que en Pueblos de Indios no vivan Españoles, Negros, Mestizos y Mulatos. Prohibimos y defendemos, que en las reducciones y Pueblos de Indios puedan vivir Españoles, Negros, Mulatos y mestizos, porque se ha experimentado que algunos Españoles que tratan, traginan, viven y andan entre los Indios, son hombres inquietos, de mal vivir, ladrones, jugadores, viciosos y gente perdida, y por huir los indios de ser agraviados dexan sus pueblos y provincias, y los Negros, Mestizos y Mulatos, demás de tratarlos mal, se sirven dellos, enseñan sus malas costumbres y ociosidad y también algunos errores y vicios que podrán estragar y pervertir el fruto que deseamos en orden a su salvación, aumento y quietud; y mandamos que sean castigados con graves penas y consentidos en los Pueblos, y los virreyes, Presidentes, Governadores y Justicias tengan mucho cuidado de hacerlo executar... y en cuanto a Mestizos y Zambaigos, que son hijos de Indias, nacidos entre ellos, y que han de heredar sus casas y haciendas, porque paresce cosa dura separarlos de sus padres, se podrá dispensar.*

En la «república de españoles» debían incluirse tanto a los españoles peninsulares como a los criollos, quienes necesariamente debían residir en el ámbito urbano: es decir, en las ciudades. La «república de indios», por su parte, estaría integrada por la población indígena, la cual debía residir en pueblos de indios, especialmente pensados para albergarlos, y a los que no tendrían acceso los españoles, salvo los curas doctrineros o eventualmente los funcionarios cuya presencia se requiriera para garantizar la cobranza del tributo.

Las *reducciones* constituyen un buen ejemplo de la puesta en práctica de los criterios que disponían la existencia de las dos repúblicas. Se buscó congregar a la población indígena en pueblos diseñados siguiendo las características físicas de las ciudades de españoles. Con ello, se pensaba lograr dos propósitos fundamentales: evangelizar a los indígenas y cobrarles el tributo de un modo eficaz y ordenado. Los *pueblos de indios* se organizaron a la manera de los municipios castellanos, pero bajo el mando de autoridades indígenas encabezadas por caciques o curacas. También recibieron tierras comunales con carácter gratuito e inalienable, para uso de la comunidad.

El resultado de los intentos por poner en práctica la separación de las dos repúblicas, en opinión de Céspedes del Castillo, osciló entre el éxito más completo y el fracaso rotundo. Allí donde se pudieron consolidar, los pueblos de indios dieron lugar a la formación de culturas indocoloniales de acusada personalidad, que se manifestaba en la edificación, el vestido, el tipo de alimentación, la arquitectura y la artesanía. En otros lugares, la política de establecimiento de reducciones fracasó, por diversos motivos. En ocasiones, los agrupamientos se hicieron de manera indiscriminada, obligando a vivir en un mismo pueblo a indígenas que hablaban lenguas diferentes. En otros, por las constantes fugas de indígenas de los pueblos en los que estaban reducidos, a raíz de que la presión que sufrían para el pago del tributo era cada vez mayor[2]. Además, a muchos españoles les convenía aprovechar el trabajo de los indígenas que escapaban de las reducciones. En consecuencia, a la larga no se cumplió totalmente el objetivo de la separación entre españoles e indígenas. Así, por ejemplo, fue creciendo el número de indí-

---

[2] La caída demográfica que sufrió la población indígena hizo que la carga que suponía el tributo fuera más pesada para los indígenas sobrevivientes: es decir, un número cada vez menor de personas debía hacer el esfuerzo por cumplir con el pago del tributo.

genas que trabajaban en las ciudades, donde fueron hispaniza-
dos y asimilados a la cultura colonial.

Criollismo

La *república de los españoles* fue conformándose en varios
grupos, entre los que se creó una jerarquía. Es claro que en los
primeros tiempos los encomenderos ocuparon, de modo indudable, la posición más alta en la escala social; detrás venían
los funcionarios, los comerciantes y los mineros. En efecto, y
como ya hemos explicado, la encomienda fue, en sí misma, un
premio otorgado a los principales conquistadores y pobladores
de América, en recompensa por sus esfuerzos en el logro de la
incorporación de tan vastos territorios al patrimonio de la Corona de Castilla. Era, por tanto, lógico que en la sociedad que
se estaba formando, los encomenderos ocuparan la posición
más alta. Además, en esos primeros tiempos la riqueza estuvo
asociada fundamentalmente a la encomienda. Es decir, la posesión de una encomienda —que significaba el aprovechamiento
del trabajo de los indígenas, así como la obtención de productos, o dinero, en calidad de tributo— era el modo más eficaz de
enriquecerse.

Pero el panorama descrito no se mantuvo estático, y ya hemos visto también cómo pronto se hizo evidente la crisis de la
encomienda como fuente de riqueza, sobre todo a raíz del colapso demográfico sufrido por la población indígena. Pero si
bien ya para la segunda mitad del siglo XVI en muchas regiones
de América la encomienda había dejado de significar una garantía de riqueza, lo que su posesión siguió brindando fue prestigio social. Y a ello está muy vinculada, precisamente, la aparición del criollismo, por lo que a continuación explicaremos.

En principio, se entendió por criollo al hijo de españoles nacido en América. Sin embargo, a medida que se fue haciendo
más complejo el panorama social en el Nuevo Mundo, el criollismo dejó de ser un simple término referido a un origen geográfico, para convertirse en un concepto relativo a un senti-

miento que progresivamente fue creciendo. Así, se entiende por criollismo un sentimiento que pudo tener su origen remoto en la segunda mitad del siglo XVI, pero que en el XVII adquirió más claros perfiles. Según diversos autores, los inicios del sentimiento criollo estarían en la frustración y el resentimiento mostrado por muchos encomenderos, y sobre todo por sus descendientes —conocidos como *beneméritos*— ante los problemas generados por la pérdida de sus encomiendas. Esa situación, unida al hecho de la presencia cada vez mayor de españoles *advenedizos* que adquirían importantes puestos públicos, o alcanzaban éxito económico, llevó a que fuera creciendo entre los descendientes de conquistadores y primeros pobladores ese sentimiento de frustración y de desengaño.

En definitiva, consideraban que la Corona no había sido justa con ellos, dado que a sus padres o abuelos se debía el mérito de la conquista. Por tanto, se sentían acreedores a un reconocimiento —social y económico— que no se producía. En otras palabras, el rey era injusto con ellos. Veían esa injusticia, por ejemplo, en la negativa de Felipe II a la concesión de la perpetuidad de las encomiendas. Consideraban que, si se daba la posibilidad de que las encomiendas pudiesen ser gozadas perpetuamente, sus familias podrían siempre mantener el prestigio social propio de quienes descendían de los conquistadores.

De ese modo se fue suscitando un sentimiento común —de solidaridad, podría decirse— entre los descendientes de conquistadores y encomenderos. Estaban convencidos de merecer un lugar preeminente en la sociedad. Sin embargo, hubo otros factores que se conjugaron para que apareciera el sentimiento criollo en el siglo XVII. Entre ellos, no podemos olvidar el representado por el progresivo cariño hacia el lugar que los vio nacer. Ese afecto hacia la propia tierra jugó también un papel importante en la forja del sentimiento criollo. Además, el considerar ser merecedores de ocupar un lugar preeminente en la sociedad colonial llevó a que fueran apareciendo sentimientos de rechazo hacia los mencionados advenedizos. Como ya hemos señalado, eran considerados como tales los españoles peninsulares que iban llegando a América, y que en muchos casos ocupaban esos lugares preeminentes que los criollos consideraban como suyos.

Ahora bien, no podemos caer en una absoluta generalización, como la de considerar que en la América de fines del siglo XVI y del XVII se fue produciendo el decaimiento de la importancia de los beneméritos y el auge de los peninsulares advenedizos. La situación fue más compleja. Es cierto que muchas familias beneméritas tuvieron que afrontar graves dificultades económicas, pero también es verdad que no pocas lograron superar con éxito ese trance. Así, por ejemplo, en ciertos casos fueron capaces de sobreponerse a la pérdida de sus encomiendas por medio de la iniciación de otro tipo de negocios. O en otras ocasiones encontraron alguna solución realizando con éxito peticiones de mercedes ante las autoridades en América, o ante el propio Consejo de Indias. En otros casos la solución vino dada por alianzas matrimoniales celebradas precisamente con esos advenedizos a quienes tanto criticaron. Esos enlaces otorgaban a los advenedizos enriquecidos en América un cierto lustre social, y a los beneméritos un desahogo económico.

Otro hecho que favoreció a los criollos americanos fue la aguda crisis financiera por la que pasaba la Corona española en los inicios del siglo XVII. En realidad, dicha crisis se hizo evidente ya en las décadas finales del XVI, aunque se agudizó en la centuria siguiente. Esa circunstancia llevó a la Corona a tomar ciertas medidas de emergencia para obtener fondos para sus arcas reales. Una de esas medidas fue la de disponer la venta de ciertos cargos públicos. Fue esta una medida que reveló la gravedad de la situación financiera de la Corona. Esa circunstancia favoreció a muchos criollos: específicamente a aquellos que tuvieron la habilidad suficiente como para seguir gozando de una posición económica desahogada. En consecuencia, hizo posible que fuera creciente el número de criollos que pudo llegar a ocupar cargos públicos. Y nos referimos a cargos públicos de diversos niveles: desde el de corregidor, hasta el de oidor de la Audiencia.

Este hecho ha llevado a que se afirme que el XVII fue *el siglo de los criollos*. Al afianzamiento de una conciencia de ser distintos de los españoles peninsulares, se añadió la prosperidad económica de muchos de ellos. En todo caso, como vemos, las familias beneméritas tomaron variados rumbos para superar sus dificultades económicas. Pero también es cierto que el éxito no acompañó a todas ellas.

A medida que el sentimiento criollo se ponía en evidencia, fueron suscitándose diversos testimonios reveladores de la existencia de una idea de América como una realidad distinta tanto de lo español como de lo indígena. Entre esos testimonios que reflejaban un *temprano patriotismo criollo* —en expresión del historiador británico David Brading— destaca especialmente, por ejemplo, la obra de un fraile franciscano del Perú, Buenaventura de Salinas y Córdova. Con su *Memorial de las Historias del Nuevo Mundo Pirú,* publicado en Lima en 1630, dicho personaje se convirtió en un notable defensor de los intereses criollos, afirmando la legitimidad de los mismos. Debe decirse que Salinas y Córdova era nieto de conquistadores y, por tanto, en su obra se percibe esa sensación de frustración que frente a la Corona tenían muchos de quienes pertenecían a las denominadas familias beneméritas.

En efecto, Salinas manifestó su queja por la inacción de la Corona ante el hecho de que muchos de los descendientes de conquistadores hubieran perdido sus encomiendas. Igualmente, denunciaba la injusticia de los maltratos sufridos por los indígenas de parte de los españoles, y afirmaba que el rey debía preocuparse por atender las necesidades de sus súbditos en América. Por tanto, sostenía que debía darse un mejor trato a los indígenas y disponerse las medidas adecuadas para enaltecer la posición de las familias beneméritas. Es importante notar que, para Salinas, la civilización andina prehispánica estaba en la base de lo que era la gloria y el prestigio de su patria. En definitiva, en este autor notamos un testimonio de enaltecimiento de lo peruano a través de la defensa de los intereses de los criollos.

Junto con Salinas, fue otro cronista eclesiástico quien puso muy claramente de relieve la mentalidad criolla del siglo XVII. Nos referimos al religioso agustino Antonio de la Calancha, quien en 1638 publicó su *Crónica moralizada de la Orden de*

San Agustín en el Perú. A partir de su propósito de elogiar la labor de los agustinos, Calancha coincidió con el franciscano Salinas y Córdova en criticar los maltratos a los que estaba sometida la población indígena, y también en defender los intereses de los criollos.

En realidad, a lo largo de todo el continente se publicaron por entonces numerosos textos exaltando las bondades de la tierra americana y las virtudes de los nacidos en ella. Muchos de ellos buscaban demostrar que el clima y la geografía americanos permitían que los nacidos allí fueran tan aptos e inteligentes como los europeos, refutando con ello a quienes desde Europa afirmaban lo contrario. No es casualidad que los dos autores anteriormente mencionados a título de ejemplo fueran religiosos. En efecto, en el seno de las órdenes religiosas fueron muy frecuentes —y en ocasiones sumamente graves y violentos— los conflictos entre peninsulares y criollos por alcanzar los puestos directivos en los diversos conventos y monasterios.

El siglo XVIII acentuó el sentimiento criollo frente a los españoles —*gachupines*— que llegaban en mayor número. Los funcionarios venían imbuidos de un nuevo aire de profesionalidad y extremaban su celo en la aplicación de las reformas que irritaban a los *españoles de América* como empezaban a llamarse a sí mismos los criollos. Los comerciantes recién llegados eran serios competidores de los mercaderes americanos y la rivalidad se exacerbó.

Mestizaje

El proceso de mestizaje, con sus diversos matices, constituye un fenómeno central en la formación de la sociedad iberoamericana. El carácter mestizo no tiene solo una vertiente biológica; por encima de ella se puede advertir también un mestizaje cultural, que hace que las sociedades iberoamericanas, con todas sus complejidades y diferencias internas, se reconozcan, a su vez, diferentes tanto del mundo prehispánico como del europeo. El mestizaje, efectivamente, se manifiesta en los más di-

261

versos ámbitos: en el paisaje modelado por el hombre, en la comida, en el arte, etc. Obviamente, el proceso de mestizaje no fue ni homogéneo ni repentino; así, por ejemplo, en determinados lugares puede hablarse de la pervivencia de las sociedades indígenas por un tiempo más prolongado.

Desde el punto de vista biológico, se entiende por mestizo al hijo de español y de indígena. De acuerdo con el esquema planteado por las autoridades españolas para la organización de la sociedad virreinal, no había lugar para los mestizos. Al plantearse el esquema de las dos repúblicas —república de españoles y república de indios— se tuvo como propósito el que hubiera una clara separación entre sus respectivos integrantes.

Sin embargo, sabemos que la realidad discurrió por otros cauces. Además, desde los primeros tiempos de la presencia española en América, fueron frecuentes las uniones de los conquistadores y primeros pobladores con mujeres indígenas. La aparición y la importancia numérica de estas uniones se relaciona con el carácter de la inmigración española y portuguesa que era de diez hombres por mujer. En consecuencia, aparecieron los mestizos como frutos de esas uniones. No obstante, debemos distinguir lo que fue la aparición de los primeros hijos de españoles e indígenas, del fenómeno más complejo del surgimiento de un grupo humano aglutinado en torno a una conciencia de ser mestizos.

Desde los primeros tiempos, los hijos mestizos se incorporaban al entorno en el cual se criaban. Así, los que se criaban con sus madres indígenas pasaron a formar parte de la república de indios, y los que compartían su vida con sus padres españoles integraron la república de españoles. Sin embargo, a medida que fue pasando el tiempo, y a medida que el número de mestizos fue creciendo, aumentó también el rechazo y la visión despectiva con respecto a ellos. Ese rechazo y, en definitiva, el poco aprecio del que gozaron en la sociedad virreinal, tuvo su origen, fundamentalmente, en la ilegitimidad del origen de la gran mayoría de ellos.

En efecto, puede decirse que el concepto de mestizo estaba muy unido al de ilegitimidad. Esto tuvo su origen en el hecho

La carencia de mujeres blancas propició un rápido mestizaje. La sociedad de castas llevaba un inventario preciso de los diversos mestizajes. El cuadro representa la unión entre negro e india, de la que resultaba el chino-cambujo. El mestizaje biológico facilitó el mestizaje cultural.

263

de que muchos de ellos no eran fruto de uniones matrimoniales. No olvidemos que, por entonces, el origen ilegítimo de una persona la ponía en desventaja en la sociedad. La ilegitimidad en los mestizos se dio desde un principio. En el caso de muchos conquistadores, de sus uniones con mujeres indígenas tuvieron hijos, los cuales, andando el tiempo, se verían desplazados —tanto ellos como sus madres— por la llegada a América de las mujeres españolas de los conquistadores, y de sus hijos legítimos. Así, muchos de esos primeros mestizos no encontraron una definida ubicación en la sociedad, y en muchos casos se dedicaron a actividades de menor importancia o, incluso, ilícitas. Poco a poco se fue extendiendo la idea que concebía a los mestizos como personas peligrosas, revoltosas o de «mal vivir».

Fue ese el origen de la mala fama que persiguió a los mestizos durante los siglos coloniales, y que llevó, por ejemplo, a que no fuera bien vista su participación en los empleos públicos más importantes, los cuales, y particularmente a lo largo del siglo XVII, estuvieron sobre todo en manos de criollos. De ahí, también, que en ocasiones la condición de mestizo no venía dada por un factor de carácter biológico. En la consideración social podían pasar por mestizos determinados españoles empobrecidos, o eventualmente algunos indígenas. En ciertos casos, además, a los indígenas les convenía pasar por mestizos, dado que estos no estaban obligados a pagar el tributo.

Para el siglo XVI no puede hablarse aún de una conciencia de grupo en los mestizos. En todo caso, un ejemplo excepcional en ese sentido es el del mestizo cuzqueño Inca Garcilaso de la Vega, quien declaró enorgullecerse de su doble origen. Sin embargo, no fueron pocos los sinsabores de la biografía del Inca Garcilaso, frutos precisamente de ese doble origen. Vale la pena, por eso, detenernos en la importancia de este personaje, considerado por muchos como el primer mestizo. Obviamente, no lo fue desde el punto de vista cronológico, pero se trató del más destacado representante de un sector social que fue siendo cada vez más numeroso en el curso de la historia colonial.

Gómez Suárez de Figueroa —quien después adoptaría el nombre de Inca Garcilaso de la Vega— nació en El Cuzco en

1539. Su madre era una princesa inca, nieta de Túpac Yupanqui: Isabel Chimpu Ocllo. Su padre fue un importante conquistador, Garcilaso de la Vega, quien llegó a ser corregidor de El Cuzco. El futuro Inca Garcilaso se crió en la casa paterna hasta cumplir los 10 años, cuando su padre contrajo matrimonio con una mujer española, disponiendo que quien hasta entonces había sido su concubina —la madre de nuestro personaje— se uniera a un soldado español, con quien luego tuvo dos hijos. Así, a partir de entonces el Inca Garcilaso pasó a vivir con los parientes de su madre, en un ambiente en el que se fue identificando con sus raíces andinas.

En ese sentido, podría definirse a este personaje como «un hombre entre dos mundos». Dado que pasó parte de su infancia con su familia materna, y otra parte con su padre, desarrolló un gran afecto por el pasado incaico, y a la vez se vinculó con la cúspide del grupo de los conquistadores. Fue bilingüe, y presenció el desarrollo cada vez más vertiginoso del mestizaje, no solo en el aspecto biológico, sino también en lo relativo a todos los órdenes de la vida: costumbres, paisaje, comida.

La muerte de su padre, en 1559, cambió el rumbo de su vida. Ese mismo año, a los 20 de edad, y por deseo testamentario paterno, embarcó para España con el fin de educarse en la metrópoli, no sin el anhelo de recibir algunas mercedes regias en retribución de la condición benemérita de su progenitor. Sin embargo, al Consejo de Indias habían llegado noticias de una presunta colaboración del capitán Garcilaso de la Vega con el ya ajusticiado rebelde Gonzalo Pizarro, con lo cual el joven mestizo vio frustradas sus ansias de obtener beneficios de la Corona. Casi todos los estudiosos del Inca Garcilaso coinciden en afirmar que se propuso regresar al Perú, pero —por razones no aclaradas— desistió luego de tal propósito. Se instaló en la localidad andaluza de Montilla, en casa de unos parientes. Precisamente allí se enteró del fallecimiento de su madre, noticia que, presumiblemente, contribuyó a que ya no pensase en volver al Perú. Luego, a fines de la década de 1580, se trasladó a Córdoba, ciudad en la que residió hasta su muerte, ocurrida en 1616. Tuvo en España una holgada posición económica, sobre todo tras recibir la herencia de unos parientes de su padre.

Todo indica que su vida en España no logró desprenderle del cariño por su tierra natal. En la Península desarrolló una extensa labor intelectual. Su primera obra de carácter propiamente histórico fue *La Florida del Inca,* publicada en Lisboa en 1605, en la que relata las andanzas del adelantado Hernando de Soto en la Florida. En 1609 se publicó su obra más importante: la *primera parte de los Comentarios reales,* en la cual desarrolló una historia de los incas. Como obra póstuma, en 1617 se publicó su *Historia general del Perú,* concebida por Garcilaso como la segunda parte de los *Comentarios reales.* En esa obra relata la conquista española y los avatares de la historia peruana hasta el gobierno del virrey Francisco de Toledo: para la historia de esos últimos años se sirvió de informaciones que le enviaron desde el Perú.

Siempre se ha destacado el carácter novedoso y original que en esos tiempos tuvieron los testimonios que escribió. Prueba de la importancia de sus obras es el hecho de que, ya en el mismo siglo XVII sus *Comentarios reales* se tradujeran a varios idiomas, siendo publicados en Francia, en Inglaterra, en Holanda y en otros países europeos. Sin embargo, también debe decirse que el Inca Garcilaso es uno de los más importantes responsables de una visión histórica del pasado prehispánico que exaltaba solo lo referido a los incas, sin conceder importancia ni originalidad a los tiempos preincaicos.

En todo caso, Garcilaso hizo compatible su cariño por lo incaico con su adhesión a la labor colonizadora de los españoles en el Perú. Además, la trascendencia histórica de su obra se ve enriquecida por su valor literario. Dicho personaje no fue un cronista más de la historia americana; su formación humanística aflora a través de su singular personalidad. El empleo de un lenguaje culto se compagina magistralmente con la permanente presencia del sentimiento, el cual, en la rica y compleja individualidad de Garcilaso, juega un papel fundamental, al ser el camino por el cual muestra la alegría y el orgullo, y a la vez las penas y la nostalgia que le deparaba su singular condición de *primer mestizo,* viviendo lejos de su tierra.

13

Las ciudades: un espacio artístico de convivencia

L A FUNDACIÓN de ciudades ha sido una práctica milenaria en todos los pueblos colonizadores, que la han utilizado para avanzar en la ocupación del territorio a la par que para reforzar su dominio sobre el mismo. En el caso de Iberoamérica, sobre todo en el área de ocupación española, la labor urbanizadora fue prioritaria desde un principio, como lo demuestra el dato de que antes de 1574 se habían fundado, solo en Nueva España, treinta ciudades y villas. A través de ellas y de tantas otras se dotaba de mayor eficacia al control económico-político y de evangelización al tiempo que se mantenían las formas de vida tradicionales de los españoles, originarios sobre todo de Andalucía y Extremadura, zonas en las que predomina la concentración poblacional.

De ese modo, y respondiendo a los intereses y necesidades de los conquistadores, surgieron ciudades en función de la estrategia militar, al ser puntos de nuevas expediciones y bases de aprovisionamiento; política, como centros de administración de extensas regiones; económica, para explotar las riquezas existentes o como centros de intercambio comercial; o social, para facilitar la dominación y la cristianización de la población nativa. Todo ello en un proceso urbanizador que los especialistas han equiparado con el llevado a cabo por la antigua Roma y que, con distinta intensidad, durará hasta finales del siglo XVIII.

267

El diseño de las ciudades

A la hora de diseñar las nuevas ciudades, los fundadores no dejaron nada a la improvisación. Por el contrario, tuvieron en cuenta tanto las experiencias existentes en Europa que, a su vez, eran el resultado de la herencia romana y de las teorías de la ciudad renacentista, como la ideología religiosa, según puede apreciarse en las diferentes Ordenanzas dictadas por los reyes, especialmente las de 1523 de Carlos I y las de 1573 y 1598 de Felipe II, ordenanzas que, si bien no fueron cumplidas al pie de la letra, sí marcaron las líneas generales a seguir.

El resultado fue el predominio de las ciudades trazadas «a regla y cordel», plano que representa el orden a partir de calles que se cruzan formando una red ortogonal y que dejan en el centro un espacio abierto, la plaza, generalmente llamada «de Armas». Esta se convierte en el núcleo integrador, eje de la vida urbana en el que se sitúan los principales edificios administrativos y religiosos, el rollo o picota de los ajusticiados y la fuente y que, en algunos casos, como México o Lima, son baluartes defensivos para la población. En ella se concentran las actividades cívicas, religiosas, comerciales y lúdicas, a ella acuden todos para ver y ser vistos y su vitalidad es el reflejo de la de sus habitantes.

Muchas de estas plazas, que aún subsisten y continúan siendo focos importantes de la vida ciudadana, presentan en todos o algunos de sus lados soportales, recomendados en las Ordenanzas de 1573 *porque son de mucha comodidad para los tratantes que aquí suelen concurrir.* De ellas salen las calles que, en algún caso, como en Manajay (Cuba) debían ser doce y llevar el nombre de los apóstoles, muestra del sentido religioso que impregnaba la acción colonizadora. En muchas ocasiones, las calles llevan el nombre de la actividad económica predominante de sus vecinos y se recomienda que se tracen teniendo en cuenta los vientos y que las casas que en ellas se edifiquen estén alineadas y produzcan perspectivas regulares, perspectivas que, en la época barroca, se romperán para dejar sitio a plazoletas y atrios de los templos, cuyas advocaciones darán nombre a los distintos barrios.

Se crea así un espacio geométrico, tan querido por la teoría renacentista, y perfectamente jerarquizado, en el que la mayor o menor cercanía a la plaza señalaba la importancia social de la población. En consecuencia, la nobleza y la burguesía tenían sus viviendas más próximas a la plaza de armas, en tanto que las de los restantes grupos sociales se iban alejando paulatinamente de ella.

En las afueras del centro urbano se situaban los «barrios o pueblos de indios», segregados del resto, controlados por las autoridades políticas y religiosas y suministradores de mano de obra. El interés por reducir a pueblo a los indígenas está presente desde las Leyes de Burgos (1512), que pretendían favorecer su incorporación a las formas de vida españolas. Las Ordenanzas de 1598, otorgadas por Felipe II, insisten en esta medida, encaminada no solo a conseguir la cristianización de los indígenas, sino también a proporcionarles protección frente algunos españoles que abusaban de ellos. En dichas ordenanzas se establecía que los poblados de indios debían disponer de agua y tierras comunales (ejidos) *donde los indios puedan tener sus ganados, sin que se rebuelvan (sic) con otros de los españoles.* Solamente en casos muy excepcionales, miembros de los grupos dominantes indígenas pudieron seguir viviendo en el centro de las ciudades (caso singular de Sucre). Pero, en general, dominó la estructura de las dos repúblicas, perfectamente diferenciadas. A los barrios periféricos de indios se accedía por puertas, portadas o arcos que daban paso a los recintos que contaban con su propia plaza y alcalde. En ocasiones, las parroquias de la república de indios mantuvieron estructuras organizativas y formas arquitectónicas propias, caso de los indios chipayas de la región de Oruro (Bolivia), donde son habituales las viviendas cónicas o circulares.

Otro tipo de ciudades son las llamadas «de superposición», en las que los recién llegados se apropiaron de trazados ya existentes para funciones similares pero de distinto signo. Como ejemplos se pueden citar Tenochtitlan o El Cuzco, ciudades en las que los españoles construyeron sus nuevos asentamientos respetando el trazado original, sustituyendo los templos y palacios indígenas por conventos o catedrales. A este respecto, parece que la historia se niega a desaparecer, como lo demuestra el hecho de la reaparición de la Gran Pirámide en el Zócalo de México D. F. a resultas de un movimiento sísmico.

Las ya citadas Ordenanzas de 1573 disponían que no se fundaran ciudades en la costa, a no ser que fueran necesarias para el comercio o la defensa. Las que se fundaron en la costa caribeña formaron parte de un sistema de defensa continental y sobre todo de control del circuito económico de la flota de galeones y tuvieron un elemento que las diferenciaba de las del interior: las fortificaciones cara al mar para defenderse de posibles ataques. Ello les otorga un aspecto característico, en el que las moles de los fuertes reforzaban la línea de murallas y explica que su trazado fuera responsabilidad de ingenieros militares. Ciudades como Cartagena de Indias, La Habana o Veracruz son algunos ejemplos de este tipo de ciudades.

En general, las ciudades portuarias solían tener dos plazas: una cercana a la costa, en la que se levantaban los edificios relacionados con el tráfico comercial (aduanas, almacenes...), y otra en el interior, en la que se situaban los edificios del gobierno de la ciudad y la iglesia principal.

También ofrecen diferente trazado las ciudades que surgieron en función de la explotación minera de un yacimiento. En este caso, el plano resultante, del que Potosí ofrece un claro ejemplo, es de gran irregularidad, con calles estrechas que, sin ningún orden, se adaptan al relieve y serpentean por las laderas de los cerros que dominan estos núcleos y cuyo aprovechamiento es la razón de su existencia.

Un aspecto singular a tener en cuenta en el urbanismo iberoamericano es que las ciudades no solían estar amuralladas. Con algunas excepciones, como la mencionada para las ciudades costeras o para algunas situadas en territorios inseguros tales como el norte de México, Chile o Paraguay, las ciudades se abrían a los campos que las circundaban. La defensa la proporcionaban, en ocasiones, la plaza mayor, con sus imponentes

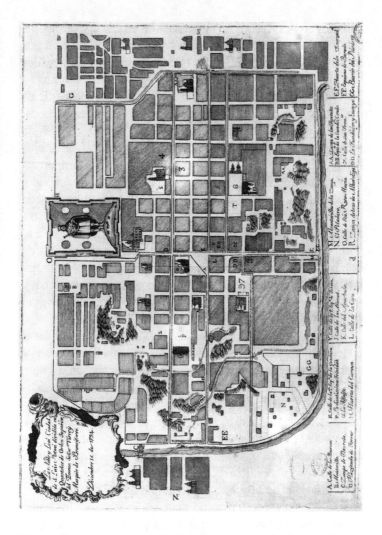

*El trazado en manzanas cuadradas permite un crecimiento ordenado
a partir de la plaza central. La altura de las edificaciones no solía
exceder de dos plantas, lo que originaba un tejido urbano uniforme
en el que destacaban las torres de las iglesias y conventos. El crecimiento de las ciudades en el siglo XVIII originó la división en barrios
como la que refleja el plano de S. Luis Potosí en 1794.*

edificios civiles o religiosos y las baterías en ella dispuestas, las casas de los poderosos, con torres y almenas, y los edificios construidos a *casamuro,* en las que las mismas casas, pegadas unas a otras, se convertían en muralla por su parte posterior.

Independientemente del plano de la ciudad, los edificios mostraban claramente el orden de valores existente en la época. En todas ellas destacaban, desde lejos, las torres y cúpulas de iglesias y conventos que, en muchas ocasiones, tenían anejos colegios, hospitales e, incluso, cárceles. Seguían en importancia las construcciones destinadas a la administración: cabildo, ayuntamiento, inquisición o audiencia, si la ciudad era la sede de estos organismos, casa de la moneda, etc. En ambos casos, civiles o religiosos, los edificios estaban construidos en su mayoría en piedra, salvo en aquellas zonas en las que la escasez de esta o la frecuencia de movimientos sísmicos hacían aconsejable la utilización de materiales más ligeros, como la quincha, y mostraban fachadas con balcones y galerías, portadas de gran tamaño y abundante presencia de adornos.

De igual manera, las viviendas de la clase que detentaba el poder político o económico mostraban, con sus dimensiones y apariencia externa, el lugar preeminente que ocupaban sus dueños en la sociedad. Solían contar con dos pisos. Las fachadas estaban adornadas con gran riqueza mediante azulejos, blasones y esculturas adosadas, y su superficie se rompía con ventanas enrejadas, balcones de madera o miradores que, como los famosos *muebles en el aire* de Lima, unían a su papel estético la función de poder observar la vida urbana a salvo del calor.

Al interior de las casas se accedía a través de un zaguán, antesala de un espacio omnipresente en las casas de los poderosos: el patio principal; Víctor Nieto y Alicia Cámara, en su *Arte colonial de Iberoamérica,* recogen un dicho originario de Quito y atribuido a los españoles: *Constrúyanme un patio y, en lo que sobre, la casa.* Centro de distribución y foco de frescor, estaba generalmente porticado y de él arrancaba la escalera que enlazaba con la planta superior, en la que se localizaban las habitaciones principales. En muchas de estas mansiones existían otros patios secundarios alrededor de los cuales estaban las dependencias del servicio, bodegas, almacenes, caballerizas, etc.

Por su parte, las clases más humildes habitaban en casas de adobe o, si el medio lo permitía, de madera que, en algunas zonas, se pintaban en alegres colores. Para las techumbres, se utilizaban fibras vegetales, siendo posterior la utilización de tejas.

Un caso singular en la planificación urbana es el de los pueblos de misiones, situados en el arco que formaba la frontera este de los virreinatos españoles con las posesiones portuguesas. En ellos, los jesuitas crearon un tipo de asentamiento que responde a un planteamiento ideológico profundamente utilitario. La tradicional vida comunal de los indígenas fue mantenida, si bien impregnada de un profundo sentido religioso al girar en torno a la supremacía y presencia de Dios, al tiempo que se aprovechaban los recursos naturales y las habilidades de los habitantes. Todo ello dio origen a un plano en el que la plaza es el fundamento ordenador y el escenario de la vida cotidiana, alrededor de la cual se organizaba el poblado. Dicha plaza tenía forma de un cuadrado abierto por un lado. Al desembocar en ella y al frente, se alzaban la iglesia, el cementerio y el colegio. En los otros dos lados estaban las casas de los indígenas, colocadas en hileras paralelas. Otras edificaciones eran la casa de las viudas y solteras, la hospedería en la que se alojaban los visitantes, almacenes, talleres, etc. El conjunto resultante era un ejemplo de integración y adaptación al medio, ya que el material utilizado preferentemente era la madera, los tejados de las casas eran a dos aguas, apropiados para las abundantes lluvias de la región y las construcciones tenían soportales para resguardarse del fuerte sol.

La mentalidad reformadora que caracterizó la Ilustración, así como el poderío económico de la burguesía criolla, va a dejar su huella en la fisonomía urbana. A lo largo del siglo XVIII son frecuentes las obras de mejora en la infraestructura y en el ornato urbano. Calles adoquinadas, alumbrado, fuentes y acueductos para el abastecimiento del agua, espacios verdes (las Alamedas) y esculturas mejoran y embellecen las ciudades desde Nueva España hasta el virreinato del Plata. Y todo ello sin detener la fundación de nuevas ciudades, como las villas destinadas a colonizar Nuevo Santander, al norte de México, Nueva Orán en Argentina o el de la nueva ciudad de Guatemala.

Un caso a destacar es el de Chile. En esta Capitanía, la actividad económica va a conocer, durante el siglo XVIII, un importante desarrollo, basado en la exportación de productos agrícolas y en un floreciente comercio, favorecido este último por la autorización que Felipe V concedió a comerciantes franceses (no hay que olvidar el origen francés del monarca) para que comerciaran en las costas del Pacífico. Esta etapa de bonanza influyó en la política urbanizadora de la monarquía que tuvo como consecuencia la fundación de cerca de 30 plazas fuertes, villas y ciudades y la refundación de otras. A la hora de diseñarlas, se siguieron criterios de orden y geometría, lo que permitía aunar la tradición y la experiencia adquirida con los planteamientos racionalistas propios de la época.

La ciudad como escenario

La rutina de la vida urbana se rompía con frecuencia por la abundancia de celebraciones, la mayoría relacionadas con la religión, que tenían las calles como escenario. La celebración del Corpus Christi o la Semana Santa se contaban entre las más importantes. Las procesiones que originaban convocaban a toda la población, no solo de la ciudad, sino de los alrededores, produciéndose tales aglomeraciones que, como ocurrió en Santiago del Estero (Río de la Plata), las autoridades tuvieron que disponer que las parroquias rurales no abandonaran las fiestas lugareñas y que acudiera a Santiago una parroquia al año, por turno.

Las fiestas patronales o los festejos organizados por la santificación o beatificación de figuras de la iglesia daban lugar a que la ciudad se engalanara con colgaduras, arcos triunfales y altares que jalonaban el recorrido de los desfiles. Estos presentaban gran colorido, con carros y naves alegóricos, generalmente hechos por los distintos gremios, en los que iban estatuas de los festejados, a los que acompañaban bandas de música, compañías de soldados, grupos de indígenas con sus vestiduras típicas e instrumentos musicales. Todo el pueblo participaba, como actor o espectador y gremios, cofradías, parroquias y congregaciones rivalizaban entre sí para contribuir al esplendor y colorido que durante unos días reinaban en la ciudad.

De igual forma, la entrada en la vida religiosa de las jóvenes hijas de familias destacadas socialmente era motivo de celebración pública. En Nueva España, durante los tres días anteriores a su retirada de la vida «en el mundo», las doncellas, vestidas con sus mejores ropas y profusamente alhajadas, se paseaban en carruajes por toda la ciudad, despidiéndose y recibiendo regalos de parientes y amigos y siendo objeto de admiración por parte del pueblo bajo, en una ceremonia mezcla de orgullo material y sentimiento religioso.

Determinados acontecimientos civiles daban lugar a festejos similares a los anteriormente descritos. La noticia del nacimiento de un heredero real, la coronación o matrimonio del rey o la llegada de un alto cargo público eran celebrados con gran animación. Retratos de los homenajeados y construcciones efímeras adornaban las calles, añadiéndose a los desfiles que se organizaban para la ocasión las fiestas celebradas en la plaza mayor, entre las que eran frecuentes la simulación de batallas, corridas de toros y exhibición de fuegos artificiales.

Otro momento de gran animación era el debido a los carnavales, fiesta de fuerte carácter popular, sobre todo entre mestizos y criollos, al permitir la crítica, la burla, y convertir a los sectores marginados en protagonistas. El tono de dichas críticas, las frecuentes peleas callejeras y la mayor libertad de comportamientos provocaban con frecuencia la intervención de la autoridad y, siempre, la desaprobación de la Iglesia.

La cultura urbana

Al ser las ciudades los lugares de residencia de los cargos políticos, de las principales órdenes religiosas y de las clases al-

275

tas, fue en ellas donde se desarrolló la vida cultural más intensa. El interés de unos y otros por extender la educación y por proporcionar formación religiosa llevó a que, desde el comienzo de la colonización, se fundaran establecimientos, a cargo de los religiosos, dedicados a la enseñanza, e incluso centros de estudios superiores. Así, durante los siglos XVI y XVII, además de un elevado número de colegios, se crearon las universidades, la primera de las cuales fue la de Santo Tomás en Santo Domingo, fundada en 1540. A esta seguirían las de México y Lima, la de San Carlos Borromeo en Guatemala, la de los dominicos en Bogotá y, ya en el siglo XVIII, la de San Jerónimo en La Habana.

Los alumnos que acudían a estos establecimientos podían cursar estudios en las facultades de Arte, Derecho, Teología y Medicina y utilizaban libros, no solo traídos de España, sino producidos en los mismos virreinatos ya que desde 1539 se había introducido la imprenta. En México, donde Giovanni Paoli de Brescia instaló la primera en dicha fecha, funcionaban cuatro en 1620. Y sería otro italiano, Antonio Ricardi, quien abriría la primera imprenta del virreinato del Perú, en Lima en el año 1580.

Pero la lectura no era monopolio de los clérigos en sus conventos o de las universidades. Es cierto que la mayor parte del pueblo era analfabeto o poco aficionado a la lectura, pero también lo es que particulares laicos, aficionados a los libros, tenían en sus casas bibliotecas cuyo contenido ha llegado hasta nuestros días, en muchos casos por los problemas que ello les originó con la Inquisición, como los que provocaron la detención y posterior muerte en la cárcel del arquitecto Melchor Pérez de Soto. Este criollo mexicano, que llegó a reunir la impresionante cifra de mil seiscientos sesenta y tres volúmenes, fue acusado de poseer libros prohibidos, ser aficionado a la astrología y practicar la quiromancia, delitos imperdonables para el Santo Oficio. Esta institución, preocupada siempre por evitar la expansión de las herejías, tenía entre sus prácticas habituales la comprobación de los títulos de dichas bibliotecas. En ellas, como era lógico en el ambiente cultural de la época, dominaban las obras de temática religiosa y de los autores latinos clá-

En la ingenuidad del dibujo de Guamán Poma queda perfectamente expresada la importancia de la Plaza de armas como centro neurálgico de la ciudad (La ciudad de los Reyes-Lima). De la plaza partían las calles principales, en ellas se situaban los edificios administrativos y religiosos señeros, así como el rollo o picota en el que se aplicaban los castigos.

277

sicos, como Ovidio, Virgilio o Cicerón. Junto a ellos, Dante, Petrarca, Castiglione y, casi siempre, el *Orlando furioso,* de Ariosto, y *La Jerusalén libertada,* de Tasso, dos de las obras más traducidas, y, como no podía ser menos, las publicaciones más de moda en España: *La tragicomedia de Calixto y Melibea,* el teatro de Calderón de la Barca y de Lope de Vega, la poesía de Góngora y Quevedo, el *Guzmán de Alfarache,* la popular novela picaresca de Mateo Alemán, quien residió en México durante unos años; los poemas épicos *Bernardo o la victoria de Roncesvalles,* de Bernardo de Balbuena, y *La Araucana,* de Ercilla, o *El Quijote,* del que Irving A. Leonard aporta el dato de que *en 1620 se vendieron ciento cuarenta ejemplares en la plaza pública de Lima, que fueron destinados al aún más lejano puesto avanzado de Concepción en Chile.*

También eran objeto de lectura las obras escritas por nativos, tales como la *Historia de los chichimecas,* del texcocano Fernando de Alva Ixtlixóchitl, las comedias costumbristas del criollo mexicano Pedro Antonio de Alarcón o las ya citadas en capítulos anteriores de Guamán Poma de Ayala y del Inca Garcilaso de la Vega.

Además de ser leídos, los dramas y comedias daban lugar a representaciones en los salones de las grandes familias o en los teatros o corrales. Gentes de todas clases acudían a estos atraídas no solo por interés cultural, sino también por el acontecimiento social que suponían. Entre las obras más llevadas a la escena estaban las de Lope de Vega, Calderón de la Barca y Pérez de Montalbán, autor de comedias al estilo de Lope que gozó de gran popularidad en el mundo virreinal.

Los torneos de poesía ofrecían otras oportunidades de mezclar el atractivo social y la creación artística. La afición por la poesía que dominó la época barroca hizo que, con ocasión de festividades religiosas o civiles, se prodigaran este tipo de justas, reservadas para las clases altas y que solían contar con la presencia de las autoridades de la ciudad.

Pero ninguno de los participantes en dichos certámenes alcanzó la gloria de la criolla mexicana Juana Inés de Asbaje y Ramírez de Santillana. Aficionada a la lectura y el estudio desde la niñez, fue elegida como dama de compañía de doña Leonor Carreto, esposa del virrey marqués de Mancera y animadora de una corte literaria en la que la joven criolla destacaba por la lucidez y agilidad de sus argumentos a la vez que por su capacidad para componer versos.

En 1667, y ante la sorpresa de la sociedad aristocrática, Juana Inés desestimó lo que a todas luces era un futuro prometedor para ingresar en la orden religiosa de las Agustinas. Pero ello no significó el abandono de su pasión literaria. Su celda se convirtió en un recinto privilegiado de creación lírica a la par que en centro de discusión literaria de los personajes más destacados de la época. A pesar del recelo con que era mirada por las autoridades religiosas, Sor Juan Inés de la Cruz, nombre que adoptó tras su entrada en el convento, fue autora de bellísimas poesías en un lenguaje en el que la artificiosidad del barroco no le impidió mostrar su sensibilidad y el conflicto de su personalidad vehemente en un mundo en el que el papel que ella jugó correspondía a los hombres y que ha significado que su nombre figure entre los grandes líricos de la poesía en lengua castellana.

La ciudad y el arte barroco: una perfecta simbiosis

La identificación entre vida y religión y la conversión de la ciudad en espacio escenográfico son elementos característicos del Barroco, concepto aplicable a un sentimiento vital que en Iberoamérica, y en lo que se refiere a las manifestaciones plásticas, va a adquirir unos rasgos que lo dotarán de una personalidad específica distinguiéndolo de las fuentes europeas de donde proviene.

A finales del siglo XVI se produce en Italia un cambio en las tendencias artísticas dominantes, cambio que supone la sucesión al Renacimiento y que, en muchos aspectos, se opone a él. En este cambio es fundamental la reacción de la Iglesia de Roma frente a la doctrina defendida por Lutero y que está simbolizada por el Concilio de Trento (1541-1563). De hecho, se considera al arte barroco como el arte de la Contrarreforma o Reforma católica, movimiento surgido del Concilio, tal es su identificación con los principios emanados del mismo.

Frente a la iconoclastia y general sobriedad del protestantismo, la Iglesia Católica va a explotar todas las posibilidades del arte: voluptuosidad, lujo, sensualidad y emotividad, para atraer a las almas y extender la fe a través de un arte popular que llene de sentido religioso la vida cotidiana. Con este objetivo, no se dudará en recurrir a técnicas teatrales y en pulsar los resortes de lo irracional, de los sentimientos más exaltados para la conquista religiosa de las masas populares. Como consecuencia, el arte se llena de profusión, movimiento, patetismo y seduccción.

A ello van a contribuir, además, la riqueza decorativa indígena, su gusto por las ceremonias y el pragmático sincretismo demostrado en ocasiones por los encargados de extender la nueva religión en las posesiones ultramarinas, reconvirtiendo cultos y adaptando leyendas de la tradición cristiana al espacio americano.

Sin duda, van a ser las creaciones arquitectónicas las grandes protagonistas del arte barroco iberoamericano. Dedicadas al culto religioso, a la administración o a moradas de los poderosos, desplegarán todo un muestrario de riquezas que asombra al pueblo, a la vez que le muestra la rígida organización social en la que, como en una obra de teatro, cada grupo social tiene un papel asignado para representar en el decorado que le es propio. Y en dicha obra, la iglesia tiene un papel preponderante y sus edificios, al ser las imágenes de Dios en la Tierra, alcanzan el cenit de la intensidad plástica y son campo apropiado para la realización de innovaciones técnicas y decorativas.

En los edificios, las fachadas se van a convertir en un elemento fundamental de atracción de la multitud que pasa por la calle, a la que hay que estimular para que penetre en el interior. Además, constituyen parte destacada de la escenografía del espacio público al que tan atraído se siente el mundo barroco. Para ello se cubren de decoración, formada por pilares, colum-

nas, arcos, vanos ovalados, espirales, grandes cornisas y horna-
cinas en las que se cobijan gran cantidad de esculturas. Todo
ello origina poderosos efectos de luz y sombra y diversas perspectivas, a la vez que el conjunto se enriquece con el uso de
materiales variados, como el tezontle, la quincha o los azulejos,
que proporcionan texturas y colores diferentes.

En cuanto al interior, la Iglesia Católica quiso convertir sus
templos en los palacios del pueblo. En ellos, la gente sencilla
encontraría el lujo y la riqueza que no poseía, pero de los que
participaría siguiendo sus enseñanzas. La adopción generalizada de plantas inspiradas en la creada por Vignola en Roma
para «El Jesús», templo matriz de los jesuitas, ejército religioso
adalid de los acuerdos tomados en Trento, originan un espacio
abierto en el que las ceremonias tienen un centro: el altar mayor y el retablo que lo enmarca. Hacia él se dirigen todas las mi-
radas y en él se unen las obras de artistas y artesanos tales como
el arquitecto, el escultor, el pintor y el ornamentista. Pero la decoración no se limita a este lugar. Altares laterales, cúpulas y
muros se llenan de esculturas, abundan los sobredorados y los
relieves en yeso policromado, dando lugar a una sinfonía de
formas y colores que, como en algunas iglesias brasileñas, recuerdan más a salones resplandecientes que a recintos en los
que se enseña el valor de la pobreza y la humildad.

Aunque en todos los virreinatos existen importantes muestras de la arquitectura religiosa barroca, Nueva España y Perú
aportan rasgos propios que, a su vez, tuvieron gran repercusión
en el resto del territorio.

En el primer caso, se habla del «barroco del estípite», por la
importancia que este elemento adquirió en fachadas y retablos.
En su origen, el estípite era un motivo escultórico de pequeño
tamaño que en el citado territorio adquiere categoría arquitec-
tónica. Su aparente inestabilidad coincide con la búsqueda barroca del movimiento y se convierte en pieza relevante de retablos y fachadas, como sucede en el retablo de Los Reyes de la
catedral de México D. F., de Jerónimo Balbás, o en la fachada
de la capilla del Rosario, de Lorenzo Rodríguez, anexa a la anterior.

En el Perú, la columna salomónica, inspirada en la utilizada por Bernini en el interior de San Pedro del Vaticano, aparece en fachadas y retablos, y sus fustes en espiral, en muchos casos recubiertos de oro, se adornan todavía más al adosarles formas vegetales y antropomórficas. Las soberbias fachadas de la iglesia de la Compañía en El Cuzco, de la iglesia de San Francisco o la portada de la casa del marqués de Torre-Tagle, ambas en Lima, ofrecen magníficos ejemplos de la utilización de este característico elemento barroco.

También en la zona andina se construyen iglesias que presentan rasgos específicos. Sus fachadas son ejemplos de «horror al vacío» ya que, a modo de gran tapiz, se recubren totalmente de una decoración tallada en plano, en la que están presentes motivos autóctonos, alejados de los utilizados de forma general en el barroco. Hombres puma, sirenas, frutos y flores de la zona o símbolos ancestrales, como el Sol o la Luna, aparecen en San Lorenzo de Arequipa o en la iglesia de la Compañía en Potosí, como muestra de un sincretismo cultural tan frecuente en muchos aspectos de la vida iberoamericana.

En cuanto a la escultura, al rechazo de las imágenes por parte de la Reforma protestante, por considerarlas prueba de idolatría, la Iglesia Católica reaccionó defendiendo su valor pedagógico y moral y utilizándolas como instrumento de acercamiento a los fieles, tratando de facilitar, a través de ellas, la captación del mensaje religioso. Para ello, los escultores van a realizar obras que sean comprensibles, verosímiles, capaces de emocionar y conmover, de llegar a la sensibilidad popular. Y lo harán en todo tipo de materiales: piedra, madera, fibras vegetales como el maíz, cera, barro o marfil, entre otras, si bien es la madera el soporte que suele dominar, aplicándole técnicas de dorado, policromía, estofado y encarnaciones que la embellecen y producen los efectos dramáticos que se desean. Así se puede comprobar en la imagen del Cristo de Burgos de la iglesia de la Merced, en Santiago de Chile, en la que el autor insertó en la madera nácar y marfil para representar las venas y tendones, consiguiendo aumentar el efectismo de la figura.

Las obras procedentes de los talleres andaluces, sobre todo del de Martínez Montañés, cargadas de expresividad y sentido teatral, arraigan fácilmente en la estética iberoamericana, fundiéndose con los rasgos figurativos ancestrales de las composiciones propias. El resultado es la presencia de imágenes humanizadas, con rostros anhelantes y cuerpos bellamente modelados en búsqueda de la intensificación de los aspectos dramáticos. Los desfiles procesionales de las distintas fiestas litúrgicas, las imágenes provisionales destinadas a formar parte de los túmulos y catafalcos erigidos con motivo de la muerte de algún personaje regio, las figuras de los Nacimientos, las imágenes llenas de gracia y ternura del Niño Jesús, así como las numerosas tallas para el exterior y el interior de los recintos barrocos, son ocasión para desarrollar todo un catálogo de figuras lleno de policromía y expresionismo.

Quizá el mejor representante de ese expresionismo sea El Aleijadinho, artista lleno de fuerza y originalidad, con un sentido completo de la escenificación barroca. En su obra destaca el conjunto de Congohas do Campo en el que las figuras de los profetas, con ondeantes vestimentas y tocados a la manera oriental, se yerguen recibiendo a los devotos formando lo que se ha denominado un ballet de piedra.

Dentro de la dominante temática religiosa sobresale la Virgen María, cuyo culto, rechazado por la doctrina luterana, va a ser impulsado por el Concilio de Trento que ve en Ella un medio eficaz para simbolizar, con su belleza y piedad, la victoria sobre el pecado y el homenaje a la madre de Jesucristo y, por tanto, de todos los hombres. De este modo, será representada bajo multitud de advocaciones, sobresaliendo las que la representan como Inmaculada o bajo las múltiples formas que le atribuye el rosario. Bernardo Legarda, en su activo y famoso taller de Quito, creará una representación que tendrá gran éxito: como Virgen alada rompiendo las cadenas del pecado y pisando al dragón —demonio, sobre el que triunfa—. En la segunda advocación citada, la cúpula de la capilla del Rosario de la iglesia de Santo Domingo, en Puebla, es un auténtico concierto barroco de formas y colores en el que el yeso policromado proclama las virtudes de la madre de Dios.

También en las manifestaciones pictóricas la Virgen ocupará un lugar preferente. En este campo, si bien se detecta una mayor dependencia de las formas europeas, debida a la fuerte influencia de los españoles Zurbarán y Murillo y de autores centroeuropeos, difundidas estas últimas por grabados y estampas que llegan sistemáticamente a los virreinatos, se creará una estética inequívocamente americana. Valgan como ejemplos las obras de la llamada escuela cuzqueña que llena sus lienzos de figuras aniñadas, con casi total ausencia de perspectiva y policromadas con colores suaves y abundancia de dorados; las Vírgenes reinas, tratadas a manera de iconos, cuyos cuerpos están cubiertos por riquísimos mantos; las pinturas seriales de los ángeles de Cajamarca (Bolivia), en las que bellos jóvenes con ampulosas vestiduras aparecen representados como miembros de un ejército celestial; o los retratos, cuyos protagonistas, tratados de forma hierática, miran fijamente al espectador desde fondos oscuros.

Pero la pintura también fue un instrumento de gran utilidad como testimonio histórico. Las obras encargadas por Carlos III o las que, a su regreso a España llevaban funcionarios, religiosos o comerciantes, permitieron conocer aspectos de la sociedad de la época y de los tipos humanos de tan lejanos territorios. En este sentido, las pinturas de castas, el lienzo de Pérez Holguín, que representa la entrada del virrey Morcillo en Potosí, o el biombo, obras todas ellas expuestas en el Museo de América de Madrid, ofrecen valiosos datos sobre costumbres, formas de vestir, grupos sociales, festejos, escenarios domésticos o urbanos de una sociedad viva y compleja.

FORMACIÓN Y CONSOLIDACIÓN DE LOS ESTADOS IBEROAMERICANOS

14

Independencia y creación de los nuevos estados. Los procesos de emancipación

E N LAS PRIMERAS DÉCADAS del siglo XIX el enorme tinglado colonial se desmoronó. Para Iberoamérica este fenómeno representó una ruptura profunda con su pasado reciente. Cierto, también otros países y otras sociedades experimentaron cambios trascendentes en esta centuria, pero no se produjeron, como aquí, tantos al mismo tiempo. Primero fue, como veremos, la emancipación respecto de las metrópolis ibéricas. Después, la creación de los nuevos estados, de las naciones y del sentimiento nacional, por este orden. Vino a continuación la secularización de las costumbres y la difusión de una nueva ideología, el liberalismo. Entre tanto, la relación entre los grupos humanos se planteó desde la peculiar organización de las sociedades capitalistas, y la sociedad estamental y de castas, propia del sistema colonial, dio paso a una sociedad clasista, de ricos y pobres. La siempre difícil convivencia entre indios, criollos y población negra osciló entre la rutina tradicional, respetuosa de los intereses implicados, y las expectativas suscitadas por el nuevo orden político establecido tratando de encontrar, tras no pocos conflictos, un modo de convivencia estable. Hubo que acomodar las estructuras económicas a un nuevo marco geográfico acorde con las recién estrenadas fronteras y construir redes de comunicación adaptadas a las mismas. En fin, hubo que hacerlo todo de nuevo.

La relativa unidad de Iberoamérica en la época colonial se quebró en veinte estados diferentes. Mientras la colonia portuguesa de Brasil conservó la unidad, las colonias españolas alumbraron, a lo largo del siglo, múltiples repúblicas independientes. Cada una iniciaba su propia andadura al tiempo que comenzaba un proceso de disgregación de los elementos que les habían conferido cierta unidad en el pasado. Las relaciones entre los nuevos estados fueron escasas y, con frecuencia, conflictivas dado que todos estaban ocupados en crear una identidad entre los ciudadanos que les tocaba regir. A pesar de todo, subsistieron importantes lazos de cohesión, señaladamente la lengua; y ello porque los lazos culturales pudieron más que los conflictos de intereses. En los capítulos que siguen, encontrará el lector noticia de todos los asuntos mencionados. Se ha procurado reseñar las tendencias generales más que dar cuenta de los acontecimientos concretos. Era imposible recoger, en una obra de estas características, la evolución de todos los países y los mil acontecimientos y personajes que jalonaron su periplo a lo largo del siglo.

Tiempos de revolución

Los movimientos que condujeron a la independencia de las colonias que España y Portugal poseían en el continente americano se enmarcan en un conjunto de procesos que, con distinta intensidad, influye en la sociedad y en su organización, sobre todo en lo que a política se refiere, y su resultado final estuvo, si no determinado, fuertemente influenciado por las diferentes coyunturas internacionales que acaecieron en el siglo XIX en Europa y los Estados Unidos. Hay que tener en cuenta, pues, toda una serie de factores para comprender el complejo proceso de la emancipación, que dio lugar a la ruptura de la dependencia secular de las metrópolis y a la aparición de nuevos países en el escenario mundial.

Entre dichos factores, hay que señalar el impacto que produjeron las ideas ilustradas que pronto demostraron su incompatibilidad con la ideología dominante y fueron enarboladas como instrumentos de reforma por la minoría culta que las asumió. La preeminencia de la razón sobre la autoridad, el descrédito de la tradición como norma básica, la confianza en la separación de poderes como medio de evitar la tiranía y la aceptación de que el hombre es poseedor de unos derechos superiores y anteriores a cualquier autoridad constituida casaban mal con una monarquía absolutista, dueña de todo el poder y celosa de mantener el control sobre sus súbditos.

Además, los sucesos protagonizados por los colonos británicos en América del Norte, que habían desembocado en la independencia de los territorios que ocupaban, eran un eficaz y cercano ejemplo para ser imitado ya que habían demostrado que las citadas ideas ilustradas no eran meras construcciones teóricas, sino que podían llevarse a la práctica para crear un modelo de sociedad nuevo y un sistema político estable.

En el mismo sentido afectó la Revolución Francesa de 1789, si bien, por causas que se verán más adelante, tuvo una menor incidencia en la independencia iberoamericana, lo que no obsta para que los principios consagrados en la Declaración de Derechos y lo que en Francia habían significado estuvieran entre los objetivos que querían conseguir aquellos que defendieron la modificación o la desaparición de las relaciones existentes con la metrópoli.

Otro factor que jugó un papel fundamental fue el derivado de los cambios en los planteamientos económicos. Las ideas de libertad no se refirieron tan solo a la política, también afectaron a la producción y a los intercambios comerciales. La política intervencionista y de control que practicaba la monarquía ilustrada difícilmente se podía mantener en un mundo en el que los avances técnicos provocaban mayor desarrollo económico y el aumento del comercio, con el consiguiente mayor protagonismo de la burguesía.

Por ello, no es casualidad que fueran miembros de la burguesía americana los que, en la mayoría de los casos, acaudillaran y marcaran la pauta de los acontecimientos revolucionarios. Descendientes de españoles, pero nacidos en suelo americano, muchos de los criollos, hijos de familias acomodadas, tuvieron la oportunidad de formarse intelectualmente en universidades europeas, de conocer y propagar las ideas de reforma y revolución que circulaban por el viejo continente, incluso de conocer por dentro el funcionamiento del ejército real, obteniendo una formación militar que, más tarde, tendrán ocasión de demostrar en las batallas que jalonaron el proceso independentista. Si bien en su mayoría se mostraron inicialmente partidarios de reformas que les permitieran adquirir un mayor peso en el escenario político, a través de una monarquía constitucional, y de una política económica de corte liberal que favoreciera sus intereses, los acontecimientos los llevaron a radicalizar sus posturas y a defender la ruptura con la metrópoli, a la que consideraban la causante de su subordinación política y económica

Pero no todos los criollos participaban de estos mismos planteamientos. Criollos hubo que dirigieron las fuerzas reales y que preferían la monarquía española como símbolo de tradición y estabilidad frente a la amenaza de desorden político, pérdida de posición o conflictos raciales que la independencia pudiera acarrear, pero este sector terminó arrollado por la marea revolucionaria que, con distinta intensidad y características, recorrió todo el imperio ultramarino español.

Finalmente —aunque se considere el factor más decisivo—, hay que destacar la repercusión que en las colonias tuvo la crisis que, con distintas características, originó la política napoleónica en Portugal y España y la situación de inestabilidad política de esta última durante el primer cuarto del siglo XIX.

Problemas en la metrópoli

En el caso de España, Godoy, primer ministro de Carlos IV, estaba convencido de que Gran Bretaña, con sus ambiciones económicas en el comercio americano, era el principal enemigo al que había que combatir, por lo que consideró más conveniente la alianza con Napoleón. La política expansionista de este llevó a la guerra con Gran Bretaña. Ello dio lugar a que la flota española se enfrentara con la inglesa, enfrentamiento que se saldó con la trágica derrota de Trafalgar, que supuso que la española cayera destrozada y las comunicaciones con las posesiones ultramarinas quedaran prácticamente cortadas.

A este hecho hay que añadirle la debilidad de la monarquía española, con los enfrentamientos entre el rey y su hijo, el futuro Fernando VII, y los planes expansionistas de Bonaparte, que culminaron con la salida de la familia real de España, el trono en manos de José Bonaparte y la presencia de los ejércitos franceses en la Península Ibérica.

La reacción contraria a esta presencia desencadenó la guerra y la necesidad de cubrir el vacío de poder existente. La solución vino de la mano de los notables de las diferentes provincias que se organizaron en juntas, pronto reducidas a una Junta Central, representante de la soberanía y del rey ausente. La evolución de la guerra obligó a que la Junta se replegara al sur de España, a la ciudad costera de Cádiz, bajo la protección de los ingleses, ahora convertidos en aliados.

En 1810, las Cortes, convocadas por el Consejo de Regencia que había sustituido a la Junta, iniciaron un proceso de transformación de incalculables consecuencias, al elaborar la Constitución de 1812 en la que se establecen las bases para la instauración de una monarquía parlamentaria y liberal que gobierne, no a un país y a sus colonias, sino a una nación separada por la geografía.

Con la derrota de Napoleón en 1814 y el consiguiente regreso de Fernando VII parecía que dicha transformación iba a quedar eliminada, ya que se restauró el absolutismo, fórmula que, a pesar del triunfo efímero de la oposición liberal que conseguirá que el rey restablezca la Constitución entre 1820 y 1823, se mantendrá hasta 1833.

Todas estas oscilaciones trajeron consigo no solo el desmantelamiento de las tradicionales estructuras de poder, sino también la puesta en cuestión de la legitimidad del poder establecido. La crisis en la monarquía española, la frustración de las esperanzas de los sectores reformistas criollos depositadas en las medidas liberales aprobadas en la Constitución de Cádiz y la intransigente postura absolutista de Fernando VII favorecieron, tanto en España como en América, la inestabilidad, provocando la pérdida de confianza en la autoridad real y dando impulso a los movimientos independentistas.

Movimientos de rebeldía anteriores a la independencia

Aunque durante un tiempo, la historiografía haya dotado a determinadas movimientos de un carácter preindependentista, en la actualidad se tiende a considerar que los estallidos que salpicaron los dominios españoles no iban dirigidos contra la soberanía española, si bien evidenciaban sus fisuras y desequilibrios. Dichos movimientos fueron aprovechados por las oligarquías para reforzar sus intereses, pero también tuvieron el efecto de retrasar el proceso de independencia, frenado por el temor de esas mismas oligarquías, temerosas de los planteamientos demasiado radicales de las rebeliones o del desorden que podían generar. En cualquier caso, sí es cierto que alumbraron algunos de los ideales que serían base de los movimientos de independencia

En su mayoría, los conflictos obedecieron a estallidos de violencia motivados por situaciones consideradas por sus protagonistas como injustas y relacionadas, sobre todo, con la puesta en práctica de la política de reformas económicas llevadas a cabo por los gobiernos metropolitanos lo que no obsta para que, una vez desencadenados, pusieran de manifiesto las tensiones sociales y raciales de la sociedad colonial y las aspiraciones de las minorías liberales. La fuerza de la administración, el abandono de los sectores sociales más poderosos ante reivindicaciones tales como la abolición de la esclavitud, o las concesiones realizadas por los gobernantes para frenar el descontento impidieron el triunfo de este tipo de movimientos que, en realidad, no pusieron en cuestión el orden establecido, sino lo que entonces era denominado como *las prácticas de mal gobierno.*

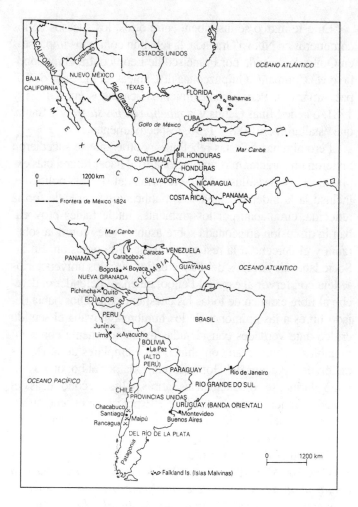

IBEROAMÉRICA, 1800-1830

Las fronteras entre las repúblicas a raíz de los movimientos de independencia experimentaron continuas alteraciones. El mapa refleja la situación en América Central después que fracasara el intento de Iturbide de anexionarlas a México y antes de que formaran la efímera República Federal Centroamericana (1823). También puede apreciarse la Gran Colombia bolivariana, y las fronteras, también provisionales, en los países del Cono Sur.

En este marco se inscriben, entre otros, los sucesos de los comuneros en Nueva Granada, la rebelión contra los impuestos en Quito, la dirigida por Francisco de León contra el monopolio de la Compañía Guipuzcoana de Caracas, la indígena de Túpac Amaru en Perú, acontecimientos acaecidos entre 1721 y 1781, o la de Minas Gerais y la *rebelión de los sastres* de Bahía, que estallaron en 1788 y 1798, respectivamente.

Pero algunas de estas rebeliones y otras que se sucedieron tuvieron un carácter más revolucionario al hacer referencias explícitas a las ideas ilustradas de reforma del sistema político e, incluso, a la independencia. Las publicaciones que, de forma reducida, circulaban por los ambientes intelectuales provocaban la discusión apasionada sobre asuntos tales como la soberanía y el derecho a la resistencia frente a la opresión. En las Sociedades de Amigos del País y en los círculos universitarios se leía con fervor al español Feijoo, quien, al defender el derecho al libre examen de todas las cuestiones que Dios había dejado libres a las opiniones de los hombres, avivaba el sentido crítico ante verdades consideradas tradicionalmente como inmutables, se buscaban con ahínco los ejemplares de la Declaración de Derechos del Hombre, realizada por el bogotano Antonio Nariño, se comentaban las sátiras político-económicas del quiteño Francisco de Santa Cruz y Espejo o se encendían ardientes disputas ante los llamamientos a la independencia por parte de Pedro Fermín de Vargas, de Nueva Granada, del jesuita peruano Juan Pablo Viscardo o del dominico mexicano Fray Servando de Mier, quien decía: *Independencia es más que una declaración de mayoría de edad. Nosotros, que ya tenemos mayor población que la madre patria, iguales luces y mayor riqueza, creemos que estamos ya en estado de emancipación. Llamarnos por eso rebeldes es llamar rebelde a la naturaleza que emancipa a los hijos cuando no han menester a sus padres.*

Se va forjando así un sentimiento nacionalista contrario a mantener la situación de dependencia de las metrópolis y que defiende la capacidad de «los americanos» para decidir y dirigir sus propios destinos.

No es, pues, de extrañar que, en la citada rebelión de Bahía se aspirase a un gobierno republicano y demócrata, a la libertad, igualdad y fraternidad, de clara inspiración francesa, o que la conspiración de Manuel Gual y José María Picornell acudiera al ejemplo de los Estados Unidos para crear una república independiente en Venezuela.

Todas estas rebeliones que, como ya se ha dicho anteriormente, fueron aplastadas y no afectaron a la estructura de gobierno, en cambio, sí mostraron la existencia de un sentimiento anticolonialista y de intereses diferentes de los de las metrópolis, al tiempo que el predominio entre la burguesía criolla del sector más conservador que prefería mantener su posición en dependencia de España o Portugal ante el peligro de que las movilizadas masas inferiores alterasen la organización socioeconómica.

En esa actitud, además, influyó de manera decisiva el temor de la población blanca a que se extendiera lo sucedido en la rica colonia francesa de Saint-Domingue, donde la mayoritaria población negra había conseguido proclamar la república de Haití y apoyaba movimientos rebeldes de negros y pardos en diferentes zonas de Venezuela. Este temor fue, precisamente, uno de los factores del fracasado intento de independencia protagonizado por Francisco de Miranda en 1806. El más destacado de entre los llamados «precursores» contaba con un amplio historial revolucionario ya que había participado en los procesos de América del Norte y de Francia. Confiado en la ayuda inglesa, enemiga entonces de España por la alianza de esta con Napoleón, organizó una expedición con el objetivo de libertar Venezuela, pero cuando aquí llegaron las noticias de la posible intervención inglesa y de que, en su camino, Miranda se detuviera en Haití, cundió la alarma entre los criollos, tanto porque la expedición fuera un pretexto para encubrir las ansias expansionistas inglesas, como porque se pretendiera imitar lo que en Haití había sucedido. Ello trajo consigo la negación de apoyo de las elites y favoreció el fracaso de la intentona.

Desarrollo de los movimientos independentistas

La crisis producida en España y Portugal como consecuencia de la política expansionista de Napoleón fue el detonante de los movimientos revolucionarios que, en contraste con lo sucedido en Francia, no se produjeron contra el rey, sino aprovechando el vacío de poder provocado por su ausencia. Dichos movimientos encontrarán en los grupos liberales, en las disensiones sociales y raciales y en las ambiciones económicas y políticas insatisfechas por los gobiernos metropolitanos un sustrato receptivo para, aprovechando los acontecimientos, poner en práctica las ideas contrarias al absolutismo y reivindicar el derecho al autogobierno.

En el caso de las posesiones españolas, la sustitución de la monarquía borbónica por la napoleónica y la guerra que la presencia francesa originó provocaron, como ya se ha indicado, una grave crisis en las colonias. Las noticias que, con el lógico retraso, llegaban sobre los sucesos de la Península Ibérica, que hablaban de la salida de la familia real y de la creación de Juntas Provinciales, sembraron el desconcierto en los virreinatos y capitanías generales y abrieron las puertas a la lucha por el poder entre los representantes de la monarquía española y los grupos locales dominantes.

En general, en todos los virreinatos se produjo una misma reacción ante los acontecimientos sucedidos en España: por una parte, una explosión de fidelidad a la monarquía, pero al mismo tiempo, y ante el vacío de poder que se había originado, se tuvo que plantear el problema de construir un poder legítimo que gobernara en nombre del rey. Pero ¿quién debía detentar ese poder? Según la tradicional doctrina escolástica, ampliamente difundida por el magisterio de los jesuitas en las universidades, el príncipe ostenta el poder político y la soberanía. El primero le ha sido otorgado por Dios, en tanto que la segunda es del pueblo y este la trasmite al monarca, de donde se deducía que también puede retirársela en caso de mal gobierno. Pero en ese momento no es que se quisieran eliminar las malas prácticas del gobierno del rey, es que no había rey. En consecuencia, para los llamados fidelistas la autoridad debía seguir en manos de los representantes de Fernando VII y ser ejercida en nombre de la Regencia. Por el contrario, los independentistas defendían la ruptura total con España en tanto que los autonomistas veían la solución en las ideas liberales que situaban el poder en el pueblo soberano y, al igual que en España, defendían la creación de juntas encargadas de mantener el control y ejercer el gobierno en nombre del rey ausente.

En la práctica, las situaciones que se originaron fueron muy diversas. Así, hubo virreyes que aceptaron convocar a los representantes de Cabildos y otras corporaciones para decidir el futuro gobierno, caso de Iturrigaray en México, actitud que los absolutistas consideraron una traición por lo cual procedieron a su destitución. Otros, como Abascal y Souza, virrey del Perú, o Amat y Borbón, virrey de Nueva Granada, se opusieron a la constitución de las juntas pero tuvieron diferentes destinos. Mientras el primero consiguió abortar la posibilidad de que los criollos tomaran las riendas de la situación, el segundo fue destituido por los fieles a Fernando VII pero partidarios de constituir juntas siguiendo el modelo español.

Guerras de emancipación y guerra civil

Los sucesos españoles y sus repercusiones en las colonias mostraron otra de las constantes presentes tanto en el proceso de independencia como en la construcción de los nuevos estados: los enfrentamientos internos. Citemos algunos ejemplos.

Cuando la junta creada en Buenos Aires hizo un llamamiento para ser reconocida, Montevideo, Paraguay y el Alto Perú se negaron, al desconfiar de la supremacía de Buenos Aires y ante el temor de que sus intereses comerciales se vieran perjudicados, anunciando así la futura ruptura del virreinato del Plata.

Similar disputa ocurrió en la presidencia de Quito, cuando la junta que allí se constituyó pretendió extender su soberanía por todo el territorio de la presidencia, a lo que se opusieron las provincias de Cuenca y Guayaquil.

En Venezuela, la formación de la junta de Caracas, a la que se subordinaron el resto de las creadas en la Capitanía General, contaba con el protagonismo del ya conocido Miranda y del rico hacendado, formado culturalmente en España, Simón Bolívar. Partidarios ambos de la independencia, tuvieron que enfrentarse con las fuerzas realistas dirigidas por Monteverde, a la vez que las medidas que dictaron con respecto a la propiedad de las tierras les granjearon la oposición de los llaneros, organizados en guerrillas, a lo que habría que añadir las sublevaciones de esclavos, quienes, a pesar de las nuevas leyes aboliendo la trata, en la práctica no vieron cambiar su situación.

Finalmente, y por no hacer la relación exhaustiva, en Nueva Granada, los intentos de presentar un frente común a los sucesos españoles mediante la creación de la federación de las Provincias Unidas chocó con los antagonismos sociales y económicos internos. El periodo llamado «La Patria Boba» conoció situaciones tales como la lealtad de Panamá al Consejo de Regencia español o la lucha armada entre la federación y la provincia de Cundinamarca, donde dominaba la figura de Nariño, poco favorable a la fórmula federativa.

Todos estos conflictos se manifestaron con especial virulencia en México, donde un grupo de criollos decidió levantarse contra el poder de los españoles absolutistas en nombre de los Cabildos, órganos arraigados en la población desde la presencia española. Su conspiración de Querétaro recibió el apoyo de Hidalgo, párroco del pueblo de Dolores, hombre culto y preocupado por la mejora de las condiciones de vida de los indios y mestizos, agravadas por las sequía y las hambrunas existentes desde 1808. Su famoso «Grito de Dolores», lanzado el 6 de septiembre de 1810, llamaba a la rebelión en favor de Fernando VII y de la Virgen de Guadalupe y se extendió con gran rapidez. Pero Hidalgo pretendió ampliar sus aspiraciones, defendiendo la independencia de España, la abolición de la esclavitud y la devolución de tierras a las comunidades indígenas, lo que unido al aspecto sangriento que tomó el movimiento, que no distinguió entre blancos criollos y peninsulares, y a las improvisaciones estratégicas, hicieron que un sector criollo, el

Cabildo de México y la Iglesia apoyaran al virrey Venegas, quien, oportunamente, abolió el tributo que pesaba sobre indios y mestizos. En 1811, Hidalgo y sus oficiales fueron capturados y ejecutados, sin que ello significara la desaparición de la revuelta.

El testigo fue recogido por otro sacerdote, José María de Morelos, de origen mestizo. Con él el movimiento ganó en eficacia militar y en claridad de objetivos. Defendía la independencia para establecer un sistema parlamentario, reformas legales y sociales como la abolición de la esclavitud y de las trabas que impedían la promoción de las capas más bajas, primacía de la Iglesia Católica, a la que garantizaba el derecho de percibir diezmos y mantenimiento de la propiedad privada, si bien anunciaba un programa de reparto de tierras para quien las trabajara. Con el objetivo de regularizar una estructura gubernamental y propiciar así su reconocimiento por parte de las potencias extranjeras, organizó un congreso en Chilpancingo en 1813 que proclamó la independencia de México. Pero el acoso del ejército realista y las disputas internas que surgieron entre los revolucionarios fueron debilitando su acción, a pesar de que quiso reforzarla atrayéndose a los liberales mediante la proclamación de la Constitución de Apatzingán, inspirada en la francesa de 1793. En 1815 fue capturado y fusilado.

El impacto de la obra liberal gaditana

Mientras tanto, en la España ocupada por los ejércitos napoleónicos y en la ciudad de Cádiz, los diputados en las Cortes, entre los que se encontraban los elegidos en los distintos territorios coloniales, elaboraban la Constitución, adoptando medidas de corte liberal cuya implantación en América mostraba en parte el desconocimiento de los legisladores de una realidad tan lejana. Durante las sesiones se pusieron de manifiesto las contradicciones de sus protagonistas y se abrieron grietas mayores entre los que el texto constitucional llamaba «los españoles de ambos hemisferios».

297

En efecto, medidas tales como la abolición de la tributación de los indios, la supresión de los privilegios de las órdenes religiosas, la libertad de prensa o la sustitución de los consejos municipales hereditarios por ayuntamientos electivos fueron obstaculizadas por los propios virreyes, generalmente contrarios a los afanes liberalizadores. Los intentos de abolición de la esclavitud fueron frenados por los propios diputados americanos, que veían en ella un ataque a la estructura económica y a los intereses de los criollos, grupo al que pertenecían. Finalmente, las peticiones de estos, tales como la libertad de comercio, el reconocimiento de la autonomía política, la supresión de monopolios o una representación más equilibrada respecto a los peninsulares en los puestos administrativos, fueron rechazadas por los diputados españoles, que seguían viendo en América una importante fuente de ingresos y que cedieron a los fuertes intereses de los comerciantes gaditanos.

En resumen, la resistencia de los virreyes a aceptar los cambios ordenados por los liberales desde Cádiz y el descontento de los criollos al ver sus aspiraciones insatisfechas llevaron a la radicalización de aquellos sectores sociales que esperaban de la Constitución y su desarrollo un mayor margen de movimiento en las posesiones españolas del otro lado del Atlántico, dirigido a lograr la autonomía, que no la independencia.

La Restauración: un golpe a la ilusión independentista

Cuando, como consecuencia de la derrota de Napoleón en 1814, se produjo el regreso de Fernando VII a España, la actitud del rey mostrará de inmediato a los criollos que el incipiente grado de protagonismo alcanzado les iba a ser arrebatado. Lejos de aceptar los cambios ocurridos durante su ausencia, Fernando VII abolió la Constitución y restauró el absolutismo. La recuperación de su poder y el fin de las luchas europeas permitió al rey disponer de fuerzas para cortar las rebeliones en América y acudir en apoyo de aquellos que le habían seguido siendo fieles, lo que, unido a las disputas internas o la improvisación y falta de madurez de algunos de los movimientos, supuso en las colonias la vuelta a la situación anterior a 1808. Pero algo había cambiado de forma irreversible y era la relación entre el rey y sus súbditos. El fuerte lazo que había existido entre ambos había sido dañado por la crisis de la monarquía y la decepción que causó su restauración, y aunque su autoridad parecía aparentemente restablecida, la realidad era muy diferente.

En efecto, durante el periodo del movimiento juntista se habían oído voces de ruptura con España. La libertad de prensa acordada en Cádiz, bien que limitada en la mayoría de los casos por las autoridades virreinales, había puesto a disposición de los críticos medios para extender el ideario reformista y revolucionario, los americanos habían demostrado capacidad de organización política y militar y las revueltas no habían desaparecido. Incluso se habían dado pasos significativos, algunos de los cuales anunciaban los futuros conflictos que iban a existir en las nuevas naciones que se formarían.

Así, en Venezuela, los juntistas de Caracas, además de aprobar medidas tales como la apertura de sus puertos al comercio internacional y la eliminación de impuestos que gravaban los productos básicos, procedieron a la convocatoria de un congreso venezolano que, en 1811, declaró la independencia y redactó una Constitución por la que Venezuela se convertía en una república de estructura federal a pesar de los recelos de Bolívar y Miranda, partidarios de una fórmula centralizada. En Buenos Aires, la Asamblea Constituyente de 1813 adoptó decisiones tales como declarar las Provincias Unidas del Río de la Plata , dotándose de símbolos como himno, bandera y moneda propia y declarándose soberanas. En Chile, las disputas regionales y personales del periodo juntista, «la Patria Vieja», hicieron que el protagonismo recayera en manos de José Miguel Carrera que implantó un gobierno personalista y autoritario, algo similar a la trayectoria seguida por Paraguay, donde Francia ejercerá un poder dictatorial inusitado. En el Río de la Plata, la desconfianza hacia Buenos Aires llevó al actual Uruguay y a su principal figura, Artigas, a un enfrentamiento civil que favoreció la ocupación de este territorio por los portugueses, iniciándose una relación fronteriza conflictiva que se extenderá en los siguientes años. Y, en general, a pesar de que las medidas tomadas por los juntistas y las necesidades de la guerra habían permitido una mayor integración social de indios, mestizos y negros, estos seguían desconfiando de los dirigentes criollos, quienes seguían representando la supremacía blanca.

Por tanto, desde 1808 a 1814, se habían creado las bases para la independencia de las colonias españolas en América y aunque, como han señalado ciertos historiadores, en el momento de producirse el regreso de Fernando VII todavía no estaba nada perdido y se podía haber reconducido la situación, lo cierto es que la intransigencia de su política, por una parte, y las experiencias vividas y las decisiones tomadas durante los años citados, por otra, hicieron evolucionar a la burguesía criolla reformista que, de aspirar a participar en la vida política, pasó a exigir el control de sus propios asuntos, convirtiéndose en una fuerza independentista contra la que los virreyes y capitanes generales tenían que seguir luchando.

La diferente evolución de Brasil

La pugna entre Gran Bretaña y Francia marcó la evolución de Brasil. En 1807, Portugal se encontraba bajo la doble presión de las potencias en lucha. Por una parte, Napoleón amenazaba con la invasión si no se impedía el acceso de los navíos ingleses a los puertos portugueses, por otra, Gran Bretaña ofrecía la alternativa de que la familia real y su corte se trasladasen a Brasil bajo su protección, ya que, de someterse Portugal a las exigencias francesas, atacaría las posesiones y la flota lusas. El príncipe regente, Juan, decidió abandonar Lisboa e instalarse en Río de Janeiro.

Frente al conflictivo panorama que ofrecieron las posesiones españolas durante el periodo napoleónico, Brasil conoció una generalizada tranquilidad en todos los órdenes y un indiscutible desarrollo. El establecimiento del rey Juan IV en Río de

Janeiro convirtió a esta ciudad en cabeza del imperio portugués, y los nobles, hombres de negocios y profesionales de todo tipo que habían seguido a la corte animaron y enriquecieron la vida de las principales ciudades. En ellas se crearon instituciones culturales, como la universidad, academias científicas, bibliotecas y centros de enseñanza, introduciéndose técnicas hasta entonces inexistentes como la imprenta, implantada en Río en mayo de 1808. También la actividad económica conoció importantes reformas. El rey emprendió una política de exenciones fiscales y de apertura de los puertos brasileños a los países aliados y neutrales, lo que permitió que los productos básicos, algodón, azúcar y tabaco, que tradicionalmente eran comercializados a través de Lisboa, ahora en situación delicada por la guerra peninsular, continuaran su salida al exterior. En dicha política ejerció fuerte influencia Gran Bretaña, su tradicional aliado, que había adquirido el papel de árbitro en los asuntos económicos a raíz de la ayuda prestada a la monarquía portuguesa. Como resultado de ese papel, Gran Bretaña consiguió fuertes beneficios fiscales sobre sus mercancías y la progresiva reducción de la trata de esclavos.

Cuando se produjo la restauración monárquica como resultado de la derrota de Napoleón, Juan IV decidió continuar en Brasil y establecer una monarquía dual, con centros en Lisboa y Río, lo que concitó el descontento de los portugueses en la Península, que habían considerado la estancia de su rey en Brasil como una medida temporal forzada por las circunstancias. Pero el descontento no solo existía en Portugal, también en Brasil existían focos de oposición al rey. Por una parte, la política antiesclavista atentaba directamente contra los intereses de estancieros y tratantes, por otra, los sectores liberales no estaban de acuerdo con la política de absolutismo ilustrado practicada por el monarca, lo que originó levantamientos en distintos puntos del país, entre los que destacó el ocurrido en Pernambuco, donde los militares llegaron a proclamar la república. Finalmente, la situación de privilegio de la que gozaban los portugueses peninsulares, que copaban en su mayoría los altos cargos y los organismos de administración local y provincial, había avivado

301

un sentimiento nacionalista de rechazo a su presencia. A pesar de estos reductos de oposición, la monarquía parecía firme en las vísperas de 1820.

La culminación de la independencia

A pesar de que las fuerzas realistas habían retomado el control generalizado de las colonias, el prestigio de la monarquía había quedado irremisiblemente dañado. Pero también la esperanza depositada en una España liberal que pudiera abrir puertas a la autonomía de aquellas se había perdido. Demasiadas reformas anunciadas habían quedado sin cumplir y los sectores revolucionarios no habían encontrado, ni en la Constitución ni en las nuevas normas, las mejoras largamente esperadas. Por ello, los desórdenes no habían desaparecido y, nuevamente, los sucesos ocurridos en la metrópoli servirán para avivar el fuego no apagado.

El gobierno absolutista de Fernando VII dificultó, pero no impidió, la actividad de los grupos que seguían aspirando a convertir España en una monarquía de corte liberal. Muchos de los componentes de esos grupos formaban parte del ejército que esperaba el momento propicio para forzar al rey a restaurar la Constitución de 1812. La ocasión se presentó cuando el general Riego, al que se le había encomendado la dirección de una fuerza expedicionaria con destino a América, se pronunció en 1820 en Cabezas de San Juan (Sevilla) a favor de la Constitución, con lo que el ejército nunca llegó a su destino.

El nuevo régimen liberal volvió a llevar la ilusión a las colonias, pero de nuevo se repitieron algunos errores del pasado. Las reivindicaciones americanas siguieron sin ser atendidas y los conflictos, que no habían desaparecido, se recrudecieron. Además, los sectores absolutistas y los eclesiásticos, descontentos del sesgo de los acontecimientos en la metrópoli, retiraron su apoyo a la causa española.

Independencia de Nueva Granada, Chile y Perú

La recuperación del poder por parte de Fernando VII le puso en disposición de afrontar los movimientos de independencia de las colonias. Con ese objetivo, un contingente militar, al mando del general Pablo Morillo, llegó en 1814 a Venezuela, donde la rebelión seguía creciendo aglutinada en torno a Simón Bolívar, quien, si bien no había conseguido el apoyo oficial de Gran Bretaña para su causa, sí se había atraído a los llaneros y, mediante un decreto de emancipación, a la numerosa masa de esclavos. Derrotas y victorias se sucedieron sin que los patriotas cejaran en su empeño. Después de una durísima travesía por los Andes, los patriotas lograron vencer en Bocayá y entrar en Santa Fe de Bogotá en el verano de 1819, consiguiendo así la independencia de Nueva Granada. Tras el paréntesis que supuso la tregua firmada entre los contendientes como consecuencia del cambio de gobierno producido en España a raíz del pronunciamiento del general Riego, la victoria de Carabobo en 1821 significó la liberación casi total de Venezuela. En ese mismo año, la población de Panamá se declaró independiente de España y decidió unirse al proyecto de la Gran Colombia (del que se hablará en el siguiente capítulo).

Pero estos triunfos no se veían como definitivos por los vencedores, ya que los realistas continuaban siendo una importante amenaza desde Quito y Perú. Por ello, en 1822 se iniciará la campaña del sur, en la que la batalla de Pichincha, dirigida por Sucre, abrirá el paso a la ocupación de Quito, que se llevó a cabo en los primeros meses del citado año.

Quedaba el importante reducto de Perú que, a pesar de que el argentino San Martín había ocupado la parte sur, seguía siendo el bastión de un poderoso ejército realista. A su conquista se dirigieron Bolívar y Sucre, favorecidos por la falta de apoyo desde España a los que todavía defendían la causa de esta. El año 1824 será decisivo para la independencia. La victoria de Junín y la definitiva de Ayacucho terminaron con el dominio español en la América andina.

Mientras tanto, en Chile, el gobierno autoritario de Carrera y sus reformas económicas y sociales concitaban la oposición de los intereses de la oligarquía terrateniente, representada por O'Higgins. Esta división interna fue aprovechada por el virrey de Perú, Abascal, para invadir Chile y restaurar la autoridad de Fernando VII. Su victoria estuvo seguida por una cruel represión que no hizo sino avivar el sentimiento revolucionario, estimulado este por las Provincias Unidas del Río de la Plata que en 1916, en el congreso de Tucumán, habían declarado su independencia y donde se habían refugiado no pocos patriotas chilenos, entre los que se contaba el propio O'Higgins. Desde allí se organizó el ejército libertador, dirigido por José de San Martín, miembro de la activa logia masónica revolucionaria Lautaro, decidido a extender el ejemplo de las Provincias al territorio chileno. Tras la batalla de Maipú, favorable a los patriotas, consiguió entrar en Santiago en 1818 y, desde allí, preparar el asalto al Perú.

En este virreinato, donde como ya se ha dicho se concentraba el mayor ejército realista, las fuerzas de San Martín, después de atravesar los Andes, contaron con el apoyo estratégico de la flota chilena, al mando del almirante británico Cochrane, quien procuró el control de la franja costera al ocupar Valdivia. Otros factores que incidieron en la victoria criolla fueron, por una parte, la división de las milicias realistas, enfrentadas por la restauración del liberalismo en España y, por otra parte, la ayuda de sectores sociales peruanos, descontentos por los negativos efectos económicos derivados de la independencia de Chile. Tradicionalmente, el trigo de este país abastecía a Perú, mientras que el importante comercio tabaquero peruano tenía en Chile uno de sus principales clientes. El triunfo de la revolución en su vecino del sur significó la ruptura de estas corrientes económicas y, como consecuencia, la crisis económica. Todo lo anterior favoreció las intenciones de San Martín, quien logró entrar en una Lima abandonada por las autoridades españolas y declarar la independencia del país en julio de 1821.

La situación estaba preparada para que las fuerzas libertadoras de Bolívar y las de San Martín se unieran para decidir el

Para vencer la resistencia del último reducto del Perú, el general San Martín preparó un ejército con el que pasó los Andes en 1817 y conquistó Santiago. Desde allí, con la ayuda del almirante inglés Cochrane, atacó y liberó el Alto Perú. El óleo de Maggi rinde tributo a este episodio heroico de las luchas por la independencia.

futuro del alto Perú. Ambos líderes se entrevistaron en Guayaquil y lo que allí se trató ha sido objeto de controversias por parte de los historiadores. Lo cierto es que, a partir de ese momento, San Martín se retiró y fueron Bolívar y sus fuerzas los que culminaron la independencia de la zona andina,

Independencia de México y América Central

La revolución de 1820 en España también influyó de forma trascendental en México. Allí, la restauración de la Constitución de Cádiz encendió de nuevo las esperanzas de los que deseaban acabar con el régimen virreinal, fortalecidos además por la deserción de los que hasta entonces habían permanecido fieles a la causa española, que veían cómo el nuevo gobierno liberal adoptaba medidas tan perjudiciales para la posición de influyentes grupos sociales como la supresión del fuero religioso y militar.

Es significativo, por tanto, que un ex oficial realista, Agustín de Iturbide, hiciera público en febrero de 1821 el Plan de Iguala. Por él, México se convertía en una monarquía católica independiente, con la constitución de Cádiz como norma básica y con la oferta a Fernando VII o a algún miembro de la familia real a encabezarla. Con el lema Religión, Independencia y Unión (las tres garantías) pretendía atraer a todos los sectores: Iglesia, independentistas y españoles. La postura negociadora del capitán general O'Donojú, enviado por España para negociar, quien se percató de la inutilidad de enfrentarse a los acontecimientos prefiriendo aceptarlos para salvar la unión con España, evitó la resistencia y facilitó el que Iturbide se proclamara presidente de la Regencia del Imperio Mexicano el 27 de septiembre de 1821. La reacción de Fernando VII no se hizo esperar: rechazó el Plan de Iguala y consideró a México como territorio enemigo. La respuesta mexicana fue nombrar a Iturbide emperador y cortar los lazos con la antigua metrópoli. Pero este hecho no contó con el apoyo de sectores de la población ni del ejército, dos de cuyos componentes, Guadalupe Victoria y Ló-

El artista mexicano Juan O'Gorman vio así la independencia de su país, el acuerdo de las «Tres garantías». La actitud de los indios que aparecen en el detalle del retablo que recoge la ilustración habla claramente de la posición marginal de este sector de la población mexicana en la independencia que se preparaba.

pez de Santa Anna encabezaron una rebelión que depuso al reciente emperador, quien fue juzgado y ejecutado. En 1824 México se constituyó en república federal.

El proceso hispano-mexicano tuvo sus repercusiones en toda América Central, si bien con distintos matices. Así, mientras Yucatán y Chiapas aceptaron el Plan de Iguala, las disputas surgieron entre los distintos regionalismos centroamericanos. La cuestión no estaba solo en si aceptaban a Iturbide y su proyecto, sino si se iba a mantener la preeminencia de Guatemala. De este modo, Honduras, El Salvador y Nicaragua optaron por la independencia, pero ni siquiera este fue el único asunto conflictivo. La intendencia de Puerto Rico, dependiente de Nicaragua, decidió separarse y declararse independiente, en tanto que en Honduras el enfrentamiento se complicaba por los partidarios de unirse a Guatemala y los de hacerlo a México. Después de una efímera unión de toda la zona a México, por la fuerza de las armas, la desaparición de Iturbide consagró la separación, excepto en el caso de Chiapas que continuó formando parte de México.

Independencia de Brasil

Al igual que en la zona española, Brasil también acusó los efectos de las oleadas revolucionarias del 20. La victoria de los liberales en Portugal tuvo su correlato en esta parte del imperio y Dom João no solo tuvo que aceptar una constitución sino que se vio inmerso en las disputas que enfrentaban a los portugueses, peninsulares o residentes en Brasil, que defendían el regreso del rey a Lisboa, considerando que la estancia en Brasil había sido puramente coyuntural, frente al partido brasileño que veía en este regreso la vuelta de Brasil a una posición subordinada. El rey creyó salvar la situación retornando a Portugal y dejando en Brasil a su hijo Pedro como regente. Pero el temor de los brasileños se vio confirmado con las medidas tomadas por el Gobierno lisboeta que trataba a Brasil como en la etapa anterior a la presencia napoleónica y exigía el regreso del príncipe. Este contó con fuertes apoyos para desobedecer lo mandado. Además de considerar que su marcha reforzaría a los partidarios de una fórmula republicana, pesó en su decisión de permanecer en Brasil la presión de las oligarquías brasileñas y de Gran Bretaña. Ambas veían en la monarquía la garantía de estabilidad y el mantenimiento de sus privilegios sociales y económicos. Con estos avales, Don Pedro fue nombrado emperador en diciembre de 1822. La labor de mediación de Gran Bretaña fue un factor importante para evitar el enfrentamiento con la corte de Lisboa que, al igual que las principales potencias, reconoció al nuevo Gobierno, así como los derechos sucesorios de Dom Pedro al trono de Portugal en una hipotética reunificación. Por tanto, Brasil consiguió su independencia sin traumas internos o externos, lo que propició que, a diferencia de los territorios españoles, no conociera el proceso de fragmentación que se va a producir en aquellos.

La peculiar situación de Cuba y Puerto Rico

Las posesiones españolas en el Caribe conocieron una trayectoria radicalmente distinta a la del resto de las colonias y una conjunción de factores provocaría que se mantuvieran durante toda la época revolucionaria unidas a la metrópoli

Por una parte, su posición estratégica, sobre todo en el caso de Cuba, las había convertido en plazas fuertemente defendidas y en consecuencia, con una numerosa guarnición militar. Por otra, la plantocracia cubana, como la denomina Moreno Fraginals, al igual que la de Puerto Rico, enriquecida espectacularmente con las reformas borbónicas y con el alza del precio del azúcar provocado por la revuelta de Haití, estaba estrechamente unida por lazos familiares y sociales con los peninsulares y conformaba un grupo cerrado dueño del poder municipal y de la vida intelectual

No obstante, los sucesos de 1808 no dejaron de afectar, pero en un sentido diferente a como sucedió en el resto de las colonias. En efecto, en las Cortes de Cádiz, los diputados cu-

309

banos, criollos pertenecientes al poderoso grupo citado, se opusieron frontalmente a las medidas liberales, en especial a las relacionadas con la abolición de la esclavitud. Los intereses económicos y el temor a que el ejemplo de Haití se extendiera por la isla los llevó a oponerse a lo que consideraban abría las puertas a un proceso independentista de imprevisibles resultados. En consecuencia, las islas se convirtieron en un baluarte del realismo, reforzado por la llegada de muchos partidarios del Antiguo Régimen huidos de los acontecimientos que se estaban viviendo en el resto de las colonias. Los pequeños grupúsculos liberales que, en el caso de Puerto Rico, iniciaron un complot independentista, no tuvieron prácticamente incidencia en la trayectoria de las islas y tuvieron que limitar su oposición a la vertiente literaria

Simultáneamente, surgió una alternativa política que va a estar presente en determinados planteamientos a lo largo de todo el siglo XIX y será la anexión a los Estados Unidos. Para unos, símbolo de país en el que el ideario revolucionario liberal había triunfado; para otros, garantía del mantenimiento de la esclavitud, y, para todos, aliado natural, dado que hacia él se dirigían la mayor parte de las exportaciones caribeñas.

Habrá que esperar a la segunda década del siglo XIX para que el movimiento independentista isleño adquiera madurez y organización para iniciar el proceso de ruptura con la metrópoli. A ello habrá que añadir los errores y limitaciones del Gobierno español, que mostró su incapacidad para continuar controlando los restos del imperio colonial, así como la decisión del Gobierno estadounidense de intervenir en la zona, factores determinantes para que, a finales del siglo, España pierda sus últimas posesiones en América.

La actitud internacional ante los procesos de independencia

Ya se ha reseñado anteriormente la conexión existente entre los acontecimientos mundiales y los sucedidos en Iberoamérica. La política europea y el protagonismo del escenario atlántico convertían a las posesiones españolas en foco de atención de las principales potencias y, consecuentemente, estas no permanecieron ajenas a los conflictos independentistas y sus reacciones oscilarán en función de sus propios intereses.

Así, cuando Napoleón dominó a la monarquía española, intentó atraerse a las colonias y que estas aceptasen la sustitución de los Borbones, pero, como ya se ha visto, el proceso haitiano, por una parte, y la fidelidad de las Juntas declarada a Fernando VII, por otra, desvanecieron las esperanzas de la influencia francesa.

Más relevante fue el papel jugado por Gran Bretaña. Tradicionalmente interesada en el rico comercio americano, en el que participaba con un activo contrabando, mantuvo durante todo el proceso emancipador una postura marcada por la habilidad y el pragmatismo, atenta a favorecer sus intereses económicos al tiempo que el equilibrio político. En consecuencia, en los años de la alianza hispano-francesa, emprendió actividades de propaganda en las colonias e incluso estudió la posibilidad de organizar una expedición militar que favoreciera la ruptura de las colonias con España, postura modificada posteriormente por los acontecimientos en la Península. Así como fue claramente beligerante en el caso de su decisiva intervención respecto a la corona portuguesa, la situación española la llevó a mantener un delicado equilibrio. Necesitaba la ayuda de los liberales españoles en su lucha contra Napoleón, pero también quería asegurarse una relación de amistad con los independentistas en el caso de que estos triunfaran. Por ello, proporcionó armas a unos y a otros, y las intervenciones que hicieron efectivos militares en distintos procesos americanos siempre lo fueron sin la autorización oficial del Gobierno que prefirió ejercer el papel de mediador en determinados momentos

Tampoco contaron los revolucionarios con la ayuda de los Estados Unidos. Si bien en los órganos representativos y en determinados sectores de la opinión pública de este país se manifestaron posturas en apoyo de los movimientos independentistas, la necesidad de mantener relaciones cordiales con Gran Bretaña por motivos económicos y con España para favorecer las negociaciones sobre territorios que ofrecían en aquellos momentos interés prioritario, casos de Florida o del sudoeste de la joven nación, hizo que no prestara su apoyo al proceso.

Tal abandono se agudizó al restaurarse el legitimismo monárquico en Europa a partir de 1815. La derrota de Napoleón trajo consigo la persecución de los principios liberales y, por tanto, el apoyo de las potencias europeas a Fernando VII y al mantenimiento del régimen colonial. No obstante, ese apoyo estaba matizado al estar acompañado de recomendaciones dirigidas a que se buscara una fórmula que suavizase las tendencias absolutistas con el objeto tanto de debilitar la fiebre revolucionaria como de asegurar los diferentes intereses económicos que los europeos tenían en América. Esta postura llevó a que los países firmantes de la Santa Alianza —Rusia, Austria y Prusia—, si bien condenaban de palabra la lucha independentista no apoyaran en ningún momento la intervención armada, como solicitaba España.

Especial importancia tuvo la postura de los Estados Pontificios. Desde el principio, el Papado se declaró en contra de la ideología liberal que impregnaba los movimientos independentistas y que afectaba negativamente a los tradicionales privilegios de la Iglesia. Además del apoyo decidido a Fernando VII, y a pesar de que el catolicismo no fue puesto en cuestión por los líderes de la revolución, las decisiones de estos de eliminar el fuero religioso, de limitar o prohibir la presencia de determinadas órdenes religiosas o las relacionadas con los diezmos y otras fuentes de ingresos, hicieron que el Papado dedicara toda su fuerza y prestigio al bando realista. Muestra de tal apoyo fue la encíclica *Etsi longissimo,* dictada por Pío VII en 1816, en la que condenaba la rebelión contra la legítima autoridad y conminaba a la jerarquía y clérigos americanos a que se opusieran con todas sus fuerzas.

Esta postura del Papado no fue seguida con unanimidad. En líneas generales, el bajo clero, sobre todo el regular, era de procedencia criolla y mestiza y apoyó, incluso con una participación muy activa, al grupo de los sublevados. Por el contrario, y siempre de forma general, el clero secular nutría sus filas con

IBEROAMÉRICA DESPUÉS DE LAS LUCHAS
POR LA INDEPENDENCIA (1830)

*Las fronteras al término del proceso de emancipación. Desde 1830
se plantea la disgregación de la Gran Colombia, en tres nuevas naciones: Nueva Granada (desde 1863 se llamaría Colombia), Venezuela y Ecuador. En 1838 se produce la desintegración de las Provincias Unidas de América Central en cinco nuevas repúblicas.
Otros cambios seguirían a estos: el frustrado intento de asociación
Bolivia-Perú, las correcciones de fronteras en Bolivia, Paraguay y
Chile, tras cruentas guerras, y la consolidación de las fronteras de
Argentina y Uruguay.*

313

españoles y siguió fielmente los dictados papales. Pero, dicho esto, son numerosos los ejemplos de posiciones distintas a las reseñadas y, aunque en menor número, los de representantes de la jerarquía que se pusieron al lado de los que buscaban la separación de España, siendo esta una nueva prueba de la complejidad del proceso de la emancipación de España.

Las relaciones con España

En cuanto a España, ya se ha visto que su postura, tanto cuando dominaba el absolutismo como cuando lograron el poder los liberales, fue la de no aceptar, no ya negociar la independencia, sino tomar en consideración las diferentes propuestas que se plantearon y que significaban el mantenimiento de las relaciones de amistad e incluso de la fórmula monárquica. Ejemplo de ello fueron, entre otras, el proyecto ya comentado de Iturbide para México, el de Belgrano y Rivadavia para instaurar en el Río de la Plata una monarquía constitucional con un príncipe español, o el similar proyecto para Perú, considerado en su momento por San Martín. Pero todos fracasaron, en gran parte por la frontal oposición de Fernando VII, confiado en recuperar intacto su poder, pero también por el temor de los liberales a perder la importante fuente de riqueza que América suponía y que tan necesaria era para la debilitada economía española, así como por los obstáculos puestos por Inglaterra, contraria a la creación de un bloque políticamente unido en las dos orillas del Atlántico. La aceptación por España de la realidad, esto es, de que la pérdida de sus antiguas posesiones, era algo irreversible, será un proceso tardío que marcó las futuras relaciones entre la antigua metrópoli y los países que durante siglos habían conformado el imperio español.

Las relaciones diplomáticas estuvieron interrumpidas durante muchos, demasiados años. Se iniciaron primero con Brasil en 1834, luego con México en 1836, aunque volvieron a interrumpirse entre 1861 y 1874, y, a partir de 1840, con las demás naciones, hasta 1895, en que se normalizaron las relaciones con Honduras. La pervivencia del dominio sobre Cuba y Puerto Rico, hasta 1898, y los fallidos intentos de recuperar la presencia en determinadas repúblicas (guerra del Pacífico frente a Chile y Perú en 1863/66; intervención, junto a Francia, en México en 1861; intento de reincorporar Santo Domingo en 1861/65), mantuvieron viva la hostilidad de las antiguas colonias y explican la ausencia de relaciones diplomáticas. Desgraciadamente, la efímera experiencia de la I República española (1873) impidió que cristalizasen en la práctica los proyectos de política internacional de aquel régimen: abolición de la esclavitud, autonomía para las colonias y fraternidad entre todos los pueblos latinos.

Sin embargo, las relaciones culturales e incluso comerciales no se interrumpieron del todo, aunque experimentaron vaivenes según la coyuntura política. El historiador chileno Carlos M. Rama, autor del espléndido estudio *Historia de las relaciones culturales entre España y América Latina en el siglo XIX*, valoraba así el papel de estas relaciones: *Han sido decisivas, en primer lugar, para salvar la unidad de los pueblos de España con los de América hispana. Mientras los ejércitos se han combatido, los «políticos» han intercambiado proclamas e injurias, los fanáticos han abominado mutuamente de sus contendientes y los agentes económicos han creado resentimientos, ha sido gracias a estas olvidadas relaciones culturales que se ha salvado el lazo más firme, y diríamos que decisivo, entre España y los americanos. España ha desaparecido del comercio de América, su importancia política es mínima o negativa, pero nadie le discute en América la calidad de Madre Patria, de solar de las raíces de la cultura iberoamericana y de su admirable calidad de pueblo culturalmente creador. La inmigración masiva de españoles en el último cuarto de siglo constituiría un nuevo e importante vínculo entre las dos orillas del Atlántico.*

15

Dificultades para la creación
de un orden nuevo

ONSEGUIDA LA INDEPENDENCIA de España, la tarea que tienen ante sí los libertadores es inmensa. Las guerras han dejado pérdidas humanas y económicas, enfrentamientos internos
y provocado la desaparición de las instituciones de gobierno
propias de la colonia. Los líderes de los movimientos independentistas, que habían utilizado los lemas del liberalismo político, debían aprestarse a crear un nuevo orden en el que se ins-
titucionalizara un poder legítimo, se llevaran a la práctica, en el
plano político, económico y social, las ideas por las que habían
luchado y se delimitaran las fronteras de los estados. Los obstáculos que surgirieron a la hora de realizar esta ingente labor
hicieron aflorar gran cantidad de conflictos, sobre todo durante
la primera mitad del siglo XIX.

¿Confederación o atomización?

Uno de los primeros asuntos que provocaron enfrentamientos fue la modificación de la organización administrativa de los
territorios. Las muchas veces difusas delimitaciones de las
colonias favorecieron la división política dando lugar al nacimiento de nuevas naciones, algunas de las cuales mantendrán
como fronteras las trazadas en la época colonial, en tanto otras
serán la consecuencia de las luchas entre los países, motivadas,

entre otras causas, por dos tendencias contrarias a la hora de definir las nacionalidades: por una parte, aquella que defiende la creación de grandes confederaciones políticas como vía para conseguir mayor estabilidad, evitando la debilidad asociada a una excesiva atomización del territorio. Esta tendencia se inspiraba en el ejemplo de los Estados Unidos y confiaba en el poder unificador de un pasado común. En ella se enmarca la temprana iniciativa de Miranda de crear una Confederación Hispanoamericana. Frente a esta línea integradora aparecía otra, defensora de las diferencias entre las regiones como elemento para la constitución de las naciones. La victoria de esta última originará la multiplicidad de países que, además, tardarán en encontrar la estabilidad, tanto interna como, en la mayoría de los casos, en sus relaciones fronterizas.

Los sueños unificadores de Simón Bolívar

Además de su faceta como estratega militar, Bolívar destaca como el gran ideólogo de la unión de las ex colonias. Ya en 1815, en su carta de Jamaica, había propuesto la alianza de todos los estados surgidos de las colonias, que conformarían una gran confederación bajo modelo de una república autoritaria con presidencia vitalicia. Un primer paso para la consecución de su objetivo fue el acuerdo que se tomó en 1819 en el Congreso de Angostura. Allí, y en plena campaña bélica contra los realistas, logró la constitución de la Gran Colombia, formada por Nueva Granada y Venezuela, decisión refrendada en 1821 en el Congreso de Cúcuta. Animado por este éxito y por los logrados en los campos de batalla, quiso llevar más lejos su proyecto, al que consideraba garantía de defensa frente a posibles agresiones externas, creando la Confederación Andina, en la que se integrarían, además de la Gran Colombia, Perú, Ecuador y Bolivia, denominaciones estas dos últimas que reciben la antigua Audiencia de Quito y el Alto Perú, respectivamente.

Pero Bolívar aspiraba todavía a más. Su objetivo final era la unidad continental y, para ello, convocó en 1826 a los estados americanos recientemente formados a un congreso en Panamá. Acudieron representantes de México, la Federación Centroamericana, Gran Colombia y Perú que solamente llegaron a un general acuerdo de alianza perpetua y de cooperación militar que ni siquiera fue ratificado por todos los representantes.

Su gran ideal *de ver nacer en América la más grande nación del mundo* había fracasado. Pero su tragedia no terminó en Panamá. Antes de su muerte, acaecida en 1830, vio cómo sus sueños caían rotos en pedazos. Las ambiciones personales y los distintos intereses económicos de las oligarquías o grupos sociales poderosos rompieron la Gran Colombia, bien porque los gobernadores que él había designado, como Páez en Venezuela, Santander en Colombia o Juan José Flores en Ecuador, emprendieron la vía de la independencia; bien porque Sucre, nombrado responsable del Alto Perú, rebautizado como Bolivia, fue rechazado por los mismos que poco tiempo le habían aclamado a su llegada como militar triunfante.

Fracaso de otros proyectos de unificación

Bolívar no fue el único en intentar la creación de grandes unidades políticas. Ya ha sido citado que, en 1823, fracasado el intento de Iturbide de unir a México toda Centroamérica, las cinco provincias, Guatemala, El Salvador, Honduras, Nicaragua y Costa Rica, decidieron formar la República Federal Centroamericana en la que un Congreso Federal, con sede en Guatemala, acordó dotarse de una constitución, mezcla de la de Cádiz y la de Estados Unidos, que daba un amplio margen de acción a las oligarquías regionales de las provincias federadas. La unión tuvo una vida precaria, dominada por las luchas entre liberales y conservadores, profundamente divididos por la política religiosa y las medidas de libre comercio dictadas por el primer gobierno liberal, así como por las tendencias separatistas de algunos de los componentes de la federación, tensiones que desembocaron en guerras civiles en las que los partidarios de la unión, dirigidos por el general Morazán, fueron derrotados, produciéndose la disgregación en 1838 y quedando latentes conflictos fronterizos.

También en las Provincias Unidas del Río de la Plata el espíritu de crear un gran estado estuvo presente desde el inicio de la independencia, pero la inclinación del Alto Perú (actual Bolivia) hacia la política bolivariana, la política férrea y aislacionista de Gaspar Rodríguez de Francia en Paraguay y la combinación de los intereses portugueses desde Brasil con la oposición al liderazgo de Buenos Aires por parte de los patriotas uruguayos, limitaron el proyecto a la actual Argentina.

Otro plan que no llegó a culminar fue el iniciado por el presidente de Bolivia Andrés de Santa Cruz, quien en 1834 puso en marcha la Confederación Peruano-Boliviana con el objetivo de crear una zona unida en los Andes que reconstruyera el antiguo virreinato del Perú. Para ello contó con el apoyo de los comerciantes del sur de Perú, que controlaban el tránsito de la quinina boliviana hacia los puertos peruanos y a los que pesaba la tradicional preeminencia de la oligarquía limeña. La oposición de esta, temerosa de la desintegración del territorio; la de los propios bolivianos, descontentos porque la capital de la nueva nación se hubiera establecido en Lima, así como la derrota en la guerra que tuvo que mantener contra Chile, que veía en la Confederación una amenaza a su independencia y a sus intereses comerciales en el Pacífico, terminaron con esta efímera unión.

Pero la delimitación de las fronteras entre las nuevas naciones no solo se debió a conflictos internos. También influyeron factores externos. Desde principios del siglo, colonos estadounidenses se habían establecido en el norte de México y mostraban su aspiración a conseguir la independencia oponiéndose a los afanes centralistas del Gobierno mexicano, el cual, agobiado por las luchas internas, los desórdenes sociales y la crisis económica, fue incapaz de mantener la integridad de su territorio, máxime cuando tuvo que enfrentarse al ejército de los Estados Unidos, cuyo Congreso acordó en 1845 la anexión de Texas. El resultado de la guerra fue desastroso ya que, además de Texas, se perdieron Nuevo México y más tarde California, territorios que se incorporaron a los Estados Unidos.

Por su parte, la llamada Banda Oriental fue el escenario, no solo de devastadoras luchas internas, sino también de los afanes expansionistas de Brasil, de las Provincias Unidas del Río de la Plata y de los fuertes intereses comerciales británicos en la región. Todo ello llevará la guerra y la inestabilidad a la zona hasta que la mediación de Gran Bretaña favorezca el surgimiento de un estado tapón: Uruguay.

Los conflictos fronterizos, algunos de los cuales persisten hoy en día, no se acaban con los ejemplos citados. La imprecisión de los límites de virreinatos y audiencias de la época de dominio español, las ambiciones por apoderarse de zonas ricas en materias primas o puertos estratégicos y las ansias expansionistas provocaron la guerra entre los países componentes de la efímera Gran Colombia o la pérdida de territorios de Bolivia y Perú en beneficio de Chile. También en la zona del Plata, Brasil, Argentina, Paraguay y Uruguay protagonizaron luchas que, como en el caso de la zona andina, son ejemplos de acontecimientos que durante el siglo XIX dificultaron el afianzamiento de las nuevas naciones.

En resumen, las luchas por la independencia y las guerras civiles dieron lugar a la fragmentación de Hispanoamérica, en la que el sentimiento nacionalista llevó a la aparición de diferentes estados definidos no porque tuvieran características culturales, religiosas o históricas diferentes, tal y como ocurrió en Europa, sino a pesar de esos elementos de unión. Primaron más las inmensas distancias, las dificultades impuestas por la geografía, los particularismos regionales, la falta de homogeneidad social y los distintos intereses económicos, tanto de las oligarquías locales como de determinadas potencias extranjeras.

A la búsqueda de un modelo político

Durante las luchas por la independencia y, sobre todo, una vez conseguida esta, surge la necesidad de reinstaurar una autoridad legítima. A pesar de que, como ya se ha reseñado, la fórmula monárquica fue considerada en varios países, triunfó la idea de establecer gobiernos republicanos con sistemas representativos, y la primera tarea que todos los países acometieron fue la de elaborar textos constitucionales. En ellos se podían reconocer, con distinta intensidad, las huellas de las de Cádiz, los Estados Unidos y la napoleónica y, en su mayoría, otorgaban fuertes poderes a la figura del presidente. Dado que sus creadores fueron individuos pertenecientes a las elites criollas, cuando hablaban de la soberanía del pueblo no incluían en ese concepto a la masa de negros, pardos, mestizos e indios, a la que no consideraban capacitada para ejercer la soberanía. Por tanto, desde un principio, la representatividad y la participación estuvieron limitadas a aquellos que cumplían con requisitos tales como poseer determinada fortuna o saber leer y escribir. En consecuencia, gran parte de la población quedó fuera de la nueva construcción política, que pasó a ser patrimonio de unos pocos, quienes pretenden representar a un pueblo al que, si bien respetan formalmente sus derechos, ven todavía incapaz de usarlos adecuadamente. Esta profunda contradicción entre la ideología de los líderes liberales y su acción política cristalizará en abundantes golpes de fuerza y en sistemas que, manteniendo en su aspecto formal la apariencia de repúblicas, depositaron el poder en hombres no sujetos a procesos electorales.

La pugna federales-unitarios

A la hora de fijar la estructura política y jurídica, apareció un factor que va a influir de manera relevante en la ruptura de Hispanoamérica. Tal fue la pugna creada por los diferentes planteamientos políticos que sostenían las clases dirigentes sobre cómo organizar los nuevos estados independientes. Para unos, la fórmula federal, a imagen de los Estados Unidos, era la ideal para conseguir la solidaridad, mantener la cohesión y evitar las rivalidades internas. Para otros, por el contrario, el federalismo amenazaba con la desintegración y frente a él defendían el centralismo, siguiendo el patrón francés y el modelo tradicional español. Ambas tendencias ensangrentarán durante años el escenario político y favorecerán el mantenimiento de la violencia. Detrás de cada postura no existían solamente distintas ideologías sino también intereses económicos enfrentados.

Las provincias del Río de la Plata sufrieron con gran virulencia el choque federales-unitarios que se desarrolló desde el principio de la creación del nuevo país y se extendió hasta pasada la mitad del siglo y que, en realidad, representa el enfrentamiento de Buenos Aires con las provincias. Este largo conflicto estuvo determinado por la estructura socioeconómica existente, en la que una clase alta, formada por ricos estancieros con conexiones urbanas, dominaba sobre el resto de la población, mayoritariamente campesina. Ambos grupos estaban unidos por lazos de clientelismo en los que el hacendado ejercía de protector, lo que permitía a los caudillos locales disponer de hombres y recursos fáciles de movilizar al llamado de sus ambiciones políticas o cuando veían peligrar su posición económica. Además, estos poderosos criollos rurales no se sintieron identificados con sus homónimos porteños, que habían copado el protagonismo durante las luchas contra España y de los que no aceptaban su supremacía, o lo que es lo mismo, el centralismo que Buenos Aires representaba.

Cuando en 1826, bajo la presidencia de Bernardino Rivadavia, se promulgue una constitución centralista iniciándose un programa de reformas destinadas a modernizar el país —tales como la libertad de prensa, la creación de una banca nacional, el recorte del poder de la Iglesia que incluía reformas educativas y la libertad religiosa y el apoyo a la inmigración—, la Iglesia, los federalistas y los estancieros se opondrán con todas sus fuerzas. Los últimos apoyaron a uno de ellos, Rosas, que será nombrado gobernador de Buenos Aires, desde donde practicó una política dictatorial —de la que se hablará más adelante— claramente favorable a la capital, a pesar de estar apoyado por los federales y declararse como tal. Pero su poder se centraba sobre todo en Buenos Aires y sus alrededores. Sus ansias de extenderlo al resto de Argentina, sobre todo a las ricas regiones del norte y a Montevideo, chocó no solo con la hostilidad de los caudillos locales, sino también con los intereses franceses e ingleses, deseosos de mantener la libre circulación de los ríos. Brasil también se unirá a las hostilidades, ya que, además de defender los mismos planteamientos sobre la circulación fluvial, quería frenar las ansias expansionistas de Rosas. Una flota anglo-francesa bloqueó el puerto de Buenos Aires causando graves pérdidas en la actividad económica de los estancieros que se aglutinaron en torno a Urquiza, rico propietario y gobernador de Entrerríos, que consigue derrotar al llamado «Restaurador» en 1852.

Después de la dictadura rosista se convocó un congreso constituyente bajo la presidencia de Urquiza. La Constitución de 1853 establecía la división de poderes, un parlamento bicameral con sufragio masculino y una estructura administrativa que buscaba el equilibrio entre el poder central y las aspiraciones provinciales, pero esto no significó la desaparición de los caudillos y de sus redes de lealtades ni de los distintos intereses regionales. Prueba de ello fue que Buenos Aires se separó del congreso y constituyó un auténtico estado formado por la gran ciudad y su provincia frente al resto del país, las 13 provincias de la Confederación con capital en Paraná, gobernadas por Urquiza. La hostilidad económica entre los dos estados desembocó en guerra civil, que culminó con el acuerdo unitarios-federales por el que los primeros aceptaban la estructura federal y los segundos la capitalidad de Buenos Aires. En 1862 Mitre fue elegido primer presidente constitucional de la nación que, por primera vez, podía llamarse propiamente Argentina.

El ejemplo argentino ilustra un problema que se dio en otros lugares y con otros nombres: Centroamérica, Colombia, México, Venezuela y, con menor intensidad, Brasil, conocerán también este proceso a lo largo del siglo que terminará con la adopción del modelo federal en los tres últimos países citados.

Los conflictos entre liberales y conservadores

El conflicto entre federales y unitarios no fue el único elemento que sirvió para decantar las distintas posiciones políticas de las clases dirigentes. Es cierto que, durante las luchas emancipadoras y en los primeros años de vida independiente, no se puede hablar con propiedad de la existencia de partidos políticos en las nuevas naciones, sino más bien de grupos con afinidades en sus planteamientos que se reunían en logias masónicas y en tertulias o que, al amparo de la libertad de prensa, cuando esta se estableció, crean medios de comunicación a través de los cuales se conectan y extienden sus ideas. En la segunda mitad del siglo, factores tales como la maduración de las clases dirigentes, una coyuntura económica favorable, la introducción del positivismo y la llegada de grandes contingentes de inmigrantes harán que estos grupos se conviertan en partidos políticos.

No obstante, desde el principio se fueron perfilando dos grupos mayoritarios, liberales y conservadores, cuyas características diferenciadoras no son fáciles de establecer ya que, a pesar de sostener ideas distintas en algunos aspectos, coincidían no pocas veces en sus intereses, produciéndose la divergencia teórica pero la convergencia en la práctica. Tampoco se pueden trazar líneas que delimiten a los sectores que representan. Se ha hablado de que los liberales se reclutaban preferentemente en las ciudades de categoría secundaria y que pertenecían a la intelectualidad y a las clases medias, en tanto los conservadores provendrían del campo y de las elites tradicionales capitalinas y entre ellos predominarían los terratenientes y los altos cargos de la milicia y el clero, pero tal delimitación falla frecuentemente por los numerosos ejemplos de superposición de grupos.

Pero, a pesar de todo, sí pueden citarse algunas diferencias entre ellos. A grandes rasgos, los liberales, que dominaron generalmente en los primeros momentos de la independencia, se mostraron partidarios del federalismo y defendieron con más ahínco los derechos de los ciudadanos, libertad, igualdad y derechos civiles, si bien con las cautelas que se han expuesto con anterioridad, lo que les llevó a tener que atacar a dos estamentos corporativos de gran fuerza en Hispanoamérica: la Iglesia y los militares. En economía, las diferencias son más difíciles de establecer, ya que ambos grupos eran partidarios, con diferencias de matiz, del libre mercado, y coincidían con la política fiscal y económica, así como con la política social en lo que se refería a la esclavitud. Es en este campo económico donde se pondrá de manifiesto otra contradicción entre la teoría y la práctica liberal.

Uno de los lemas de la independencia había sido la libertad de los pueblos y de los individuos. Coherentemente, en determinados lugares (el México de Hidalgo, Venezuela con Bolívar, Chile o Buenos Aires) se abolió la esclavitud, pero su importancia como factor económico llevó a que, en la mayoría de las ocasiones, liberales y conservadores se resistieran a decretarla, si bien, en un proceso temprano e irreversible, hacia los años 50 toda Iberoamérica había declarado la abolición, a excepción de Brasil, Cuba y Puerto Rico. Pero no fue solamente en este aspecto en el que resultaba difícil conciliar las ideas y los resultados positivos. Los liberales creían ciegamente en la bondad del libre mercado como medio de alcanzar el progreso, pero la puesta en práctica de tal presupuesto generó graves daños para los intereses de determinadas actividades económicas, que conocieron la competencia de otros países, o consecuencias nefastas en las formas de vida tradicionales, como sucedió con las medidas de liberalización de la tierra que supusieron destruir la secular organización comunal de los indios y el desarraigo de los mismos, originando estallidos violentos que aumentaron la inestabilidad.

La difícil convivencia entre los dos grupos políticos estuvo marcada no solo por los debates dialécticos en los numerosos periódicos de la época y en los órganos de representación recientemente creados, sino también por trágicos episodios que salpicarán, casi sin excepción, a todas las jóvenes repúblicas.

Guerras civiles: anarquía y caudillismo

América independiente no va a ser sinónimo de América en paz. La nueva andadura estará plagada de enfrentamientos que obstaculizaron la puesta en práctica de los ideales republicanos de convivencia en libertad y retrasaron el desarrollo económico, duramente afectado por las luchas emancipadoras. La guerra de los chihuahuas contra el Gobierno de Juan José Flores en Ecuador, la que protagonizaron los liberales partidarios de Morazán frente a los conservadores que apoyaban a Carrera en Centroamérica o la devastadora Guerra Grande de Uruguay entre los colorados y los blancos, enfrentados a muerte por controlar el país, son algunos de los conflictos acaecidos.

Estos, además, serán el escenario propicio en el que destaquen las figuras de los caudillos. Denostados o ensalzados, con origen en la milicia o en los círculos intelectuales, partidarios del federalismo o de la unión, de orientación liberal o conservadora, defensores a ultranza de la religión católica o anticlericales, propulsores de medidas modernizadoras o cerrados al progreso y, en muchos casos, con todos estos aspectos alternando en los mismos personajes, los caudillos, por tanto, ofrecen una imagen compleja y difícil de definir. No obstante, se ha visto en todos la existencia de fuertes lazos de lealtad personal con sus seguidores, creados durante la convivencia en las luchas de liberación, e investidos de rasgos personales que les proporcionaban gran atractivo y autoridad. Ejemplo de ellos ha quedado como paradigma el personaje creado por Domingo Sarmiento, Facundo Quiroga.

Las investigaciones más recientes añaden a las anteriores características la de ser en su mayoría blancos y situados en un sistema social estructurado sobre bases de dependencia mutua entre un jefe y su grupo en el que el primero gratificaría a sus seguidores pero, a la vez, él sería cliente de ricos patronos, generalmente terratenientes, aunque también los hubo apoyados por el ejército, fortalecido por su intervención en imponer el orden en un ambiente de violencia, por las oligarquías regionales o por la alta clase urbana.

Favorecidos por la debilidad de las instituciones recién creadas y por el deseo de orden frente al ambiente de inseguridad heredado de las guerras de liberación y de la crisis económica subsiguiente, derrocaron o ayudaron a derrocar gobiernos de forma violenta con la justificación de representar la voluntad de los oprimidos y de luchar contra la tiranía, y en su ascensión fueron estimulados, en numerosas ocasiones, por la clase política, que veía en ellos el instrumento necesario para terminar con el desorden o frenar las peligrosas aspiraciones de las masas.

Un ejemplo de este tipo de personajes fue el argentino Rosas. En 1830 fue elegido gobernador de Buenos Aires apoyado en la oligarquía terrateniente enriquecida por el comercio y con presencia urbana que se oponía al gobierno unitario y liberal de Rivadavia, pero también en los gauchos o peones rurales y por las clases bajas de la ciudad. Desde el poder creó el rosismo, término acuñado para referirse al grupo de intereses que él representaba y defendía y practicó una política que favoreció a los terratenientes y a sus fieles, impulsando el poblamiento y el reparto de tierras a costa de las zonas indígenas. Negándose a gobernar con una constitución, mantuvo la apariencia democrática, si bien vaciando de contenido a las instituciones. Así, la Cámara de Representantes, teóricamente electiva, estaba bajo su dominio, y su función legislativa pasó a la persona del dictador que imponía, interpretaba y aplicaba las leyes. Controlaba el aparato judicial y burocrático y, con excepción de los jesuitas, con los que se enfrentó, contó con el favor de la Iglesia. En este juego de apariencias democráticas, creó la Sociedad Popular Reformadora, club político en el que se agrupaban sus seguidores: los apostólicos, que contaba con un brazo armado, *la mazorca,* que imponía el terror y movilizaba a las masas en situaciones que él consideraba de peligro nacional. Se mantuvo en el poder hasta 1852, año en que la injerencia en los asuntos uruguayos lo llevó a enfrentarse con Brasil y a que la oposición interna se uniera provocando su derrota y posterior exilio.

Otro ejemplo representativo lo constituye Gaspar Rodríguez de Francia, abogado y filósofo criollo, nombrado dictador perpetuo del Paraguay. Favorecido por el aislamiento geográfico del país y por su propia política, gobernó desde 1814 a 1840 sin congreso, sin constitución, sin prensa, con los conventos prohibidos y con un ejército y red de espías que lo protegían e informaban, practicando el terror sobre una sociedad dominada y radicalmente dividida en la escasa aristocracia y el campesinado y con una economía de subsistencia, agravada por el no reconocimiento del país por ninguna potencia extranjera, así como por las medidas tomadas por Buenos Aires, que trataba a Paraguay como una provincia rebelde y ahogaba todo lo que podía el tránsito del Paraná, salida natural del país.

Prácticamente, durante todo el siglo, las guerras civiles y la violencia dejaron su terrible rastro por toda Iberoamérica. Las últimas del siglo afectaron a Colombia, que soportó tres guerras civiles en la última década, y a Venezuela. Costa Rica es, quizá, la única nación que pudo escapar a ese trágico destino. La rivalidad entre liberales y conservadores, o entre unionistas y federales se saldaba, con frecuencia, con las armas. Ese fue el caldo de cultivo en que se movieron los caudillos que, al impedir el libre juego democrático, potenciaban la toma del poder de sus opositores mediante la violencia, y contribuían así a la anarquía general del periodo.

La disputa sobre el papel de la Iglesia: el caso de México

Factor coadyuvante a la anarquía fue el encono de la cuestión religiosa, sobre todo en aquellos países en los que la Iglesia Católica detentaba gran poder. Tal era el caso, aunque no el único, de México, donde las disputas entre liberales-conservadores estuvieron agravadas por el problema religioso. Al terminar la larga dictadura del general Santa Anna, los liberales alcanzaron el poder en 1855 y se dispusieron a poner en práctica su programa. En el mismo incluían no solo una nueva constitución, sino también leyes que iban a afectar directamente a la Iglesia Católica que gozaba de gran influencia social y económica. Benito Juárez, entonces ministro de Justicia, elaboró una ley que limitaba la intervención de los tribunales eclesiásticos a los casos puramente religiosos, con el objetivo de evitar que poderosos laicos relacionados con la Iglesia siguieran refugiándose en su jurisdicción. Por su parte, desde el ministerio de Fomento, Lerdo de Tejada preparó la ley que prohibía a las fundaciones religiosas poseer bienes inmuebles, que tendrían que ser puestos a la venta. Con esta ley se pretendía que las capas medias de la sociedad pudieran acceder a la propiedad, creándose así una nueva clase de pequeños y medianos propietarios, a la vez que reforzar las necesitadas finanzas estatales al recibir el Gobierno el importe de los impuestos de las ventas que se produjeran. Finalmente, Iglesias, el sustituto de Juárez en el ministerio, dictó otra ley por la que se prohibía a los párrocos cobrar a los pobres por los bautizos, bodas, funerales y otros actos propios de su ministerio y de los que obtenían buenos beneficios.

Es obvio que estas normas atacaban directamente el poder de la Iglesia pero entraban en la coherencia ideológica de los liberales, que veían incompatibles el concepto de soberanía nacional con los privilegios de los estamentos tradicionales, y la modernización económica y la reforma social con la pervivencia de las propiedades vinculadas a aquellos.

La reacción de la Iglesia contra la promulgación de las leyes y contra la Constitución de 1857, en la que se establecía la educación laica, fue inmediata. A través de cartas pastorales y de sermones llamaba a los fieles a la desobediencia y a hacer la guerra contra los enemigos de la religión, y el propio papa Pío IX mostraba su postura con las siguientes palabras:

... La Cámara de Diputados... ha propuesto una nueva Constitución, compuesta de muchos artículos, no pocos de los cuales están en oposición con la misma divina religión, con su saludable doctrina, con sus santísimos preceptos y con sus derechos. Entre otras cosas se proscribe... el privilegio del fuero eclesiástico... y a fin de corromper más fácilmente las costumbres y propagar más y más la detestable peste del indiferentismo y arrancar de los ánimos nuestra santísima religión, se admite el libre ejercicio de todos los cultos y se concede la facultad de emitir públicamente cualquier género de opiniones y pensamientos... Así es que... Nos reprobamos enérgicamente todo lo que el Gobierno mexicano ha hecho contra la autoridad de esta Santa Sede, levantamos Nuestra voz pontificia... para condenar, reprobar y declarar... de ningún valor los mencionados decretos...

A la oposición de la Iglesia se unió la de los sectores más conservadores, con levantamientos que degeneraron en la Guerra de los Tres Años. En ella, el país se dividió en dos bandos, uno, el dominado por los conservadores, que nombraron su propio presidente, y otro, el constitucional, presidido por el abogado indio y antiguo ministro Benito Juárez. La victoria de los constitucionales consagró la separación Estado-Iglesia, pero no trajo la estabilidad al país. La persistencia de guerrillas conservadoras, los levantamientos indios en protesta por la desaparición de sus tierras comunales o ejidos como consecuencia de las leyes liberalizadoras, y la imposibilidad del Estado de hacer frente a las deudas contraídas con inversores extranjeros daban la imagen de un país débil, ocasión que Gran Bretaña, España y Francia van a aprovechar para planear la invasión del país. Será el último país citado el que tome la iniciativa, estimulado por la política expansionista de Luis Napoleón Bonaparte que busca, no solo recuperar los préstamos concedidos a México, sino también aumentar su prestigio en Europa como estadista. La invasión francesa y la derrota del ejército mexicano en 1864 coloca en el trono a Maximiliano de Habsburgo, apoyado por los siempre añorantes sectores monárquicos mexicanos. A pesar de que buscó el apoyo de los liberales y que bajo su reinado se tomaron una serie de medidas tendentes a liberalizar la vida política y social, como la libertad de cultos, mejoras laborales y devolución de tierras a las comunidades indias, contó con la animadversión de gran parte de las elites que veían en él la injerencia extranjera, en tanto que Juárez representaba al verdadero país.

La retirada del ejército francés que apoyaba al emperador provocó su caída, que se produjo en 1867. Con Juárez de nuevo como presidente, el país vivirá una etapa de relativa estabilidad, la de los hombres de la Reforma, rota cuando Porfirio Díaz, héroe de la lucha contra los franceses, se levante en 1876 contra el sucesor de Juárez, el presidente Lerdo de Tejada, y se mantenga en el poder durante 35 años, los llamados de «la dictadura honrada». Porfirio Díaz se presentó como continuador de la Reforma y propició una época de estabilidad interna y desarrollo económico, pero relegó el orden jurídico e impuso un gobierno personalista en el que nada escapaba a su control.

La relativa estabilidad de Chile y Brasil

En este panorama de desórdenes y luchas internas, Chile y Brasil ofrecen una imagen de orden y tranquilidad, si bien no estuvieron libres de conflictos, tanto internos como externos.

En el caso de Chile, las omnipresentes luchas entre liberales y conservadores terminaron cuando los conservadores, liderados por Diego Portales, protagonizaron un golpe de Estado que derrocó al gobierno liberal. Dueño del poder, apoyado por los comerciantes y los terratenientes y con la importante colaboración del exiliado venezolano Andrés Bello, creó un sistema político en el que supo armonizar la tradición autoritaria de la época colonial con aspectos, más bien formales, del espíritu constitucionalista del XIX y que permitió a los conservadores mantenerse en el poder durante 30 años. Frente a los frecuentes cambios en las constituciones de las demás repúblicas, la de Chile de 1833 se mantuvo hasta entrado el siglo XX y en ella se otorgaban amplios poderes para el presidente y se consagraba el espíritu centralista. Por otra parte, la manipulación de las elecciones permitió a los sucesivos gobiernos mantener a los liberales apartados del poder

La coyuntura económica favorable fue otro factor que colaboró en la estabilidad y en el prestigio de los conservadores, aumentado con las triunfantes expediciones militares dirigidas a controlar los ricos depósitos de nitratos de la zona de Atacama, lo que la llevó a la guerra con Perú y Bolivia, así como el conflicto fronterizo con Argentina por la Patagonia, zona a la que extendió sus fronteras. Finalmente, el triunfo sobre España, que para proteger su comercio marítimo había bombardeado los puertos chilenos, aumentó el prestigio de Chile y desdibujó los enfrentamientos internos.

La evolución de Brasil

En 1822, la decisión del príncipe regente de declararse independiente de Portugal y convertirse en el emperador Pedro I significó la continuidad del sistema político y que no se diera vacío de poder, pero no por ello el país estuvo exento de graves tensiones.

La Constitución de 1834, al añadir a los poderes legislativo, ejecutivo y judicial el moderador del monarca, permitiéndole así intervenir decisivamente en la vida y el funcionamiento político, provocó la oposición de los liberales, que desconfiaban de las convicciones constitucionales del monarca, al que también se le criticaba su excesiva inclinación hacia los portugueses residentes. El descontento social fue aumentando por la aceptación de la imposición inglesa de la abolición de la trata de esclavos y el fracaso de la política seguida en la Banda Oriental, que llevó a la guerra con Argentina y a perder la provincia Cisplatina. Si a ello se une una coyuntura económica mundial desfavorable, que provocó la caída de los precios de los principales productos de exportación y la consiguiente devaluación de la moneda, se dibuja el telón de fondo sobre el que se acrecienta la oposición al emperador y a «los portugueses». El impacto de la revolución europea de 1830 inspiró las *Noites das garrafadas* en Río, cinco días de desórdenes urbanos provocados por los choques entre los partidarios y los enemigos del emperador. La reacción autoritaria de este, que reforzó su gobierno con elementos reaccionarios, precipitó la crisis y obligó a Dom Pedro a abdicar en su hijo Pedro II en 1831.

Se inicia entonces una etapa en el que el parlamento adquiere mayor protagonismo y con ello, y al igual que en el resto de los países de Iberoamérica aunque con menor virulencia, los enfrentamientos entre federales y centralistas y entre liberales y conservadores. Pero será a finales de siglo cuando la insatisfacción reinante entre los afectados por la declaración de la ley de «vientre libre», que acordaba la libertad de los hijos de esclavas, y la extensión del republicanismo entre el ejército y la cada vez más rica provincia cafetera de San Pablo lleven al golpe militar de 1889 que terminó con la monarquía e instauró en el país el régimen republicano y una estructura federal.

Los primeros intentos de democratización

A partir de 1850 Iberoamérica entró en una fase de mayor tranquilidad. Las instituciones iban adquiriendo mayor solidez y una nueva generación, mejor formada por la extensión de la educación, se estaba incorporando a la vida política en la que cada vez mayores sectores de la población podían participar mediante la implantación del sufragio masculino. Los regímenes oligárquicos empezaron a ser contestados por las crecientes clases medias urbanas que reclamaban un lugar en la política y pugnaban por modernizar las estructuras de la sociedad. En los países con un contingente significativo de población indígena y con identidades culturales consolidadas, este empeño modernizador revistió unas características diferentes a las que se dieron en aquellos donde esos contingentes eran muy reducidos y donde el problema de asimilación se presentaba respecto a los inmigrantes llegados de los países europeos.

En los países del Cono Sur: Argentina, Chile y Uruguay, surgieron los movimientos más tempranos en pro de la democratización. La favorable coyuntura económica mundial potenció el desarrollo urbano y la inmigración y, en consecuencia, la mayor presencia de las clases medias. Todo ello influyó en el inicio de democratización de la zona que, no obstante, siguió siendo escenario de levantamientos y en el que las oligarquías continuaron detentando el poder político y económico. La Unión Cívica Radical en Argentina, el Partido Radical en Chile y el sector del Partido Colorado que seguía a José Batlle y Ordóñez en Uruguay canalizaron las aspiraciones de las clases medias y populares de las ciudades. Los conflictos derivados de la creación y consolidación de los nuevos estados dieron paso a otro tipo de problemas, los relacionados con la evolución económica y las luchas sociales que los acompañaron, de lo que se dará cuenta en los capítulos siguientes.

16

Las economías nacionales
hasta 1870

E N LOS CAPÍTULOS ANTERIORES se ha puesto de manifiesto la influencia ejercida por la revolución liberal española en el inicio del proceso emancipador en los territorios americanos. También se ha hecho alusión al papel jugado por los intereses económicos, no solo de los criollos, sino también de Inglaterra, que aparece de forma recurrente, y en ocasiones decisiva, en los conflictos entre las colonias y las metrópolis o en las disputas internas de las nuevas repúblicas.

Esa presencia se justifica por los poderosos intereses que la economía capitalista inglesa tenía en Ultramar y que encontró en Iberoamérica un espacio propicio para su expansión, sobre todo desde el inicio del bloqueo continental, decretado por Napoleón como parte de su política imperial.

Los estados formados después de las guerras de independencia deberán afrontar no solo los problemas derivados de la construcción del modelo político liberal, sino también los generados por una sociedad distinta y por una nueva organización económica.

Consecuencias económicas de la revolución liberal, la guerra y la emancipación

El inicio de la revolución liberal en España y la invasión de las tropas francesas aceleraron los cambios en las relaciones comerciales entre la Península e Iberoamérica, cambios que ya se habían iniciado a finales del siglo XVIII como resultado de las reformas borbónicas. El bloqueo continental que Napoleón estableció para ahogar a Inglaterra, aislándola de sus mercados europeos, empujó a los británicos a fortalecer su actividad comercial con América, sobre todo desde el traslado de la corte portuguesa a Río de Janeiro. Esta ciudad se convirtió en el primer centro del comercio británico, cobrando especial vigor desde 1809, cuando Inglaterra consiguió la apertura comercial del Río de la Plata. A partir de esa fecha y hasta mediados de los veinte, el desarrollo del comercio británico en Iberoamérica fue paralelo a los triunfos revolucionarios, y se fue consolidando en la medida que alcanzaban la emancipación las distintas regiones. A la altura de 1820-25, liberalismo económico significaba para las nuevas repúblicas, sobre todo, libertad de comercio... con Gran Bretaña.

Las consecuencias de la guerra fueron distintas según las regiones y las actividades económicas dominantes en ellas, la duración y la extensión de los enfrentamientos, los individuos movilizados y su origen étnico, racial y social, así como por los recursos empleados para hacer frente a los gastos militares.

Durante la guerra hubo capitales que fueron retirados de la agricultura o de las minas, bien por las autoridades para sufragar los gastos de la contienda, bien por sus propietarios en busca de lugares más seguros. Pero, sobre todo, se limitó la inversión cuando los desórdenes de la guerra aconsejaron prudencia, y se desatendieron explotaciones agrarias y mineras cuando los combates se extendieron y se prolongaron en el tiempo, por lo que hubo de realizarse un considerable esfuerzo de reconstrucción al finalizar los conflictos. Las repúblicas iban naciendo así con una considerable debilidad, ya que las primeras inversiones debieron destinarse más a reconstruir que a emprender, tarea esta última que se hizo de modo limitado y con escaso éxito.

La desintegración del orden económico y social de la colonia se presenta como la primera consecuencia de la revolución y de la independencia, aunque probablemente buena parte del desorden que emergió con la guerra fue anterior a esta y no propiamente su consecuencia.

Se han señalado los destrozos causados por las luchas como una de las causas de esa desintegración, aunque aquellos fueron menores de lo que cabría suponer, debido a los limitados medios empleados y la escasa capacidad destructiva del armamento utilizado. Sin embargo, otras consecuencias de la guerra, menos visibles por los efectos materiales que dejaron, fueron más profundas. Es el caso de la población activa, entre la que se encontraban los esclavos, que dejó de trabajar para engrosar las filas de combatientes, lo que significó el paulatino descenso de la mano de obra disponible. También el inicio de un transvase de población del campo a los ejércitos y de aquí a las ciudades, todavía muy limitado, pero significativo.

Fases y características generales de la evolución económica

Considerando los aspectos más dinámicos de la economía, se pueden distinguir dos fases. La primera, desde la independencia hasta mediados de siglo, fue una fase de reestructuración y de relativo estancamiento económico. Su principal novedad consistió en la apertura comercial de las naciones emancipadas, rentabilizada, casi en exclusiva, por los británicos, que pasaron a controlar la actividad comercial, las rutas, los productos tradicionales exportados por Iberoamérica y, sobre todo, los metales preciosos circulantes que salieron en pago de las manufacturas británicas. Se produjeron en esta etapa notables desequilibrios en los intercambios, que redujeron la capacidad monetaria de los nuevos países, cuando no aumentaron su deuda, y constituyeron un auténtico obstáculo al crecimiento económico.

A partir de mediados de siglo se inició una segunda fase de desarrollo económico dependiente de las exportaciones. Comenzó a llegar capital, no solo de origen inglés, que se destinó a la mejora de la infraestructura comercial (ferrocarriles, navegación a vapor), a préstamos a los gobiernos o a la adaptación de la agricultura de exportación para que atendiera mejor la elevada demanda de productos primarios por los países industrializados que iniciaban por entonces su segunda etapa de la industrialización.

Ambas etapas, no obstante, presentan algunas características generales, comunes a la mayoría de las nuevas naciones, que se resumen a continuación .

Los nuevos estados ocupaban territorios muy heterogéneos. En cuanto a la distribución de la población, había zonas de ocupación y explotación antiguas que se extendían, por un lado, a lo largo de una estrecha franja próxima al litoral desde el norte de Venezuela, siguiendo por la cordillera andina hasta el Bío-Bío chileno, frontera con las tierras de los araucanos; por otro lado, estaban las tierras habitadas del litoral atlántico, desde el sur de la desembocadura del Amazonas hasta el Río de la Plata, y, finalmente, las tierras habitadas de México, Centroamérica y el Caribe. El resto, enormes extensiones de tierras de América del Sur, estaban prácticamente deshabitadas, y se fueron ocupando, repoblando y explotando lentamente a lo largo del siglo XIX, aunque todavía hoy el mapa de población de esta zona presenta grandes áreas prácticamente despobladas, como la Amazonia, el interior de Brasil o la Patagonia.

Los territorios también eran heterogéneos por el tipo de recursos disponibles y la forma de explotarlos. Junto a explotaciones mineras y plantaciones trabajadas con esclavos, que perduraron a lo largo del siglo XIX (Brasil, las Antillas), se hallaban importantes comunidades indias vinculadas a las haciendas, donde se combinaba la subsistencia y la producción para la exportación, así como zonas de destacadas tradiciones comerciales con puertos activos ya desde la época colonial que desempeñaron una notable función como motor de los nuevos intercambios comerciales.

Los nuevos estados se encontraron con una capacidad limitada para ir introduciendo el nuevo orden económico liberal en sustitución del colonial, pensado para otras coordenadas muy distintas. Las estructuras productivas no se podían transformar o adaptar súbitamente, pero, sobre todo, los nuevos estados tuvieron que soportar una generalizada inestabilidad política, cuando no una abierta confrontación civil entre los grupos dominantes de criollos por hacerse con el poder político arrebatado a la metrópoli y a sus representantes. Los conflictos políticos y la guerra civil, en muchos casos, restaron recursos y fuerzas indispensables para la compleja y delicada tarea de construcción de un nuevo orden político, social y económico.

Las reformas liberales de los primeros años (supresión de la trata de esclavos, de los diezmos, de las alcabalas, de los monopolios del Estado, desamortizaciones...) no propiciaron la formación de mercados interiores que pudieran estimular el crecimiento de los sectores productivos de cada país, ni la aparición de clases medias que favorecieran la estabilidad. Las nuevas relaciones sociales y la abrumadora hegemonía de las minoritarias clases dominantes criollas, vinculadas a la propiedad de la tierra, impidieron el acceso al consumo, aunque fuera modesto, de las mayoritarias clases humildes. Los grupos dominantes identificaron sus intereses con los generales de la nación, pero sus acciones terminaban siempre beneficiándolos a ellos y a sus allegados, mientras el resto no participaba de forma alguna del desarrollo o de las mejoras sociales. Y ello a pesar de la defensa de la igualdad propugnada de buena fe y perseguida con escaso éxito por las elites liberales. Se produjo la independencia formal de las metrópolis, pero no un cambio sustancial de las estructuras productivas. Para que se iniciara este cambio hubo que esperar a la segunda mitad del siglo, y fue debido, sobre todo, a la nueva fase del desarrollo industrial europeo y estadounidense, caracterizada por la exportación de capitales. La inversión de estos capitales permitió la mejora de las comunicaciones (ferrocarriles, navegación a vapor) y contribuyó a hacer más eficaces, desde el punto de vista de las necesidades del mercado mundial, las economías exportadoras.

En prácticamente toda Iberoamérica, desde México a las tierras de los indios araucanos o la Pampa argentina, se produjo una generalizada concentración de la propiedad de la tierra. La tierra fue vista como la mejor inversión y la mejor garantía de futuro. Otorgaba poder local, político y prestigio social. En torno a las haciendas y las grandes propiedades se estableció un sólido poder oligárquico organizado en una tupida red de caudillos locales, regionales y nacionales. Pero, salvo en contados casos, el dinero se empleó en aumentar la propiedad y no en mejorarla haciéndola más productiva.

La última de las características anunciadas fue la convivencia, en toda Iberoamérica, de las economías de subsistencia y las de exportación. En el momento de la independencia, y en los años siguientes, no hubo prácticamente en ningún nuevo estado una unidad económica más o menos articulada. Las economías de subsistencia permitían la reproducción de las mayoritarias masas de campesinos y de las comunidades indias, todas ellas con mayor o menor grado de independencia o vinculadas a las haciendas o a las grandes explotaciones, así como las de los artesanos locales. Por su parte, las economías de exportación de los productos mineros, de las haciendas y de las grandes plantaciones, si bien eran una herencia de la época colonial, fueron adaptándose, durante la primera mitad del siglo XIX, a las nuevas condiciones de los mercados mundiales y a los intereses del nuevo comercio atlántico

El nuevo sistema comercial

Desde los primeros momentos de la independencia, el antiguo comercio colonial conoció la sustitución del control de las metrópolis por la preponderancia inglesa, cambio que, sin embargo, no afectó a sus características estructurales, ya que Iberoamérica continuó exportando materias primas, minerales y agrarias, e importando productos manufacturados, si bien ahora principalmente británicos. A partir de 1808-1810, primero Río de Janeiro y posteriormente Buenos Aires y Montevideo, se convirtieron en centros de una nueva actividad comercial, que se caracterizó por la denominada por Halperin Donghi *pacífica invasión británica de Hispanoamérica,* llevada a cabo por comerciantes cuya primera misión fue encontrar mercados para los excedentes británicos. Pocos años después se sumó Valparaíso, principal puerto del Pacífico para el comercio inglés, desde donde hicieron llegar sus manufacturas al resto de Iberoamérica. Perú, Venezuela, Nueva Granada, las Antillas y México se abrieron al comercio británico tras los procesos de independencia, más lentos y complejos, que culminaron en la década de los veinte.

Al principio, los comerciantes británicos organizaron su comercio de forma que la venta les ocupara poco tiempo, aunque ello conllevara precios más bajos, para garantizar el retorno rápido de sus barcos, cargados principalmente de metales preciosos, a los que se irían incorporando otras materias primas.

Esta actitud acabó con las tradicionales prácticas comerciales de la época colonial provocando el reemplazo de los antiguos proveedores y de muchos comerciantes locales, pero también estimuló el consumo no solo en las clases que tradicionalmente lo protagonizaban, sino el de aquellos que trataban de incorporarse a un mercado que ofrecía a ciudadanos modestos una gran variedad de mercancías a buen precio. Es decir, el nuevo comercio contribuyó a democratizar la sociedad tanto como la ideología liberal.

Ahora bien, al mismo tiempo, esa nueva actividad mercantil y sus agentes acabaron con facilidad con el antiguo comercio colonial y con la tradicional superioridad de las exportaciones de Iberoamérica. Ya antes de 1820 las importaciones superaban en valor a las exportaciones, y el dinero que esta actividad canalizó hacia Inglaterra a costa de Iberoamérica privó de unos recursos decisivos a las nuevas repúblicas y limitó sus posibilidades de acometer un desarrollo económico aceptable. Desaparecieron, o cambiaron provisionalmente, los derechos, los impuestos y las cargas de las antiguas metrópolis, pero no los canales por los que la riqueza latinoamericana atravesaba el Atlántico, aunque ahora con un destino más septentrional. Los nuevos comerciantes acabaron con la estructura comercial de la colonia, pero no aportaron, ni lo pretendieron, una nueva y sólida estructura de intercambio entre los territorios emancipados y entre estos y la nueva metrópoli.

Estadounidenses y franceses tuvieron escaso éxito en sus pretensiones comerciales con América del Sur en un primer momento, aunque no faltaron a la cita, como en Brasil. Pero, a partir de los años veinte, fueron accediendo paulatinamente a mercados y mercancías reservados a los británicos. Más que una competencia entre abastecedores diferentes, lo que se produjo fue un complemento en las mercancías objeto de importación, pero lo cierto es que dejó de existir el casi monopolio comercial inglés de los primeros años de la independencia.

Haciendas y comunidades: agricultura y ganadería

La organización de la producción agraria vigente en la época colonial se vio seriamente afectada por la revolución y las guerras, pero no se transformó de modo relevante en los primeros años que siguieron a la emancipación. La estructura de la propiedad de la tierra, el tipo de aprovechamiento, así como las técnicas empleadas, la mano de obra y las relaciones entre los propietarios, los trabajadores y las explotaciones cambiaron poco antes de finalizar el primer tercio del siglo.

Las unidades económicas esenciales fueron las grandes propiedades (haciendas —la fazenda brasileña—, estancias, plantaciones...), en las que se practicaba una agricultura destinada a la exportación, y las comunidades indias o campesinas, en las que la agricultura de subsistencia era destinada al autoconsumo y, en su caso, a los mercados locales. Las relaciones entre haciendas y comunidades fueron estrechas, intensas y complejas y dominaron la producción agraria en amplias extensiones del centro de México, de las tierras altas centroamericanas y de los Andes.

En las economías rurales había distintas formas de relación, además de las que corresponden a los peones de las haciendas o a las comunidades indias. En muchos lugares, como en México, junto a los indios y los peones de las haciendas o los campesinos de los pueblos, había rentistas, pequeños arrendatarios y aparceros, que solían explotar una pequeña parcela en las inmediaciones de la hacienda y permanecían vinculados a estas.

Los escasos agricultores independientes, dueños de pequeñas o medianas propiedades, surgieron frecuentemente en las zonas de frontera repobladas, alrededor de determinados núcleos urbanos o al descomponerse algunas haciendas.

Las comunidades indias o de campesinos y los pequeños propietarios practicaban la agricultura de subsistencia que dominaba en buena parte de México, América Central y la cordillera andina desde la época colonial, cuando las poblaciones indígenas se vieron fuertemente afectadas y condicionadas por la conquista y ocupación de españoles y portugueses.

Asociadas a este tipo de agricultura pervivían otras actividades como las artesanales, ganaderas, el trabajo de los arrieros, los comerciantes locales..., conformando un mundo en el que los métodos primitivos, los rendimientos escasos y las pesadas cargas impositivas, tanto antiguas, como el tributo, las castas o el diezmo, como sus herederas posteriores, señalaban las constantes de una economía rural que experimentó escasas variaciones a lo largo del siglo.

Salvo unas pocas ciudades, que superaban los 40.000 habitantes, la mayoría de la población vivía y trabajaba en núcleos rurales (aproximadamente el 80 %, por ejemplo, en Chile), en localidades de las que rara vez se ausentaban. Pocos eran los individuos que tenían recursos y libertad para viajar, y lentos, escasos e inseguros los caminos y los medios de transporte. Al igual que en tantas otras zonas rurales de otros continentes o de otros tiempos, pobreza y austeridad de vida eran la necesaria consecuencia de estas economías de subsistencia.

La otra unidad fundamental del mundo rural era la hacienda, que producía sobre todo para los mercados. La principal herencia agraria de la época colonial fue la gran propiedad que explotaban los descendientes de los colonos peninsulares. Buena parte de estos latifundios se convirtió, con la libertad de comercio, en explotaciones especializadas en un tipo de cultivo, o en unos pocos, dirigidos exclusivamente a los mercados, principalmente los europeos. Hasta mediados de siglo siguieron teniendo buena salida algunos productos, de elevada demanda ya en época colonial, como el cacao, el azúcar de caña,

343

el café, el algodón..., en tanto otros, como los cereales, comenzaron a ser demandados a partir de los años cincuenta. Los precios finales pagados en Europa permitían sostener con beneficio para los latifundistas estos cultivos que proporcionaban un producto bien adaptado al medio natural, con unos costes de producción contenidos, tanto por el valor de la tierra heredada como por el de la mano de obra.

El trabajo en estas explotaciones fue desempeñado, según los casos, por los esclavos de las plantaciones, que fueron disminuyendo, por las comunidades indias o de campesinos y por los peones vinculados a la hacienda. En realidad, en las haciendas de las tierras centrales mexicanas o de la cordillera andina se dieron dos formas esenciales de vinculación entre el propietario y los campesinos que la explotaban. Una primera era la que correspondía a aquellos que residían y trabajaban permanentemente en la hacienda. Junto a los campesinos, llamados de distinto modo: colonos, yanacona, inquilinos, huasipungueros..., había administradores, capataces y artesanos. A veces, estos residentes eran al tiempo aparceros o subarrendatarios, que estaban obligados a trabajar en la hacienda a cambio de una parcela, de una ración diaria de maíz o trigo o de la posibilidad de apacentar animales. El segundo tipo de relación es el que corresponde al peón estacional, contratado por días o semanas según las necesidades del cultivo. Provenían estos trabajadores de los poblados o comunidades vecinas a la hacienda.

La gran propiedad fue consolidándose en todo Iberoamérica a lo largo del siglo XIX, como se ha señalado. A mediados de siglo, la mayoría de las tierras pertenecían a las haciendas en Argentina, Chile, Brasil o Uruguay. Sin embargo, en las tierras donde continuaban teniendo un peso importante las comunidades indias, estas conservaban todavía una parte significativa de la superficie cultivada: casi los dos tercios en Bolivia y cerca de la mitad en México o los Andes.

Junto a las haciendas, existían explotaciones agrarias trabajadas con mano de obra esclava desde sus orígenes en época colonial hasta la abolición: son las plantaciones de caña de azúcar, café o algodón de las Antillas, América Central y Brasil.

A partir de los años setenta, estas plantaciones se convirtieron en auténticas empresas agrícolas estrechamente vinculadas a la demanda de alimentos y fibras tropicales de Europa y los Estados Unidos, en las que también trabajaban peones libres, difíciles de reclutar y de adaptar a los métodos de trabajo capitalistas que presentaban aquí una de las caras menos disimuladas de la explotación del trabajo asalariado [1].

La lentitud, escasez y carestía del transporte dificultaban, no solo ocasionalmente, la rentabilidad de muchas haciendas, aunque se produjo una mejora significativa desde mediados de siglo. Se tardaba más en un viaje de Maranhao, en el norte de Brasil, a Río de Janeiro que a Lisboa, en tanto que el viaje en velero a Europa desde Chile podía demorarse tres o cuatro meses en los años cuarenta, fecha en que comenzaron a funcionar los dos primeros barcos de vapor, de 700 toneladas, que, en circunstancias favorables, podían hacer la ruta en 40 días.

Algunos productos agrarios destinados a la exportación consiguieron adaptarse rápidamente a las nuevas condiciones del comercio libre desde principios de siglo. Entre los que más éxito tuvieron se pueden destacar los siguientes:

El cacao, que ya se producía fundamentalmente en la época colonial en Ecuador y Venezuela, continuó teniendo como des-

---

[1] La plantación moderna ha sido definida por Moreno Fraginals del modo siguiente: Una plantación es una unidad de producción organizada que produce una sola materia prima de origen agrícola destinada a la exportación... y que, por ende, es controlada por un mercado extranjero, aun cuando la plantación propiamente dicha sea propiedad de una persona o grupo natural de la región; la plantación debe encontrarse en un país o una región que posea una estructura económica dependiente de carácter colonial o neocolonial; su eficiencia debe basarse en la economía de escala, explotando grandes extensiones de tierra fértil..., y, finalmente, debe usar principalmente mano de obra en masa y no especializada bajo la forma de esclavos, peones, hombres que trabajan para pagar deudas, o trabajadores con contrato, o una combinación de las diversas formas de proletariado agrario explotado [M. MORENO FRAGINALS, «Economías y sociedades de plantaciones en el Caribe español, 1860-1930», L. Bethell (comp.), *Historia de América Latina,* Barcelona, 7, 1991].

tino principal la Península Ibérica, y el volumen de la producción se incrementó una vez alcanzada la emancipación. La mano de obra esclava de la antigua plantación fue siendo sustituida, sobre todo en Ecuador, por indígenas, que recibían lotes de tierra a cambio de ciertos tributos al latifundista y, en ocasiones, en prestaciones en trabajo no muy diferentes a las viejas relaciones señoriales peninsulares. En Venezuela se forzó por más tiempo el trabajo esclavo, y cuando este ya no fue posible, se acudió al trabajo asalariado, aunque en condiciones no muy diferentes a las anteriores.

El café conoció un destacado impulso en Brasil a finales del XVIII y en las dos primeras décadas del XIX, y no hizo sino crecer después, particularmente en Río de Janeiro (Paraíba), donde se producía casi el 80 % del café brasileño, y al nordeste de São Paulo. El café aportaba el 20 % de valor de las exportaciones brasileñas en los años veinte, el 40 % en los cuarenta y casi el 60 % en los setenta. La expansión del cultivo del café y el crecimiento de sus exportaciones constituyeron los hechos más destacados de la economía brasileña de la primera mitad del siglo. Brasil se convirtió en los años cuarenta en el primer productor de café del mundo, con casi un 40 % de la producción total. Aun así, no era muy productivo, comparado, por ejemplo, con el algodón de Estados Unidos, que proporcionaba cinco veces más ingresos que el café brasileño, cultivado también con mano de obra esclava.

En Venezuela, a diferencia de Brasil, el café se cultivó sobre todo desde 1830, con asalariados en lugar de esclavos, y fue alcanzando un mayor peso relativo en detrimento del cacao, de modo que representaba cerca del 50 % de las exportaciones venezolanas a mediados de siglo. A partir de los años cuarenta se cosechó con éxito en Costa Rica y desde los sesenta se extendió el cultivo del café por Guatemala y el Salvador, coincidiendo con las dificultades de la cochinilla y el añil frente a los tintes nuevos. También se plantó café en Colombia desde los sesenta, pero su enorme desarrollo en las zonas de nueva población se produjo en los últimos años del XIX y primeros del XX.

En la vista del interior del ingenio Acona, en Cuba, en 1857, puede apreciarse el empleo de máquinas de vapor y la abundante presencia de esclavos negros en las tareas más duras del ingenio. En esta época Cuba era el primer exportador mundial de azúcar, poseía más kilómetros de ferrocarril que España y la entrada de capitales estadounidenses empezaba a ser muy importante.

347

La caña de azúcar se cultivaba en haciendas y plantaciones con mano de obra esclava. Así continuó haciéndose en Perú y, sobre todo, en Brasil, en las grandes propiedades de los *senhores de ingenho*. En Cuba y en Puerto Rico, que continuaron durante todo el periodo bajo dependencia española, este cultivo conoció un auge muy destacado. La explotación aquí, sin embargo, no se organizó a través de grandes fincas, sino de múltiples ingenios, propiedad de unos pocos, que mantenían la unidad productiva de pequeño tamaño para abaratar los costes de transporte y combustible.

En los años treinta, Cuba era el primer productor mundial de caña de azúcar, seguida de las Indias Orientales británicas y de Brasil. La llegada de esclavos a Cuba con destino a los ingenios fue continua, de modo que en los años treinta se había multiplicado por diez el número de esclavos de 1770, y a mediados de siglo, del millón de cubanos, prácticamente la mitad eran esclavos negros. Los casi medio millón de esclavos que entraron en las posesiones españolas del Caribe entre 1821 y 1870 hicieron posible que Cuba cuadruplicara su producción de azúcar entre los años treinta y sesenta. A partir de esta última década, el ferrocarril y la máquina de vapor facilitaron el cultivo del azúcar, que comenzó a depender menos de la mano de obra esclava o de la energía próxima, por lo que pudo desarrollarse en las haciendas. En 1860 el 70 % de los ingenios cubanos usaban la máquina de vapor, pero esta no se introdujo en Brasil hasta más tarde, ya que en esas mismas fechas, solo el 1 % de los *ingenhos* brasileños la utilizaban. Brasil había perdido a comienzos del XIX su casi monopolio del azúcar del XVII, pero su producción seguía siendo importante. En 1822 el azúcar aportaba el 40 % del valor de sus exportaciones, pero fue descendiendo hasta un modesto 12 % en los años 70.

Algo similar ocurrió en este país con el algodón, cuya producción fue descendiendo a lo largo del siglo, sobre todo tras la aparición de la máquina desmotadora, que permitió el uso de la fibra corta como la estadounidense y no de la más larga brasileña. No obstante, el algodón brasileño disfrutó de una corta pero intensa prosperidad en los años sesenta, como consecuencia de la Guerra de Secesión norteamericana.

La exportación de tabaco no creció de modo destacable hasta mediados del XIX. No obstante, fue el primer producto de exportación de Colombia, primero bajo el control del Gobierno y luego en manos privadas desde 1840.

Ocurrió lo contrario con la quina en Bolivia o la cochinilla de Guatemala, cultivada por aparceros y arrendatarios en terrenos próximos a la capital pertenecientes a criollos. La exportación de estos productos fue próspera hasta que a mediados de siglo sufrió la competencia de los colorantes sintéticos.

De 1840 a 1879, la explotación del guano, utilizado como fertilizante por las explotaciones agrícolas desarrolladas, constituyó una base fundamental de la economía peruana, hasta que la competencia de otros tipos de abonos y la caída de los yacimientos en manos de Chile, como consecuencia de la guerra entre los dos países, acabaron con su prosperidad. El guano peruano era de propiedad estatal y con su exportación, que superaba en importancia al resto de los productos, incluida la plata, se financiaron buena parte de los gastos del Estado, particularmente los derivados de la abolición de la esclavitud, y se alivió la presión sobre la contribución indígena.

El caucho empezó a tener importancia en Brasil desde que se inició la vulcanización en los años cuarenta, pero el gran auge de este producto no llegó hasta los años setenta. En la Amazonia, los coboclos sangraban los árboles silvestres del caucho y endurecían el látex sobre una hoguera. Luego lo adquirían comerciantes itinerantes que lo llevaban a los puntos de embarque. También recogían mate, que se exportaba hacia el sur, pero este producto no llegaba a representar un porcentaje significativo en las exportaciones brasileñas.

Para terminar este repaso, conviene señalar, no por la importancia cuantitativa, sino por lo que significaron de innovación, que en la segunda mitad del siglo se incorporaron con éxito otros cultivos a los tradicionales productos para el mercado, como fueron los cereales y los vinos chilenos y contribuyeron a la denominada crisis agrícola y pecuaria del último tercio del siglo XIX en la agricultura europea. La dura competencia de granos y productos ganaderos americanos sufrida por los agricultores europeos acabó con prácticas seculares e impulsó la modernización de casi todas las agriculturas nacionales al tiempo que desató su protección en determinados lugares, sobre todo en la zona mediterránea.

La ganadería, particularmente la vacuna, fue el sector que mejor y más rápidamente pudo adaptarse y beneficiarse de la libertad de comercio. En parte, porque no requería inversiones importantes ni plazos largos para empezar a recoger beneficios, pero también porque desde el inicio de la época colonial había una larga tradición de explotación de los pastos, cuando no había alternativas más provechosas para el uso del suelo. Pero, si bien es cierto que la expansión se realizó sobre todo por la abundancia de tierras disponibles, fueron las vinculaciones establecidas desde los primeros momentos de la independencia a redes comerciales exteriores y al mercado europeo por los ganaderos rioplatenses, chilenos, venezolanos o brasileños las que favorecieron una rápida prosperidad y mejores resultados. Pero no fueron estos los únicos ganaderos, pues la ganadería estaba extendida por toda América, ya que era el modo menos costoso de explotar los recursos naturales cuando estos no ofrecían mejores posibilidades, aunque no se destinaran sus productos a los mercados exteriores.

Un buen ejemplo de la ganadería exportadora durante el XIX lo ofrecen Argentina y, en menor escala, Chile y Uruguay. Algunos de los ciudadanos más ricos de Buenos Aires fueron los más favorecidos con las enormes concesiones de tierras que el Gobierno hizo a costa de los indios, y que proporcionaron pastos para tres millones de cabezas de ganado. Los productos derivados de la ganadería, como la salazón de la carne y la preparación de los cueros, estaban en la base de una de las actividades más importantes de Argentina.

Junto con el ganado vacuno, fue también espectacular el crecimiento del ganado lanar de la provincia de Buenos Aires. El número de cabezas pasó de dos millones y medio en el momento de la independencia a más de 40 millones en 1865. Si en los años veinte los cueros aportaban el 65 % del valor de las exportaciones, y la lana solo un modesto 1 %, en 1865 se invirtieron las cifras: los cueros aportaban el 27 % y las lanas el 46 %.

Dificultades para el desarrollo industrial. Escasez de capitales hasta mediados de siglo

La escasez de capitales locales y de inversiones extranjeras tuvo seguramente más responsabilidad en el lento crecimiento económico o el estancamiento de los primeros años siguientes a la independencia que los destrozos de minas, talleres o explotaciones agrarias causados por las guerras. Ahora bien, los enfrentamientos militares que siguieron a la independencia, que solían coincidir con coyunturas económicas desfavorables, contribuyeron en buena medida a ensombrecer más las posibilidades del desarrollo. Las guerras debilitaban los ingresos de los gobiernos, y estos no podían así satisfacer a sus seguidores y oponerse con éxito a sus enemigos. Las guerras dañaban los bienes, pero, sobre todo, movilizaban hombres, retraían recursos del campo, retiraban capitales de la producción, acababan con la estabilidad, con las obras públicas o con los créditos para el desarrollo. La inestabilidad no era el clima adecuado para elaborar planes nacionales de desarrollo a medio y largo plazo, y cuando se concebían apenas había tiempo para intentar ponerlos en práctica. Tampoco la inestabilidad fue precisamente un aliciente para el capital.

Con frecuencia, la inestabilidad política y sus efectos en la economía de las nuevas repúblicas se han valorado desde la óptica de desarrollo europea o norteamericana. Probablemente una visión así minusvalora el limitado poder estatal en los nuevos países, incluso en los momentos de mayor prosperidad. Los gobiernos tenían escasos ingresos, a veces menores que los de algunos de sus ciudadanos más prósperos, y, en gran parte, destinados a financiar los menguados ejércitos que llegaban a consumir a veces entre un tercio y la mitad de los ingresos del Estado, por lo que su capacidad de influir a través de la inversión

351

en el desarrollo local era muy limitada. Ingresos escasos suponían limitados gastos, lo cual no debe confundirse con una decidida aplicación de las recomendaciones liberales de reducir al mínimo necesario la intervención del Estado.

El nuevo comercio con Inglaterra no facilitó la acumulación local de capital. Se utilizaron los metales preciosos para compensar la debilidad de las exportaciones frente a las importaciones y para pagar el nuevo consumo. Antes de 1825, los países no disponían de capital suficiente para renovar y poner en explotación las minas o las tierras de modo rentable y que ofreciera compensación ventajosa en el intercambio con Inglaterra. Los británicos tampoco aportaron, en los primeros momentos, préstamos a los gobiernos o a los particulares que permitieran inversiones realmente productivas.

La rehabilitación de la industria minera, a corto plazo, solo permitió pagar las importaciones. No había llegado todavía el momento de la exportación de capitales desde Gran Bretaña, y la inversión en Iberoamérica no entraba dentro de las razones que movían a los comerciantes británicos hacia el continente.

No obstante, existieron canales de crédito abiertos por los comerciantes que permitieron compensar en parte el desequilibrio comercial, como ocurrió antes de la independencia. Los comerciantes ingleses compraron casas, no las más modestas precisamente, como residencias y sedes de sus negocios y, en ocasiones, algunas explotaciones agrarias. Pero este fue un flujo muy modesto de dinero. Se invirtió en los años veinte en algunas zonas mineras, caso de México, pero los decepcionantes resultados de estas primeras inversiones no permitieron a sus promotores convencer a los inversores londinenses para que las mantuvieran.

No solo faltaron capitales. Tampoco existía carbón, principal combustible de la época para las posibles industrias, las comunicaciones terrestres eran difíciles, los mercados de trabajo no eran precisamente flexibles, era escaso el desarrollo científico y técnico y muy bajo el nivel educativo. En suma, no existía un mercado nacional articulado ni posibilidades de improvisarlo. En esas condiciones, no podía arrancar el proceso industrializador, y no lo hizo antes de los años sesenta.

La producción artesanal e industrial

Las artesanías locales no se arruinaron a un ritmo tan rápido ni de forma tan intensa como la liberalización comercial hubiera permitido temer. Contaban a su favor con las muy poco desarrolladas vías de comunicación, sobre todo interiores, y el elevado coste de los transportes por el mundo rural. Además, los gustos locales no eran frecuentemente favorables a lo foráneo. Sin embargo, para las clases más acomodadas resultaba atractivo, y a veces hasta competitivo, abastecerse de productos británicos. Textiles y productos de lujo importados drenaban una parte no desdeñable (por ejemplo, un tercio del valor de la importaciones argentinas) de los ahorros y la riqueza de los que podían acceder a ellos.

Aparte de la elaboración de ciertos productos artesanales destinados a los mercados locales o que eran vendidos en las ferias anuales, había talleres rudimentarios tanto en las haciendas como en las comunidades y poblados para satisfacer las necesidades básicas de utensilios y alimentos de las sociedades rurales.

Pero en Iberoamérica la producción artesanal era propia de las ciudades y, como la industrial, en ellas se desarrolló a lo largo del siglo. Desde la época colonial, las más importantes industrias eran los obrajes, que desde el siglo XVII producían a gran escala y empleaban abundante mano de obra, a menudo esclava. Había obrajes de muy diverso tipo, aunque el tejido de lana fue el producto industrial más importante hasta mediados del XIX, fecha en que adquirió también importancia destacada la producción de tejidos de algodón. Fueron especialmente prósperas las fábricas mexicanas de paños y las brasileñas de algodón desde 1840.

Ciudades como Río de Janeiro estaban llenas de talleres artesanos donde se producían muebles, herramientas, hilos, vestidos, cuerdas, sombreros, velas, encuadernaciones o jabón. Otras, como Buenos Aires, curaban y trabajaban el cuero con el que producían zapatos, sillas de montar, bridas, arneses, correas, bolsos... y, desde 1850, industrias que lavaban la lana y elaboraban sebo o vino.

Vinculadas a las extracciones de minerales hubo una no desdeñable fabricación de utensilios metálicos y algunas fundiciones. Pero, como se ha señalado, hasta mediados del siglo XIX las industrias nacionales por excelencia fueron las extractivas y las exportadoras de metales preciosos, mientras que el resto de la producción era fundamentalmente artesanal y procedía de modestos talleres que utilizaban técnicas tradicionales.

La minería

Una de las primeras consecuencias de la apertura comercial fue el estímulo de las exportaciones mineras, pero, al tiempo, la nueva situación no favoreció la adopción de ningún avance tecnológico en la producción. La escasez de capitales disponibles en los primeros momentos de la independencia y el desequilibrio comercial en favor de las importaciones impidieron que culminaran con éxito las tímidas iniciativas que procuraron el desarrollo de la minería. Tal fue el caso de las ya citadas inversiones británicas en las minas mexicanas durante los años veinte, cuya rentabilidad no se produjo con prontitud, lo que motivó que los inversores desconfiaran de la conveniencia de continuar arriesgando su dinero en una actividad que no aportaba las ventajas esperadas. El resultado fue que las aportaciones de capital quedaron muy lejos de lo que hubiera sido deseable y que se frenaran prácticamente en 1825.

Una vez alcanzada la emancipación y con ella la apertura comercial, las exportaciones mineras se vieron estimuladas, pero la explotación minera requería capital para recuperar las minas abandonadas durante la contienda. La falta de mantenimiento supuso desperfectos muy considerables y se requerían sumas importantes de dinero antes siquiera de comenzar de nuevo el aprovechamiento de los yacimientos. Por otra parte, la apertura de nuevas explotaciones y la introducción de la tecnología que iba poniéndose a punto en Gran Bretaña exigían, igualmente, inversiones relativamente importantes. Los nuevos estados no tenían ni la capacidad de la antigua administración colonial ni el interés por el mantenimiento de los niveles de producción.

Junto a la escasez de capitales, se ha señalado la dificultad de disponer de mano de obra para la explotación minera, motivada, entre otras razones, por la desaparición de la mita. Pero ni los salarios mineros de los primeros años de la independencia, similares o superiores a los de otras actividades industriales, ni la situación en las minas nuevas que comenzaron su explotación al finalizar la guerra, confirman dicha escasez de mano de obra. Los contemporáneos, sobre todo extranjeros, adujeron otros motivos, no siempre económicos: la debilidad de los nuevos gobernantes para imponer orden y disciplina a los trabajadores, la rigidez de las leyes, más atentas a las ideas que a los negocios, o la falta de trabajadores adecuados, opiniones que tenían como referencia la situación europea y no la realidad americana.

Hubo que esperar a mediados de siglo para que la producción minera alcanzase y superase los niveles del final de la etapa colonial, y eso no en todas partes. Y cuando esto ocurrió se debió más a las nuevas explotaciones que a la recuperación de las antiguas, como fue el caso de las minas chilenas, mexicanas o bolivianas.

No obstante, las exportaciones mineras, junto a las de las haciendas, proporcionaron a los gobiernos la parte más sustancial de sus ingresos, aunque no siempre fueron estables a lo largo del siglo XIX. Por ejemplo, en 1825 la plata peruana representaba el 90 % de las exportaciones, e igual ocurría, aunque con proporciones un poco inferiores, en otros países, como en México, Chile, Colombia o Bolivia. Frente a la agricultura de subsistencia, estas exportaciones ofrecían oportunidades de crecimiento y cambio, pero las circunstancias no fueron siempre las más adecuadas para que esto ocurriera.

Existieron también limitaciones a la expansión de la minería por la escasez de inversiones, pero la demanda europea de productos mineros, especialmente plata, fue en todo momento un aliciente para la producción. Los metales preciosos fueron la base de la explotación minera colonial y continuaron desempeñando este papel hasta bien avanzado el siglo XIX. Pero no solo la plata tuvo especial protagonismo. El cobre chileno pasó de una producción de 2.000 toneladas en los años veinte a más de 40.000 toneladas en los setenta, fecha en la que Chile producía cerca de la mitad del total mundial.

Llegada de capitales, ferrocarril y desarrollo dependiente

Aunque algunas fábricas textiles empezaron a instalarse en Brasil en los años cuarenta, hay que esperar a los años sesenta y setenta para poder constatar el inicio de un nuevo, aunque limitado, proceso industrializador, favorecido por la llegada de capitales. Estos se destinaron al desarrollo de los transportes, particularmente a la construcción del ferrocarril y al uso del barco de vapor en la navegación. Pero también afluyeron capitales que se aplicaron a las economías exportadoras ya existentes y a nuevas actividades en países como Argentina, Perú y Chile y a determinados sectores como las explotaciones mineras, los cultivos de exportación, las fundiciones, las primeras industrias metálicas, las harineras, algunas fabricas textiles, alimenticias y otras, casi siempre vinculadas a la exportación. En los años sesenta nacieron las primeras sociedades anónimas y se establecieron los primeros bancos privados extranjeros, Banco de Londres, México y Sudamérica, Banco de Londres y del Río de la Plata, especializados en los créditos a las actividades exportadoras.

La construcción del ferrocarril se inició en los años treinta en Cuba, donde a comienzos de los cincuenta había cerca de 500 kilómetros construidos. A mediados de siglo se pusieron en marcha ferrocarriles en distintos países con capitales procedentes de empresarios y comerciantes locales (Chile desde 1851, Argentina en 1857, Brasil en 1854, México en 1872) e ingenieros extranjeros, o directamente con capitales y técnicos extranjeros (Perú, 1870). En aquellos casos, los capitales locales resultaron pronto insuficientes y tuvieron que ser completados con las aportaciones del exterior. En estos años anteriores a 1870 son pocos los kilómetros construidos, como lo prueba el hecho de que rara vez aparecieran tramos superiores a un centenar de kilómetros y su finalidad era enlazar puntos neurálgicos: de las minas a la costa, o entre localidades fuertemente vinculadas. En cualquier caso, el ferrocarril desempeñó desde el primer momento un papel impulsor de la inversión y el desarrollo del comercio exportador de materias primas, a la vez que facilitó la entrada y la circulación de los productos extranjeros y las comunicaciones para los viajeros.

La navegación a vapor contribuyó también de modo notable a los cambios que se produjeron desde mediados de siglo. El barco de vapor se aplicó primero a la navegación fluvial, aprovechando la experiencia e interés de los norteamericanos. El transporte por los ríos permitió mayor tonelaje, rapidez y rentabilidad y comunicó nuevas ciudades y lugares poco accesibles hasta entonces. La navegación de cabotaje incrementó la cercanía, y con ella la dependencia, del Caribe con Estados Unidos y la penetración de las grandes compañías fruteras. Finalmente, la navegación transatlántica, iniciada a mediados de siglo, revolucionó los precios de los fletes y la duración de la travesía, que pasó de cuarenta días en los años cincuenta a quince días a finales de siglo, favoreciendo la expansión de la economía exportadora iberoamericana y su vinculación al mercado mundial.

Se anunciaron, pues, en estos años, aunque solo parcialmente, las transformaciones que tuvieron lugar en el último tercio de siglo y que consistieron, fundamentalmente, en la inversión de capital que favoreció el auge de las exportaciones, y que caracterizan el modelo de desarrollo económico iberoamericano.

La reforma liberal

Desde la independencia hasta mediados de siglo, los principales dirigentes políticos, tanto liberales como conservadores, aplicaron políticas económicas liberales, salvo cuando las circunstancias y los intereses presionaron para que se adoptaran determinadas políticas proteccionistas. Esta tendencia se acentuó desde mediados de siglo con la cada vez mayor incorporación de Iberoamérica al mercado mundial. Los países americanos se situaron en ese mercado como exportadores de materias primas y consumidores de productos elaborados. Las exportaciones no compensaban su balanza comercial, casi siempre deficitaria, pero satisfacían los intereses de los grupos dominantes: terratenientes, propietarios de minas, oligarquías locales, grandes comerciantes..., que se beneficiaban de este intercambio

No hubo tampoco diferencias entre unos y otros grupos políticos en política fiscal. En los primeros momentos de la independencia se suprimieron buena parte de los impuestos coloniales y se sustituyeron por otros directos, acordes con el pensamiento liberal revolucionario. La resistencia de las comunidades indias, campesinos y, no en pocas ocasiones, las clases privilegiadas, llevó a liberales y conservadores a anular los nuevos impuestos y restaurar los tradicionales. Solo después de 1850 desaparecieron los conflictos y las resistencias a las reformas liberales y se suprimieron, ahora ya de modo definitivo, los viejos impuestos.

También hubo consenso en relación con las propiedades de los indios. La propiedad comunal era contraria a los principios sagrados de la propiedad individual. En prácticamente todas partes se emprendió una política de expropiación, muchas veces defendida con buena intención y propósitos favorables a los indios, pero en todas partes los resultados fueron similares: se privó a los indios de buena parte de sus tierras, que pasaron, más o menos rápidamente, a ser propiedad de elites y familias criollas prósperas, y se redujo a las comunidades a una miseria aún mayor. Cuando se pudo constatar esta realidad, superados los años 60, el proceso se había hecho ya irreversible.

El acuerdo de las elites políticas no se mantuvo, si embargo, con respecto al poder de la Iglesia y sus propiedades. Muchas de estas experimentaron complejos procesos de desamortización que, a la postre, redundaron en favor de los terratenientes y las familias acomodadas, que fueron las únicas capaces de acceder a estas propiedades. A pesar de las pérdidas territoriales sufridas, la Iglesia continuó siendo una institución de gran peso.

De todos modos, desmantelar el orden colonial e imponer el nuevo orden liberal fue una tarea compleja, que se demoró en el tiempo y que no dio los pasos definitivos hasta superada la mitad del siglo.

A finales de los años sesenta, Iberoamérica había iniciado su incorporación al mercado mundial con un papel preciso y con unas características propias: economías exportadoras de materias primas, dependientes, con una industrialización escasa y vinculada a esas exportaciones y con un reparto muy desigual de las rentas: mientras los grupos dominantes acapararon lo fundamental de los beneficios del limitado desarrollo, disfrutando de las ventajas de la libertad y de la supresión de los antiguos yugos coloniales, las clases humildes corrieron con los costes de la nueva dependencia exterior y de la modernización.

17

Población y sociedad

El notable incremento de la población

A FINALES del siglo XVIII, la población iberoamericana presentaba una distribución y unos niveles de crecimiento irregulares. Las mayores concentraciones se daban, bien en las zonas costeras donde se situaban las ciudades de mayor actividad comercial y exportadora, destacando Cuba, Antioquia-Cauca (Colombia), Santiago de Chile y São Paulo, seguidas del Río de la Plata, Venezuela, Puerto Rico, Santo Domingo y Costa Rica, bien en las tierras altas de México, Centroamérica y países andinos. El mundo rural, por el contrario, ofrecía un crecimiento más lento, aunque existieran áreas de franca expansión junto a otras de estancamiento o recesión.

En cuanto al régimen demográfico, estaba marcado por la alta natalidad, las crisis de subsistencia, las periódicas epidemias de viruela, sarampión, disentería, tifus o cólera que se sucedieron con frecuencia y que produjeron efectos devastadores, y la incorporación de europeos que llegaron, bien por motivos políticos, como los soldados españoles enviados para proteger las colonias en los procesos emancipadores, bien por motivos económicos, caso de los portugueses atraídos por las minas de oro y diamantes brasileñas o de los hombres de negocios que encontraron abiertas las puertas de las ciudades costeras de Brasil o del Río de la Plata.

361

EVOLUCIÓN DE LA POBLACIÓN TOTAL
DE LOS NUEVOS PAÍSES IBEROAMERICANOS
(Miles de habitantes)

País	1810/25	1850	1870	1900	1930
México	—	7.662	—	13.607	16.589
Costa Rica	63	101	137	297	499
El Salvador	248	101	137	766	1.443
Guatemala	595	850	1.080	1.300	1.771
Honduras	135	203	265	500	948
Nicaragua	186	300	337	478	742
Panamá	—	135	—	263	502
Cuba	—	1.186	1.509	1.583	3.837
Rep. Dominicana	—	146	—	515	1.227
Venezuela	900	1.490	1.725	2.344	2.950
Colombia	1.100	2.065	2.950	3.825	7.350
Ecuador	500	816	—	1.400	2.160
Perú	1.249	2.001	2.700	3.791	5.651
Bolivia	1.100	1.374	—	1.696	2.153
Chile	1.000	1.443	2.076	2.959	4.365
Argentina	508	1.100	1.740	4.693	11.936
Uruguay	—	132	385	915	1.599
Paraguay	—	350	231	440	880
Brasil	5.000	7.230	10.000	17.980	33.568
TOTAL	—	30.530	—	61.871	104.144

FUENTES: Para 1850, 1900 y 1930, Nicolás Sánchez Albornoz, *La población en América Latina,* Madrid, Alianza Universidad, 1994. Para 1810/25, 1870, L. Bethell, ed., *Historia de América Latina,* vols. 6 y 7, Cambridge University Press, Editorial Crítica, Barcelona, 1991.

Este panorama no se vio radicalmente modificado, al menos en un primer momento, por la consecución de la independencia, aunque la finalización de los combates, el consiguiente retorno de los que habían participado en ellos y los nuevos planteamientos económicos sí originaron circunstancias, actividades, cambios sociales y diferentes relaciones que irán transformando los rasgos dominantes durante la época colonial. Así, el establecimiento de la libertad comercial favoreció la relación con el exterior y los territorios costeros vieron desarrollarse ciudades comerciales, exportadoras de los productos de las haciendas o de las explotaciones mineras y focos de penetración de los productos británicos. En las tierras altas, el contacto con el exterior fue más limitado, y continuó siéndolo durante todo el siglo, de modo que su evolución se vio menos influida por el nuevo comercio, por lo que, en general, desarrollaron un protagonismo secundario en el desarrollo demográfico.

No se pueden dar datos precisos de la población de los nuevos países surgidos de la independencia. Las cifras que se manejan corresponden a estimaciones y no a censos fiables, que solo comenzaron a realizarse a partir de las últimas décadas del siglo XIX. No obstante, dichas estimaciones permiten una visión de conjunto, aunque sea aproximada, y dan como resultado un crecimiento progresivo y generalizado de la población que, de 20 millones, cifra estimada para los primeros años del XIX, pasó a 60 millones en la segunda mitad de este siglo, con una tasa de crecimiento en el conjunto de Iberoamérica igual o superior a la de los países europeos más desarrollados. Esta tasa se elevó a principios del siglo XX, de modo que en 1930 Iberoamérica alcanzó los 104 millones de habitantes, cifra que no avala las visiones pesimistas que en ocasiones se han dado sobre la evolución económica de Iberoamérica.

Es cierto que el crecimiento fue muy desigual. Intenso en Argentina y Uruguay, que multiplicaron por 10 su población a lo largo del siglo XIX, un poco menor en Brasil, Chile, Colombia, Venezuela, Ecuador, Perú y Centroamérica, que la multiplicaron por tres. En México, la población se duplicó en la segunda mitad de siglo y tuvieron crecimientos más moderados las Antillas y, especialmente, Bolivia y Paraguay. En líneas generales, y dentro de un crecimiento general, el mayor aumento se dio en el sur templado y atlántico frente a la América Central y andina, tendencia que se acentuó en el siglo XX.

La alta natalidad y la disminución de la mortalidad, tanto adulta como infantil, fueron factores decisivos para el crecimiento de la población. La fecundidad aumentó a lo largo del siglo debido a los avances de la salud pública con la creación de hospitales, la potabilización de aguas y el alcantarillado en las ciudades, a lo que habría que añadir la mejora en la alimentación, factores todos ellos que explican que el crecimiento demográfico fuera mayor, favorecido además en determinados lugares por los flujos migratorios.

Pero el crecimiento generalizado no significó la desaparición de determinados rasgos ya comentados. Las tasas de mortalidad fueron todavía muy elevadas en el siglo XIX —de cada 1.000 niños, morían 300 antes de cumplir un año—, y la esperanza de vida era inferior a los 30 años. A ello contribuyeron los frecuentes picos de mortalidad catastrófica provocados por la presencia recurrente de las epidemias. Las más intensas fueron las de cólera, que entraban por los puertos y se extendían con mayor o menor virulencia por el interior, y la de fiebre amarilla, que, siguiendo la misma trayectoria, afectó principalmente a las zonas tropicales. Hasta principios del siglo XX, Cuba y Panamá no se vieron libres de esta enfermedad, que perduró más tiempo en las selvas mesoamericanas.

Las aportaciones de la inmigración

Las nuevas repúblicas hubieron de adaptarse a la situación creada por la independencia y encontrar su acomodo en el nuevo orden impuesto por el mercado mundial, operaciones estas que fueron lentas y complejas, y que demandaron cambios notables en los efectivos demográficos. Hacía falta mano de obra en los nuevos sectores más pujantes, pero también en las antiguas explotaciones que reanudaban su actividad pasadas las guerras. Esta presión en favor de la mano de obra estimuló la importación de esclavos, los desplazamientos de unas a otras regiones y la inmigración.

Respecto a la importación de esclavos, entre 1760 y 1820 habían llegado a Iberoamérica más de 1.200.000, cifra que se incrementó a partir de la independencia con 1.685.000 más, la mayoría de los cuales, cerca de 900.000, tuvo como destino Brasil, donde fueron empleados en las plantaciones de caña de azúcar, y, cuando este cultivo decayó, pasaron a ser empleados en las de café. Cuba recibió más de 500.000 esclavos y una cifra algo menor Puerto Rico.

Cuando las dificultades para la importación de esclavos con destino a las plantaciones de azúcar cubanas comenzaron a ser muy elevadas, el Gobierno español acordó con el de China el traslado de importantes contingentes de población a América. Entre 1853 y 1873 emprendieron el viaje unos 130.000 emigrantes de aquel país, aunque más del 10 % murieron en la travesía. En 1877 había en Cuba 44.000 chinos, mayoritariamente varones, pero la elevada mortalidad de estos nuevos pobladores hizo que en 1899 solo quedaran 15.000. También llegaron a Perú unos 87.000, quienes, transcurridos los ocho años del contrato, si es que no se evadían antes de finalizar el compromiso adquirido, solían abandonar las haciendas para establecerse por su cuenta en las ciudades. Inmigrantes del mismo origen fueron empleados en Panamá, para la construcción del ferrocarril en los años 50 y para las obras fallidas del canal en los 80.

A principios del siglo XX los hacendados peruanos del norte contrataron cerca de 20.000 japoneses para los cultivos de azúcar o algodón, y también hubo japoneses en Brasil. Finalmente, llegaron a Venezuela, procedentes de Trinidad y las Guayanas, culíes hindúes.

Las migraciones internas no fueron fáciles, por lo menos hasta bien entrado el siglo XIX. La dificultad de las rutas interiores y las limitadas ofertas de mano de obra, según regiones y actividades, no animaban la movilidad de las personas. El ferrocarril no transportó mano de obra en el siglo XIX, sino que la empleó: decenas de miles de trabajadores, la mayoría cam-

365

pesinos, colaboraron en el tendido y puesta en funcionamiento de las infraestructuras viarias. Sin embargo, fueron muchos los campesinos, de uno u otro origen, que se vieron empujados por el avance de la gran propiedad hacia nuevas tierras que se colonizaron a lo largo del siglo, como sucedió con la colonización de 1.400.000 kilómetros cuadrados en la Pampa, la Patagonia y el Chaco, que supusieron a finales de siglo el movimiento de unas 350.000 personas en Argentina y 150.000 en Chile. Asimismo se produjeron importantes desplazamientos rurales en México y Centroamérica a medida que la gran propiedad se concentraba y crecían las grandes plantaciones, como las de café en Costa Rica, El Salvador, Guatemala y México, los bananales en México, Honduras o Colombia, o las de caucho en la Amazonia brasileña, Colombia, Perú y Bolivia.

A lo largo del siglo, el inmigrante europeo fue preferido frente a los otros extranjeros, el emigrante rural o los esclavos, ya que se le valoraba su mejor preparación técnica. En muchos países se creó un ambiente favorable a la recepción de inmigrantes. En Chile, en 1864, el escritor Benjamín Vicuña Mackena, siendo miembro dela Cámara de Diputados, formó parte una comisión para *proponer los medios de fomentar la inmigración extranjera a las provincias centrales de la república.* En su informe se destaca la apología del inmigrante alemán como *el mejor colono para América Latina en general, y en especial para Chile.* En segundo lugar, opta por los italianos y los suizos, declarando poco estable el proveniente de las Islas Británicas, inconstante el francés e inconveniente el español (C. M. Rama). En Argentina, en cambio, el presidente Mitre se declaraba favorable a la inmigración española, *que no constituye problema, pues dada su identidad de idioma y de origen están asimilados desde que llegan al país.* En México, Lerdo de Tejada, coincidiendo en la necesidad de obtener inmigrantes, dice *que la inmigración latina sería la mejor, y en especial la de españoles y franceses.*

Pero la evolución política, incierta hasta mediados de siglo, y el escaso desarrollo económico de los primeros años de existencia de los países independientes no fueron un estímulo para los emigrantes europeos, que prefirieron dirigirse hacia los Estados Unidos. No obstante, algunos, aunque no muchos, eligieron Iberoamérica. Acudieron, sobre todo, comerciantes, soldados en busca de fortuna y rápido ascenso, pocos artesanos y menos agricultores, y procedían de diversos países. Favorecidos por fuertes vínculos comerciales y familiares, los españoles, sobre todo canarios, se establecieron en Cuba, Puerto Rico y Uruguay, país este último destino de más de 300.000 europeos y cuya capital, Montevideo, llegó a tener más habitantes nacidos en Europa que uruguayos.

Irlandeses, italianos y alemanes emigraron a Buenos Aires, Chile y Perú, pero en proporciones muy contenidas en tanto los portugueses lo hacían a Brasil, donde, al igual que ocurría en el caso de los españoles, las tradicionales relaciones eran más firmes que la distancia y los recelos impuestos por la independencia.

A finales del siglo XIX y principios del XX se aprobaron muchas disposiciones legales favorables a la inmigración en países como Ecuador, Perú, Venezuela, Costa Rica, Paraguay, Bolivia, Honduras o Guatemala. Sin embargo, no provocaron excesivo entusiasmo entre sus destinatarios europeos, para quienes las principales razones que les animaban a cruzar el Atlántico eran económicas. Cuando los campesinos europeos perdían el trabajo y las posibilidades de subsistir en sus lugares de origen, sacudidos por los efectos de la industrialización y de la crisis agraria finisecular, optaron por emigrar a zonas industriales europeas o se arriesgaron a emprender la aventura americana, si esta resultaba más atrayente. En esta segunda oleada inmigratoria, mientras a Estados Unidos llegaban ciudadanos procedentes de toda Europa, a Iberoamérica se dirigieron preferentemente campesinos de las zonas agrarias menos favorecidas: españoles, portugueses, italianos, rusos, polacos... quienes encontraron pasajes baratos para emprender la travesía debido a los bajos costes alcanzados con la navegación a vapor.

El resultado de estos movimientos fue que, entre 1870 y 1930, 13 millones de europeos, en su mayoría de origen campesino y de edades comprendidas entre los 15 y los 45 años, se acomodaron en tierras iberoamericanas y supusieron un considerable aporte demográfico en cada uno de los países de destino. El mayor número desembarcó en las costas brasileñas, argentinas, uruguayas, cubanas y, en menor proporción, venezolanas y chilenas. El resto de los países recibió cantidades inapreciables de inmigrantes. Brasil recibió casi 4 millones, en su mayoría italianos, portugueses y españoles, y, en menor número, alemanes. Argentina otros 4 millones, Uruguay poco menos de 600.000 y Chile menos de 200.000. En estos tres países recalaron sobre todo italianos y españoles y, en muy escasa proporción, franceses y alemanes. Desde la independencia hasta 1930 llegaron a Cuba casi 600.000 inmigrantes, de los cuales dos tercios eran españoles nacidos en Galicia, Canarias y Asturias.

En resumen, la población iberoamericana creció en el siglo XIX gracias a la mayor capacidad económica para mejorar la calidad y la cantidad de la alimentación, a la extensión de la higiene, a las obras de saneamiento y a las medidas de prevención de enfermedades, medidas estas últimas que, junto con otros factores de desarrollo, dejaron sentir sus efectos más tarde, en no muchos lugares y siempre con intensidad moderada. En la segunda mitad del siglo, el desarrollo económico ofreció oportunidades apreciadas por los emigrantes europeos, y también por campesinos y habitantes rurales, que se dirigieron a las ciudades en busca de unos atractivos que no ofrecían sus lugares de origen. Pero no solo las ciudades se beneficiaron del crecimiento demográfico y de la inmigración. Las zonas costeras frente a las montañosas, el Atlántico frente al Pacífico y los nuevos territorios frente a los de hábitat más antiguo también se beneficiaron de este desarrollo demográfico.

Hacia la liberación de los esclavos

Desde el inicio de los movimientos emancipadores se planteó un difícil conflicto respecto a la esclavitud. Por una parte, el nuevo orden que se pretendía establecer estaba basado en la defensa de la libertad y de la igualdad de los individuos, lo que resultaba incompatible con el mantenimiento de la mano de obra esclava. Pero, por otra parte, estas nobles aspiraciones chocaban con los intereses y tradiciones de las clases dominantes, a las que incluso pertenecían algunos de los más destacados líderes revolucionarios, para quienes los esclavos eran elementos fundamentales de su posición social y económica. Además, los esclavos eran necesarios para las luchas independentistas, lo que originó que ambos bandos los integraran en sus ejércitos, bien como botín, manteniendo su condición de seres sin libertad, bien atraídos por la promesa de su liberación. En consecuencia, algunos de ellos fueron manumitidos en tanto otros, la mayoría, fueron reclamados por sus dueños una vez terminados los enfrentamientos bélicos, tarea difícil dado que las campañas habían favorecido la huida de muchos o los habían alejado considerablemente de sus lugares de residencia.

Por ello, la desaparición de la esclavitud en los nuevos estados será un proceso complejo y con distintos ritmos, siendo más lentos en aquellos en los que los esclavos eran más numerosos y en los que predominaban las plantaciones, cuyos propietarios obstaculizaban al máximo cualquier medida que les privara de la mano de obra tradicional.

El factor que puso en marcha la liberación de los esclavos fue la aprobación por parte de la mayoría de los gobiernos revolucionarios de la ley de vientre libre. Por ella, los hijos de esclavos serían libres, si bien se les obligaba a seguir ligados a sus antiguos amos como aprendices durante un largo tiempo que, como en el caso de Venezuela, llegó a superar los veinte años. Este tipo de emancipación paulatina no fue seguida por Chile, México o Centroamérica donde, por el contrario, acordaron la plena emancipación en la primera mitad del siglo. En el resto de las repúblicas habrá que esperar hasta los años 50 para que se generalizase tal medida.

Además de los planteamientos ideológicos liberales a que se ha aludido, otros factores, citados en capítulos anteriores, contribuyeron a la desaparición de la esclavitud. Entre ellos, y especialmente, las nuevas condiciones económicas de las ex colonias, la escasez de capitales en manos de los terratenientes o la actitud hostil de los británicos ante el comercio atlántico de seres humanos. Todo ello dio como resultado la disminución de la importación de esclavos y la proliferación de libertos que lograban salir de su condición esclava gracias a la coartación o acuerdo con el amo del precio y plazos del rescate, por lo que, cuando a mitad de siglo se decretó la abolición, el número de esclavos había descendido de manera significativa y las distintas economías habían tenido tiempo de adaptarse a planteamientos más modernos y no sufrieron, por tanto, trastornos relevantes.

Sin embargo, los esclavos y su comercio no habían desaparecido de Iberoamérica. Brasil, Puerto Rico y Cuba siguieron siendo focos de un próspero negocio hasta la abolición de la trata a mediados del siglo. En 1860 Cuba contaba con 1,4 millones de habitantes, de los que 370.000 eran esclavos, dándose la curiosa circunstancia de que el Gobierno español, al tiempo que mantuvo vigente la esclavitud hasta 1870, dictaba normas a favor de la integración social de la población negra, eliminando cualquier segregación en los establecimientos docentes, los lugares públicos de ocio o los transportes. En Puerto Rico, por su parte, los esclavos suponían el 9 % de la población.

En Brasil, en 1822, un 30 % de la población eran esclavos que trabajaban no solo en las plantaciones, también en las zonas rurales y en las ciudades, donde el Gobierno, los conventos y los hospitales, además de los particulares, tenían esclavos. La trata casi desapareció a principios de los treinta, pero recobró vigor a partir de 1837. El proceso de supresión de la trata y de la abolición de la esclavitud fue largo y complejo, provocando continuas controversias en los gobiernos brasileños y en el Parlamento británico y que las relaciones de ambos países se vieran afectadas por este delicado asunto durante décadas. La tensión llevó incluso a que Gran Bretaña dictara leyes que autorizaban a su flota a apresar a los buques negreros y someterlos a los tribunales ingleses. Finalmente, en 1850, una nueva ley aprobada bajo la presión británica, suprimía la trata. El comercio de esclavos con Brasil comenzó a declinar al tiempo que estos eran

La abolición de la esclavitud fue un proceso lento que se dilató más en los países que utilizaban más mano de obra esclava. Perduró en Cuba y Puerto Rico hasta 1870, fecha en la que España abolió la esclavitud, y hasta 1888 en Brasil, que fue el último país en abolirla. En la imagen, un grabado del Viaje histórico al Brasil, *titulado* «Castigando al esclavo negro», *de principios del siglo XIX, refleja los malos tratos a que eran sometidos.*

lentamente sustituidos por inmigrantes. En 1870 los esclavos se habían reducido a un 15 % de la población, pero todavía había 700.000 en 1888, fecha en que se aprobó la abolición.

De forma que la desaparición de la esclavitud no respondió tanto a planteamientos ideológicos como a las propias necesidades del desarrollo económico europeo y americano. El sistema esclavista se presentaba a mediados de siglo poco dinámico e ineficiente, incapaz de que sus productos pudieran competir ventajosamente con los de la nueva agricultura mecanizada y con trabajadores especializados, por quienes no era necesario un desembolso inicial ni había que mantenerlos si las necesidades no lo requerían, y cuya productividad era el doble o el triple de la de los esclavos. Pero en Iberoamérica, y en lo que al ámbito rural se refiere, los esclavos no vinieron a ser sustituidos por un proletariado asalariado y libre al modo de la nueva sociedad industrial. En la mayoría de los casos su lugar lo ocuparon trabajadores vinculados a las haciendas con diversas fórmulas de dependencia: aparcerías, arrendamientos, peonajes, servicios por deudas...

Elites criollas y poder

Fue todo el orden social el que se vio afectado con el paso de las colonias a las nuevas repúblicas. La independencia supuso la supresión parcial del tributo indígena, la derogación de las normas de casta y la apertura a la inmigración con el establecimiento de la libertad de comercio. Pero durante los primeros años posteriores a la independencia, las transformaciones más destacadas en las relaciones sociales provinieron, precisamente, de la destrucción del orden colonial, de la militarización, de la aparición de los nuevos órganos de poder y de la relación que con este nuevo poder mantuvo la elite criolla. El nuevo liberalismo rechazaba no solo la esclavitud, sino la dependencia personal, la jerarquización y la desigualdad de derechos entre los ciudadanos, y pretendió organizar una nueva sociedad nacional en la que pudieran convivir los distintos grupos étnicos y sociales.

372

Las familias pertenecientes a la elite criolla fueron las auténticas beneficiadas de la independencia. Buena parte de esas familias eran grandes propietarias desde la época colonial y con la constitución de los nuevos estados accedieron también a los altos cargos de responsabilidad en la política y en la administración. No todos los grandes terratenientes actuaron directamente en política, particularmente en Argentina y México, donde algunos prefirieron hacerlo desde la sombra. Pero, en general, ocuparon puestos en el gobierno, en los parlamentos nacionales o regionales, en el poder judicial y en todas las administraciones. En muchos casos, se trasladaron a la ciudad para desempeñar sus nuevas responsabilidades, y casi siempre mandaron a sus hijos a las universidades, quienes, una vez finalizados sus estudios, se incorporaban a los oficios y cargos de responsabilidad.

Fueron pocos los mestizos o mulatos que disputaron estos cargos, y los que lo hicieron, en la mayoría de los casos, debieron su oportunidad a una buena carrera militar. Pero eran vistos como cuerpos extraños y hostilizados por los blancos, quienes se consideraban herederos naturales de los resortes del poder. Por ello, en muchas ocasiones, los que lograron alcanzar mayor rango fueron eliminados de la vida política y algunos de ellos, incluso, ejecutados.

No hubo, por tanto, una competencia real por los puestos de responsabilidad entre criollos y mestizos. La competencia se planteó entre criollos, civiles y militares. La independencia provocó una mayor militarización del poder, de modo que, una vez conseguida aquella, en la mayoría de los países los civiles no pudieron prescindir de los militares. Incluso en aquellos lugares en los que el poder civil y la prosperidad fueron mayores en los primeros años, como en Chile, y en los que se emprendió una campaña más eficaz para reducir los ejércitos nacionales y limitar los privilegios de los oficiales, se recurrió a generales para detentar la jefatura del Estado. Los altos cargos de la milicia parecían ser los únicos capaces de imponer suficiente respeto ante las corrientes disgregadoras regionales o los caudillos locales. Más importantes todavía fueron los militares en aquellos lugares donde el Estado era débil y el poder político estaba dividido y descentralizado.

Tanto el poder económico como el político lo detentaba la elite criolla, pero se repartía de modo complejo y no siempre favorecía de modo similar a los distintos grupos que la componían: grandes terratenientes, caudillos de todo tipo, altos mandos del ejército, cargos políticos y de la administración. Unos necesitaban de otros para ejercer el poder, y las diferencias ideológicas no fueron por lo general suficientes para impedir un reparto del mismo, que la mayoría de las veces fue relativamente consensuado, y en otras resultado de violentos enfrentamientos.

Los jóvenes pertenecientes a los grupos que detentaban el poder tenían ante sí la oportunidad de desempeñar diversos oficios, todos ellos económicamente rentables y favorecedores del ascenso y del prestigio social: podían acceder a la judicatura, a los altos puestos de la administración, a las profesiones más consideradas y cualificadas, a ser miembros del parlamento o del gobierno. Algunos no desdeñaron el peculiar oficio de caudillo. En la mayoría de los casos, todas estas profesiones de privilegio fueron compatibles con las de terrateniente aunque, en ocasiones, fuera moderada la cantidad de tierras poseída.

No es fácil diferenciar a la aristocracia criolla según su función. Entre sus componentes los había comerciantes, funcionarios o militares y, en muchos casos, un mismo individuo era varias de esas cosas a la vez. Existía una clase social alta, que se repartió las funciones dominantes y el poder, agrupada según sus convicciones en grupos más conservadores o liberales, pero que no estaban enfrentados por contrapuestos intereses de clase o por el control de los medios de producción. Estos intereses económicos comunes fueron evidentes incluso en lugares como Buenos Aires, donde se ha resaltado el conflicto entre campo y ciudad, ya que allí los intereses de los productores de cueros y carne, por una parte, y los de los comerciantes, por otra, eran básicamente comunes y en muchas ocasiones se trataba de los mismos ciudadanos.

Entre ellos se disputaron el control del Estado y el disfrute de la parte fundamental de la renta, cuya distribución controlaron de modo exclusivo. Independientemente de sus tendencias políticas, estos criollos nunca se identificaron con los indios, los negros, los mulatos y las clases bajas, y sí lo hicieron con las burguesías europeas. Esto justifica, por ejemplo, las facilidades y el entusiasmo con que se aprobaron medidas para facilitar la inmigración de europeos. Asimismo, esta actitud explica también los casos en los que se vio como una solución adecuada la incorporación a una potencia occidental prestigiosa, como en su momento se planteó, aunque no solo, en México y Nueva Granada, a Estados Unidos o Francia, respectivamente.

La pervivencia de las castas

Ya ha sido señalado que una de las características de la sociedad iberoamericana era la gran diversidad étnica. Pero dicha diversidad no estaba repartida de igual forma en los nuevos países formados a raíz de la consecución de la independencia. Los andinos, la República Federal Centroamericana y, en menor cuantía, México, contaban con una elevada proporción de población autóctona, que llegaba a casi el 70 % en Bolivia. La población de origen africano era numerosa en los países ribereños del Caribe y en Brasil, y los mestizos abundaban en todos los reseñados, destacando Brasil y Centroamérica, donde conformaban el 50 y cerca del 30 % de la población, respectivamente. Por el contrario, en los países del Cono Sur, indígenas, negros o mestizos suponían porcentajes mucho menores, siendo mayoritarios los criollos blancos.

La convivencia entre esta variada gama de pueblos estaba delimitada por las diferencias culturales o el color de la piel, y las normas, las obligaciones económicas o el papel que desempeñaban en la vida social y política eran distintos en función del grupo al que se perteneciera. De ese modo, y salvo contadas excepciones, los indígenas, negros, mulatos y mestizos ocupaban el nivel más bajo en clara dependencia de la minoría blanca, mientras intentaban mantener aspectos fundamentales de su identidad cultural y de sus formas organizativas.

Ante esta realidad, y dejando para más adelante a las comunidades indias, los liberales, coherentes con sus ideas, se aprestaron a la tarea de eliminar o debilitar las corporaciones y las castas coloniales, que constituían a su juicio un impedimento notable para la construcción de las nuevas naciones. Así pues, se adoptaron las medidas legales pertinentes para acabar con las diferencias como la supresión de la esclavitud, la eliminación de los tributos específicos o la desaparición de algunos obstáculos para la integración y la promoción social, pero, en la práctica, la realidad social evolucionó con menor rapidez. El color y el origen siguieron siendo un factor de diferenciación y, tanto en las ciudades como en el campo, se mantuvieron núcleos aislados de mestizos o negros. De uno de estos últimos, Herbert S. Klein nos dice: *En las yungas, zonas de cultivo de coca en las tierras altas de Bolivia, existieron pueblos de negros que hablaban español y aymará, vestían ropas tradicionales indígenas y ejercían las mismas actividades económicas que sus vecinos aymarás. No se casaron, sin embargo, con ellos y mantuvieron su aislamiento social y cultural hasta bien entrado el siglo XX.*

Pero siendo cierto que siguieron existiendo prejuicios hacia las castas, también lo es que estos fueron suavizándose a lo largo del siglo XIX. La existencia de gobiernos democráticos, la incorporación de los no blancos al nuevo sistema económico y la presencia relevante de los mismos en la milicia fueron factores que permitieron la mejora de su situación y que paulatinamente, aunque no de forma completa, se fueran integrando en la dominante sociedad blanca. Paralelamente, aportaron a esta muchos de sus rasgos culturales: ritos, folclor..., proporcionando así un acervo fundamental para la identidad iberoamericana.

La nueva dependencia
de las comunidades indias

Henri Favre, después de pasar revista a *los porvenires de la independencia* para la población indígena, concluye que: *La independencia se traduce en todas partes en una degradación sensible de la condición del indio.* En efecto, las nuevas repúblicas se habían construido sobre la base de los principios abstractos inspirados en los Estados Unidos jeffersonianos y en la Francia revolucionaria. La igualdad entre los ciudadanos exigía eliminar todas las secuelas del colonialismo y todas las diferencias étnicas en una sociedad de clases. ¿Cómo encajarían las comunidades indias en este proyecto? Algo tenían que ganar. En 1821, San Martín decreta en Perú que, en lo sucesivo, los indígenas no estarían ya sometidos a los servicios personales. En 1825, Bolívar firmaba un decreto en El Cuzco en el que se abolía el tributo y establecía que los bienes raíces fueran repartidos y distribuidos entre todos los que eran sus usufructuarios. Los indios quedaban convertidos en ciudadanos, sujetos a las leyes de la república, incluyendo el servicio militar, que no habían prestado antes, y dejaban de existir como indios, prohibiéndose incluso utilizar este término.

La propiedad comunitaria, en cambio, era puesta en discusión. Para los liberales no parecía aceptable la existencia, dentro de la nueva nación, de una comunidad de indios con un régimen de propiedad de la tierra diferente. Esta «desigualdad» se consideraba, como tantas otras de la época colonial, perjudicial e inadmisible, tanto por el problema jurídico y económico que planteaba, como por la imposibilidad de incorporar, sin acabar con su posición, a estas comunidades indias al nuevo orden político y social. Pero los indios, mal informados de sus nuevos derechos y poco preparados para hacerlos valer, se vieron despojados de sus tierras por los grandes propietarios de la comarca o cayeron en deudas y entraron en el área de influencia de las haciendas. Las necesidades presupuestarias de los nuevos gobiernos hicieron que el recién abolido tributo volviera a restablecerse bajo la forma de «contribución indígena».

En realidad, las comunidades indias permanecieron estables hasta mediados de siglo y los indios continuaron vinculados a la hacienda, en todos los lugares donde estas comunidades eran proporcionalmente importantes con respecto al total de la población del país: México, Guatemala, Venezuela, Colombia, Ecuador, Perú, Bolivia. Sus tierras siempre estuvieron amenazadas por la gran propiedad, y a ella terminaron sucumbiendo más o menos lentamente desde el último tercio del siglo, quizá con la excepción de Perú y, sobre todo, Bolivia, donde existían a mediados del presente siglo más de 3.700 comunidades indígenas que disponían de una cuarta parte de las tierras efectivamente cultivadas.

Cuando se produjeron las desamortizaciones de las tierras de las comunidades, parte de las mismas fue parcelada y ocupada por los indios. El resto fue vendido como baldíos por el Estado. Indefectiblemente, las tierras puestas en venta engrosaron las de las nuevas haciendas y la gran propiedad a las que, como mano de obra libre, se incorporaron la mayoría de los indios expulsados de la comunidad.

Las transformaciones citadas no dejaron de provocar protestas y rebeliones de las comunidades en todos los países. A partir de 1850, las sublevaciones se extienden con carácter general. Hubo revueltas en Bolivia que obligaron al Gobierno a dar marcha atrás en sus medidas contra las tierras comunales. En Yucatán, donde los mayas se enfrentaron al ejército mexicano en la Guerra de las Castas que, si bien finalizó en 1855, convirtió a la zona en un foco de rebelión hasta la derrota de Manuel Lozada, caudillo de los cora. En el sur, los araucanos se levantaron en armas varias veces a lo largo del siglo. El principal conflicto ocurrió en 1859 como protesta ante las presiones ejercidas por los colonos extranjeros. En Argentina la ofensiva final contra los indios se inició en 1878 al mando del general Julio A. Roca, después presidente de la república.

Los otros campesinos

El mundo rural no era solo el escenario en que se desarrollaba la vida de las comunidades indias. Estrechamente vinculados a las haciendas y a los terratenientes existían multitud de peones, temporeros, pequeños y medianos propietarios, si bien estos poco numerosos, esclavos y artesanos de los poblados. En relación con todos ellos, los liberales incluyeron en sus programas la eliminación de los tradicionales sistemas que los unían con las haciendas, poco acordes con los nuevos aires de libertad personal y económica.

Pero esta corriente modernizadora chocó a lo largo del siglo con la profunda y generalizada convicción de los terratenientes de que indios, negros, mestizos, mulatos y blancos de clase baja eran perezosos y solo diligentes para el trabajo cuando el hambre o el castigo eran la alternativa.

La resistencia a las transformaciones sociales a las que aspiraban los gobiernos revolucionarios, ejercida por los terratenientes en una defensa cerrada y eficaz de sus intereses, no fue vencida tanto por las ideas y las políticas liberales como por el desarrollo del transporte y el crecimiento de la demanda de los productos agrarios iberoamericanos en los mercados. Fue la evolución económica, dentro y fuera de Iberoamérica, la que exigió la transformación de las formas de trabajo protegido o de los lazos personales y su sustitución por el trabajador libre y asalariado. Pero, durante todo el siglo XIX, ese tránsito del trabajo temporal y de la aparcería al trabajo asalariado propio de la producción capitalista no fue rápido ni sencillo, ni se realizó de forma similar en todas partes

Como ya se ha señalado, en el lento camino que recorrió Iberoamérica hacia el capitalismo, el primer proceso, y quizá el más característico, fue el ataque a las tierras comunales y su paulatina incorporación a las grandes haciendas. Este proceso se alargó en el tiempo, entre otras razones, porque allí donde fue conveniente mantener una mano de obra temporal barata se preservaron poblados, generalmente en tierras pobres, cuyos habitantes debían acudir como temporeros a las haciendas para sobrevivir. Más tarde se aprovecharían de esta situación, además de las haciendas, las nuevas plantaciones, las empresas constructoras del ferrocarril o las mineras que, deseosas de seguir disponiendo de mano de obra fácil, pusieron todo tipo de obstáculos a cualquier cambio. Prueba de ello es que, todavía a principio del siglo XX, cerca de la mitad de la población rural de las tierras antiguamente pobladas de México vivía en las haciendas y la otra mitad en poblados, y en Perú un 20 % vivía en las haciendas.

La pervivencia de los poblados proporcionaba una abundante y excelente fuente de trabajadores. A pesar de ello, son frecuentes los testimonios de los terratenientes quejándose de la escasez de brazos, o de que los trabajadores no acudían inmediatamente a sus tierras el día por ellos señalado, por el salario que ellos decidían y al ritmo de trabajo que a ellos convenía. El salario se calculaba en dinero, aunque no se pagara siempre en efectivo, y la base de negociación se mantuvo muy estable a lo largo del siglo en torno a los dos reales de peso diarios o su equivalente. Una fórmula que resultó cómoda y segura para el terrateniente y más opresiva, si cabe, para el campesino, que se utilizó en bastantes lugares, como en los cultivos de caña de azúcar en Perú, fue el enganche o contratación de mano de obra a través de un contratista; este adelantaba a los trabajadores una parte del salario acordado; los transportaba y se encargaba de que trabajaran, percibiendo a cambio un porcentaje del salario.

La hacienda se afianzó hasta principios del siglo XX. Hubo que esperar a que procesos nuevos, como la revolución mexicana, acabaran con esta relación entre terratenientes y campesinos, que alcanzó la mayor eficacia desde el punto de vista del terrateniente en el último tercio del siglo XIX. En palabras de Enrique Semo referidas a la hacienda mexicana, el terrateniente ejercía control sobre el trabajador porque pagaba al sacerdote que celebraba los oficios religiosos; mantenía la escuela que proporcionaba la educación mínima a los hijos de trabajadores escogidos; controlaba las fuerzas de orden público o influía en ellas; era el único que podía facilitar asistencia médica; era el importador exclusivo de mercancía local y de ultramar; podía invadir las tierras de las comunidades rebeldes y embarcarse en largos y costosos pleitos judiciales; ejercía influencia en los funcionarios locales y, a veces, en los nacionales. Finalmente, tenía la facultad de castigar a los que le ofendían encerrándolos en la cárcel de la hacienda e incluso dándoles muerte.

A lo largo del siglo XIX los campesinos soportaron estas duras condiciones de trabajo con más resignación que ira, o al menos eso parece desprenderse de las escasas sublevaciones o revueltas campesinas que se produjeron. En realidad, y aparte de las emigraciones más o menos destacables hacia tierras mejores o hacia la ciudad, la resistencia en las haciendas fue escasa, actitud que se mantuvo hasta el siglo XX, cuando el movimiento zapatista mexicano movilizó al mundo rural. Todos los conatos de rebelión o simple reivindicación anteriores a dicho movimiento fueron sofocados, a instancia de los terratenientes, por las policías locales o los ejércitos nacionales, según la envergadura de la sublevación.

Ciudades y desarrollo urbano

Durante los primeros años de la independencia, las ciudades experimentaron, en general, un lento crecimiento que estuvo vinculado a su mayor protagonismo político y social y a la expansión de las exportaciones. Afectó, sobre todo, a los núcleos urbanos, que centralizaban tal actividad comercial, algunos de los cuales, como Barranquilla en Colombia o Guayaquil en Ecuador, crecieron más rápidamente que Bogotá o Quito, las capitales políticas.

Durante algún tiempo, las ciudades iberoamericanas conservaron la apariencia de la época colonial. No eran grandes, o no lo parecían, impresión a la que contribuía su distribución en torno a la plaza principal. En unas cuantas manzanas de la zona central se situaban los edificios públicos, mercados, oficinas, almacenes, la iglesia, el teatro..., así como las viviendas de las clases acomodadas.

Los artesanos vivían en casas modestas, alrededor de la zona central, de las que apenas salían fuera del trabajo. Y los peones y los ciudadanos más humildes ocupaban casas más pequeñas y más alejadas cuanto menores eran los ingresos familiares. Las calles estrechas —eran frecuentes los nueve metros de ancho—, delimitadas por las paredes de los edificios que arrancaban del mismo borde de las aceras, estaban frecuentemente inundadas de barro y de las basuras que las familias echaban a la calle junto con el contenido de los orinales, ya que eran prácticamente inexistentes los sistemas de evacuación y saneamiento. En las noches sin luna se encendían algunas lámparas de aceite que guiaban a los escasos vecinos que se atrevían a salir de sus casas.

Desde mediados del XIX, otros factores incidieron de manera mas decisiva en el desarrollo urbano que el comercio exterior, que, por otra parte, tampoco empleó un número muy elevado de personas. La expansión de los estados, el incremento del número de funcionarios, el desarrollo de los transportes y, sobre todo, la disminución de la mortalidad como consecuencia de las mejoras en el abastecimiento de agua y las redes de saneamiento, en tanto la natalidad se mantenía muy alta, provocaron que el número de ciudadanos y su proporción con respecto a la población rural aumentara de modo muy notable a partir de 1870. Además, las corrientes migratorias contribuyeron también al crecimiento de las principales ciudades.

Las ciudades que experimentaron mayor crecimiento a finales de XIX y principios del XX fueron, sobre todo, las capitales nacionales. Estas eran los centros administrativos del país, pero en la mayoría de los casos eran al mismo tiempo fundamentales centros comerciales que canalizaban la exportación y distribuían las importaciones. El caso más destacado de crecimiento urbano corresponde a Buenos Aires. Pasó de 180.000 habitantes en 1870, a más de 2 millones en 1930. Fue el centro de las exportaciones argentinas, el centro ferroviario nacional y la distribuidora de las mercancías procedentes del comercio internacional para Argentina y parte de Bolivia y Paraguay. Esta doble función administrativa y comercial fue desarrollada por las otras capitales con crecimiento también notable, como Río de Janeiro, México, Santiago de Chile, Montevideo o La Habana.

EVOLUCIÓN DE LA POBLACIÓN DE
LAS PRINCIPALES CAPITALES IBEROAMERICANAS
(Miles de habitantes)

Ciudad	Finales s. XVIII	1810/20	1870	1900	1930
México	113	169	220	345	1.049
San José	—	—	9	—	51
Guatemala	—	—	50	—	121
La Habana	51	84	200	236	654
Caracas	24	42	50	72	203
Bogotá	21	—	50	117	330
Quito	28	—	76	47	127
Lima	52	56	100	—	273
La Paz	22	—	69	53	176
Santiago	—	50	130	256	696
Buenos Aires	24	55	180	664	2.178
Montevideo	30	—	126	268	572
Asunción	—	—	—	—	97
Río de Janeiro	—	100	275	430	1.701
São Paulo	—	60	—	—	1.000

FUENTES: Para las estimaciones del siglo XIX: J. Banzant, R. L. Woodward, M. Deas, H. Bonilla, S. Collier, J. Linch, L. Bethell y J. Murilo de Carvalho, en L. Bethell, ed., *Historia de América Latina. 6. América independiente, 1820, 1870,* Cambridge University Press, Editorial Crítica, Barcelona, 1991. Para las cifras de 1870 y 1930, J. R. Scobie, «El crecimiento de las ciudades latinoamericanas, 1870-1930», en L. Bethell, ed., *Historia de América Latina.7. América Latina: economía y sociedad, c. 1870-1930,* Cambrigde University Press, Editorial Crítica, Barcelona, 1991.

Hubo un segundo grupo de ciudades que sumaban a las funciones comerciales y burocráticas una destacada actividad industrial, sin ser la capital del Estado. A dicho grupo pertenecen Medellín, capital de Antioquia, cuyo desarrollo se debió, sobre todo desde 1900, al café; o Monterrey, donde, desde 1880 y con capital norteamericano, se desarrollaron empresas metalúrgicas e industriales. Pero el caso de crecimiento más extraordinario lo ofrece São Paulo. También aquí el café jugó un papel decisivo: en 1870 Río producía 10 veces más café que São Paulo; en 1890 igualaron su producción y en 1930 São Paulo producía el doble que Río. Parte de los beneficios de su cultivo se invirtieron en industrias locales: textiles, alimenticias, de la construcción, de loza y vidrio, de madera, convirtiéndose así en un gran foco económico.

Otros núcleos urbanos debieron su desarrollo a la actividad minera, y se vieron vinculados a la evolución de la demanda de estos productos en el mercado mundial. Los nitratos del norte de Chile, el petróleo de Venezuela y México y el oro, la plata, el cobre y el estaño de las otras regiones mineras de Chile, Perú, Bolivia y México favorecieron la expansión de sus núcleos urbanos, cuya prosperidad estaba siempre vinculada a la evolución de la demanda de los productos en el mercado mundial.

Finalmente, otras ciudades crecieron gracias a la función comercial, favorecidas por estar ubicadas en los nudos importantes de comunicaciones —carreteras o ferrocarriles— o por ser destacados centros portuarios, como Rosario en Argentina o Veracruz en México.

Pero las ciudades no conocieron solo el cambio respecto al número de habitantes. También su paisaje experimentó grandes modificaciones. El urbanismo siguió las pautas de las grandes ciudades europeas, sobre todo de París. Se buscaba la ruptura con la ciudad hispánica, con la «arquitectura de los godos». Este objetivo pudo cumplirse cabalmente en el último tercio de siglo, cuando la estabilidad social y el crecimiento económico permitieron una política más ambiciosa de construcciones. El derribo de las viejas murallas en ciudades como Lima, La Habana, Trujillo y Montevideo permitió realizar los necesarios ensanches y las exigencias derivadas de la construcción de las nuevas estaciones ferroviarias, la remodelación de los tradicionales trazados urbanos: diagonales, parques y jardines públicos a imitación del Bois de Boulogne, calles comerciales con amplios espacios para escaparates y terrazas de los cafés. Hasta el mobiliario urbano —quioscos, farolas, bancos— se había copiado, o importado, de París. Los edificios públicos que simbolizaban y albergaban a los nuevos poderes, como los Parlamentos, los palacios de Justicia o las sedes de los ministerios; los edificios necesarios para las actividades recreativas y cultu-

La foto de Martín Chambi, tomada en 1944 en el Perú, representa a un terrateniente peruano con sus trabajadores. Las distintas fórmulas de control y explotación de la población campesina, sobre todo de la indígena, perduraron a lo largo del XIX y durante buena parte del XX. Esa dependencia explica la pervivencia del problema agrario. Además, la vinculación de terratenientes y caciques dificultó la implantación de una democracia real. Ambos son los dos problemas capitales con los que Iberoamérica comenzó el siglo XX.

385

rales —teatros, bibliotecas, museos, templos— fueron encargados a arquitectos que, en ocasiones, enviaban sus proyectos desde Europa y no conocían la ciudad en que iban a edificarse. Un estilo clasicista, académico y frío prevalece en la mayoría de ellos.

Además, la ciudad se va organizando en barrios claramente diferenciados. Las clases altas se acomodaron en zonas residenciales bien urbanizadas, caras y, por ello, altamente selectivas, pero sin renunciar al centro urbano que presencia la sustitución de las carretas de mulas por tranvías de tracción animal, el alumbrado por gas, el alcantarillado y la mayor limpieza de las calles.

Buena parte de los ciudadanos trabajaban en el comercio local, en el servicio doméstico y en antiguas y nuevas actividades artesanales estimuladas por el crecimiento urbano. Industrias cerveceras, fábricas de cigarros... se sumaban a los oficios tradicionales: panaderos, bodegueros, carpinteros, tejedores, sastres y modistas, herreros, cordeleros, sombrereros, curtidores, impresores, trabajadores de la construcción y un largo etcétera, de forma que los artesanos representaban un porcentaje notable de la población activa

Junto a ellos, y en proporción cada vez mayor, se encontraban los trabajadores de instalaciones fabriles relativamente grandes y mecanizadas. Los primeros y principales sectores donde hubo trabajadores asalariados de la industria fueron los vinculados a la exportación: minería y transportes. En el resto de las actividades industriales, el proletariado solo alcanzó una proporción apreciable a comienzos del siglo XX, y no llegó a ocupar un protagonismo destacado en las respectivas sociedades y economías iberoamericanas hasta los años treinta.

Buena parte de esos primeros trabajadores industriales fueron inmigrantes no cualificados, siendo este un factor que condicionó los inicios del movimiento obrero iberoamericano. Era difícil la organización de los trabajadores cuando los inmigrantes se veían enfrentados a los nacionales, lo cual producía inseguridad y permitía al patrono una cómoda sustitución del trabajador conflictivo.

Las condiciones de vida del proletariado eran con frecuencia miserables. Los obreros vivían en los barrios periféricos de las ciudades, en viviendas de dimensiones mínimas (corticos en São Paulo, conventillos en Buenos Aires o Montevideo, mesones en México) de una sola habitación. Las condiciones de salud eran lamentables y favorecían una mortalidad elevada, que se estima en torno al 40 ‰ a comienzos del siglo XX. En las zonas mineras y de grandes fábricas existían viviendas de la compañía, que no resultaban ser mejores, pero sí ventajosas para el empresario, ya que podía expulsar de la casa a los trabajadores y a sus familias cuando estimaba que aquellos podían causar inconvenientes a sus intereses. Tampoco fueron mejores las condiciones de trabajo, aunque variaban mucho de unos países y sectores a otros. En las fábricas imperaba el autoritarismo y los reglamentos rigurosos que imponían disciplina a los trabajadores. La jornada de trabajo podía llegar a las dieciséis horas (en México antes de 1910), pero eran frecuentes doce horas diarias durante seis días a la semana. También eran frecuentes los accidentes y las enfermedades profesionales, ya que no existían condiciones de seguridad ni sensibilidad o preocupación al respecto.

Educación

El programa liberal, o mejor, el pensamiento ilustrado, incluyó el esfuerzo por crear nuevos sistemas educativos. Había que educar a los ciudadanos (a todos) para que pudieran ejercer las libertades políticas y económicas con responsabilidad: los nuevos estados requerían ciudadanos leales a los principios democráticos, y se consideraba que, en consecuencia, la educación primaria debía recaer en el Estado, en lugar de corresponder a la Iglesia, que lejos de garantizar una educación en este sentido, más bien sería un serio obstáculo para la generalización de las actitudes y comportamientos democráticos de los ciudadanos. También desde el punto de vista económico era necesaria una profunda transformación de la educación media y superior, de modo que los principios escolásticos dejaran paso a las ciencias naturales y experimentales y se formaran así futuros empresarios con sentido práctico y técnicos bien cualificados. No obstante, al igual que ocurrió con otras iniciativas liberales, fueron mucho más rápidas las ideas que la realidad. Se proyectaron muchas escuelas, pero se construyeron pocas; se deseaba una enseñanza más científica, pero las resistencias fueron enormes. La Iglesia cedió relativamente pronto parte de su poder económico en las sucesivas desamortizaciones, pero mostró, como en las viejas metrópolis, una vigorosa fortaleza a la hora de defender su presencia e influencia en la vida social, educativa y cultural.

La Iglesia y el ejército continuaron siendo después de la independencia instituciones de gran peso, aunque la Iglesia salió debilitada por sostener la causa realista, por los bienes que le fueron confiscados y por las alternativas profesionales que se ofrecían a las elites criollas. El ejército se vio debilitado porque los nuevos gobiernos no podían mantener unas fuerzas militares numerosas y caras. Los fueros eclesiástico y militar desaparecieron pronto bajo el principio de igualdad ante la Ley.

18

Iberoamérica en la era del imperialismo (1870-1914)

———

IBEROAMÉRICA CONOCIÓ una época de franco crecimiento entre 1870 y 1914, sobre todo si se compara con los años transcurridos desde la independencia hasta 1870. Esta expansión estuvo íntimamente unida a la de su comercio exterior, al que se incorporaron en dicho periodo regiones nuevas. La normalización de las relaciones entre los estados, con la consecuente disminución de conflictos entre ellos y, sobre todo, una mayor estabilidad política, favoreció las inversiones de las potencias industriales en Iberoamérica, inversiones que estimularon de modo notable las exportaciones de bienes primarios hacia Europa Occidental y Estados Unidos.

La estabilidad política de las últimas décadas del siglo XIX contribuyó, sin duda, a que la actividad económica pudiera realizarse en un clima más sereno, que resultó favorable no solo para la inversión de capital extranjero, sino también para alentar una modesta pero significativa acumulación de capital interno y la inversión de estas fortunas locales. La influencia positiva del equilibrio político en el crecimiento económico fue particularmente destacada en Argentina, Brasil, Chile y México, países que consolidaron en este periodo su ventaja relativa con respecto al resto de países iberoamericanos.

Ahora bien, ¿hasta qué punto la nueva prosperidad, evidente en determinados sectores, constituyó un sólido paso hacia un desarrollo equilibrado, similar al de los países más avanzados del oeste de Europa y el norte de América? ¿Se puede hablar realmente de industrialización en Iberoamérica entre 1870 y 1914? En el presente capítulo se abordan estas cuestiones, comenzando por el análisis de las inversiones extranjeras; a continuación se describen las exportaciones, tanto de los principales productos como de sus destinos. Se sigue con una mirada a los tímidos pasos emprendidos por las nuevas industrias y se concluye con una cuestión en la que coinciden buena parte de los estudiosos de esta época: el desarrollo económico iberoamericano estuvo fuertemente condicionado por la evolución de la economía mundial y se caracterizó por una creciente dependencia de los países más industrializados. Si esta dependencia se planteó, durante todo el siglo XIX, respecto a Europa, en la época que analizamos se desplazó hacia los Estados Unidos y adquirió mayor intensidad.

Las inversiones extranjeras

Con la independencia, Iberoamérica entró en el ámbito de las relaciones internacionales en las que, siguiendo la pauta habitual en todo el mundo, la diplomacia se ponía al servicio del comercio. Las embajadas acreditadas en los nuevos países velaban por la protección de las vidas y los intereses de sus compatriotas y se empleaban a fondo para conseguir facilidades arancelarias y libre navegación por los ríos, así como para neutralizar las ofertas comerciales de países competidores. Todas las repúblicas se vieron, pues, sometidas al acoso de las cancillerías europeas, en especial las de Gran Bretaña y Francia. El prestigio de sus culturas, junto con el atractivo que ejercían los patrones de vida europea sobre las elites americanas, se convirtió en la mejor carta de presentación de sus productos.

La inversión de capitales extranjeros en Iberoamérica en la segunda mitad del siglo XIX se vio favorecida por el desarrollo industrial en Europa y Estados Unidos. El crecimiento económico estimuló la exportación de capitales, una de las características esenciales de la industrialización de los países capitalistas en el último tercio del siglo XIX y uno de los factores de esta fase del desarrollo del capitalismo conocida como imperialismo.

Entre 1850 y 1870 la expansión del capitalismo en Europa y Estados Unidos aceleró la construcción de las infraestructuras ferroviarias, favoreció el desarrollo de la navegación a vapor y colocó un volumen destacado de capitales fuera de los países industrializados. Estos movimientos provocaron en casi todas las nuevas repúblicas iberoamericanas un mejor aprovechamiento de los recursos naturales y de las materias primas destinadas a la exportación. A partir de los años setenta se generalizó lo que Halperin Donghi denomina *un nuevo orden colonial,* que estrechó la relación de dependencia entre las economías exportadoras y la economía mundial dominada por los países industrializados.

Teléfonos, telégrafos y los servicios de información allanaron el camino de las inversiones. El ferrocarril, principal destinatario del dinero que afluía a Iberoamérica, llevaba de las zonas productoras agrarias o mineras a los puertos o, en el caso de México, a la frontera con los Estados Unidos, los productos para la exportación. En 1870 había 2.800 kilómetros de líneas férreas tendidas en Iberoamérica y en 1900 superaban los 41.000 kilómetros, de los cuales la mayoría se encontraban en Argentina, México y Chile. Finalmente, las nuevas líneas marítimas permitieron colocar en Europa a precios muy competitivos los productos iberoamericanos de exportación.

Con respecto a la llegada de capitales procedentes del Reino Unido, primero, y de Francia, Alemania y Estados Unidos, después, a lo largo del XIX y a principios del XX, hay que resaltar que buena parte de dichos capitales no eran otra cosa que reinversiones de los intereses y ganancias de inversiones anteriores como ha apuntado Knapp. En muchas ocasiones, esos capitales no hicieron sino estimular las compras de bienes de consumo por los locales. En casos como Argentina, el capital extranjero invertido en la construcción del ferrocarril benefició, sobre todo, a la minería y a la industria británicas.

Las inversiones extranjeras presentaron diversas formas. En ocasiones, se realizaban a través de préstamos a los gobiernos con amortizaciones a largo plazo basadas en la esperanza de crecimiento continuo de estas economías. El Estado debía, además de garantizar a los inversores un beneficio mínimo, asegurar la compra de productos industriales del país inversor como, por ejemplo, los componentes básicos para el tendido del ferrocarril o de las redes de telecomunicaciones. En otras ocasiones se realizaban inversiones directas en el comercio, en el transporte interoceánico y en el sector primario.

A partir de la independencia, Gran Bretaña fue, como se ha señalado, la potencia industrial más influyente y con más intereses económicos en Iberoamérica. Es más, sus intereses se vieron claramente beneficiados con la aparición de nuevos estados soberanos, a los que había prestado ayuda en el proceso de independencia. En 1870 las inversiones inglesas eran de 85 millones de libras y crecieron hasta 750 millones en 1914, cantidades que se concentraron preferentemente en Argentina, Brasil y México, si bien también recibieron parte de ellos Chile, Uruguay, Cuba y Perú. Y estuvieron dirigidas a la construcción de ferrocarriles, minería y manufacturas. En realidad, los decenios que precedieron a la Primera Guerra Mundial fueron una edad de oro para las inversiones extranjeras en Iberoamérica y llegaron a alcanzar los 7.000 millones de dólares en 1914. En buena medida, se destinaron a obras de infraestructura: ferrocarriles, puertos, tranvías, tendidos eléctricos y diversos servicios públicos.

Las aportaciones francesas mostraron especial interés en Argentina, Uruguay, México y el Caribe, zona esta última considerada por los europeos como un mercado doméstico. En 1914 las inversiones francesas alcanzaron los 1.200 millones de dólares, que se emplearon fundamentalmente en el ferrocarril, la banca, la minería y las manufacturas.

Respecto a las inversiones alemanas, antes de 1914 suponían unos 900 millones de dólares y se orientaban hacia los bancos hipotecarios y las plantaciones en América Central. A partir de 1900 se observa el aumento de inmigrantes alemanes en determinadas regiones: 350.000 en Brasil o 120.000 en Chile y llegaron contingentes cada vez más importantes a Argentina y América Central. Asimismo, Alemania envió un importante número de militares, a fin de compensar su falta de posesiones extraeuropeas, ya que había llegado tarde al reparto colonial.

Las inversiones estadounidenses fueron modestas hasta 1890 y alcanzaron en 1914 los 1.600 millones de dólares; se dirigieron preferentemente a México, América Central y, a finales de este periodo, a Chile y Perú. Estos cuatro países recibieron el 87 % de las inversiones norteamericanas.

Concentración de la propiedad de la tierra

A pesar de la presencia extranjera en la agricultura y en la ganadería, estas actividades siguieron estando dominadas por las oligarquías locales. Hay que resaltar que buena parte de las elites iberoamericanas no acostumbraban a invertir en el comercio o la industria, y aprovecharon la expansión económica para mejorar sus rentas agrarias o ganaderas, cuyos beneficios dedicaban a la ampliación de sus propiedades y a gastos suntuarios. No obstante, como se verá más adelante, hubo dinero local que se destinó a la industria, con diversa fortuna.

La tierra continuó siendo el medio de producción básico para la mayoría de la población. Entre 1870 y 1914 aumentó de modo considerable la tierra cultivada, y lo hizo, principalmente, como consecuencia del desarrollo de la economía exportadora y del aumento de la población.

A lo largo del siglo, la superficie cultivada se incrementó con tierras incorporadas a los estados por los diversos medios de conquista de nuevos espacios, expropiaciones de comunidades indígenas u otros. Así, se pusieron en explotación las tierras vecinas a las altas ya explotadas en México, América Central, Venezuela, Colombia y Ecuador. El estímulo provenía, generalmente, del aumento de la producción para la exportación, como ocurrió con el café en Brasil, o la lana en Argentina. A veces, la expansión de los cultivos para el mercado exterior desplazó hacia nuevas zonas, hasta entonces no explotadas, a los cultivos de consumo interno, como ocurrió en América Central o en Brasil.

También los hacendados se sumaron a este proceso y ampliaron y mejoraron sus tierras para afrontar mejor las posibilidades que ofrecía la exportación. Casi siempre, estas mejoras fueron motivadas por la expansión del ferrocarril o el abaratamiento de los fletes marítimos. En este caso, no se trataba tanto de un aumento de la superficie cultivada como de una más eficaz y más intensa explotación de las ya existentes.

Pero, como ya se ha señalado, la fuente fundamental de nuevas tierras, que permitió una agricultura más intensiva destinada a la exportación, fue, desde los años 50, la expropiación que sufrieron las comunidades indias y de campesinos, a veces como consecuencia de compras, otras por medio de operaciones jurídicas más o menos complejas o por simples y directos actos de desposeimiento, pero siempre en perjuicio de la comunidad involucrada.

Este aumento de la tierra cultivada benefició, en ocasiones, a la pequeña y mediana propiedad. Así sucedió, por ejemplo, en regiones de colonización antigua en las que crecieron las poblaciones y los mercados locales, en las regiones cafeteras de Centroamérica o donde se asentaron los colonos procedentes de Europa. Pero el aumento de la tierra cultivada fue a engrosar sobre todo la gran propiedad que, convertida con mayor o menor eficacia en explotación capitalista, trabajaba para el mercado exportador. Las grandes explotaciones, si bien no eliminaron a las medianas o pequeñas, terminaron por caracterizar la agricultura iberoamericana a comienzos del presente siglo.

La exportación: productos y destinos

Como ya se ha indicado, la exportación de materias primas y bienes básicos iberoamericanos crecía ininterrumpidamente desde 1850, participando de forma notable en el desarrollo del comercio mundial de productos básicos que se produjo en estas décadas centrales del siglo. Pero, desde 1870, las exportaciones acrecentaron, incluso, su importancia y su peso en el desarrollo económico, y vincularon más estrechamente la prosperidad material en la mayoría de los países iberoamericanos a los dictados del mercado mundial. Así, la suerte de las economías iberoamericanas fue cada vez más dependiente de la demanda de bienes básicos por parte de los países más industrializados, y de los ciclos de prosperidad o crisis que estas economías más desarrolladas experimentaron. Como consecuencia de este nuevo orden, las crisis internacionales (la de los años 70, por ejemplo) afectaron de modo cada vez más intenso a los flujos comerciales iberoamericanos.

Ahora bien, la exportación de materias primas como base de la actividad económica iberoamericana no garantizó el crecimiento económico de las regiones o países exportadores, y no lo hizo, no solo por la elevada dependencia de las fluctuaciones del comercio mundial, sino porque tampoco estimuló una mayor productividad del trabajo. Los ingresos obtenidos por las exportaciones podrían haber sido utilizados, en economías equilibradas, en el desarrollo de la producción interna. No fue así en Iberoamérica; o por lo menos no lo fue en la mayoría de los casos. Cuando se utilizaron los beneficios de las exportaciones en las nacientes industrias, o no fueron suficientes, o estuvieron alentados por intereses particulares extranjeros, ajenos a los regionales.

En este periodo no solo se acrecentó la vinculación, y por tanto la dependencia, de las economías iberoamericanas al mercado mundial, sino que se acentuaron también las diferencias entre unos y otros países, marcadas no solo por las condiciones naturales y los bienes básicos disponibles para exportar, sino, también, por la capacidad para distribuir la riqueza producida y la falta de comprensión por parte de la clase dominante de que prosperidad y crecimiento son mayores cuando más ciudadanos se incorporan a los mismos.

En las últimas décadas del siglo XIX Iberoamérica se transformó en una de las primeras zonas productoras de materias primas que la industrialización de Occidente reclamaba y en importadora de productos industriales. Desde comienzos del siglo XX, la expansión mundial cobró un nuevo e intenso ritmo y, con ella, las exportaciones de materias primas de Iberoamérica;

pero esta nueva coyuntura conoció una brusca alteración con la Gran Guerra de 1914-18. La participación de Iberoamérica en el comercio mundial se situó en torno al 7 % del total del valor entre 1900 y 1914, mientras que a los países más industrializados (Europa Occidental, EE.UU. y Canadá) correspondía el 65 % en esas mismas fechas. Se trataba, por tanto, de una participación pequeña, que no se alteró a lo largo del periodo que nos ocupa.

El cuadro siguiente muestra el porcentaje de participación de cada país en el total de las exportaciones e importaciones de Iberoamérica en 1913:

Países	Exp. (%)	Imp. (%)	Hab. (Millo.)
Argentina	32,1	33,6	4,7
Brasil	19,9	22,3	17,3
Chile	9,0	8,3	2,9
Cuba	10,4	9,6	1,6
México.	9,3	6,2	13,6
Uruguay.	4,5	3,6	0,9
Venezuela	1,8	5,4	2,3
Otros	13,0	11,0	—
TOTAL.	100	100	—

FUENTE: Cardoso, C. F. S., y Pérez Brignoli, H., *Historia Económica de América Latina. 2. Economías de exportación y desarrollo capitalista,* Crítica, Barcelona, 1987.

A partir de 1870, las cifras de participación de Iberoamérica en el mercado mundial como zona de exportación de materias primas son espectaculares: en 1880 Argentina había multiplicado por 10 sus exportaciones de principios de siglo y multiplicado por 50 el valor de sus exportaciones ganaderas; Chile también multiplicó por 50 sus exportaciones en el mismo periodo; Brasil las multiplicó por 10; Nueva Granada y Venezuela por 7; Perú por 5; Ecuador por 3; Bolivia en un 75 %, y México solo en un 20 %. Podemos concluir que el crecimiento se produjo en las zonas marginales del antiguo imperio hispánico, coincidiendo con la decadencia de la exportación de metales preciosos.

Examinaremos algunos de los productos que fueron objeto preferente de exportación que sustentan fundamentalmente las cifras anteriores.

El café fue primordial para Brasil, Venezuela, Colombia, América Central y México, países que compitieron y superaron a las Antillas, tradicional zona productora de este cultivo. Las crisis de superproducción se sucedieron: 1896, 1906 y 1913, con dramáticas consecuencias sobre todo en países como Colombia, donde durante años constituyó un monocultivo. A partir de la crisis de 1906 se organizó un sistema consistente en la acumulación de *stocks* y su comercialización de modo progresivo, para así evitar el exceso de oferta en los mercados.

La lana, la carne y el cereal fueron los productos fundamentales de la expansión argentina y uruguaya. A finales de siglo se produjo un descenso de la demanda de lana y un ascenso de la de la carne, favorecida esta última no solo por la aparición del frigorífico y de los procesos de enfriamiento, que fueron básicos para la exportación transoceánica de este producto, sino también por las inversiones del Estado y del capital extranjero en ferrocarriles, frigoríficos y campos cercados para el ganado. Por su parte, el cultivo de los cereales multiplicó su valor por 23 en los años que van de 1884 a 1894. Estas exportaciones proporcionaron enormes ingresos a las compañías exportadoras, comerciantes y transportistas, instalados mayoritariamente en Buenos Aires, que se convirtió en una ciudad próspera y moderna a principios del siglo XX. Uruguay experimentó un proceso similar al argentino, aunque de dimensiones más reducidas, y sus consecuencias fueron también de notable prosperidad y modernización.

El azúcar experimentó un notable avance en Puerto Rico, Cuba y Perú, a partir de la introducción de las mejoras técnicas y de la concentración de la propiedad en manos de unas pocas empresas industriales. Dado que Europa se abastecía del azúcar obtenido de la remolacha, el grupo de refineros de Nueva York compraba casi de forma exclusiva toda la producción, sujeta a las frecuente crisis de la demanda y a la consiguiente oscilación de los precios.

La banana, cultivada en las zonas bajas y húmedas del litoral caribeño y Ecuador, amplió su extensión por iniciativa de un conjunto de empresas estadounidenses, la United Fruit Company, y a ella se dedicaron plantaciones en la costa atlántica de Guatemala, Honduras, Nicaragua, Costa Rica, Panamá, Colombia, Venezuela y, sobre todo, Cuba, que fue el mayor exportador mundial de este producto hasta 1940. Como en el caso del azúcar, el cliente prioritario era Estados Unidos.

El caucho fue un ejemplo de la inestabilidad producida por la existencia de los monocultivos. A finales de siglo, el desarrollo de la industria automovilística provocó la demanda de este producto y la selva de la Amazonia brasileña en su fuente principal. Se amasaron grandes fortunas y, en torno a su explotación, surgieron ciudades como Manaus. Pero fue un esplendor efímero. Cuando el caucho de Malasia y de las Indias holandesas resultó más rentable y, sobre todo, desde el momento de su fabricación artificial, el brillante edificio se vino abajo.

La plata experimentó un resurgimiento en este periodo gracias a las nuevas tecnologías utilizadas en la extracción y al ferrocarril, que permitió su transporte desde largas distancias y a bajo coste. Los principales países exportadores fueron Bolivia y México. En 1898 la plata suponía el 60 % del valor de las exportaciones mexicanas y el 70 % de las bolivianas, pero a partir de 1914 se frenó su producción como consecuencia de la pérdida de valor por su estrecha relación con el patrón monetario mundial.

La exportación de cobre conoció un gran desarrollo como consecuencia de su utilización en la electricidad. La explotación a gran escala del cobre chileno, que a principios de 1870 suponía más del 50 % de la producción mundial, se produjo a partir de las inversiones estadounidenses (Cerro Pasco Cooper Corporation, un complejo industrial y minero ultramoderno). Pero, a pesar de su expansión, hasta 1930 no logró superar al salitre extraído en el desierto costero de Atacama, y a partir de 1914 inició su decadencia al entrar en competencia con los fertilizantes sintéticos.

Finalmente, en las primeras décadas del siglo XX se empezó a exportar uno de los productos llamados a jugar un papel decisivo en la economía contemporánea: el petróleo. Compañías inglesas y, sobre todo, estadounidenses, explotaron los yacimientos de Venezuela y México, país que se convirtió en el tercer productor mundial.

Otros productos, como tabaco, cacao o algodón, fueron también objeto de exportación, pero sin alcanzar nunca el valor de los anteriores. En cualquier caso, las características comunes de la explotación de todos ellos es su tendencia al monopolio o al oligopolio. Se crearon empresas asombrosamente poderosas, cuyos beneficios fueron muchas veces mayores que los presupuestos de los estados donde se ubicaban, y con dichos beneficios terminó siendo enorme su influencia política.

En cuanto al destino de las exportaciones, Gran Bretaña acaparó de modo indiscutible buena parte de las mismas. Durante el siglo XIX, este país, además de ser la principal potencia exportadora hacia todo el mundo, tanto de productos industriales como de capitales, fue también la principal compradora de bienes básicos y materias primas. Ahora bien, ante la aparición de nuevos mercados y la competencia de otras potencias europeas industrializadas, el destino de los productos iberoamericanos fue ampliándose: Brasil, Chile, Perú y Uruguay siguieron vendiendo sus productos prioritariamente a Gran Bretaña. Sin embargo, Argentina, México, Nueva Granada y Venezuela vendieron a otros países de Europa como Francia, Bélgica o España.

A partir de la Guerra de Secesión, los estadounidenses entraron con fuerza en la economía iberoamericana, coincidiendo con la retirada francesa después de las desastrosas experiencias americanas de Luis Napoleón Bonaparte, no obstante Gran Bretaña siguió dominando con cautela, pero con mano férrea, la economía iberoamericana, renunciando a cualquier iniciativa directa en tanto no viera peligrar sus intereses y contando con el apoyo incondicional de los endeudados gobiernos, de las oligarquías, de los mandos del ejército y de las clases medias.

EXPORTACIONES E IMPORTACIONES
DESDE IBEROAMÉRICA AL REINO UNIDO
(% del total del valor de los intercambios)

Países	Exportaciones			Importaciones		
	1872	1895	1913	1872	1895	1913
Argentina	6	45	56	14	22	41
Brasil........................	30	18	13	26	30	23
Chile........................	18	17	7	11	13	11
Uruguay	4	2	4	6	5	5
Perú	13	7	4	10	3	3
Otros	29	11	6	32	26	18
TOTAL	100	100	100	100	100	100

FUENTE: Cardoso, C. F. S., y Pérez Brignoli, H., *Historia Económica de América Latina. 2. Economías de exportación y desarrollo capitalista*, Crítica, Barcelona, 1987.

Entre 1870 y 1890, en el conjunto de las exportaciones iberoamericanas hacia el Reino Unido, las exportaciones de Brasil suponen 1/3; desde 1890 es Argentina la que acapara las exportaciones hacia el Reino Unido, con casi la mitad del valor de todo lo exportado desde Iberoamérica. Junto con argentinos y brasileños alcanzaron un valor significativo las exportaciones chilenas (15-18 %).

Por su parte, el volumen de las importaciones procedentes de Gran Bretaña, su evolución y su distribución geográfica fueron muy similares a los de las exportaciones, esto es, peso decisivo de Brasil y Argentina, que invirtieron su proporción a partir de 1900, seguidos de Chile, Perú y Uruguay. En 1913, solo el 18 % del total de las importaciones procedentes del Reino Unido tuvieron como destino los otros países iberoamericanos.

Hasta 1914 las exportaciones y las importaciones iberoamericanas se dirigieron a, o procedieron de, Europa Occidental y en menor proporción a Estados Unidos, constante que se modificará a favor de este último a partir de la citada fecha.

EXPORTACIONES E IMPORTACIONES
DESDE IBEROAMÉRICA A ESTADOS UNIDOS
(% del total del valor de los intercambios)

Países	Exportaciones			Importaciones		
	1872	1895	1913	1872	1895	1913
México	3	8	24	9	15	14
Cuba........................	43	25	28	21	13	21
Colombia................	3	1	3	10	4	2
Venezuela................	—	—	2	—	—	7
Brasil........................	19	38	22	9	15	14
Argentina	—	4	5	—	5	20
Otros	32	24	16	51	47	22
TOTAL	100	100	100	100	100	100

FUENTE: Cardoso, C. F. S., y Pérez Brignoli, H., *Historia Económica de América Latina. 2. Economías de exportación y desarrollo capitalista*, Crítica, Barcelona, 1987.

En el comercio con Estados Unidos, el peso de México, Cuba y Brasil fue próximo al 50 % tanto en las exportaciones como en las importaciones. Las cifras correspondientes a México antes de 1900, aunque inferiores a las cubanas o brasileñas, alcanzaron un nivel similar entre 1900 y 1913. Las exportaciones y las importaciones de Colombia, Venezuela y Argentina a Estados Unidos fueron poco relevantes hasta principios del siglo XX, pero crecieron de modo destacado entre 1900 y 1913, sobre todo las importaciones argentinas.

En valor, las exportaciones al Reino Unido pasaron de 32 millones de libras en 1872 a 76 en 1913, y las importaciones en las mismas fechas pasaron de 28 a 55 millones de libras. Con respecto a Estados Unidos, las exportaciones totales aumentaron de 155 millones de dólares en 1872 a 471 en 1913, y las importaciones pasaron de 60 millones a 356 en las mismas fechas.

Las limitaciones de la industrialización en el periodo 1870/1914

Hasta hace poco tiempo, los historiadores sostenían que antes de 1930 no se podía hablar de industrialización en Iberoamérica y que esta coincidió con la profunda crisis de las economías capitalistas y la paralización del comercio internacional. En la actualidad, como consecuencia de los estudios económicos que se han realizado sobre el siglo XIX, no se puede afirmar de modo tan categórico la ausencia de industrialización.

La estabilidad de los sistemas políticos fue esencial para dar confianza a los inversores y facilitar el desarrollo industrial. Durante el siglo XIX el método preferido por los gobiernos para estimular ciertos sectores económicos fue la concesión de ayudas y la renuncia a los aranceles. Alguno de ellos llegó incluso a garantizar los beneficios del capital invertido en el ferrocarril y concedió monopolios temporales. El sistema arancelario constituía la principal fuente de ingresos de varios gobiernos ya que les proporcionaba las divisas basadas en oro que les permitían hipotecarse con préstamos en el extranjero para financiar los gastos del Estado. Estos impuestos sobre el comercio exterior proporcionaban más ingresos que los que se podrían haber obtenido gravando el consumo; sin embargo, al gravar las importaciones no se evitó lo anterior y los grupos sociales más desfavorecidos tuvieron que soportar, fundamentalmente, el aumento de los precios de los productos importados. En general, prevaleció una política proteccionista con vistas a favorecer a la agricultura y a la industria nacionales. En resumen, podemos decir que la actuación de los diferentes gobiernos fue pragmática e intervencionista, mas cercana al mercantilismo que al liberalismo económico.

Desde la independencia hasta 1870 se observan indicios en algunos países de transformaciones hacia una industria moderna. Entre 1870 y 1914 nacieron en la mayoría de los países diferentes industrias, coincidiendo con la presión de las exportaciones. Se crearon las principales infraestructuras (ferrocarril, carreteras, puertos, telégrafo, teléfono...), y se modernizaron los distintos aparatos estatales al ritmo de crecimiento de la demanda de bienes de consumo y de capital. En la mayoría de los casos, el ferrocarril y las demás mejoras arruinaron las antiguas explotaciones coloniales que dejaron de ser competitivas cuando no fueron capaces de modernizarse y llevar a cabo una producción a gran escala. Según se manifestaba la necesidad de aumentar el volumen de las empresas, estas fueron pasando, en muchas ocasiones, a manos extranjeras, dispuestas a invertir lo que los nacionales no quisieron o no pudieron. El caso más evidente es el del cobre chileno.

Aunque es cierto que buena parte del capital industrial se había invertido, desde principios de siglo, en la minería y en los servicios públicos, entre las importaciones de este periodo fue cobrando mayor peso la de bienes de equipo, procedentes de Reino Unido, Estados Unidos, Alemania y Francia, y consistentes en productos químicos, carbón, coque, hierro, acero, material ferroviario, herramientas, aperos, maquinaria e instrumentos eléctricos.

El aumento de la población, sobre todo en las ciudades, propició la demanda de más y más variados bienes, a lo que contribuyeron también de modo notable los nuevos inmigrantes. Hubo un aumento del consumo de productos alimentarios, que provenían de las zonas rurales de cada país y que estimuló el desarrollo y la especialización de otras zonas, como las dedicadas a la producción de vino en Argentina y Chile, o la dedicada al azúcar en Morelos (México). Muchos inmigrantes contribuyeron a la creación de pequeñas fábricas en Argentina, Brasil, México, Chile o Perú. Pero los mercados urbanos fueron abastecidos de manufacturas principalmente por los comerciantes británicos, seguidos de los estadounidenses, franceses y alemanes. Aumentó notablemente el consumo de tejidos, particularmente de algodón, y se importaron productos cerámicos, fármacos, papel, artículos de ferretería..., incluso automóviles y aviones (13 unidades llegaron a Brasil) a comienzos del siglo xx.

Desde 1870, los mercados urbanos locales demandaron también bienes y servicios que fueron atendidos por un creciente número de empresas locales. Si no crecieron más, o no fueron más numerosas estas empresas, fue debido, precisamente, a las limitaciones de los mercados nacionales y a la dura competencia de las importaciones, que se veían favorecidas en igual medida que las exportaciones por los precios cada vez más competitivos de fletes y de transportes ferroviarios.

El desarrollo de los mercados nacionales estimuló el crecimiento de las antiguas industrias artesanales y la creación de otras nuevas, para satisfacer la demanda de algunos productos como los citados u otros como tabaco, muebles, cerillas, pinturas, zapatos, cueros, etc. Aunque este crecimiento no fue ni intenso ni regular, puede considerarse el arranque definitivo, antes del siglo XX, de este tipo de industrias, que no requerían grandes inversiones ni elevada especialización. Se desarrolló, por ejemplo, una industria textil mecanizada, integrada por pequeñas fábricas que abastecían de tejidos de algodón o de lana a las clases populares, particularmente en México y Brasil.

Las víctimas de esta nueva situación fueron los artesanos rurales, que no se incorporaron a la economía de mercado, por no haberse producido previamente los necesarios cambios en la de subsistencia. La mayor parte de la población campesina carecía de poder adquisitivo, pues, como se señaló en capítulos anteriores, el propietario no realizaba grandes inversiones, no le interesaba convertir en asalariados a sus campesinos, y prefirió cederles una parte de su propiedad para su manutención y mantenerlos endeudados, ya que era el propietario el que les facilitaba a crédito los productos que necesitaban.

Es difícil establecer una tipología de los empresarios iberoamericanos. Puede afirmarse que su procedencia y su carácter eran muy heterogéneos y que, en general, fueron mal vistos por las oligarquías. En Argentina, en 1914, dos tercios de los industriales eran extranjeros y las tres cuartas partes de los propietarios de haciendas eran, en cambio, nacionales. Los nativos mantenían una fuerte presencia en los sectores artesanales. En cuanto a las relaciones laborales, se transformaron en la letra de la ley pero no en la práctica. El campesino, acusado de perezoso en muchas ocasiones, estaba mal pagado y, al decir de sus patronos, era fiel a cambio de no exigirle mucho. En cualquier caso, su productividad era escasa y los bajos salarios que percibía lo privaban de un mínimo poder adquisitivo que hubiera resultado eficaz para incrementar la demanda en el mercado nacional y para estimular la industria local.

Los mercados nacionales también se desarrollaron con la ampliación y la mejora de los servicios, tanto privados (servicios financieros, seguros, información económica) o municipales (compañías de gas, alumbrado, tranvías, agua...), ofrecidos, en buena medida, con la participación de capital extranjero y con aportaciones locales no siempre desdeñables. Este desarrollo de los mercados nacionales se produjo en todos los países, pero de modo particular en Argentina, Uruguay, Chile, Brasil y México, que fueron también los principales protagonistas del comercio exterior.

El nacimiento de las nuevas industrias se vio condicionado por las inversiones de capital, tanto de origen extranjero como de los modestos capitalistas, en su mayor parte emigrantes, financiados por bancos de su nacionalidad de origen, o bien a través de préstamos institucionales que raramente llegaban. Las grandes empresas extranjeras, con un volumen de operaciones a gran escala y controlando los fletes transoceánicos, absorbieron hasta tal punto las economías iberoamericanas que impidieron la formación de un capitalismo nacional. La banca y el control de la moneda fueron aspectos que tuvieron un tratamiento muy diferente según los países, desde la estricta legislación argentina a la permisividad chilena que no exigía requisitos de depósitos para el establecimiento de los bancos, siendo el Gobierno su principal cliente. Esta situación hace afirmar a Landes que: *Fueron extranjeros quienes construyeron los ferrocarriles y las instalaciones portuarias (...), quienes prestaron dinero a tipo de interés elevado a los regímenes pobres y a sus oponentes (...), quienes construyeron las fábricas de armas y las fábricas en general y las gestionaron. Y, naturalmente, fueron los extranjeros los acusados de todas las deficiencias de estas economías. Este cultivo del resentimiento, parcialmente justificado pero dogmáticamente exagerado, agravó la situación.*

405

Pero la inversión de capital favoreció también, mediante la participación de muchos ciudadanos iberoamericanos en las compañías extranjeras que allí operaban, o las compañías mixtas que fueron creándose, el aprendizaje en las nuevas tecnologías y en el funcionamiento financiero y comercial. Es decir, este proceso permitió la formación de un nutrido número de trabajadores cualificados que, a su vez, contribuyeron de modo destacado al éxito de un buen número de compañías mercantiles extranjeras y de un no menor número de nuevos y prósperos negocios nacionales, aunque fueran en muchos casos de pequeño o mediano tamaño.

Desarrollo económico y dependencia. La irrupción de los Estados Unidos: Cuba, Puerto Rico y Panamá

A finales del siglo XIX se produjo una primera reorganización en las relaciones internacionales. Aunque los principales países europeos seguían considerando a Iberoamérica como zona prioritaria para sus intereses, no pudieron impedir que los Estados Unidos irrumpieran con fuerza en la escena económica y política. De todas formas, hasta 1914 los capitales europeos dominaron las inversiones en Iberoamérica.

En esos años, el equilibrio mantenido hasta 1890 entre Iberoamérica y las metrópolis europeas y estadounidense, basado en la producción de materias primas por parte de las oligarquías locales y en un cierto control del comercio y las inversiones de las potencias industrializadas, se rompió a finales del siglo XIX y fue desplazado por un neocolonialismo en el que se daba una dependencia económica y política de Iberoamérica respecto a Gran Bretaña y, poco después, y más acentuada, respecto a los Estados Unidos. Las potencias industrializadas pasaron a controlar, a partir de sus inversiones en tecnología, la mayoría de las empresas rentables: cobre, estaño, guano, plata, salitre, café, azúcar, cereales, bananas, carne congelada y refrigerada, cueros, caucho, petróleo... En este periodo dio comienzo una práctica que, desgraciadamente, se convertiría en algo habitual: empresas extranjeras explotaban directamente los sectores más competitivos, contrataban mano de obra con salarios bajos, pagaban unos impuestos escasamente relacionados con el volumen de sus beneficios y exportaban estos productos al mercado mundial.

Este proceso comenzó en aquellas actividades del sector primario que, por su volumen de producción, necesitan una inversión inicial relativamente fuerte. Ante la falta de decisión o interés de las oligarquías locales, que se desentendieron de la empresa a pesar del apoyo político y financiero de sus gobiernos, la propiedad pasó a manos extranjeras, británicas hasta finales del siglo y estadounidenses desde finales del siglo XIX y durante todo el siglo XX, aunque no perdieron su importancia los capitales franceses, alemanes, holandeses.

Como ya se ha mencionado, el dominio exclusivo que ejerció Gran Bretaña en la actividad económica Iberoamericana durante el siglo XIX no estuvo acompañado de intervenciones directas en los países cuyas finanzas controlaba, manteniendo, por el contrario, una despectiva indiferencia por los asuntos internos de aquellos. La situación cambió radicalmente con la hegemonía estadounidense, ya que se estableció una dependencia económica, política y militar, ejercida en muchos casos directamente.

Desde la declaración del presidente Monroe en 1823, Estados Unidos se planteó una intervención económica y política en Iberoamérica dentro de su concepción de «sistema americano». Durante muchos años, este propósito se vio impedido por el interés de la Cuádruple Alianza, firmada en 1834 entre Gran Bretaña, Francia, Portugal y España, en mantener el *statu quo* en el Caribe, y, más tarde, por la Guerra de Secesión americana (1861-65), que ocupó todas las energías y preocupaciones. Además, en la mentalidad de la diplomacia estadounidense se había instalado un concepto peculiar de las relaciones internacionales, denominado por G. Céspedes del Castillo *el imperialismo contractual,* simple aplicación a la política internacional de las reglas del mercado: todo tiene un precio y todo se puede comprar. De acuerdo con dicho concepto, en 1819 había comprado las Floridas a España y, en 1867, Alaska a Rusia. ¿Por qué no intentar la compra de Cuba? De hecho, varias ofertas, formuladas en todos los tonos, se habían sucedido hasta la última de 1897: trescientos millones de dólares al contado, más un millón para los negociadores.

En la práctica, los intereses norteamericanos en Cuba y Puerto Rico eran, al final de siglo, considerables. A medida que los mercados europeos se cerraban al azúcar antillano, Estados Unidos se convirtió en el cliente principal y, finalmente, casi único del azúcar cubano (90 % en 1894). En 1880, las compañías estadounidenses habían establecido ya fábricas de refinado en Cuba y en los años siguientes habían comprado, además, muchas plantaciones de ese producto cuyo precio se fijaba en Nueva York. Algo parecido había ocurrido con el tabaco. En Puerto Rico la penetración del capital estadounidense había sido paralela aunque inferior. Así, no es de extrañar que se formara un reducido pero influyente grupo de personajes *expansionistas* (T. Roosevelt, H. Cabot Lodge, A. Mahan, A. J. Beveridge...) dispuestos a hacer todo lo necesario para llevar a la práctica el «destino manifiesto» del pueblo norteamericano y, con la ayuda inestimable de la prensa sensacionalista de J. Pulitzer y R. Hearst, mover a un pueblo honesto, antiimperialista y aislacionista a aceptar el imperialismo de su Gobierno como un elemento característico de la política exterior de Estados Unidos, a partir de 1898.

La emancipación de Cuba y Puerto Rico se produjo como resultado de la guerra de la independencia y de la intervención en ella de los Estados Unidos. El sentimiento independentista había arraigado con fuerza en un sector de la población merced a la labor de hombres como Ramón Emeterio Betances, Eugenio M.ª Hostos y José Martí. Ante la negativa del Gobierno español a conceder una autonomía amplia, el 24 de febrero de 1895 estalló la guerra, cuidadosamente preparada, en Cuba. José Martí, Máximo Gómez y Antonio Maceo fueron los caudillos que supieron resistir con una táctica guerrillera al formidable ejército de más de 200.000 hombres enviado por España.

Pero fue la intervención estadounidense, a raíz de la explosión del acorazado *Maine* anclado en la bahía de La Habana, que la prensa y la opinión pública se apresuraron a atribuir a España, y cuya autoría no se ha aclarado aún, la que destrozó a la escuadra española y decidió el destino de la guerra. Por el Tratado de París (10 de diciembre de 1898), del que se excluyó a los representantes cubanos (Tomás Estrada Palma y Gonzalo de Quesada actuaron como asesores del Gobierno estadounidense), Puerto Rico pasó a ser dominio de los Estados Unidos y el 1 de enero de 1899 un gobernador de este país tomaba posesión de Cuba con carácter provisional.

En lo sucesivo, Estados Unidos se atribuyó el papel de gendarme al servicio de sus intereses económicos. Este es el sentido del movimiento panamericano que lideró y de las numerosas conferencias que se celebraron a partir de 1898. El Panamericanismo trató de impulsar proyectos de unión aduanera y desarrollo ferroviario que no llegaron a realizarse, mientras que sí sirvió para potenciar las relaciones económicas y estratégicas de Estados Unidos. Estas actuaciones fueron más eficaces en el Caribe y Centroamérica, pero despertaron los recelos y el rechazo de los grandes países de América del Sur, como Brasil y, sobre todo, Argentina, vinculada comercial y financieramente a Gran Bretaña. Este fue el contexto del conflicto sobre la construcción y explotación de Canal de Panamá y la creación de la nación panameña como estado independiente de Colombia.

Al fracasar la obra de construcción del canal, encargada por Colombia a la compañía francesa de Lesseps, quien ya había mostrado su capacidad abriendo el canal de Suez, el Congreso estadounidense ordenó la adquisición de los derechos, concesiones e instalaciones de los franceses, así como la compra de las acciones sobre el ferrocarril y de una zona para la construcción del canal. El tratado Heram-Hay de 1903, que otorgaba a los Estados Unidos 5 millas a cada lado del futuro canal, con todos los derechos, y por tiempo ilimitado, fue rechazado por el Senado colombiano. La oligarquía panameña, partidaria del acuerdo, consiguió el apoyo de los Estados Unidos para separarse de Colombia y, al tiempo que se consumaba la separación, en noviembre de 1903, se firmaba el acuerdo Hay-Bunau Varilla que permitía a los Estados Unidos comenzar las obras que culminarían en 1914.

Además de estos casos de intervención directa, los intereses económicos de Estados Unidos iban adquiriendo más envergadura en el resto de Iberoamérica. Así, en 1880 importaron por valor de 176 millones de dólares y exportaron por valor de 58 millones de dólares. Pero fue a partir de 1900 cuando el volumen de su comercio con Iberoamérica se incrementó hasta el punto de rivalizar seriamente con los países europeos. Existen dos claros ejemplos de esta situación: en Cuba, y durante el periodo 1896-1915, las inversiones pasaron de 50 millones a 265 millones de dólares, y en México, en 1908, las compañías estadounidenses eran propietarias de las tres cuartas partes de las minas más importantes del país y sus inversiones en compañías petrolíferas se incrementaron rápidamente

Es indiscutible que al llegar 1914 había una fuerte relación entre los países iberoamericanos y las potencias industriales, particularmente Estados Unidos y Gran Bretaña. Es también cierto que el modelo de desarrollo iberoamericano a esas alturas dependía notablemente de sus exportaciones de bienes básicos a las principales potencias industrializadas y de sus importaciones industriales. Ahora bien, como se ha pretendido resaltar en el presente capítulo, hubo un importante crecimiento económico entre 1870 y 1914, y un desarrollo notable de las ciudades, que se modernizaron y acogieron a un número creciente de ciudadanos. Las condiciones de vida fueron también mejores que las de los americanos de principios del XIX, si bien este desarrollo no alcanzó el ritmo y la intensidad de los países más industrializados.

Naturalmente, en el modelo de desarrollo económico que Iberoamérica siguió en el siglo XIX la influencia del mercado mundial y los intereses de las potencias industrializadas son incuestionables. Pero también es indudable que las responsabilidades internas fueron determinantes, sobre todo para algunos sectores. Las clases humildes y las comunidades indígenas ni accedieron al poder ni pudieron adoptar otras decisiones que las encaminadas a la supervivencia. La intensidad de la dependencia económica que se fue alimentando a lo largo del siglo y sus efectos negativos tienen unos responsables en Iberoamérica: aquellos que ocuparon el poder político y dominaron la actividad económica. Estos compartieron con los inversores extranjeros, al menos, la misma codicia e intereses particulares del mismo tipo. Pero no supieron hacer que su beneficio fuera también provechoso para su país, es más, consiguieron lo contrario.

En su penetrante y polémico análisis, Landes ha matizado el alcance y significado de la dependencia Iberoamericana en los siguientes términos: *Los estudiosos locales y los simpatizantes extranjeros han atribuido el fracaso del desarrollo en Latinoamérica, aún más doloroso si se compara con lo ocurrido en América del Norte, a las fechorías de las naciones más ricas y poderosas. Esta vulnerabilidad se ha calificado de dependencia, lo que implica una situación de inferioridad en la que uno no es dueño de su propio destino, sino que debe plegarse a los designios ajenos. Huelga precisar que el Otro aprovecha su superioridad para apoderarse de la producción de las economías dependientes, como hicieron los primeros soberanos de la era colonial (...). Las tesis independentistas han florecido en Latinoamérica. También se ha exportado con éxito (...). Pero son perjudiciales para el espíritu de empresa y para la moral. Al fomentar la propensión enfermiza a encontrar culpable a todo el mundo menos a uno mismo, promueven la impotencia económica.*

Iberoamérica finalizaba el siglo XIX con una capacidad productiva de bienes básicos muy notable, con una fuerte presencia de empresas y capitales extranjeros, con una industria que había iniciado su andadura en determinadas actividades, y con un fuerte grado de dependencia respecto de las potencias más industrializadas. Algunos países gozaban de sistemas aparentemente democráticos y de márgenes de libertad que permitían orientar en un sentido u otro sus políticas; en la mayoría, las oligarquías seguían controlando la mayor parte de la riqueza y la totalidad del poder. Los determinantes eran evidentes; pero también lo eran las posibilidades. Cómo se aprovecharon estas posibilidades es cuestión que se aborda en los capítulos que siguen.

411

19

La cultura y la vida cultural

La articulación de una cultura nacional

L A LABOR de los protagonistas de la emancipación y de la organización de los nuevos estados no se limitó a las tareas militares y políticas. Desde el primer momento se plantearon como un objetivo imprescindible dotar a sus pueblos de una cultura, diferente y nueva, acorde con los tiempos y alejada de la propia de la era colonial. De hecho, muchos de los protagonistas de la vida política a lo largo del siglo aparecen, al mismo tiempo, en las historias de la literatura, en las obras de historia, en las direcciones de los periódicos, en los claustros universitarios o entre los juristas eminentes de sus respectivos países. Basta repasar, para comprobar esta afirmación, la nómina de los próceres que destacan en algún aspecto de la cultura y que asumen responsabilidades en la lucha por la independencia y en la gobernación de sus países, desde Bolívar y Miranda hasta Sarmiento y Martí. Todo el siglo XIX está protagonizado por estos hombres de *pensamiento y acción,* por estas *cabezas calientes,* como llamó Larra a sus contemporáneos, por estos intelectuales comprometidos a fondo con la suerte de sus pueblos.

Las circunstancias no eran, como habrá comprobado el lector en los capítulos precedentes, las más idóneas para la creación plástica, para la formación de un ambiente musical estimulante o para el desarrollo metódico de las ciencias. Por ello,

413

la energía creadora de aquellos hombres encontró en el periodismo, en la literatura, la *literatura de combate* y en la historia los cauces adecuados para canalizar sus sentimientos patrióticos y su genio creador.

En las condiciones en que tuvo lugar la independencia, la prensa constituyó un medio esencial para la circulación de las ideas y los nuevos valores políticos. Periódicos como *El Despertador Americano* (Guadalajara, 1810), *El Ilustrador Nacional* (1810), *El Patriota Venezolano* (1811), *La Aurora de Chile* (1812) son bien indicativos, por sus títulos, de los objetivos que perseguían. Pero la mayoría tuvo una vida efímera. Fue en la segunda mitad del siglo cuando se generalizaron y consolidaron los periódicos que ejercerían una influencia profunda en las ciudades en efervescencia de la época. Es el caso de *El Mercurio* de Valparaíso (1827), *El Jornal do Commercio* de Río de Janeiro (1827), *El Comercio* de Lima (1839), *El Monitor* y *El Siglo XIX* de México, *La Prensa* y *La Nación* de Buenos Aires (1869 y 1870), y muchos más. Numerosas revistas literarias y científicas especializadas desempeñaron un importante papel en la creación y difusión de la nueva cultura nacional, convirtiéndose, además, en guías del gusto y en árbitros de la ortodoxia artística.

La poesía y la historia rivalizaron en la tarea de inculcar y consolidar el amor a la patria, la admiración por los próceres y, a través de esos resortes, el sentimiento nacional. Los historiadores liberales y románticos de principios de siglo llamaron la atención sobre la utilidad del estudio del pasado para crear y robustecer la unidad política nacional y desarrollar el espíritu cívico en los nuevos estados. Autores como fray Servando Teresa de Mier y Carlos María Bustamante habían reivindicado ya el pasado indígena de la América precolombina como pieza central del nacionalismo indigenista y antiespañol. Pero el tema principal de los historiadores liberales fue la independencia. Lorenzo de Zavala, *Ensayo histórico de las revoluciones de México desde 1800 hasta 1830,* 1831; José María Luis Mora, *México y sus revoluciones,* 1836; Bartolomé Mitre, *Historia de Belgrano y de la independencia argentina,* 1857; Vicente Fidel López,

Historia de la República Argentina; el chileno Miguel Luis Amunátegui y el venezolano Rafael María Baralt, *Historia de Venezuela 1810-1860,* representan, entre otros, esta historiografía cívica y patriótica. La poesía, por su parte, celebró los triunfos de la revolución con himnos y odas que todavía se recitan y figuran entre los símbolos y las señas de identidad de los países. Algunos de los poemas de José Joaquín Olmedo, ecuatoriano; José María de Heredia, cubano; Andrés Bello, venezolano, y el peruano Mariano Melgar componen este repertorio imprescindible.

A medida que se consolidaba la paz y, sobre todo, cuando el progreso económico del último tercio de siglo permitió una notable expansión de la vida urbana, la vida cultural se enriquecía extraordinariamente por el desarrollo de la ciencia, la educación y el pensamiento. El *Positivismo* triunfaba por doquier y llevaba el optimismo y la fe en el progreso a los gobiernos y a los ciudadanos. En todos los países se crearon nuevas universidades, bibliotecas, museos, institutos científicos y academias, teatros, centros cívicos y edificios institucionales que, a la vez de exponentes del auge cultural, se convertían en ocasión para el desarrollo de la arquitectura y el embellecimiento de las ciudades. La vida cultural se hacía más cosmopolita. Al igual que ocurría con la economía, que se integraba en los circuitos del comercio mundial, los americanos volvían a viajar por Europa y participaban, como en los primeros años del siglo, de los movimientos culturales y artísticos de la época.

La evolución peculiar de Brasil condicionó un desenvolvimiento cultural menos conflictivo y más productivo que el ocurrido en el ámbito de las naciones liberadas del dominio español. No faltaron, ciertamente, próceres como José Bonifacio de Andrade e Silva (1763-1838), profundamente comprometidos con la independencia, política y literaria, de su país. Pero el traslado de la Corte portuguesa a Río de Janeiro y la obtención pacífica de la independencia evitaron la anarquía y la violencia y facilitaron unas condiciones más propicias al desarrollo de la cultura y no se produjo un rechazo tan expreso de la herencia portuguesa. Fuera de este fenómeno, los rasgos culturales no se

415

apartan demasiado de las tendencias y caracteres que marcaron la cultura de Iberoamérica.

Los ingredientes de las culturas nacionales

Las culturas nacionales nacen de la voluntad de revisión y, más aún, del rechazo hacia los elementos integrantes de la cultura americana en la era colonial. Los creadores de estas nuevas culturas renegaban de la herencia hispana y, de una forma diferente pero igualmente rotunda, volvían la espalda al pasado y al presente indígena. En cambio, adoptaban entusiasmados las corrientes estéticas e ideológicas europeas, en especial las de origen francés. Pero, aun cuando esta aseveración sea correcta en lo fundamental precisa de algunos matices que ayudarán a situar ambos fenómenos, la negación de lo hispano y la adopción de los modelos franceses, en sus justos términos.

Carlos M. Rama ha señalado la vinculación estrecha de la identidad americana con una veta del pensamiento heterodoxo español. Entre los autores con los que se observa ese contacto hay que mencionar las relaciones de los misioneros españoles sobre la conquista, señaladamente las de Bartolomé de Las Casas y Bernardino de Sahagún; los escritos, publicados fuera de España, de Blanco White y de Flórez Estrada y los de algunos ilustrados como Jovellanos. Los redactores de los documentos básicos de la emancipación se inspiraron, a su vez, en la tradición española de filosofía política (Suárez, Vitoria, Mariana) más que en cualquier texto de origen francés, y, a lo largo del siglo, la influencia de autores y políticos, como Larra y Castelar, fue una realidad. Dicho esto, hay que volver a insistir en el antiespañolismo de los escritores progresistas americanos. Sarmiento, Varela, Alberdi, Echevarría, Lastarria, y muchos más hicieron suya la expresión del chileno Francisco Bilbao: *El progreso consiste en desespañolizarse* (1844), y se sumaron a la llamada del mexicano Ignacio Ramírez: *Desepañolicémonos* (1865). Esta postura de radical negación de lo hispano coexistió, por otra parte, con la posición más matizada, o con la aceptación, por parte de los intelectuales conservadores, como Bello, Ricardo Palma, Rufino Cuervo, Miguel Antonio Caro o Lucas Alamán, de la herencia colonial y de una parte importante de la herencia hispana.

La imitación de los modelos franceses requiere, también, alguna precisión. A veces se ha caricaturizado esta tendencia con el pretexto de ciertas manifestaciones sociales de admiración e imitación del gusto y de la moda por parte de las clases medias urbanas de fin de siglo. Encargar a arquitectos europeos que jamás estuvieron en América edificios que deberían haberse adaptado más a las condiciones climáticas y estéticas del medio en que iban a ser utilizados, el capricho de construirse la vivienda al estilo suizo o alsaciano o el de vestir a la moda de París a despecho del clima o de los hábitos sociales o, finalmente, copiar la forma de divertirse de las gentes de París pueden ser excesos poco juiciosos de una clase que trataba de mostrar signos de distinción. Pero, en lo sustancial, los intelectuales americanos que adoptaban las ideologías y los gustos europeos sabían lo que hacían. Buenos conocedores, en general, de las corrientes intelectuales de su tiempo, supieron tomar lo que entendían que respondería mejor a sus necesidades. La generación ilustrada que protagonizó la independencia en toda Iberoamérica, desde México a la Patagonia (Bolívar, Miranda, San Martín...), la generación liberal y romántica que tomó el relevo y levantó las bases de las naciones del Cono Sur (Echevarría, Alberdi, Mitre, Sarmiento, Vicuña Mackenna, Bilbao, Lastarria, José Pedro Varela, Magariños Cervantes...) o los políticos que adoptaron el Positivismo en México (Gómez Farías, Juárez, José María Luis Mora, los hermanos Lerdo de Tejada...), en Chile, en Argentina o Brasil, tratando de aplicar a la política el método de experimentación que tan brillantes resultados obtenía en el campo de las ciencias, no eran unos ilusos, eran hijos del siglo, hombres de su tiempo.

El papel del legado indígena en las nuevas naciones se planteó de manera diversa, según los países, pero siempre en forma de conflicto y, en general, tendió a ser postergado más o menos conscientemente. De hecho, muy pocos de los símbolos que adoptaron las nuevas naciones evocaban las antiguas civilizaciones indígenas. Los nuevos estados se edifican sobre los principios liberales, ajenos completamente a las prácticas comunales indígenas. La idea de nación concebida como *una agrupación de hombres que profesan creencias comunes, que están dominados por una misma idea y que tienden a un mismo fin,* según la definición de Pimentel, crea, como ha observado Henri Favre, entre *nacionalidad e indianidad una relación de incompatibilidad que hace a estos dos términos mutuamente excluyentes.* Para complicar aún más las cosas, las teorías de Spencer condujeron a un determinismo racial que afirmaba la supremacía de la raza blanca y convertía al indio en un ser incapaz de progresar y sometido a las fuerzas de la naturaleza. Para los prohombres chilenos o argentinos, como Alberdi y Sarmiento, el objetivo era europeizar la población y someter así a la barbarie que se oponía a la civilización. En Brasil, con un 15 % de población negra y con más de un 40 % de mestizos o mulatos, o en México las cosas se veían de manera diferente y la inserción de la población indígena en la nación se convirtió en un problema nacional. Justo Sierra, en México, defendió que la identidad nacional residía en el mestizo, cuya vitalidad demográfica lo convertía en el factor dinámico de la historia mexicana. Euclides da Cunha, periodista que cubrió la rebelión promonárquica y religiosa de los *sertanejos,* admirado de la resistencia heroica y del coraje de los mestizos de Canudo, planteó la base étnica de la identidad nacional brasileña.

En todas las naciones se aplicó una política de extrañamiento de la población indígena que revistió caracteres comunes, aunque con notables diferencias en su intensidad y alcance. Las lenguas indígenas fueron sistemáticamente apartadas de las nuevas escuelas estatales y marginadas en la vida social, fenómeno que, como ha señalado Carlos M. Rama, constituye un capítulo mal conocido y del que no se ha hecho una evaluación crítica. El propio Carlos M. Rama recuerda, a este respecto, el caso del Paraguay. Allí, las misiones jesuíticas habían contribuido a la conservación del guaraní, de forma que a finales del siglo XVIII el gobernador Lázaro de Rivera se lamentaba: *Hemos llegado al extremo de que la lengua del pueblo conquistado sea la que domine.* Sin embargo, después de la independencia, el Estado presionó a favor de la extensión del español, prohibiendo el uso del guaraní en las escuelas y llegando a promulgar una ley, en 1848, que ordenaba sustituir los apellidos indígenas por los de origen español. Raquel Rojas ha subrayado, en este sentido, el contraste entre la vitalidad del teatro en guaraní en la época de las misiones y el hecho de que hasta bien entrado el siglo XX no se hubiera producido ninguna obra en guaraní.

La presencia de lo religioso en la cultura popular, en vivo contraste con la posición hostil hacia la Iglesia Católica que adoptaron, generalmente, los nuevos estados, merece una consideración especial. La independencia supuso un duro golpe al poder, a la riqueza y a la preponderancia de la Iglesia Católica en la sociedad americana. La negativa de la Santa Sede a reconocer a los nuevos estados fue, probablemente, un grave error que contribuyó a distanciar de la Iglesia a las nuevas clases gobernantes y a acelerar el proceso de secularización. Muchos obispos regresaron a España y sus diócesis quedaron vacantes por mucho tiempo. Roma se negó a cubrir los obispados y entró, después, en un largo pleito con los nuevos estados que reivindicaban el derecho de patronato (de presentación de candidatos) que había correspondido a las monarquías española y portuguesa. El resultado fue que, por citar un ejemplo, en 1829 no quedaba en México ningún obispo y que el número de sacerdotes, a falta de obispos que pudieran ordenar a nuevos candidatos, había descendido a un tercio de los que había en el momento de la independencia.

La expropiación de los bienes de los conventos y parroquias y la pérdida consiguiente de influencia en la enseñanza y en la beneficencia agravaron la situación. Y, sin embargo, para desesperación de muchos gobernantes, la religión seguía profundamente arraigada en la mentalidad popular, especialmente entre la población india y mestiza, apegada a su clero, a sus ceremonias y a los santos de su devoción. Los votos a la virgen y a los santos, la frecuentación de capillas y lugares sagrados eran una manifestación evidente de la fidelidad a unas creencias y

419

unos ritos que contrastaba con el escaso fervor suscitado, entre esos mismos grupos, por el Estado liberal y sus símbolos. Cierto que el sentimiento religioso de la población india y mestiza no era compartido, con igual intensidad, por otros grupos sociales, como los negros o los mulatos de Brasil y del área del Caribe y que contrastaba con el alejamiento de las elites urbanas que abandonaban la fe y se afiliaban a la masonería o adoptaban el librepensamiento frente a una Iglesia que condenaba todas las nuevas ideas del siglo.

En el último cuarto del siglo la situación descrita experimentó cambios importantes. La jerarquía eclesiástica se había reorganizado, el número de sacerdotes crecía y la Iglesia se adaptaba a una nueva situación en la que ya no disponía de una posición de privilegio, pero en la que tampoco era objeto de persecución. El Concilio Vaticano I, al que asistieron 48 obispos iberoamericanos, había estimulado una reforma interna de las parroquias y una mejora en la preparación intelectual y moral del clero. Para muchos conservadores, la religión aparecía como un freno a la rebelión social y la misión de la Iglesia tendía a identificarse con el conservadurismo. El «catolicismo social» vendría después. A finales de siglo, los obispos americanos empezaban ya a hablar de las obligaciones del capital y de los derechos de los trabajadores.

La literatura: del Neoclasicismo al Modernismo: temas, géneros y autores

A lo largo del siglo se suceden tres corrientes artístico-literarias que se corresponden con otras tantas fases del devenir de los pueblos que las crean. La generación de los hombres de la independencia, contemporáneos de Bolívar, San Martín y Miranda, los ilustrados revolucionarios, viajeros y poetas, hombres de acción que confiaban en una América independiente y unida, habían adoptado el *Neoclasicismo* y solo los más jóvenes de entre ellos evolucionarían en la etapa posterior hacia el *Romanticismo*. Después de la independencia, fue esta corriente romántica la que se impuso plenamente en todos los países. Parecía responder mucho mejor a las necesidades y a los sentimientos nacionalistas que habían sustituido por doquier a las ilusiones americanistas de los primeros tiempos. La descripción de la naturaleza, la novela histórica y la pintura costumbrista representaban mejor el repliegue de los hombres sobre las patrias en construcción y contribuían a definir sus perfiles. En el último tercio del siglo, a tono con el desarrollo económico y la incorporación de las naciones americanas a la economía mundial, una generación de americanos, abierta de nuevo al continente y al mundo, recupera el espíritu viajero y cosmopolita de la generación de comienzos de siglo y se debate entre dos tendencias opuestas: el *Naturalismo,* que aparece como una consecuencia lógica del pensamiento positivista imperante y que triunfará sobre todo entre los prosistas, o el *Modernismo (Parnasianismo en Brasil),* corriente netamente americana que se impone entre los poetas y adquiere un protagonismo indiscutible en la literatura en lengua española. Veamos, brevemente, algunos de los representantes más significativos de cada periodo.

De la primera época es preciso destacar, ante todo, a los poetas. Sobre todo al venezolano de origen, y americano de vocación, Andrés Bello (1781-1865), una de las figuras centrales de la cultura iberoamericana, autor de *Alocución a la poesía* (1823), en la que vaticinaba el triunfo de las fuerzas revolucionarias, y *La agricultura de la zona tórrida* (1826); al ecuatoriano José Joaquín Olmedo (1780-1847), diputado por Guayaquil en las Cortes de Cádiz, autor de *La victoria de Junín. Canto a Simón Bolívar* (1825); a José María de Heredia, cubano, autor de *El teocalli de Cholula* (1820) y *Niágara* (1824), y al brasileño José Bonifacio de Andrada e Silva (1763-1838), científico, literato y poeta, que desarrolló, como Bello, una notabilísima labor cultural y política. Entre los escritores en prosa destacó el mexicano José Joaquín Fernández de Lizardi (1776-1827), autor de *El periquillo Sarniento* (1816), una novela picaresca en la que analiza la sociedad mexicana del momento. En estas obras, la descripción de la naturaleza americana, o de los personajes, no buscaba un efecto realista, sino que los representaba, simplemente, como símbolos de una realidad nueva a la que el poeta contribuía a exaltar.

Muy diferente era la visión del paisaje que tenían los románticos. Para ellos, las cordilleras inaccesibles, o las llanuras interminables, evocaban sentimientos de soledad y distancia. Junto al paisaje, la tradición indígena y colonial y las hazañas de la independencia se convirtieron en los temas preferidos.

En ningún lugar alcanzó el Romanticimo el brillo de la generación argentina de 1837, el grupo intelectual iberoamericano más destacado entre los años 30 y los 70, como ha afirmado Juan Marichal. Poetas y novelistas destacados, autores también de obras de carácter filosófico o histórico, jugaron un importantísimo papel en la política de su país, y dos de ellos, Mitre y Sarmiento, llegaron a ocupar la presidencia de la república. Todos polemizaron contra la dictadura de Rosas, lo que provocó el destierro de la mayoría y facilitó la extensión de su influencia fuera de la Argentina, primero a Montevideo y luego a Santiago de Chile. En realidad, la dictadura condicionó profundamente la obra de estos escritores. Destacan, sobre todo, Esteban Echeverría (1805-1851), autor del poema *La cautiva,* incluido en su libro *Rimas* (1837), y de la novela *El matadero* (1838); José Mármol (1817-1871), autor de *Amalia* (1851), una novela ambientada, como *El Matadero,* en la dictadura de Rosas, y de los poemas de *Cantos del peregrino;* Bartolomé Mitre (1821-1906), autor de *Soledad* (1847); Juan Bautista Alberdi (1810-1884) y Domingo Faustino Sarmiento (1811-1888), autor de *Facundo: civilización y barbarie* (1845).

Facundo, una novela de notable riqueza expresiva escrita contra Rosas, constituye, en realidad, un vivo retrato sociológico de la Argentina de la época y un sugerente recorrido por las guerras civiles en la primera mitad del XIX. Su propuesta de urbanizar y europeizar como fórmula de progreso y de civilización tuvo una respuesta a su altura en una obra posterior, el *Martín Fierro* (1872) de José Hernández. En ella, José Hernández defiende a los campesinos y habitantes de la Pampa, idealiza al gaucho y exalta el heroísmo diario de los habitantes de la Pampa, al tiempo que critica el rumbo que sigue la sociedad argentina ante la inmigración masiva y la pérdida de lo que vendría a ser su naturaleza original. Una segunda obra, *La vuelta de Martín Fierro* (1879), mantenía la misma actitud respecto a los gauchos pero, más que a la rebelión, a lo que invitaba era a la adaptación a un modelo de sociedad que se presentaba como irreversible. La obra de José Hernández (1834-1886) tuvo una notable influencia en la aparición de la figura literaria del gaucho, o del charro mexicano, hombre independiente y solitario, fuera de ley y, con frecuencia, víctima de la violencia social, que protagonizaría después muchas leyendas y canciones de la cultura popular.

En todos los países iberoamericanos, el Romanticismo caló profundamente. En México destacaron, como poetas y como prosistas, los «hombres de la Reforma»: Ignacio Ramírez (1818-1879), Guillermo Prieto, Ignacio Manuel Altamirano y Vicente Riva Palacio. En Brasil, José Martiniano de Alençar, que escribió *O guaraní* (1857), a partir de la cual Antonio Carlos Gomes (1836-1896) compuso la ópera *Il Guaraní* (1870), estrenada con éxito en La Scala, y Antonio Gonçalves Dias suponen la culminación del Romanticismo brasileño. En Colombia, José Eusebio Caro, Julio Arboleda y Gregorio Gutiérrez González *(Memoria sobre el cultivo del maíz en Antioquia)* componen un elenco singular de poetas a los que hay que sumar a Jorge Isaacs, autor de *María* (1867), probablemente la más popular de las novelas románticas iberoamericanas, reeditada infinidad de veces.

En el último tercio del siglo el Romanticismo cedió ante el empuje del *Naturalismo,* por un lado, y del *Modernismo,* por el otro. La influencia del Positivismo, que se había adueñado, desde los años sesenta, del pensamiento iberoamericano propició el abandono de los temas y del espíritu romántico y su sustitución por el Naturalismo, fórmula más adecuada para introducir en la literatura los problemas y los cambios sociales del momento. La abolición de la esclavitud, la industrialización incipiente, la irrupción del problema indígena y su inserción en la sociedad, los problemas y conflictos resultantes del acelerado proceso de urbanización y la extensión de las ideologías anarquista y socialista que lo acompañó, entraron de lleno en la literatura que pasó a ser más crítica. Por ello, muchas obras del momento levantaron formidables polémicas. Es lo que sucedió con el brasileño Aluisio de Azevedo (1857-1913) y con las novelistas peruanas Mercedes Cabello de Carbonera (1845-1909) y Clorinda Matto de Turner (1854-1909), autora esta última de *Aves sin nido* (1889), la primera novela indigenista iberoamericana que, más allá de la historia melodramática que narra, denuncia con vehemencia la explotación y las humillaciones que padecen los indios. Ambas sufrieron ataques de la alta sociedad limeña que derivaron en la excomunión y exilio de Clorinda Matto y en el internamiento de Mercedes Cabello en un manicomio. Otras obras naturalistas tuvieron un carácter menos conflictivo. En las *Tradiciones peruanas,* escritas durante más de cuarenta años, Ricardo Palma narra, con notable ingenio y gracia, sucesos y cuentos de la etapa colonial. El más notable de los autores del periodo fue el brasileño Joaquim María Machado de Assis (1839-1908), para muchos el más grande de los novelistas iberoamericanos del XIX, autor de las novelas *Memorias póstumas de Bras Cubas, Quinas Borba* y *Dom Casmurro,* llenas de ironía y penetración y escritas con un estilo refinado.

La corriente literaria con la que finaliza el siglo y, a la vez, la más netamente iberoamericana, es el Modernismo. Fue un movimiento que recogía las inquietudes del fin de siglo y que se proponía renovar profundamente las formas de la prosa y de la poesía, desde el tipo de versos o la estructura de los párrafos a los temas y el vocabulario. Pero no sería justo limitar a la pura renovación formal el esfuerzo de los hombres que le dieron vida. Como ha señalado Gerald Martin, a primera vista parece que no hay nada moderno en aquellos seudoaristócratas afectados que cantaban a los cisnes y a las princesas, pero en el fondo los poetas modernistas se relacionaban estrechamente con los pensadores del momento, muchos eran anarquistas o socialistas, y casi todos nacionalistas o antiimperialistas. Pedro Henríquez Ureña destaca como jefes del movimiento en su plenitud a José Martí y Julián del Casal, de Cuba; Manuel Gutiérrez Nájera, de

México; José Asunción Silva, de Colombia, y Rubén Darío, de Nicaragua.

Rubén Darío (1867-1916) y José Martí (1853-1895) fueron, sin duda, los más significativos. Martí *(Versos libres, Flores del destierro),* que dedicó su vida a la independencia de Cuba y a *Nuestra América,* en expresión acuñada por él, despierta admiración por su fe en la humanidad y su combate por la libertad y la justicia, pero también por la calidad y la riqueza de sus escritos. No solamente sus poemas, también sus discursos, crónicas (publicadas en su mayor parte en *La Nación* de Buenos Aires), cartas y diarios ofrecen una visión plástica de los asuntos que trata por el vivo cromatismo de sus descripciones y la musicalidad. Rubén Darío gozó de enorme prestigio en vida y ejerció una considerable influencia merced a sus viajes por toda Iberoamérica y por España. En todos los lugares que visitó publicó innumerables artículos de prensa y muchas de sus obras. En Chile publicó *Azul* (1888), en Argentina publicó *Prosas profanas* en 1896, en España *Cantos de vida y esperanza* (1905). Sus temas evolucionaron desde el exotismo y la curiosidad por las culturas más diversas de la primera época, a los motivos americanos posteriores y a la amargura de la juventud que se va.

El Modernismo no limitó su influencia a los poetas, sino que implicó, también, a escritores en prosa. Los géneros preferidos eran el cuento (Horacio Quiroga), las crónicas de actualidad (Enrique Gómez Carrillo) y el ensayo (Eugenio María Hostos). En este campo destacó uno de los escritores más influyentes de la época, el uruguayo José Enrique Rodó (1871-1917), cuya obra *Ariel* (1900), escrita probablemente bajo la impresión de la derrota española ante los Estados Unidos en 1898, constituyó, durante las dos primeras décadas del siglo XX, una llamada a la juventud a favor del idealismo, de los valores tradicionales y de las señas de identidad, que adscribía a la raza latina, frente al utilitarismo y la mediocridad norteamericana y, por lo tanto, al rechazo de los valores y los modelos de Estados Unidos y de la atracción que por ellos prevalecía, según él, desde Alberdi.

El teatro, la música y las artes plásticas

A lo largo del siglo XIX el teatro fue tanto una manifestación artística como un acto social. En los primeros años de la independencia se escribieron dramas y comedias que, como el resto de manifestaciones literarias, trataban de estimular el sentimiento nacional. Luego decayó esta producción y la importancia del teatro fue diversa según los países. Mientras en Ciudad de México había varios teatros abiertos, en otras ciudades americanas apenas había actividad teatral alguna. Donde existían teatros, las obras eran en su mayoría de autores extranjeros y las compañías españolas mantenían en sus giras la tradición teatral. La zarzuela llegó pronto a México, y las obras de Bretón de los Herreros o el *Don Juan Tenorio* de Zorrilla se estrenaron en América muy poco después de que lo hubieran sido en España. Fue en el último cuarto del siglo cuando se produjo un notable resurgir del teatro en muchas ciudades. Se construían nuevos teatros, los grandes actores italianos y franceses visitaban América con regularidad y algunos dramaturgos locales producían obras que alcanzaban notable popularidad. Ese impulso, lógico en unas ciudades que empezaban a crecer extraordinariamente y en las que los nuevos inmigrantes demandaban esa actividad, debió mucho al empresario de circo uruguayo José Podestá, que concibió la idea de asociar a las representaciones circenses pantomimas dramáticas de asunto gauchesco en los años ochenta. La fórmula tuvo éxito y hacia 1900 los temas gauchos dieron paso a otros más variados escritos por autores argentinos y uruguayos, entre los que destacó el uruguayo Florencio Sánchez, con el drama *Barranca abajo* y las comedias *La gringa* y *M'hijo el dotor,* entre otras. En México, con el triunfo de Juárez, desapareció la censura teatral y se promocionaron las obras de autores nacionales, como Juan Antonio Mateos o el propio Vicente Riva Palacio.

La música continuó controlada, durante algún tiempo, por los maestros de capilla de las grandes catedrales que, más allá de su labor original, formaron academias de música o sociedades filarmónicas que contribuían a ampliar el interés musical de las clases urbanas. Pocas ciudades, sin embargo, llegaron a disponer de orquestas permanentes antes del último tercio de siglo. Pero, en este periodo, el desarrollo de conservatorios y la popularidad de la ópera italiana estimularon la producción de óperas autóctonas. Destacó el brasileño Antonio Carlos Gomes, el músico iberoamericano más notable del XIX, que vivió en Italia y compuso, entre otras, la celebrada ópera *Il Guaraní*. El ejemplo de los músicos europeos (Glinka, Borodín, Albéniz, Granados...), que utilizaban canciones y danzas populares en sus obras, estimuló a muchos compositores americanos a hacer lo propio. Julián Aguirre (*Huella, Gato,* danzas cantadas del norte de Argentina) y Hargreaves en ese mismo país *(El pampero, Aires nacionales);* José María Ponce de León en Colombia *(La hermosa sabana, Sinfonía sobre temas colombianos);* Nicolás Ruiz Espadero *(Canto del guajiro);* Manuel Saumell, el padre de la contradanza, e Ignacio Cervantes *(Danzas cubanas)* en Cuba, Tomás León *(Jarabe nacional)* en México y Alberto Nepomuceno *(Danza de negros)* en Brasil. A lo largo de todo el siglo florece la música popular en el campo y en las ciudades. La *danza habanera,* transformación criolla de la contradanza francesa, nació en Cuba y de allí se difundió a las Antillas y a toda América. La habanera interesó vivamente a muchos músicos *cultos* americanos y europeos, como Ignacio Cervantes, Ravel, Chabrier, Sebastián Iradier, autor de la habanera que Bizet adoptó en *Carmen,* y muchos más. A finales de siglo, el *tango* se impone como la melodía del arrabal, del proletariado industrial en formación, y sobre todo de los inmigrantes que encuentran graves problemas de inserción: la falta de mujeres (el 71 % de los inmigrantes son hombres), la crisis de valores, la soledad. En el campo, entre los esclavos negros, se había extendido el *candombe* que continuó, después, transformado en fórmulas diversas.

Las Bellas Artes fueron, durante todo el siglo, el campo donde la influencia extranjera era más patente. Las creaciones artísticas, además, siempre tuvieron un rígido componente academicista, incluso entre las generaciones de fin de siglo que vivieron en París la efervescencia del mundo cultural y, especial-

427

mente, de la pintura. De hecho, el *Impresionismo* apenas penetró en Iberoamérica y lo hizo muy tarde. La presencia de lo francés adquirió carácter institucional en Brasil cuando una delegación francesa de Bellas Artes, dirigida por Joachim Lebreton, llegó para ayudar a planificar el crecimiento y embellecimiento de la nueva capital, Río de Janeiro. Sus directrices excluían cualquier compromiso con la tradición artística anterior, que despreciaron olímpicamente, incluída la obra del genial Aleijadinho, y fijaron la política artística hasta final de siglo. Un frío neoclasicismo presidió las obras de los arquitectos más notables: Grandjean de Montigny, que diseñó la Academia de Bellas Artes de Río, la Iglesia de la Gloria y el Palacio de Boa Vista, y Louis Léger Vauthier, que construyó el Teatro Santa Isabel de Recife, el de Belem en Pará y el São Luis en Maranhão. En otros países los gobiernos facilitaron, también, la llegada de artistas europeos; así ocurrió con Rivadavia, en Argentina, y con Santa Anna, en México, que llamó al español Pelegrí Clavé para que reorganizara la Academia de Bellas Artes.

La influencia extranjera se extendió a la escultura y a la pintura. La producción escultórica fue escasa en el siglo XIX y, en la mayoría de los casos, los monumentos públicos significativos se encomendaron a artistas italianos o franceses. Las estatuas dedicadas a Bolívar en Caracas, realizada por Tenerani; a Colón en Ciudad de México, por Henri-Charles Cordier; a Sarmiento, por Rodin, o al general Alvear, por Bourdelle, estas dos últimas en Buenos Aires, son buenos ejemplos de esta costumbre. En pintura se produjo un fenómeno equivalente. Algunos artistas extranjeros se asentaron en las ciudades principales, por ejemplo, Rugendas en Santiago de Chile, y retrataron los paisajes, los acontecimientos y los personajes del lugar, o del país, con la visión romántica característica del tiempo. Así, muchos acontecimientos históricos de la independencia aparecen ilustrados por pintores extranjeros. Hubo, ciertamente, pintores iberoamericanos de mérito, sobre todo en la última parte del siglo. La relación de los más notables debe incluir a los argentinos Prilidiano Puyrredón, también arquitecto importante, y Carlos Morel, retratistas y paisajistas; a los mexicanos José María Velasco, pintor de paisajes del valle de México, y, sobre todo, al extraordinario dibujante José Guadalupe Posada, autor de caricaturas satíricas para los periódicos de su tiempo y de carteles y de pliegos en cordel para ilustrar romances o cuentos, que transmite una visión pesimista y amarga de los personajes y de sus actitudes.

Pensamiento, ciencia y educación

Apenas se constituyeron las nuevas naciones, la preocupación de los dirigentes fue extender a todos los ciudadanos una educación basada en la ciencia moderna y en sus métodos. El mismo Simón Bolívar invitó al pedagogo británico Joseph Lancaster, organizador en Inglaterra del sistema de enseñanza mutua, a Caracas en 1824. Pero con anterioridad, un adepto al método *lancasteriano*, el escocés James Thompson, había residido, entre 1818 y 1821, en Argentina, invitado por Rivadavia, y después en Chile, en Perú y en Colombia, hasta su regreso a Escocia en 1825. También en México, en 1822, se había fundado la Compañía Lancasteriana.

Aparte esta preocupación por incorporar las doctrinas pedagógicas en boga, las primeras actuaciones se encaminaron a la formación de maestros y a la reforma de las universidades de la época colonial que resultaban poco receptivas a las innovaciones que se quería implantar. Se suprimió la enseñanza de la teología en las universidades y se desató una feroz batalla con la Iglesia por el control de la educación. En Argentina, Bernardino Rivadavia desarrolló, desde el momento de la independencia hasta 1827, una formidable labor de creación de escuelas y de la Universidad de Buenos Aires. Desgraciadamente, en Argentina y en todos los países, la inestabilidad política y social y la falta de medios económicos relegaron esas preocupaciones iniciales para tiempos mejores. La primera escuela normal, dedicada a la formación de maestros, se fundó en 1842, en Chile, bajo la dirección del argentino Sarmiento.

El espíritu de reforma tomó cuerpo definitivamente con el Positivismo de Comte y las teorías de J. Stuart Mill y de Spencer. Esta corriente filosófica penetró profundamente en las elites de toda Iberoamérica y se convirtió en la fórmula que abriría la senda del progreso. Si los principios de la ciencia habían propiciado avances espectaculares en el campo científico, ¿por qué no intentar aplicarlos a la política y a la reforma social? La influencia que esta corriente tuvo en la educación fue enorme. La propuesta positivista aportó un esquema de organización a la enseñanza con un sistema de parcelación de los conocimientos en asignaturas ordenadas jerárquicamente, introdujo un sesgo favorable a lo científico frente a lo humanístico, reafirmó la secularización de la enseñanza apartando la religión de las escuelas y reclamó para el Estado el control de todas las instituciones educativas. La primera ley que organizaba la educación según los principios positivistas fue la Ley Orgánica de Instrucción Pública de 1867, de México, preparada, a iniciativa de Juárez, por Gabino Barreda. Pero las que se pusieron en práctica de manera sistemática y sentaron las bases de un buen sistema de educación fueron las de Uruguay, de 1871 (Ley Varela), y la de Argentina de 1884 (Ley Avellaneda, alentada por Sarmiento).

Una buena ley no era sino la base de una política educativa eficaz. Era preciso acometer con decisión la creación de escuelas y universidades y la formación de maestros. En esta tarea, los esfuerzos fueron constantes aunque desiguales, según los países, hasta el fin del siglo. Colombia y Chile fueron los que antes se embarcaron en programas de ampliación de escuelas aunque, durante la administración de Sarmiento (1868-1874), la Argentina se adelantó y se convirtió en pionera de la educación, alcanzando, junto con Uruguay, una posición envidiable en cuanto a tasas de escolarización. Este progreso tan laboriosamente conseguido no puede hacernos olvidar que, en general, las poblaciones de todos los países registraban aún, a finales de la centuria, unas elevadísimas tasas de analfabetismo. Aunque no hay estadísticas sobre el particular, se calcula que en 1896 casi un 80 % de la población argentina, precisamente la nación que más había avanzado en la extensión de las escuelas, no sabía leer ni escribir.

Al igual que sucedía en Europa, la incorporación de la mujer a los estudios se produjo en los últimos años del siglo y debió mucho a la energía y al tesón de algunas mujeres pioneras. La Universidad de Chile fue la primera en abrir sus puertas a las mujeres. En 1884 se graduó la primera dentista y en 1889 las primeras doctoras en medicina. En ese mismo año se graduaban las primeras médicas en México y Argentina y la primera arquitecta en El Salvador. En los últimos años del siglo obtenían sus títulos las primeras abogadas chilenas y mexicanas. La historiadora mexicana Josefina Zoraida Vásquez, de quien tomamos los datos anteriores, señala, también, que mientras en Cuba y Puerto Rico las nuevas instituciones se abrieron inmediatamente a las mujeres, en Paraguay las primeras graduadas aparecieron en 1910 y en Costa Rica en 1916, no fue hasta 1940 cuando las universidades de Colombia o Brasil otorgaron los primeros títulos a mujeres. Claro está que este capítulo de la educación de la mujer no es sino un aspecto más de su lucha por la emancipación. En esa lucha, las mujeres de las clases medias urbanas, principalmente argentinas, mexicanas, uruguayas y chilenas, adoptaron una táctica bastante similar a la que, por esos años, libraban las mujeres europeas o norteamericanas. Por el contrario, la vida de la mujer en el campo se mantuvo dentro de los moldes tradicionales durante mucho tiempo y el analfabetismo fue un problema más que añadir a la larga lista de privaciones que eran compañeras inseparables de sus vidas.

El desarrollo de la ciencia siguió, en términos generales, una evolución parecida a la que habían experimentado la música y las bellas artes. Durante mucho tiempo, la promoción de las ciencias corrió a cargo de sociedades o fundaciones promovidas por particulares. Las Sociedades de Amigos del País, propias del siglo de la Ilustración, continuaron su labor después de la independencia. Junto a ellas, aparecieron fundaciones de todo tipo, muchas de las cuales editaban anales de sus actividades y de los trabajos de sus socios. Tales fueron el Liceo Mexicano, animado por Altamirano; la Sociedad de Amigos del Saber de Caracas, la Sociedad de Geografía y Estadística de México, los ateneos de

Lima o Uruguay, la Sociedad Velosiana, dedicada al cultivo de las ciencias naturales en Brasil, etc. Hombres polifacéticos de conocimientos universales, como José Bonifacio de Andrade y Andrés Bello, marcan con su personalidad esta época. Al avanzar el siglo, la institucionalización de los sistemas educativos, el auge de las universidades y la mejora de la situación económica dieron paso a la creación de organismos oficiales que asumieron la investigación y la promoción del patrimonio artístico y cultural como una tarea sistemática y programada dependiente del Estado. La fundación del Museo Nacional de México, del Museo de la Plata, del Observatorio Astronómico de Córdoba (Argentina) y de Tacuyaba (México), de los Institutos Geológico, Biológico y Bacteriológico en México, el de Física en La Plata y otros en varias naciones, constituyen un buen indicador de esta tendencia. Es en el contexto de estas instituciones en el que hay que situar el trabajo de algunos científicos ilustres, como el cubano Carlos Juan Finlay (1833-1915), que demostró experimentalmente la transmisión de la fiebre amarilla por picadura de uno de los mosquitos comunes, o como el paleontólogo argentino Florentino Ameghino (1854-1911).

Pero, más que en las ciencias experimentales, los logros de los hombres de ciencia iberoamericanos del siglo se produjeron en los campos de la historia y la filología. Nos hemos referido ya al papel que la historia desempeñó en la forja del sentimiento nacional. Las primeras obras, a las que se aludió antes, dieron paso a una visión más matizada de los acontecimientos, no exenta, sin embargo, del mensaje nacionalista y patriótico de aquellas, en la que se dejaba notar la influencia del Positivismo, y a obras colectivas de gran envergadura. Las más significativas, la *Historia de Chile* (1866-1882), dirigida por Benjamín Vicuña Mackenna, y *México a través de los siglos* (1883-1888), dirigida por Vicente Riva Palacio. Historiadores notables son, además de los citados, el chileno Diego Barros Arana, autor, entre otras muchas, de dos obras importantes: la *Historia general de Chile* (1844-1902) y de un manual *Compendio de Historia de América* (1865), que tuvo numerosas ediciones no solo en Chile sino en toda Iberoamérica; el mexicano Lucas Alamán y el argentino Vicente Fidel López. Entre los filólogos, además de Andrés Bello, autor de la *Gramática de la lengua castellana* (1847), ocupan puestos de primera fila los colombianos Rufino José Cuervo, que dedicó su vida al estudio de la lengua española y dejó obras como *Notas a la gramática de Bello* (1874) y el *Diccionario de construcción y régimen de la lengua castellana* (1886-1893) y autor, en colaboración con el otro ilustre filólogo colombiano, Miguel Antonio Caro (presidente de Colombia entre 1894 y 1898), de una excelente *Gramática latina,* y Manuel Orozco y Berra, filólogo e historiador, autor de *Geografía de las lenguas y carta etnográfica de México,* la primera clasificación de las lenguas indígenas de México.

El lector habrá advertido, sin duda, que las manifestaciones culturales a que nos hemos referido a lo largo del capítulo eran siempre creaciones de la ciudad y para la ciudad, y de los criollos y para los criollos. El campo, el inmenso campo, quedaba como reducto de una cultura popular, ajena a los intereses y preocupaciones de las clases urbanas, y el mundo indígena sobrevivía al margen de la escuela y de las corrientes culturales de las nuevas naciones. De hecho, a lo largo del siglo se abrió una brecha prácticamente insalvable entre el arte culto y el popular que no había existido en la época colonial, cuando el Barroco integraba todas las sensibilidades. Las lenguas indígenas, la música folclórica y las artes indígenas fueron reprimidas por considerarse primitivas y opuestas al progreso. La *civilización* venía de Europa y germinaba en la ciudad, la *barbarie* residía en lo indígena y se aposentaba en el campo. Pero también en el ámbito urbano se gestaba una cultura diferente en determinados sectores de la población. A medida que crecían las ciudades, en los barrios periféricos se consolidaba una clase urbana marginal ajena también a los valores y a los gustos de las clases medias urbanas. Las ideologías anarquista y socialista y, salvando las distancias, determinadas manifestaciones musicales, como el tango, representan bien las aspiraciones y el desarraigo de un sector cada vez más numeroso de la población y el alcance limitado de lo que llamamos *culturas nacionales.*

433

Otro rasgo peculiar de la cultura del siglo XIX es la pervivencia de un ideal *americano* a pesar de la fragmentación política. Es cierto que este sentimiento fue más vivo en los años de la independencia (Bolívar, Bello, Miranda) y en la última etapa del siglo (Hostos, Martí, Rodó), pero de una u otra forma estuvo siempre presente, entre José Joaquín Olmedo y Martí, en muchos patriotas a lo largo y ancho de todo el continente, aunque las urgencias del momento impidieran consumar cualquier propósito de confederación. Al menos sobrevivió la unidad lingüística y ello no ocurrió por casualidad. Hombres, como Andrés Bello y Sarmiento, o como los filólogos colombianos Caro y Cuervo, tuvieron siempre la preocupación de evitar que ocurriera con el español algo parecido a lo que había sucedido con el latín tras la caída del Imperio Romano. En el prólogo de su *Gramática de la lengua castellana destinada al uso de los americanos* (1847), Andrés Bello advertía de la necesidad de frenar la avenida de neologismos que *inunda y enturbia buena parte de lo que se escribe en América y que, si no se ataja, va a privarnos de las inapreciables ventajas de un lenguaje común.* En esa pervivencia, reforzada, sin duda, por el aporte de los centenares de miles de inmigrantes españoles del último tercio del siglo, se asentaría el renacimiento y la eclosión de una cultura iberoamericana en el siglo siguiente. La generación modernista del cambio de siglo anticipaba los sentimientos y las realizaciones que vendrían después.

20

Iberoamérica entre el umbral del siglo XX y la crisis de 1930

IBEROAMÉRICA entró al siglo XX sin democracia política y sin democracia social. Se vedaba a gran parte de la población el acceso a la ciudadanía, de la misma manera que se le obstaculizaba el acceso a la propiedad de la tierra, y no es este un dato menor, pues, aunque las clases subalternas no eran solamente campesinas, la inmensa mayoría de la población tenía ese origen. Terratenientes y campesinos constituían las clases fundamentales del sistema; pero no se agotaba en ellas la estructura social ya que, aunque de reciente data, los primeros grupos obreros, la incipiente burguesía manufacturera, los comerciantes y demás capas de la burguesía que constituían la emergente clase media daban una imagen de sociedad moderna, imagen distorsionada de una realidad en que las relaciones de producción y de poder tenían un carácter oligárquico.

El Estado era oligárquico por su forma y por su contenido. Por su forma, porque el voto censatario restringido a los varones solo incluía a propietarios o individuos con un determinado nivel de ingreso y a los alfabetizados, además de que los mecanismos paternalistas de dominación convertían en ficción a la mayoría de los actos electorales. Por su contenido, porque la hegemonía de los terratenientes en el bloque de poder, que incluía a otras fracciones de la clase dominante y representantes del capitalismo internacional, excluía a las clases medias que se abrían paso en la sociedad, a la burguesía manufacturera, a los obreros y fundamentalmente a los campesinos.

En consecuencia, cualquier alternativa al Estado oligárquico debía provenir de las clases excluidas y el tipo de alternativa dependería, en última instancia, de las alianzas que se conformaran para reemplazarlo y de la matriz ideológica que las sustentara, tales como el socialismo, el reformismo, la revolución y el populismo. Las distintas alternativas impulsaban una democracia efectiva, pero esta no fue duradera o simplemente quedó en promesas. En la mayoría de los casos porque los regímenes militares lograron imponerse en reiteradas oportunidades entre 1930 y 1980. En México porque el monopolio del gobierno del partido que heredó la revolución hizo que en la práctica la democracia funcionara con un partido único, y en Cuba porque no se llevaron a cabo las elecciones democráticas prometidas durante la lucha contra la dictadura de Fulgencio Batista.

La industrialización por sustitución de importaciones como alternativa a la economía exportadora tradicional generó también grandes esperanzas, particularmente entre los años de la Segunda Guerra Mundial y la década del setenta, cuando era percibida como la panacea para salir del atraso, mejorar la distribución del ingreso y superar la dependencia externa. Pero enseguida demostró sus propios límites, tal como comenzaba a percibirse en la década del setenta y mucho más en la del ochenta, la llamada *década perdida,* en la que no hubo crecimiento económico y se produjo la crisis de la deuda externa. Si algo se ganó fue la recuperación de la democracia en varios países, especialmente de Sudamérica: Chile, Uruguay, Brasil y Argentina, donde las dictaduras violaban sistemáticamente los derechos humanos, utilizando los métodos más atroces de represión.

El ajuste neoliberal marca el fin de este siglo XX, cuando los Estados nacionales parecen desdibujarse en el marco de una globalización que no controlan y prevalece un balance con importantes limitaciones, pero también con nuevas expectativas ante el siglo que comienza.

En los capítulos que siguen se analiza la historia del siglo XX iberoamericano en tres partes temporalmente diferenciadas. La primera hasta los años treinta, la segunda hasta los setenta y la tercera hasta el final del siglo. Se ha dedicado más espacio al primer periodo, porque la mayor distancia temporal hace que el lector esté menos familiarizado con el proceso histórico de esa época y porque su comprensión favorece el abordaje de los periodos más recientes. El último capítulo analiza los rasgos característicos de la cultura iberoamericana en el siglo XX y destaca las obras y los autores más representativos del periodo.

El mercado mundial hasta 1930 y la economía exportadora iberoamericana

Hasta la Primera Guerra Mundial la participación latinoamericana en el mercado mundial había tenido un crecimiento sostenido, pero a partir de entonces la importancia de los bienes primarios en el comercio mundial comenzó a declinar, llegando a un punto límite en los años treinta cuando, además de disminuir el volumen de exportación, bajó sensiblemente el nivel de los precios. La reducción de la demanda mundial de esos bienes, excepto el petróleo y algunos minerales, se debió a diversas razones; tanto al hecho de que el progreso tecnológico hace más racional su aprovechamiento, como a que pueden ser reemplazados por productos sintéticos. Además, el aumento de los ingresos desvía ese incremento hacia el consumo de bienes durables, incidiendo poco en el crecimiento de la demanda de alimentos, los cuales constituían un componente importante de las exportaciones iberoamericanas.

Sin duda tuvo también gran importancia el cambio de hegemonía que ejercía de manera casi indiscutible Gran Bretaña. El dinamismo de las nuevas actividades industriales, como la química y la electricidad, fue mejor aprovechado en países como Estados Unidos y Alemania. Derrotada esta última en la Primera Guerra Mundial, quedó el camino expedito para el ascenso norteamericano. Entre otros efectos, como el desplazamiento del centro financiero mundial, la irrupción de los Estados Unidos tuvo un particular significado, pues se trataba de un importante productor de materias primas y alimentos y competidor, por ello, de algunos países latinoamericanos. Además, mientras que las inversiones británicas y, en general, las europeas se realizaban en servicios como transportes, comercio, finanzas y, eventualmente, en la minería, las inversiones norteamericanas se localizaron también en el sector de la producción, tanto primaria como industrial.

De todos modos, la economía exportadora iberoamericana mantuvo en esta etapa sus características fundamentales, significativamente distintas a las que en los países industrializados tenía la exportación de su producción excedente. En efecto, en el caso de los países latinoamericanos, además del alto grado de especialización y de la tendencia monoproductora, a que se aludió en capítulos anteriores, la exportación de bienes al mercado mundial tenía mayor incidencia en el conjunto de sus economías nacionales por ser la principal fuente en la generación del ingreso y depender mucho más de las oscilaciones de la demanda internacional. Los núcleos exportadores concentraban la mayor cuota de capital en detrimento de la producción para el mercado interno, estableciéndose una sustancial diferencia entre la economía exportadora y la de consumo interno. Además, ante una constricción de la demanda mundial, resultaba muy difícil regular la oferta latinoamericana, ya que las plantaciones y el rebaño debían mantenerse, así cayeran los precios y el consumo.

Incentivos externos determinaron el perfil de las exportaciones iberoamericanas, de tal modo que el cobre, el guano, el salitre, el caucho, el petróleo y tantos otros bienes que existían sin ser explotados se convirtieron de pronto en objetivos estratégicos de la economía mundial y entonces el comercio, las finanzas y el transporte, todo en su mayor parte de origen europeo y norteamericano, indujeron su producción para el mercado mundial. Lo mismo sucedió con otros bienes cuya producción tenía antigua tradición, como los de origen agropecuario, ya que al mejorar las condiciones de vida en Europa se incrementó la demanda de los mismos, tales como el café, las carnes, los cereales, el cacao, y también en este caso la demanda alentó la oferta, sin faltar los momentos de desaliento cuando bajaban los precios.

Los caprichos de la demanda produjeron ciclos productivos de esplendor y decadencia de distinta duración, según los casos, porque se producían símiles sintéticos, como en el caso del salitre, o porque surgían abastecedores en otros continentes, como en el caso del caucho antes que la industria química lo reemplazara, u otras razones que demuestran la vulnerabilidad externa de la economía exportadora iberoamericana.

El empleo de las ganancias para sostener la acumulación fue en general proporcionalmente bajo, debido a la resistencia generalizada de los terratenientes latinoamericanos a invertir en medios de producción. Preferían destinar buena parte de sus ganancias a la compra de más tierras motivados precisamente por el auge de la economía exportadora que, además, convertía en terratenientes a mineros y comerciantes. Por esa razón, el mercado de capitales se conformó en gran medida con las inversiones europeas y norteamericanas que financiaron puertos y ferrocarriles, un sistema comercial ágil, la producción agropecuaria y minera, los urgentes empréstitos al Estado e incluso la formación de un sistema bancario que al comenzar el siglo era bastante precario en la mayor parte de los países iberoamericanos.

La expansión ferroviaria producida al ritmo de crecimiento de la economía exportadora estaba bajo control extranjero. Sin desmedro de otros inversores europeos, como belgas, franceses y alemanes, los norteamericanos controlaron la mayor parte de los ferrocarriles de Centroamérica, México y Cuba y los británicos el resto, incluida la importante red argentina. El auge exportador, que se extendió entre 1880 y 1914, fue también el esplendor de la expansión ferroviaria, que de 10.000 kilómetros de extensión pasó a 100.000 kilómetros, llegando a 120.000 kilómetros en 1930, crecimiento espectacular pero muy desigual, pues el 30 % se encontraba en Argentina, el 24 % en México y el 22 % en Brasil.

También tuvo un importante crecimiento la actividad bancaria, tanto de capitales locales como extranjeros, a pesar de que los sistemas monetarios, con una inflación permanente y tipos de cambio fluctuantes, distaban de ofrecer a los inversores y acreedores extranjeros las garantías de que los gobiernos no continuarían emitiendo sin control alguno y que se lograría un funcionamiento más ordenado del mercado de capitales. Los gobiernos emitían moneda para solventar gastos que excedían la recaudación fiscal o se endeudaban más allá de lo aconsejable, provocando a veces situaciones de inestabilidad económica y política. Así ocurrió con la crisis fiscal de 1902 en Venezuela que, al declararse en mora, provocó una resonante intervención de potencias europeas; o en el caso de Chile, donde la persistente inflación afectó a importantes contingentes de la clase media urbana que, como revancha, dio el triunfo electoral al reformista Arturo Alessandri en 1920, o, finalmente, en el caso de Brasil, donde las devaluaciones que entre fines del siglo XIX y 1906 se realizaban para beneficiar a los productores de café provocaban resistencia en otras capas de la burguesía no exportadora y de los comerciantes importadores.

Los tres casos mencionados tuvieron distinto destino, pero la inflación en esos y otros países iberoamericanos generó igual preocupación en los inversores extranjeros, quienes presionaban para que se instalaran bancos centrales bajo control privado, ya que eran pocos los creados antes de la crisis de 1929, tales como el de Uruguay en 1898 y los de México y Chile en 1925.

La sociedad agraria

Entre 1900 y 1930 la población latinoamericana creció de 61 millones de habitantes a 104 millones. Excepto en algunos pocos países como Argentina, donde el proceso de urbanización había sido muy temprano, en el resto era mayoritariamente rural, aun en los casos en que se había alcanzado un nivel de industrialización similar a la argentina como en Brasil y México. La sociedad agraria predominaba sobre la urbana, siendo la base del sistema productivo y el núcleo del que emanaban las decisiones políticas, ya que los terratenientes organizaban el trabajo agrícola y controlaban el poder estatal, mientras que los campesinos no participaban en ninguna de esas instancias pero producían con su trabajo la mayor parte de la riqueza.

Una suerte de terrofagia garantizaba a los terratenientes el control de dos recursos productivos fundamentales como tierra y mano de obra, pues en la medida en que se apropiaba de la primera, quedaban campesinos sin tierra para ser incorporados al trabajo en los latifundios, como plantaciones y estancias.

La gran propiedad, conocida como latifundio, de baja productividad y concentrada en pocas manos, se combinaba con el minifundio, la pequeña parcela donde el campesino obtenía parte de su subsistencia que completaba con el trabajo en el latifundio, y prevalecía ampliamente sobre otros tipos de propiedad intermedia como chacras, fundos y hatos. El campesino podía ser dueño u ocupante de tierra fiscal; podía ser arrendatario o usufructuar una parcela cedida por el propietario; podía instalarse dentro o fuera del latifundio; podía cultivar bienes de subsistencia o el mismo cultivo de la gran propiedad, así como otras combinaciones por demás diversas, pero sustancialmente constituía la mano de obra que los terratenientes podían disponer para el trabajo rural. La sujeción del campesino se completaba con el endeudamiento y el pago con fichas que solo tenían validez en un comercio autorizado por el terrateniente o «tienda de raya», según se la denomina en México, además de otros mecanismos como la protección brindada por los patrones en un medio por demás inseguro. En los países donde el campesinado estaba más sometido, las relaciones sociales parecían corresponder a épocas históricas remotas, como la inhumana explotación de los indígenas magistralmente descripta por Jorge Icaza en la novela *Huasipungo*.

Este tipo de mercado de trabajo no excluía a los trabajadores libres, muchas veces itinerantes en busca del trabajo estacional como en la fundación de una plantación o en la época de cosecha. Existía, pues, un mercado de trabajo fragmentario conformado por las diversas maneras en que se relacionaban terratenientes y campesinos, a los cuales se designaba según el nombre asignado al minifundio, como husaipunguero en Ecuador, inquilino en Chile, conuquero en Colombia y Venezuela, colono en Brasil, además de los peones libres o «temporeros».

La estructura descrita, cuyos matices locales hacen difícil una generalización válida para toda Iberoamérica, es la forma en que se organizó el trabajo rural al ritmo del auge exportador. Aunque algunas de sus características puedan reconocerse como una herencia colonial, el latifundio adoptó nuevas formas, en cuanto a la ocupación de tierras y utilización de mano de obra, experimentando una expansión considerable en la segunda mitad del siglo XIX y en los primeros años del siglo XX.

La producción agropecuaria no siempre se destinaba, en su mayor parte, al mercado externo, ya que en países mineros como México, Chile, Bolivia y Perú el sector rural abastecía en gran proporción al mercado interno y no constituía un factor decisivo para impulsar el crecimiento económico. Por el contrario, en los casos de economías agroexportadoras el sector podía provocar una expansión económica importante, como ocurrió en la Argentina y Brasil, o mantener un absoluto atraso, como en Venezuela.

En este país, y antes de que el petróleo se transformara en el mayor rubro de exportación, existía una pequeña economía agrícola exportadora de café y cacao. En la relación hacienda-conuco se basaba la organización social y técnica del trabajo, quedando bajo control de la primera la producción, el comercio, el financiamiento y el procesamiento del café, el principal producto de exportación. La hacienda, a su vez, estaba subordinada a las empresas comerciales, cuyas casas matrices en Europa intercambiaban en el mercado mundial y financiaban a todo el sistema.

Brasil y Argentina, por el contrario, tuvieron una gran expansión económica y crecieron al ritmo de sus exportaciones agropecuarias. En Brasil la expansión cafetalera había provocado la colonización de tierras como las de la altiplanicie paulista, donde la escasez de mano de obra fue resuelta entre las últimas décadas del siglo XIX y primeras del XX mediante una exitosa política inmigratoria que permitió el ingreso de millones de europeos y en menor número de asiáticos, además de la explotación de la mano de obra marginal existente en las economías de subsistencia. Esos recursos produjeron una riqueza enorme y, junto al crecimiento de las ciudades, coadyuvaron a la formación del mercado interno. El trabajo se organizaba mediante el colonato, una especie de contrato mediante el cual el inmigrante se comprometía al cuidado de mil plantas de café a cambio de un salario, pero además podía efectuar cultivos de subsistencia en parcelas destinadas a ese fin.

La expansión cafetalera brasileña en la región paulista ofrece grandes semejanzas con la cerealista y ganadera de la región pampeana argentina. Ambas constituyeron la base del crecimiento económico en los respectivos países y se desarrollaron en condiciones en que la tierra había sido apropiada conformando una poderosa clase terrateniente y en que la población existente resultaba escasa, recurriéndose a la inmigración extranjera. En ambos casos la modernización del país fue posible mediante la utilización de la renta agraria, más apreciable en el caso argentino, donde la economía agroexportadora ocupaba una porción mayor del espacio territorial que en Brasil.

En Argentina, el cereal, el lino, la lana, la carne, constituían los principales rubros de exportación de una economía de apariencia exitosa que financiaba la modernización de sus centros urbanos más importantes, pioneros en introducir los adelantos novedosos de Europa como la electricidad, el transporte colectivo, el tren subterráneo, el cine. La renta agraria era de tal magnitud que su concentración en pocas manos no impidió el consumo popular y favoreció la acumulación de capital. Efectivamente, al ampliar la inversión en medios de producción y en mano de obra se distribuía de manera progresiva el ingreso y se ampliaba el mercado interno. Argentina disponía de una gran extensión de tierras con excelentes condiciones agronómicas para la producción de bienes de creciente demanda mundial y del aporte de capitales que impulsaron la actividad económica. La fertilidad natural y las inversiones crearon una economía agropecuaria altamente competitiva y de elevada productividad, ya que si bien era extensiva en relación al espacio no lo era en cuanto al factor humano, pues el valor de las exportaciones agrícolas por habitante era altísimo. Y si con relación a sus habitantes la actividad agroexportadora era significativa, también lo era en términos absolutos, al punto de que cerca del 40 % del valor de las exportaciones agropecuarias iberoamericanas era de origen argentino.

La prosperidad argentina, cuyo origen estaba en la renta agraria, significaba para los inmigrantes un futuro promisorio y para los poetas una fuente de inspiración. En cuanto a lo primero, se produjo una inmigración masiva que fue decisiva para la expansión económica, tanto porque amplió y diversificó la oferta de mano de obra, como porque concentró grupos de edades en condiciones de trabajar, compuestos en sus dos terceras partes por varones. Sobre el progreso argentino como inspiración poética nada más expresivo que la *Oda a los ganados y a las mieses* de Leopoldo Lugones, aunque no mucho menos el *Canto a la Argentina* de Rubén Darío.

El sector industrial

La división internacional del trabajo especializó la economía iberoamericana en la producción de bienes primarios para el mercado mundial donde, a su vez, se abastecía de bienes manufacturados. En esas condiciones el desarrollo del sector industrial era incipiente y la competencia con los bienes importados muy desigual en el contexto librecambista en boga. No obstante, tal como se apuntó en el capítulo 18, el sector alcanzó, en determinados casos, un grado apreciable de participación en el conjunto de la economía, tanto en la producción de bienes para el consumo interno como para el mercado mundial.

En el primer caso, la producción de bienes de consumo masivo dio lugar a que las llamadas industrias tradicionales, como vestido, calzado, alimentación, bebidas, tabaco y mueblería, se desarrollaran favorecidas por la expansión de las exportaciones, la urbanización, un fondo de salarios de magnitudes adecuadas y un mercado de capitales dispuesto a invertir en esa actividad, realizada en su mayor parte por empresarios locales. En el segundo, el procesamiento del bien exportable generaba una actividad con algún grado de complejidad industrial, tales como los centrales azucareros, los frigoríficos y la extracción petrolera, que en buena medida fueron llevados a cabo por inversores extranjeros.

Hasta 1930 solo Argentina, México, Brasil, Chile, Uruguay y Colombia tenían un sector industrial de alguna importancia. Los cuatro primeros iniciaron su industrialización en las últimas décadas del siglo XIX, Colombia en los años de la Primera Guerra Mundial y Uruguay hacia fines de la década del veinte, siendo muy significativo el grado de industrialización alcanzado por los tres primeros con relación al resto. En 1929 la producción industrial argentina representaba el 22,8 % de su Producto Interno Bruto, participación menor a la de los países desarrollados pero la mayor de Iberoamérica, seguida de México con el 14,2 %, Brasil con el 11,7 % y Chile con el 7,9 %.

Aunque con discontinuidades, Argentina tuvo hasta 1930 un importante crecimiento económico. Al estallar la Primera Guerra Mundial contribuía con el 32 % de las exportaciones iberoamericanas, era receptora de casi el 30 % de las inversiones extranjeras y disponía del 30 % del trazado ferroviario, valores aún más significativos si se tiene en cuenta que su población apenas suponía el 10 % del total. La principal actividad industrial se desarrollaba en los frigoríficos, donde predominaban capitales británicos y norteamericanos, pero también se iniciaba la producción de bienes de consumo final como alimentos, vestido, vidrio, calzado, muebles y bebidas. Luego de la Primera Guerra Mundial, la oferta industrial al mercado interno se diversificó al incorporarse otros bienes, y particularmente por el crecimiento de la industria textil. Estas actividades que sustituían importaciones fueron favorecidas por un conjunto de factores, tales como un mercado donde los salarios estaban bastante difundidos y eran relativamente altos; la producción de alimentos, que hacía menos necesaria la economía de subsistencia y permitía evitar las importaciones, y una importante infraestructura comercial, financiera y de comunicaciones.

La economía exportadora brasileña, como en el caso anterior, también tuvo su auge en un periodo similar, y aunque los indicadores tenían menor magnitud, eran de considerable importancia en relación al conjunto iberoamericano. En efecto, hacia 1914 Brasil contribuía con el 20 % de las exportaciones, era receptora del 20 % de las inversiones extranjeras y disponía del 22 % del trazado ferroviario; importante participación, aunque en términos relativos lo era menos ya que su población representaba el 30 % del total. El nivel de los salarios era menor que en Argentina, pero el mercado interno crecía como consecuencia del aumento vegetativo de la población y con el aporte de la inmigración, de tal modo que aun sin progresar la distribución del ingreso, el fondo de salarios alcanzaba dimensiones adecuadas para sostener la demanda interna de bienes de consumo final.

La inmigración, la infraestructura, el mercado de capitales y la urbanización en Brasil presentaban, en conjunto, rasgos semejantes a la Argentina, pero la enorme geografía brasileña y una población también muy superior hacían que los indicadores económicos no tuvieran igual significación. El importante trazado ferroviario estaba en su mayor parte localizado en la región paulista, abarcaba la zona de los cafetales y tenía como nodo la ciudad de San Pablo, desde donde partía un ramal hacia el cercano puerto de Santos, centro de acopio y exportación al mercado mundial. Así, el proceso de industrialización brasileño tuvo una distribución más concentrada y afectó a una superficie y población menor en términos relativos. Además, la economía de subsistencia y artesanal resultó menos afectada y logró sobrevivir más tiempo, dificultando la formación de un mercado interno de dimensiones nacionales.

Antes de comenzar la Primera Guerra Mundial, Brasil había iniciado un proceso de sustitución de importaciones bastante avanzado en la producción textil, alimentación, vestido, bebidas, insumos agrícolas que se fueron concentrando en Río de Janeiro y en San Pablo, particularmente en este estado, donde se desarrolló la economía exportadora más dinámica. Para frenar la expansión del cultivo de café ante la caída de precios se aprobó en 1906 un impuesto adicional para financiar compras de excedentes por parte del Estado, desalentando la compra de nuevas tierras. En consecuencia, las ganancias debían colocarse en otras actividades económicas como el comercio, las finanzas y la industria. Esto explica que los empresarios fueran en gran parte terratenientes cafetaleros y que además tuvieran una vinculación estrecha con el poder político, del cual obtenían ventajas arancelarias, monopólicas y financieras.

México es un caso que en muchos aspectos se aleja de los dos anteriores, aunque comparte la primacía de algunos indicadores, contribuyendo en vísperas de la Primera Guerra Mundial con el 10 % de las exportaciones, el 27 % de las inversiones extranjeras y el 24 % del trazado ferroviario. Su población, que en 1900 representaba el 22 % del total, bajó al 16 % en 1930, debido entre otras razones a los enfrentamientos provocados durante la Revolución. En efecto, en 1900 su población era de 13 millones y en 1930 llegaba a 16 millones; muy bajo crecimiento frente a Argentina y Brasil que pasaron de casi 5 a 11 millones en el primer caso y de 17 a 33 millones en el segundo, favorecidos por la inmigración europea.

El impacto de la Revolución y de la guerra civil, a las que nos referimos más adelante, no solo afectó al crecimiento de la población sino al de la economía en su conjunto, siendo notable el estancamiento de la actividad industrial durante esos años, luego de una muy larga tradición en la producción de bienes de consumo final.

Además del antecedente artesanal, el proceso de industrialización que lo reemplaza se distingue de los otros dos casos mencionados en que el mercado interno dependía menos de la expansión exportadora, ya que no se generaba allí una parte considerable del ingreso. Al comenzar el siglo XX la producción para el mercado interno era considerable, en renglones como textiles, bebidas, tabaco y una actividad pionera en Iberoamérica como la metalúrgica, pero la desigual distribución del ingreso, mucho más regresiva que en Argentina y Brasil, constituyó uno de los factores que limitaron la ampliación de la demanda de bienes de consumo final.

Chile es el otro país que comenzó a industrializarse tempranamente y, aunque el impacto del sector fue menor que en los otros casos, estuvo entre los primeros en organizar una economía exportadora y consolidar el Estado en la primera mitad del siglo XIX, por lo que estaba considerado por las elites iberoamericanas como un país exitoso. Al estallar la Primera Guerra Mundial, Chile contribuía con el 9 % de las exportaciones, era receptor de casi el 6 % de las inversiones extranjeras y disponía del 15 % del trazado ferroviario, magnitudes nada despreciables si se tiene en cuenta que su población apenas sobrepasaba el 4 % del total iberoamericano. Su crecimiento demográfico, al igual que en México, fue bastante lento si se lo compara con Brasil y particularmente con Argentina, pero el aumento del empleo no agrícola y la tendencia a la urbanización actuaron como un factor de crecimiento del mercado interno, facilitando la diversificación de la oferta de bienes de consumo final. La urbanización se aceleró al ser reemplazada la economía exportadora agropecuaria por la extractiva, provocando el desplazamiento de población campesina hacia las ciudades del centro y norte del país como Santiago, Valparaíso, Antofagasta, Iquique y Concepción, adonde acudieron, también, los inmigrantes ante la falta de oportunidades en el sector rural.

Aunque las características de cada economía nacional imponen diferencias significativas, el común denominador de los cuatro países analizados, dos con economías agroexportadoras y dos agromineras, es haber iniciado un proceso de industrialización temprano, mucho antes que los gobiernos iberoamericanos intentaran aplicar políticas de industrialización sustitutiva luego de la crisis de 1930. En el resto de los países iberoamericanos la producción industrial era insignificante, excepto en aquellos donde el bien primario exportable requería un procesamiento previo o se trataba de una actividad extractiva con cierto nivel tecnológico, tales como los centrales azucareros en Cuba y la explotación petrolera en Venezuela. Veamos ambos casos.

Hacia 1914, las exportaciones de Cuba representaban más del 10 % del total iberoamericano, albergaba más del 7 % de las inversiones extranjeras y el trazado ferroviario superaba el 4 %, mientras que su población rondaba el 3 % del total. La economía exportadora cubana venía soportando sucesivas crisis por la caída de precios y la competencia de los productores de remolacha azucarera. Esta situación fue compensada por un importante incremento de la producción y de la productividad desde comienzos del siglo XX y con el aporte del capital extranjero en la plantación, en el transporte y fundamentalmente en el procesamiento del azúcar. El ingenio tradicional se sustituye, en esta época, por el central. A diferencia del ingenio, el central acumula, en un proceso de integración vertical, todas las operaciones vinculadas a la producción y comercialización del azúcar: propiedad de la tierra, acopio y elaboración, fabricación y exportación, y pasa a estar controlado por los grandes centros financieros norteamericanos.

La centralización y concentración de la producción generada en los centrales hacía que estos fueran cada vez más grandes pero menos en número, que la dependencia del monocultivo se acentuara, que las ganancias se transfirieran en gran parte al exterior y que el ingreso se distribuyera de manera sensiblemente regresiva. En esas condiciones era muy difícil que el sector exportador pudiera inducir alguna actividad industrial para el mercado interno, más aún porque no se trataba simplemente de una economía altamente dependiente, sino de una relación semicolonial que perduró durante buena parte del siglo XX.

También Venezuela tenía un alto grado de dependencia externa durante el periodo, aunque con diferencias entre los años previos a la Primera Guerra Mundial, cuando prevalecía una economía agraria, y la etapa que se inicia en la posguerra con la explotación petrolera. Veamos ambos casos. Al comenzar la Primera Guerra Mundial, Venezuela exportaba el 2 % del total iberoamericano, registraba bastante menos del 1 % de las inversiones extranjeras, su trazado ferroviario representaba menos del 1 % y su población alrededor del 3 % del total. Una estructura agraria de muy baja productividad, el endeudamiento externo, las guerras civiles y las recurrentes crisis fiscales eran males endémicos que solo un milagro parecía poder resolver. Y sin embargo, no hubo ningún milagro, pues el petróleo que podría haberlo sido, por sí mismo no cambió las cosas, por lo menos al principio. A partir de las primeras exportaciones de petróleo en 1917, pero fundamentalmente cuando el valor de las exportaciones petroleras superó al de todas las demás juntas después de 1926, la Venezuela agraria fue reemplazada por la Venezuela petrolera.

Inversiones anglo-holandesas y norteamericanas controlaron la explotación petrolera como si se tratara de un enclave, desde donde exportaban el petróleo crudo, para refinarlo en los países de origen o en destilerías instaladas en colonias como Aruba y Curaçao. El Estado no cobraba impuestos sobre la renta y solo recibía regalías de las empresas explotadoras, por lo cual las remesas del exterior eran cuantiosas pero el impacto sobre el resto de la economía poco significativo. Así, aunque el ingreso petrolero era inferior al que se obtendría en épocas posteriores, era muy alto comparado con el derivado del sector agrario tradicional. Los hacendados retenían la mayor parte de ambos a través del crédito agrícola y otras ventajas obtenidas desde el Estado, cuyo control oligárquico mantuvieron hasta los años de la Segunda Guerra Mundial, cuando se introdujeron algunos cambios en el patrón de acumulación. Por ello, mientras que las importaciones satisfacían la demanda de la minoría con mayor capacidad de compra, se mantuvo la producción artesanal para abastecer el consumo popular. Es así como la industrialización venezolana se llevaría a cabo en los años de la Segunda Guerra Mundial, en condiciones nacionales e internacionales que la hicieron viable, cuando el Estado estableció políticas de distribución y captación de la renta petrolera, en particular al imponer a las empresas concesionarias el pago del impuesto sobre la renta en 1943.

Movimientos sociales y políticos: los proyectos alternativos al Estado oligárquico

Los movimientos sociales son conductas colectivas con algún grado de conflictividad que se organizan para enfrentar un adversario social; sea para resistir, para obtener alguna concesión o llanamente para eliminarlo. Los protagonistas de estos movimientos en las primeras décadas del siglo XX pertenecían a las clases excluidas del poder oligárquico que integraban la clase dominante y los inversores extranjeros.

No todos los movimientos sociales alcanzaron el mismo nivel de conflicto. Las capas medias, por ejemplo, podían contentarse con una mayor participación democrática sin atacar al régimen de propiedad imperante. Tampoco las luchas del movimiento obrero, sin desmedro del carácter heroico de las mismas, eran las de mayor conflictividad, pues no apuntaban al adversario fundamental, la oligarquía y el imperialismo, sino que estuvieron orientadas a enfrentarse con la incipiente burguesía manufacturera, salvo casos de acción directa como huelgas contra empresas extranjeras. El movimiento social con mayor grado de conflictividad fue el campesino, pues en su lucha enfrentaba a un adversario fundamental del sistema, ya que el reclamo de tierras atentaba contra el régimen de propiedad latifundista, afectando directamente a la clase dominante y al Estado oligárquico.

La bifronte burguesía terrateniente y oligárquica aspiraba al progreso material alcanzado en los países más adelantados del planeta y simultáneamente conservaba añoranzas del pasado, con un doble sentimiento de modernidad y señorío. Esta clase dominante ejercía una hegemonía sobre las demás clases sociales, incluidas las que constituían las oligarquías marginales de regiones menos afectadas por el auge exportador, mediante un complejo sistema de intercambio de favores o clientelismo. Esta hegemonía no se explica solamente por el predominio económico, sino por la proyección social, cultural y política que logró imponer al consolidarse un Estado que garantizaba el funcionamiento del sistema en todos sus órdenes. El Estado asumió la función de disciplinar a las clases subalternas mediante mecanismos de coacción social que incluían el aparato burocrático, la educación, a la que nos referimos en los capítulos dedicados a la cultura, la propaganda y la legislación.

El Estado disponía, además, de fuerzas armadas cuya adecuación se había alcanzado poco antes de comenzar el siglo XX.

451

Para su modernización se contrataron especialistas alemanes, franceses y británicos que organizaron ejércitos nacionales en reemplazo de los grupos armados conducidos por improvisados generales, muchos de ellos hacendados, o personal a su servicio, que reclutaban la tropa entre peones y desocupados. A partir de entonces, la profesión de soldado, y en particular de la oficialidad, pasó a ser un lugar de prestigio para los jóvenes de la clase dominante, pero a la vez un medio de ascenso social para las capas medias en auge. Con la profesionalización, la lealtad institucional reemplazó a la lealtad al ocasional jefe militar y el Estado dispuso del monopolio de la violencia, sea para dirimir los conflictos externos como para controlar el orden interno. En el primer caso, los ejércitos fueron poco exitosos al enfrentar las intervenciones extranjeras, como la europea en Venezuela en 1902 y las numerosas ocupaciones norteamericanas en el Caribe entre 1903 y 1933, pero en el segundo fueron mucho más eficaces reprimiendo movimientos sociales urbanos y rurales, estos últimos mediante verdaderas guerras, como la represión al movimiento de trabajadores rurales que entre 1919 y 1921 se organizaron en la Patagonia, sofocado mediante una matanza a manos del ejército argentino.

En el transcurso de las tres primeras décadas del siglo XX, los movimientos sociales iberoamericanos asombran por su extensión y variedad, pues incluyen demandas de los campesinos, los obreros, las capas medias y otras fracciones de la burguesía que, aun cuando raramente lograron conformar un torrente único de reivindicaciones, cada cual a su manera elaboraron propuestas que consideraban superadoras del Estado oligárquico. Las clases sociales urbanas, sea el movimiento obrero o las capas medias, proyectaban sus luchas en función de objetivos políticos, más o menos sistemáticos, en tanto que los movimientos campesinos tenían una mayor diversidad, pues, además de la gestión sindical y política, estaban bastante difundidas formas de lucha prepolítica como el bandidismo y el mesianismo. Del primero, uno de los representantes más populares fue Pancho Villa. Del segundo, la referencia a Brasil es la más conocida.

Los movimientos mesiánicos tuvieron gran importancia en las luchas campesinas en Brasil, ya que mezclaban contenido religioso con reivindicaciones sociales. Un ejemplo bien característico es el del Contestado entre 1911 y 1915, región en litigio limítrofe entre los estados de Paraná y Santa Catarina, donde se enfrentaban caudillos regionales o coroneles *. El movimiento del Contestado se inició por causas distintas al conflicto limítrofe, cuando en el territorio del coronel Henriquinho Almeida se produjo una reunión de campesinos y trabajadores durante las fiestas de San Sebastián. Se trataba de campesinos expulsados de tierras que habían sido entregadas a una empresa norteamericana para la construcción del ferrocarril San Pablo-Río Grande y para la explotación maderera, y de trabajadores contratados para el trazado ferroviario que habían quedado desocupados.

Un curandero o monje llamado José María comenzó a organizarlos y acordó con Almeida, pero otro coronel denunció el movimiento y tuvo que emigrar con sus seguidores a Paraná, donde murió a manos de la policía al interpretarse que el movimiento estaba a favor de los catarinenses en el diferendo con los paranaenses. A partir de la muerte de José María se difundió el mito de su esperada resurrección, y la de los mártires que se fueron agregando a la lucha por la insurrección final: *Si se lucha se muere, si se muere se resucita, si se resucita se vive*. Otro factor que dio cohesión al movimiento fue su organización en campamentos o villas santas estructuradas sobre la base de la igualdad y la fraternidad. En ellas se prohibía la propiedad privada y el comercio entre sus miembros, lo que constituía una

---

* Los coroneles conservaban ese nombre de los militares de la antigua Guardia Nacional creada por el Emperador en 1831, pero al instaurarse la república a partir de 1889 se denominó así a los caudillos regionales o municipales que controlaban votos a cambio de alguna forma de protección, realizando una práctica clientelística propia del sistema político de la Primera República. Si bien el coronelismo no dominaba el sistema político brasileño, era un ingrediente importante en la construcción del poder oligárquico a la hora de ofrecer los votos que controlaba, sea a un prefecto, un gobernador o cualquier otro jefe político, a la vez que su poder coadyuvaba a mantener el orden establecido.

anomalía dentro de la sociedad nacional asentada en principios muy diferentes.

Al igual que a otros movimientos mesiánicos, se los acusó de monárquicos, algo inaceptable para la república oligárquica, pero lo más inadmisible del mesianismo era que constituía una concepción del mundo y de la sociedad opuesta a la del Estado, y este, en consecuencia, puso en movimiento al ejército para aniquilar a los rebeldes.

Mucho más preocupantes, para las oligarquías, fueron los tres tipos de proyectos alternativos que se dieron en muchos países: las ideologías contrarias a la propiedad y al Estado, como el anarquismo; el reformismo que pugnaba por la ampliación de la democracia y, por último, la revolución agraria, como la realizada por los mexicanos. De estas tres alternativas al Estado oligárquico la primera no fue viable y las otras dos solo se llegaron a realizar de manera muy incompleta. En la primera, el protagonismo real o teórico fue de la clase obrera; en la segunda de la clase media, y en la tercera del campesinado. Comencemos por la primera.

La clase obrera: sus problemas y sus métodos de lucha

La clase obrera surgió a fines del siglo XIX en las actividades de exportación, en la manufactura y en los servicios. En el primer caso se trata de la minería de Chile, México, Bolivia y Perú, de los frigoríficos de Uruguay y Argentina, de los centrales azucareros de Cuba, de la explotación del banano en Centroamérica y el Caribe y de la explotación petrolera en México y Venezuela. En el segundo, de la producción de bienes para el mercado interno, principalmente en Argentina, Brasil, México y Chile. Finalmente, en el tercero, de los servicios como transportes y puertos.

A pesar del lugar estratégico que la clase obrera ocupaba en la economía de exportación, era poco numerosa. Según estimaciones, en 1910 solamente el 1,5 % de la población económicamente activa pertenecía a la clase obrera, pertenencia poco precisa si se tiene en cuenta que no existía inicialmente una clara diferenciación entre artesanos y obreros, lo que explica que en las primeras organizaciones mutualistas participaran unos y otros, como en las asociaciones de resistencia y sociedades de socorros mutuos. Tampoco se producían grandes conflictos entre industriales y artesanos, coexistiendo casi sin contradicciones hasta los años de la Primera Guerra Mundial, pues la confrontación que primero percibían no era entre sí, sino con la política librecambista de las oligarquías que favorecía la competencia de las manufacturas extranjeras.

A partir de esos años, el impacto de la guerra, el deterioro de los términos del intercambio, el abandono temporario del patrón oro en algunos países y el eventual incremento de las tasas aduaneras favorecieron al sector industrial y con ello al crecimiento de la fuerza de trabajo en el sector, además del incremento que significaba el nuevo reclutamiento de contingentes obreros en los enclaves mineros y de plantación. La industrialización sustitutiva puso en evidencia la contradicción entre industria y artesanado que antes parecía oculta, acelerándose el proceso de descomposición del sector artesanal que, además de disminuir su capacidad de empleo, debió recurrir a estrategias de supervivencia tales como recluirse en economías de subsistencia alejadas de los centros urbanos, producir en relación de subordinación en tareas previas de la propia elaboración industrial o atender demandas del sector exportador con insumos de baja composición tecnológica. Así y todo, aún en 1925 por cada obrero empleado había tres artesanos y en conjunto apenas representaban el 13 % de toda la población económicamente activa.

Pese a que el número de obreros era tan bajo, su alta concentración en determinadas ciudades y lugares de trabajo, la formación de organizaciones sindicales y los métodos peculiares de lucha hicieron que su presencia se dejara notar en centros urbanos y campamentos, junto a otras capas de la sociedad que se asentaron en las ciudades.

La mayor ocupación en la minería, la industria y los servicios contribuyó al crecimiento de las ciudades, tanto de aquellas en que se localizaban actividades estratégicas de la economía de exportación y la administración del Estado, como Buenos Aires, Montevideo, San Pablo, Valparaíso, como de aquellas otras en que se iniciaba una actividad que demandaba y concentraba población, tales como la extracción del caucho, que impulsó momentáneamente el crecimiento de Manaus en el Amazonas brasileño, la explotación minera de Cananea en Sonora, México, o la explotación petrolera en Venezuela y Argentina, que dio impulso a ciudades como Maracaibo y Comodoro Rivadavia, respectivamente.

El crecimiento de algunas ciudades fue muy rápido, no solo en los países en que la población se urbanizaba rápidamente, sino también en aquellos cuya población rural superaba el 70 %. Es el caso de Maracaibo, capital del estado Zulia en Venezuela, que creció de 39.000 habitantes en 1899 a 100.000 habitantes en 1926. Además del personal directamente contratado por las compañías que se instalaba en los campamentos, la explotación petrolera atrajo gran cantidad de población tentada por el auge económico que parecía traer las inversiones norteamericanas y británicas. El abandono de las tareas agrícolas provocado por el éxodo campesino y la escasez de viviendas, además de la diferencia relativa de los salarios pagados por las compañías, provocaron una inflación desmedida en el precio de los alimentos y un incremento en los alquileres de la vivienda que se calcula en un 900 %.

Las condiciones de vida en los campamentos petroleros y en los centros urbanos cercanos y la militancia política favorecida por la concentración obrera compusieron el escenario donde empezaron con sus primeras huelgas los trabajadores petroleros venezolanos, como las que llevaron a cabo en 1925 por aumento de salarios y disminución de la jornada de trabajo, logrando algunas mejoras.

En los centros urbanos se generaron nuevas tensiones, unas como resultado de conflictos obrero-patronales y otras como consecuencia de la propia urbanización, tal como la escasez de vivienda y el aumento de los precios de los alimentos, situación que no era nueva, pero sí lo eran su magnitud y sus efectos. Al comenzar el siglo XX surgieron las primeras formas de vivienda popular en las ciudades, siendo las más difundidas las de inquilinato central llamadas conventillos, casas de vecindad, pensiones y otros nombres que se les asignaban en los diferentes países latinoamericanos, pero que tenían en común el hacinamiento y una renta alta comparada con los salarios.

El déficit de viviendas ante el crecimiento de la demanda popular en las ciudades trajo consigo la ocupación de tierras baldías en las afueras de las poblaciones y en el propio centro de las mismas, como en Buenos Aires, donde la cercanía a lugares importantes de trabajo motivó esa preferencia. La escasez de viviendas y los altos alquileres generaron luchas reivindicativas mediante huelgas de inquilinos, como en Buenos Aires en 1907, Panamá en 1925, México en 1926, que constituían movimientos sociales enfrentados a los propietarios de las viviendas y también al Estado.

Los conflictos obreros tenían distinto impacto, según se tratara de un poblamiento alejado de grandes ciudades, como fueron en México la huelga de Cananea en 1906 y en Chile la huelga salitrera de Iquique en 1907, o en centros urbanos como Buenos Aires, con más de un millón de habitantes, donde una huelga metalúrgica se extendió a otros trabajadores conmocionando a la principal ciudad argentina durante la llamada Semana Trágica de 1919, duramente reprimida por el Estado.

También en Brasil los centros urbanos fueron escenario de huelgas obreras importantes, como las que estallaron entre 1917 y 1920 en Río de Janeiro y San Pablo. La huelga general en esta ciudad, iniciada por los trabajadores textiles en 1917, alcanzó a movilizar a más de 50.000 obreros de diversas industrias y alertó a la clase dominante, sorprendida quizá por la magnitud de la protesta, sobre los peligros, reales o no, de un movimiento insurgente. El Comité de Defensa Obrera reclamaba aumento del salario, reglamentación del trabajo de menores y mujeres, jornada de ocho horas y otras reivindicaciones que de ninguna forma significaban un programa revolucionario, sino un mínimo mejoramiento de las condiciones de vida. El Gobierno movilizó tropas, pero finalmente se llegó a un acuerdo mediante el cual se otorgaba un aumento de salarios y se prometía estudiar los reclamos restantes. Pero la inflación se llevó el aumento y el viento las promesas.

En general, en toda Iberoamérica, la huelga fue una forma de lucha, habitual durante estos años, en concordancia con el desarrollo de las organizaciones obreras que trataban de organizarse en los ámbitos nacional, continental y mundial, aunque las diferencias ideológicas conspiraron en contra de esa finalidad.

A escala nacional se crearon confederaciones sindicales como la anarquista Federación Obrera Regional Argentina en 1901 y, también allí, al año siguiente, la Unión General de Trabajadores, de inspiración socialista. En 1906 se fundó la Confederación Obrera Brasileña, organizada por anarquistas, en 1909 la Federación Obrera de Chile y, en el México de la Revolución, la Casa del Obrero Mundial (COM). En el resto de los países la organización fue posterior, durante la década del veinte y principios de la del treinta. La adhesión a alguna organización mundial como la Asociación Internacional de Trabajadores (AIT) y los agrupamientos continentales se intentaron desde las primeras décadas. A escala americana, la primera fue impulsada por norteamericanos en 1918, creándose la Confederación Panamericana del Trabajo (COPA), y en oposición a esta, en 1929 el anarcosindicalismo impulsó la Asociación Continental Americana de Trabajadores (ACAT), pero para esa época el anarcosindicalismo ya estaba en quiebra y lo demostró la escasa adhesión lograda.

Las direcciones obreras confrontaban con los patronos y el Estado, pero también entre sí escindidas en vertientes ideológicas que respondían a diversas variantes del anarquismo, el socialismo y, luego de la Revolución Rusa, el comunismo, siendo inicialmente más importante el anarquismo.

El anarquismo

La inmigración europea y el crecimiento de la fuerza de trabajo industrial facilitaron la difusión de las ideas libertarias entre trabajadores rurales y urbanos, pero raramente los anarquistas alcanzaron a insertarse con el conjunto de la sociedad en las luchas por cambiar el contenido del Estado. En general, prefirieron utilizar métodos de acción directa como manifestaciones callejeras, huelgas e incluso el terrorismo y el asesinato.

Los anarquistas se destacaron organizando sindicatos, atrayendo a un importante número de trabajadores y difundiendo ampliamente sus ideas, pero desarrollaron una tendencia sectaria y violenta que la represión estatal acentuaba aún más. No estaban dispuestos a modificar sus tácticas de lucha ni a competir por el poder como no fuera para destruirlo, pues no buscaban reemplazar el Estado oligárquico, sino la eliminación de todo tipo de Estado y, aunque ni remotamente pusieron en peligro su existencia, se estableció en su contra una legislación fuertemente represiva.

Las leyes contra anarquistas extranjeros combinaban animadversión social con xenofobia, tal como la Ley de Residencia de 1902 en la Argentina, mediante la cual se autorizaba la expulsión de extranjeros que pusieran en peligro el orden público, o la más específica Ley de Defensa Social de 1910, por la cual se expulsaba a los anarquistas extranjeros y se prohibían sus organizaciones políticas. Este tipo de legislación represiva se difundió en el resto de los países latinoamericanos como en Brasil, donde el Congreso aprobó, en enero de 1921, dos leyes que autorizaban la expulsión de extranjeros que atentaran contra el orden público y prohibían la difusión de las ideas anarquistas.

La práctica anarquista en el movimiento obrero, el llamado anarcosindicalismo, se expandió desde comienzos del siglo XX bajo la influencia de anarquistas españoles e italianos y en menor medida de otras nacionalidades que profesaban y difundían las ideas de Proudhon, de Bakunin y de Kropotkin por medio de mítines, asambleas, conferencias y la propaganda impresa. Asombra la cantidad de publicaciones anarquistas que aparecieron desde fines del siglo XIX en México, Buenos Aires, Montevideo, Santiago, San Pablo, Bogotá, La Habana y otras ciudades, difundiendo el ideario libertario en una amplia geografía, resultado de la tenaz tarea de los adherentes y de la demanda de lectores leales. Estos medios resultaron ser muy adecuados entre una minoría de la población que comenzaba a alfabetizarse y que compartía la lectura con los iletrados, propagando una cultura opuesta a la hegemónica entre los trabajadores, pero el anarquismo no resultaba asimilable a sectores amplios de la sociedad, por lo cual sus combativos adherentes tendían a sufrir cierto aislamiento.

Ese aislamiento era reforzado por la acción estatal, pero también por un sectarismo bastante acentuado comprobable en publicaciones anarquistas como *Regeneración* en México y *La Protesta* en Argentina. La primera convocaba a importantes luchas en 1906 y 1907, pero también llevó al movimiento obrero y campesino a callejones sin salida al estallar la Revolución. La segunda, diaria desde 1904, alcanzó cierto prestigio, pero no visualizó las causas de la decadencia del anarquismo en la década del veinte, conservando una terca creencia de que era bien asimilado por los obreros hispanoamericanos pero que la acción represiva del Estado y la oposición de los patrones impedía mayores éxitos. En un análisis de ese tipo publicado en *La Protesta* el 5 de agosto de 1926, el sombrío panorama del anarquismo iberoamericano no parecía tener como causa ningún error propio.

En países con un numeroso campesinado indígena, el anarquismo había proyectado luchas sociales y políticas asumiendo la reivindicación del acceso a la tierra como uno de sus postulados esenciales, tal como a comienzos del siglo XX plantearon el peruano Manuel González Prada y el mexicano Ricardo Flores Magón. Manuel González Prada era un intelectual desencantado con el liberalismo, al que creía convertido en conservador por haber abandonado sus compromisos programáticos originales y no haber resuelto el problema del indígena restituyéndole la tierra, juicio que desarrollaba desde una perspectiva muy influenciada por el anarquismo, convencido como estaba de que a comienzos del siglo XX se encontraba en el umbral de una revolución mundial, según lo sostenía en su célebre *Horas de lucha,* publicado en 1905. González Prada fue uno de los primeros en plantear el problema indígena como una cuestión social, no pedagógica ni solamente humanitaria, sino como la necesidad de restituirle la tierra, influyendo en otros pensadores peruanos como José Carlos Mariátegui y Víctor Raúl Haya de la Torre, artífices intelectuales de dos movimientos políticos revolucionarios de proyección continental, uno marxista y el otro nacionalista.

Al morir González Prada en 1918 tuvo tiempo para enterarse de que en Rusia y en México estallaban sendas revoluciones sociales, pero ninguna en Perú, ni entonces ni al terminar el siglo XX, pese a la abnegación puesta en ese servicio por sus prestigiosos discípulos para transformar la sociedad peruana y, eventualmente, de todo el continente iberoamericano.

Contemporáneamente a las formulaciones de Manuel González Prada, en México Ricardo Flores Magón, su hermano Jesús y otros militantes comenzaron a agruparse en 1901 para reorganizar el viejo Partido Liberal que había impulsado las reformas del siglo anterior. A partir del Congreso Liberal de 1906 le imprimieron un sesgo anarquista radical, volcando a sus adherentes a la actividad revolucionaria mediante la difusión de las ideas libertarias en el periódico *Regeneración,* promoviendo la organización de importantes huelgas obreras y la acción armada, en abierto desafío a la dictadura de Porfirio Díaz. Ricardo Flores Magón proponía una revolución distinta a todas las precedentes y distinta también a la que estalló en 1910, tanto en los aspectos políticos como en los sociales. Aseguraba que las revoluciones políticas, como la de 1810 por la Independencia o la de 1856 por la Reforma, no habían dejado ningún beneficio a los proletarios por no haber sido ellos los conductores. Por eso, no alentó la lucha contra la dictadura porfirista en alianza con la burguesía democrática. En cuanto a su propuesta de cambio social, se basaba en el comunismo agrario, donde la tenencia en común de la tierra garantizaba el reparto de los bienes según las necesidades de cada uno. Sin duda, la cuestión de la tierra era primordial en México, pero Flores Magón no tomaba en cuenta que la mayoría de los campesinos no cuestionaba muchas de las formas de propiedad existentes, como la ejidal o la pequeña propiedad individual, sino el régimen latifundista impuesto por los terratenientes.

En consecuencia, al comenzar la Revolución en 1910, los anarquistas no acompañaron ni a los antirreeleccionistas conducidos por Francisco Madero, ni a los constitucionalistas encabezados por Venustiano Carranza, ni a los caudillos agrarios como Emiliano Zapata, es decir, a ninguna de las opciones que se dieron en una de las revoluciones sociales más importantes del siglo XX, aunque algunos grupos anarquistas que se separaron del magonismo se incorporaron a la vertiente anarcosindicalista que apoyó a la Revolución. La actuación de estos grupos en la Revolución fue patética; prefirieron enrolarse en las filas de Venustiano Carranza y combatir a las tropas campesinas de Emiliano Zapata y Pancho Villa. Una verdadera paradoja, pues el carrancismo concedía la restitución de tierras por simple cálculo político, ya que prefería demostrar esa predisposición en medio de la guerra civil y desalentar la toma de haciendas por parte de los propios campesinos, mientras que Emiliano Zapata, uno de los dirigentes agrarios más sinceros, enarbolaba un lema casi libertario: *Tierra y Libertad,* y, sin embargo, fue enfrentado por los batallones rojos organizados por los anarcosindicalistas de la Casa del Obrero Mundial.

Luego de una vida heroica y llena de adversidades, Ricardo Flores Magón murió en una cárcel norteamericana en 1922, después de rechazar la libertad a cambio de su abjuración. Es cierto que, al igual que a Emiliano Zapata, la Revolución le reconoció sus méritos, pero este gesto noble del presidente Obregón y la repatriación de sus restos no alcanzan a constituirse en triunfo. Su mayor derrota no fue provocada por sus enemigos sociales ni por la muerte, sino por la Revolución Mexicana, la primera revolución agraria y antiimperialista de Iberoamérica de proyección continental y mundial que no quiso comprender, en espera de otra que no pudo realizar.

La decadencia anarquista en la década del veinte era terminal en Iberoamérica, como consecuencia de varios factores, tales como la represión, el sectarismo, los magros resultados obtenidos con las huelgas y las nuevas expectativas generadas por la Revolución Rusa. Además, el Estado había comenzado a entablar negociaciones con el movimiento obrero, situación que se tornaba favorable en países como Argentina y Uruguay, donde los gobiernos eran más permeables al diálogo y donde las direcciones obreras, como algunas organizaciones socialistas, estaban dispuestas a abandonar las medidas extremas de acción directa

El socialismo

Las primeras organizaciones socialistas, con una concepción teórica y una práctica política y sindical diferenciada del socialismo utópico y del anarquismo, aparecieron en los últimos años del siglo XIX y en general tuvieron corta vida, pues divisiones y transformaciones en nuevos partidos, algunos de ellos de inspiración comunista, dificultaron su continuidad.

En Chile, bajo la dirección de Luis Emilio Recabarren, se creó en 1912 el Partido Socialista Obrero que reproducía de manera casi idéntica el programa del Partido Socialista Obrero Español de 1879, convirtiéndose luego en Partido Comunista. El actual Partido Socialista de Chile no es continuación del original sino que fue creado en 1953.

En Uruguay, los socialistas comenzaban su lucha política a fines del siglo XIX en el Centro Obrero Socialista mediante la difusión de ideas en periódicos y panfletos, alentados por el socialismo que iniciaba su organización en Buenos Aires, y en 1905 se creó el Centro Socialista Carlos Marx. Los socialistas uruguayos tuvieron vocación electoral, participando por primera vez en elecciones locales en 1901 y en nacionales en 1910.

El caso del Partido Socialista Argentino es único en antecedentes y continuidad. Fundado en 1896 bajo la dirección de Juan B. Justo, dirección que mantuvo hasta su muerte, ocurrida en 1928, propugnaba una reforma pacífica mediante la negociación y la participación parlamentaria e impulsaba la democratización del Estado, aunque no ofrecía una propuesta alternativa al capitalismo agroexportador. Así, a diferencia de los anarquistas que impulsaban la lucha de clases, los socialistas llevaron a cabo una política conciliatoria y, si bien se dirigían a la clase obrera, su defensa de los consumidores o del derecho al sufragio de los inmigrantes indican que también pensaban en otros sectores de la sociedad y que daban importancia a la lucha electoral. Su fuerza electoral no fue importante a escala nacional, pero sí lo fueron sus ideas, difundidas en periódicos como *La Vanguardia,* editado desde la fundación del partido. Además, los socialistas argentinos alcanzaron un considerable reconocimiento social por diversas razones: la militancia política y sindical que logró un lugar destacado, el prestigio de algunos de sus dirigentes políticos e intelectuales y el realismo en la aplicación de formas efectivas de solidaridad como el cooperativismo.

Algunas de las iniciativas más realistas respondían a demandas muy sentidas por amplios sectores populares urbanos, tal como era la construcción autogestionaria de viviendas por la cooperativa El Hogar Obrero antes de la Primera Guerra Mundial, una experiencia ejemplar de larga duración que diversificó sus actividades para la atención y defensa del consumidor.

Tampoco en la lucha política y social faltaron figuras de relieve que proyectaran el socialismo hacia la sociedad argentina. Además de su fundador, Juan B. Justo, ya mencionado, destacó Alfredo Palacios *, uno de sus dirigentes más emblemáticos. Palacios se distinguió en la solidaridad continental junto a José Ingenieros y otros prominentes intelectuales que en 1925 crearon la Unión Latino-Americana (ULA). Fue un luchador inquebrantable por las libertades públicas y la defensa de los presos políticos, así como contra las intervenciones extranjeras en Nicaragua en tiempos de Augusto César Sandino y en Cuba luego de la revolución que derrocó a Fulgencio Batista.

El Partido Socialista se dividió en 1915, en 1918, al pasar gran parte de sus cuadros al Partido Comunista, y en 1927,

---

* Alfredo Palacios se convirtió en 1904 en el primer diputado socialista de Iberoamérica, comprometido con un ideario que mantuvo hasta su muerte, con una larga trayectoria en ambas cámaras del Congreso y en la lucha política. Fue decano de la Facultad de Ciencias Jurídicas y Sociales de la Universidad Nacional de La Plata y rector de esa institución, conservando una firme convicción democrática y el apego a los principios sostenidos por la Reforma Universitaria.

cuando un grupo de derechas creó el Partido Socialista Independiente, pero con todo, y pese a nuevas divisiones, pudo conservar su fisonomía original durante varias décadas más, lo que no
fue muy común en América Latina.

El comunismo

Otra experiencia duradera es la de los partidos comunistas,
creados al influjo de la Revolución Rusa y la III Internacional
por grupos disidentes de los partidos socialistas en Argentina (1918), México (1919), Uruguay (1920), Chile (1922), Cuba
(1925), Perú (1929). Los comunistas desplazaron a los anarquistas, sus adversarios irreconciliables, con la sola excepción
del Partido Comunista Brasileño que en 1922 fue creado precisamente por anarquistas. Su permanencia es asombrosa, pues
además de los embates del Estado, han sufrido innumerables
divisiones internas prevaleciendo casi siempre la línea oficial
propiciada por la Unión Soviética.

Las diferencias con el anarquismo y el socialismo estaban
claramente definidas. Con el anarquismo, porque valoraban la
acción partidaria diferenciando su accionar con el de los sindicatos, y si bien tenían un horizonte socialista, a diferencia de los
anarquistas defendían la necesidad de ganar posiciones en el
Estado aun antes de la toma del poder. Con el socialismo porque para los comunistas la obtención de reformas no era mas
que un camino previo y táctico para la revolución, mientras que
para los socialistas era un fin en sí mismo. Además, aunque las
disputas de la II Internacional se trasladaban muy atenuadas
a Iberoamérica, los seguidores de Lenin reproducían parte de
las mismas al adherirse a la III Internacional, mientras que socialistas como los argentinos continuaron perteneciendo a la
II Internacional.

Aunque la influencia del Partido Comunista Argentino fue
muy importante durante este época, fueron dirigentes comunistas de otros países los que destacaron a nivel continental por sus
respectivas trayectorias personales, como el chileno Luis Emi-

lio Recabarren, el peruano José Carlos Mariátegui y el cubano Julio Antonio Mella.

En la década del veinte los comunistas comenzaron a dirigir importantes huelgas, destacándose algunas por su magnitud en centros mineros como en el Perú y en las compañías bananeras en Colombia. Destacó la de los trabajadores de la United Fruit en Colombia en 1928, cuando una trayectoria de diez años de huelgas dirigidas en gran medida por anarquistas en las plantaciones bananeras cambió de conducción; en ese año, junto a las demandas laborales, se pretendió que en Colombia se instalara un poder soviético, sin tener en cuenta que el poder oligárquico aliado a las compañías lo impediría, desatando una brutal represión cuyo final dramático mencionaba Gabriel García Márquez en *Cien años de soledad.*

Pese a que los comunistas fueron perseguidos y sus organizaciones prohibidas, lograron un buen nivel organizativo en algunos países como en Chile y Argentina, favorecidos por una estrecha vinculación con la Unión Soviética, que colaboraba en la formación de sus cuadros. Sin embargo, tuvieron en contra, por un lado, la represión estatal que alcanzó distintos grados de violencia: desde la ilegalidad de sus actividades, a la detención, la tortura o la muerte; por el otro, un acentuado sectarismo y una subordinación a los dictados de la III Internacional, que les imponía las pautas de acción. Entre 1922 y 1927 la Internacional mantuvo una línea política de apoyo a los movimientos reformistas y nacionalistas, llegando a admitir la posibilidad de formar partidos únicos con fuerzas anticolonialistas y democráticas donde el movimiento obrero fuera muy débil. Cuando en 1927 se produjo en China la ruptura entre los nacionalistas y los comunistas se impuso una conducta diametralmente opuesta, contraria a establecer alianzas con clases sociales que consideraban antagónicas, hasta que el triunfo de Adolfo Hitler demostró en Europa el error que habían significado el sectarismo y el extremismo derivados de esa línea.

La aplicación mecánica de directivas de la Internacional tuvo consecuencias negativas para el crecimiento de los partidos comunistas que se aislaron de las luchas nacionales y po-

pulares, encontrándose a veces enfrentados a potenciales aliados de la lucha antioligárquica, y perdieron, en otras ocasiones,
su inserción en el movimiento obrero. Estas oscilaciones eran
producto de las propias características de los primeros partidos
comunistas, que siendo adversarios del reformismo socialista y
del extremismo anarquista, conservaban algo de ambos y alternativamente pasaban de una a otra línea, alentados, claro, por
los cambios estratégicos establecidos por la III Internacional.
Al crearse la Internacional Sindical Roja en 1921 la participación iberoamericana era mínima, pero se incrementó cuando
se formaron nuevos partidos comunistas y la Internacional Sindical dirigió su proyección propagandística en Asia e Iberoamérica después de 1927. A partir de entonces fueron imponiendo
una modalidad huelguística que llamaron huelga activa y que
integraba la huelga propiamente dicha con un conjunto de acciones que consideraban imprescindibles, tales como las movi-
lizaciones, los mítines, los panfletos, potenciando como consigna política la toma del poder por sobre las reivindicaciones
laborales.

El reformismo y las condiciones
de su viabilidad en Brasil, Venezuela,
Argentina, Chile y Uruguay

El reformismo intentó democratizar el sistema político sin
afectar sustancialmente las relaciones de propiedad existentes.
Presentó distintos matices, según lo impulsara la emergente
clase media o la misma oligarquía modernizante, siendo más
viable una peculiar confluencia de ambos proyectos que el
triunfo exclusivo de uno sobre el otro.

Aunque parcialmente podía compartir con otras ideologías
el cuestionamiento del Estado oligárquico, en general el reformismo era contrario a la transformación global de la sociedad,
en particular cuando esa transformación se basaba en la lucha
de clases como lo sostenían el anarquismo y el comunismo.
Con el socialismo la distancia era menor, pero mientras que

este se dirigía principalmente a la clase obrera, el reformismo ensayaba una convocatoria tan amplia como la del radicalismo argentino que, según decía Hipólito Yrigoyen en 1916, *no está con nadie ni contra nadie, sino con todos.*

Cuando la clase dominante resistió al cambio, el reformismo fracasó, derivando en dos procesos muy distintos: o se postergó hasta encontrar otro momento más propicio, como en Brasil y en Venezuela, o se produjo una revolución como fue el caso de México. Por el contrario, en los países donde confluyeron los proyectos de la clase dominante y de la clase media se creó un nuevo espacio compartido mediante la democratización del Estado por vía del reformismo, aunque los matices que diferenciaban uno del otro no se esfumaran ni las tensiones desaparecieran.

Para la clase dominante proclive al reformismo la democratización era un paso más hacia la modernización de una sociedad cada vez más compleja y diversa, con nuevas demandas políticas en el contexto de lo que en el lenguaje de la época se llamaba la cuestión social; una suerte de gatopardismo (algo debe cambiar para que todo siga igual) por el cual se pretendía conservar el poder legitimando el gobierno mediante la reducción del fraude y la ampliación de la participación electoral. El reformismo de las elites tenía también otros objetivos, tales como desalentar las iniciativas más radicales de las capas medias, desmantelar sus eventuales confluencias con el movimiento obrero. No siempre lo consiguieron. En Argentina, Chile y Uruguay las clases medias ganaron las elecciones y, en el último caso, pudieron ampliar considerablemente los derechos sociales y políticos.

Para las clases medias se trataba de lograr por la vía pacífica la anhelada participación política y la viabilidad del acceso al Gobierno, lo que le proporcionaría nada menos que la administración del Estado, cuando no su control. Pero la ampliación política no significó una derrota de la clase dominante. Esta concedía la posibilidad de que el Gobierno fuera administrado por las capas medias conservando lo sustancial de la hegemonía al compartir la dirección política de la administración del

Estado sin perder gran parte de la preeminencia cultural y, lo que es fundamental, sin abandonar el predominio en la esfera económica.

Entre los casos en que las capas medias encontraron una férrea oposición de parte de la elite, y la ampliación de la participación democrática fue postergada, se encuentran Brasil y Venezuela. Los cambios socioeconómicos producidos en Brasil después de la Primera Guerra Mundial, y el crecimiento de la clase media urbana, se convirtieron en la base de sustentación de un proyecto que estaba en los orígenes de la República, pero que los intereses oligárquicos habían postergado, como la aplicación de los principios del liberalismo consagrados en la Constitución. Se trataba de transformar la República oligárquica en una República liberal por medio de una legislación electoral que garantizara el voto secreto, tal como lo impulsaban algunos líderes, entre los cuales se destacaba Ruy Barbosa, derrotado en las elecciones de 1910, 1914 y 1919, pero que obtuvo un importante apoyo pese a la maquinaria electoral del régimen. Ruy Barbosa y otros reformistas realizaron una gran difusión de los principios democráticos que sostenían, y fue en las fuerzas armadas, donde las capas medias integraban buena parte de sus cuadros, donde se desarrolló la oposición al poder oligárquico desembocando en un movimiento de jóvenes oficiales que se denominó *tenentismo,* cuyos episodios insurreccionales tuvieron lugar entre 1922 y 1927.

La revuelta comenzó en el Fuerte de Copacabana, pero no se extendió al resto del ejército y fue derrotada. Pese a sostener reivindicaciones muy sentidas por la clase media, y eventualmente por otras clases subalternas, el tenentismo no propició más que marginalmente unirse al movimiento obrero y a las luchas campesinas, sufriendo un aislamiento que favoreció la represión estatal. Entre sus líderes sobresalió el capitán Luis Carlos Prestes, *el caballero de la esperanza,* cuya trayectoria de heroísmo y de fracaso fue destacada por la pluma de Jorge Amado. La Columna Prestes continuó la lucha por más de dos años en la zona rural, sin derrotas pero sin éxito, siendo finalmente vencida. La República oligárquica resistió bien los intentos de una democratización que por el momento no le interesaba conceder, pese la larga marcha de la Columna por Río, Matto Grosso y Goiás, que Prestes y sus seguidores recorrieron ofreciendo transformar Brasil.

En 1930 el tenentismo se escindió. Luis Carlos Prestes y algunos de los tenientes se hicieron comunistas; otros apoyaron a Getulio Vargas dando un golpe contra el presidente Washington Luís, impidiendo que asumiera su fraudulento sucesor Julio Prestes, terminando así con el Estado oligárquico y dando inicio a un proceso que democratizó a su manera el sistema político, con autoritarismo primero y con el populismo después.

En Venezuela las capas medias habían comenzado la lucha por la democracia a finales de la década del veinte influidas por los procesos democráticos del Cono Sur y por otros acontecimientos mundiales del periodo de entreguerras. Pero sus protagonistas no eran jóvenes militares como en Brasil, sino estudiantes universitarios que percibían los ecos de la Reforma Universitaria de 1918 en la Argentina.

A la Universidad Central de Venezuela asistían menos de quinientos estudiantes, en su mayoría jóvenes clase media, pero su fuerza no residía en el número sino en que representaban una clase social que comenzaba a reclamar una mayor participación política al exigir una democracia decente, según decían sus protagonistas más conocidos: Rómulo Betancourt, Raúl Leoni y Miguel Otero Silva, entre otros. Los dos primeros fueron presidentes de Venezuela en su madurez y el tercero un célebre escritor que narró en *Fiebre* la lucha por la democracia.

Los estudiantes de Caracas aprovecharon las festividades de la Semana del Estudiante del año 1928 para manifestar sus reclamos, pero Juan Vicente Gómez, el dictador que desde 1908 gobernó Venezuela hasta su muerte en 1935, respondió con la represión, pues, al igual que en Brasil, el Estado oligárquico resistió y solo al terminar la Segunda Guerra Mundial se plasmó la tardía democracia venezolana. El movimiento estudiantil sostuvo la alianza obrero-estudiantil, como en gran parte de Iberoamérica, pero su contenido social y la perspectiva política no trasvasaron el reformismo, aunque entre sus participantes se encontraban dirigentes que en 1930 crearon el Partido Comunista Venezolano y otros que durante la década del treinta recibieron influencia de la Alianza Popular Revolucionaria Americana (APRA), creada por el peruano Víctor Raúl Haya de la Torre.

La democracia venezolana reconoce como su antecedente más lejano ese movimiento estudiantil, autodenominado *Generación del 28,* heredero del pensamiento de José Ortega y Gasset expresado en las páginas de *El tema de nuestro tiempo.* Los más connotados protagonistas de la Generación del 28 fueron, después, los fundadores del Partido Acción Democrática creado en 1941 bajo la dirección de Rómulo Betancourt, un partido reformista de probada convicción democrática que, como el APRA, tiene por segundo nombre Partido del Pueblo, todo un símbolo.

Como se ha señalado, la resistencia oligárquica neutralizó el movimiento reformista o provocó una revolución. Sin embargo, el movimiento triunfó en aquellos países donde la clase dominante propició, o al menos no se opuso, a los cambios que promovían los representantes de las emergentes capas medias. En estos casos, el reformismo permitió la llegada de las capas medias al Gobierno. Estas y la clase dominante cedieron de sus pretensiones extremas y, en un contexto de desconfianza mutua, coadyuvaron para que el reformismo fuera viable, al menos mientras el sistema funcionara dentro de los límites que la clase dominante toleraba. En caso contrario, los gobiernos reformistas eran derrocados sin miramientos, como efectivamente sucedió.

Entre los reformismos exitosos más emblemáticos se encuentran los gobiernos de Arturo Alessandri Palma, en Chile en 1920-1924, de Hipólito Yrigoyen, en Argentina en 1916-1922 y 1928-30, y de José Batlle y Ordóñez en Uruguay en 1903-1907 y 1911-1915. En Chile, la Alianza Liberal, integrada por los partidos Radical y Demócrata, con el apoyo de sectores populares, ganó en 1920 la presidencia con el triunfo de Arturo Alessandri Palma. En su programa, el nuevo presidente, quien prometía gravar las grandes ganancias, extender la legislación laboral, separar la Iglesia del Estado, otorgar mayor autonomía a las regiones y fortalecer el poder presidencial que había quedado debilitado cuando el poder oligárquico impuso el parlamentarismo al ser destituido José Manuel Balmaceda en 1891.

La renovación del personal político y burocrático, los subsidios a actividades privadas, las inversiones públicas, el aumento de sueldo a los empleados estatales, la legislación social y otras decisiones del Gobierno de Alessandri favorecieron a la base social que lo sustentaba, pero no se desmanteló el poder oligárquico. Ese poder se mantuvo en dos aspectos. Uno, los grandes beneficios obtenidos en subsidios y concesiones, y a través de la especulación y la inflación; otro, el poder político que no disminuyó y permitió el bloqueo legislativo al Gobierno.

El desprestigio del Gobierno por actos de corrupción, una situación económica crítica y el despliegue del poder oligárquico pusieron fin el 5 de septiembre de 1924 al Gobierno de la Alianza Liberal mediante la intervención de las fuerzas armadas. Pocos meses después, oficiales jóvenes del ejército reponían a Alessandri que aprobó una nueva Constitución dando cumplimiento a su promesa de robustecer el Poder Ejecutivo, pero hostigado por la derecha y por la izquierda fue nuevamente derrocado el mismo año 1925 por su ministro de Guerra, Carlos Ibáñez, quien dos años más tarde instauró una dictadura.

En la Argentina, Hipólito Yrigoyen había sido electo presidente por primera vez en 1916 como corolario de la reforma electoral de 1912, que sancionó el voto universal y secreto, reforma que desde la elite impulsaron sus representantes más lúcidos y desde las clases subalternas la presión de socialistas y radicales. Hasta ese entonces, la Unión Cívica Radical creada en 1892, uno de los partidos políticos más antiguos aún vigentes, había enfrentado al régimen oligárquico desde la abstención y la insurrección armada. Aunque también el Partido Socialista fundado en la misma época sumaba sus reclamos, el gran protagonismo lo tuvieron los radicales, fundamentalmente su corriente interna yrigoyenista. Los gobiernos radicales que se sucedieron entre 1916 y 1930 produjeron una significativa democratización política beneficiando a las clases medias y obrera de la bonanza económica de posguerra. Pero la estructura oligárquica se mantuvo conservando parte del control político en poderes provinciales y nacionales y, lo que es más importante, en el esquema de propiedad que permaneció inalterado.

A Yrigoyen le sucedió Marcelo T. de Alvear (1922-1928), de carácter más conservador y cercano a la clase dominante pese a pertenecer al mismo partido político, y en 1928 nuevamente resultó electo Yrigoyen con un contundente triunfo electoral que para nada anticipaba la soledad de dos años más tarde. En el escenario de la crisis de 1929 la clase media parecía poco confiable y la clase dominante se reagrupó para retomar totalmente el control político. El yrigoyenismo fue perdiendo el apoyo de las clases medias y debió enfrentar en soledad a la oligarquía, a la clase obrera, a los intelectuales y a los estudiantes, creándose condiciones conspirativas que culminaron con el levantamiento militar del 6 de septiembre de 1930, dando por finalizada la experiencia política del radicalismo.

Más que en Uruguay y en Chile, las capas medias argentinas tuvieron con el radicalismo en el gobierno la oportunidad de disputarle el poder real a la oligarquía, pero eso no sucedió, no porque no supieran, no pudieran, o no quisieran hacerlo, sino porque la alternativa al sistema político, aunque avanzada, no incluía un proyecto global de transformación que desmantelara el poder real de la clase dominante.

El proceso uruguayo ha despertado un particular interés porque su duradera democracia se combinaba con un relativo bienestar, circunstancias más propias de un país avanzado de Europa que de la mayoría de los iberoamericanos, y porque ambos logros, los sociales y los políticos, se alcanzaron muy tempranamente, entre comienzos del siglo XX y los años de la Primera Guerra difundiendo la conocida imagen de ser la Suiza de América.

En 1903 José Batlle y Ordóñez, del Partido Colorado, fue electo presidente de la República Oriental del Uruguay, cuando el país no se hallaba totalmente integrado ni existía un proyecto nacional, ya que la división entre colorados y blancos no expresaba una diferenciación de grupos en la sociedad nacional, sino el fraccionamiento oligárquico y la ausencia de un proyecto hegemónico para el conjunto de la sociedad. Los partidos Colorado y Blanco se habían creado en la primera mitad del siglo XIX representando facciones en pugna en las guerras civiles. Si bien el primero tenía su base de sustentación principalmente en sectores urbanos y el segundo en los rurales, ambos disponían de gauchos y de doctores, aunque sea de manera desigual. Los dos partidos operaban como referentes de dos sociedades que no se habían integrado aún en nación, pese a que legalmente Uruguay existía como tal desde 1828, y proporcionaban la cohesión social que hubiese correspondido dar al Estado nacional. Al consolidarse este, a principios del siglo XX, y avanzar la democratización en los años subsiguientes, estos partidos tradicionales se modernizaron y se constituyeron en la base del sistema de partidos de la democracia uruguaya del siglo XX.

Al comenzar el siglo XX las formas más atrasadas del capitalismo rural estaban siendo reemplazadas por la estancia capitalista y el Estado tendía a una centralización, revirtiendo la sintomatología anterior al alcanzarse una próspera economía agroexportadora y un Estado tempranamente benefactor que, además, ampliaba la participación política de los ciudadanos mediante la ley electoral de 1912 y su consagración en la Constitución de 1917. Sorprende la rapidez y profundidad de los cambios operados durante las dos primeras décadas de la historia uruguaya del siglo XX: de la Coparticipación * se pasó al Estado benefactor y de este al Estado democrático, un itinerario por demás sugerente que indica la peculiaridad del proceso por el cual se llegó a conformar un proyecto nacional.

Durante la segunda presidencia, entre 1911 y 1915, Batlle incrementó su influencia política impulsando la nacionalización de bancos, empresas de transportes, telégrafos y seguros, además de la legislación que ampliaba derechos a la mujer, del trabajador y del ciudadano. En efecto, modificó la Ley de

---

* La Coparticipación era el acuerdo mediante el cual se repartían el poder los dos partidos políticos tradicionales distribuyéndose los departamentos en que se dividía la nación, de tal modo que cuando en 1903 asumió Batlle y Ordóñez del Partido Colorado, este controlaba diecinueve ju-

Divorcio aprobada en 1907 al autorizarse, en 1913, que podía otorgarse por el solo pedido de la mujer, de tal modo que si la primera ley era avanzada la segunda era revolucionaria en las cuestiones de familia, pese a que la condición de ciudadana quedaría postergada aún por dos décadas. Con respecto a los derechos del trabajador, creía necesario reglamentarlos porque la relación asimétrica con los capitalistas hacía ilusoria la llamada libertad de trabajo, pues en situaciones extremas un obrero debía aceptar cualquier condición impuesta y el capitalista sentirse tentado a exigir un esfuerzo aniquilador. En la legislación laboral se destaca la jornada de ocho horas, aprobada al final de su segundo Gobierno, así como otras leyes que impulsó después de terminar su mandato, en total concordancia con el obrerismo que practicaba y que diferenciaba del socialismo y de la lucha de clases. Por último, los derechos políticos del ciudadano fueron garantizados a partir de la Ley Electoral de 1912, que amplió la participación electoral, tal como quedó demostrado en las elecciones constituyentes de 1916.

Las reformas alentadas por Batlle y Ordóñez fueron indudablemente avanzadas en su época, pero no traspasaron los límites del reformismo como él mismo sostenía, pues aunque su política obrerista lo acercaba al socialismo, al defender la propiedad privada y oponerse a la lucha de clases se diferenciaba de los partidos de la extrema izquierda y, al no propiciar la modificación del régimen de propiedad de la tierra, no se distanciaba de la clase dominante. En fin, como Hipólito Yrigoyen, también José Batlle y Ordóñez creía que podía estar con todos y contra nadie.

El Estado resultó ser un excelente artífice del funcionamiento capitalista uruguayo reduciendo sensiblemente los conflictos sociales urbanos, que de no ser así hubiesen presionado

---

risdicciones incluyendo Montevideo y seis los blancos del Partido Nacional. El caudillo blanco Aparicio Saravia desconfiaba con razón de que el nuevo presidente no respetaría la Coparticipación y se levantó en armas. Fue el último levantamiento caudillista, pues al ser vencido en 1904 quedó eliminada la Coparticipación.

sobre la estructura agraria, la base misma del sistema. La legislación laboral tuvo un efecto regulador sobre el mercado de trabajo ya que la jornada de ocho horas y la jubilación hicieron disminuir la proporción de la población económicamente activa conservando un nivel de salarios y de oferta de trabajo alentador para nuevos contingentes de europeos inmigrantes.

Batllismo e yrigoyenismo (partido argentino de Hipólito Yrigoyen), corrientes del reformismo rioplatense, tenían diferencias entre sí, pero estaban muy cercanos en cuestiones como la preocupación por la enseñanza pública y laica, la separación de la Iglesia y el Estado y otros aspectos de tipo ideológico debidos, probablemente, a influencias externas comunes como el krausismo * que, aunque los diferencia del socialismo, no los hace adversarios irreconciliables de esa corriente. En 1908 se dictó en Uruguay la Ley que organizaba la Universidad de la República, con participación estudiantil en los Consejos de Facultad. Y diez años después el Gobierno de Yrigoyen aprobaba una ley aún más avanzada para el funcionamiento de la Universidad argentina.

Los límites del reformismo solo podían ser superados mediante un proyecto realmente alternativo, tal como se planteaba en los contenidos programáticos de una revolución agraria y antiimperialista como la proponía el APRA en el Perú y como la que llevaron a cabo los revolucionarios en México, aun con las limitaciones del caso.

---

* El batllismo y el yrigoyenismo, al igual que parte del liberalismo español de las últimas décadas del siglo XIX, recibieron la influencia del sistema ético jurídico ideado por el alemán Karl Kristian Friedrich Krause a principios de ese siglo, quien sostenía una posición liberal frente a la Iglesia Católica y al Estado tradicional, cuya omnipotencia debía evitarse. Las ideas de Krause, difundidas por su discípulo belga Henry Ahrens, fueron bien recibidas por universitarios españoles, que buscaban nuevas bases para la transformación progresista del Estado, entre quienes se destacó Francisco Giner de los Ríos, un combativo y abnegado krausista que fundó, con otros colegas, la Institución Libre de Enseñanza.

Las alternativas revolucionarias al Estado oligárquico. La Revolución Mexicana

Ni el reformismo democrático ni el socialismo revolucionario resultaban por sí solos modelos adecuados para sustituir al Estado oligárquico, como tampoco lo sería ninguna propuesta que no tuviera en cuenta la cuestión indígena, particularmente en aquellos países donde la mayoría de los indígenas eran campesinos, como en Brasil y Chile, o más aún donde la mayoría de los campesinos eran indígenas, como en Bolivia, Perú y México.

Entre 1910 y 1930 se desarrolló en México un proceso tendente a reemplazar el Estado oligárquico por otro democrático, pero la vía revolucionaria condujo a cambios en las relaciones de propiedad y en la propia estructura de poder de manera más radical, diferenciándose por lo tanto de otros procesos de democratización iberoamericanos que no traspasaron los límites del reformismo. Efectivamente, mientras que los países que habían logrado o por lo menos intentado una reforma política democrática eran víctimas de golpes de Estado en la década del treinta y entraban en una era autoritaria de duración variada según los casos, en México la democracia y la Reforma Agraria alcanzaron mayor consistencia precisamente en esa década, habiendo transitado un largo camino de dificultades y violencia, cuyo tramo inicial entre 1910 y 1920 se conoce como la etapa armada. La revolución se inició con la candidatura de Francisco Madero y la difusión de su Plan de San Luis Potosí exigiendo democracia, incluyó la renuncia de Porfirio Díaz en 1911, la Reforma Agraria de 1915, la Constitución de 1917 y la finalización de la guerra civil en 1920. Diez años para aniquilar el Estado oligárquico y diez años más todavía para institucionalizar la Revolución. Veinte años en total para sustituir en su totalidad el Estado que durante treinta y cinco años había administrado el porfiriato.

Porfirio Díaz encarnaba el Estado oligárquico en México, un Estado poderoso que él mismo había coadyuvado a consolidar en el largo periodo en que controló el Gobierno. A su primera presidencia de 1876-1880 siguió una larga permanencia en el poder desde 1884 mediante el fraude y la represión, que solo abandonó cuando fue derrocado. Durante su gestión impuso la paz interior y propició un importante desarrollo económico. El ferrocarril acortó distancias y unificó mercados, pero disparó los precios de tierras ociosas facilitando su despojo. La inversión extranjera y el auge minero desarrollaron ciudades y la modernización agrícola; como han señalado Aguilar Camín y L. Meyer, afianzando el latifundio y la dependencia externa. El latifundio alcanzó su máxima expresión, al punto que en víspera del estallido de la Revolución el 65 % de la tierra cultivable estaba en manos de mil propietarios, en oposición a la gran mayoría de la población campesina.

Las plantaciones del sur, como en Yucatán y Chiapas, donde en ocasiones los capitales mexicanos se asociaron a los extranjeros, producían henequén y otros cultivos para la exportación, forzando el trabajo indígena con métodos represivos cercanos a la esclavitud. En el norte, como en Coahuila y Sonora, la población era escasa y el mercado de trabajo debió organizarse sobre formas más modernas, ya que no había comunidades campesinas y la oferta de empleo en otras actividades era mayor. En la zona central de México la hacienda y las comunidades indígenas constituían el binomio del sistema latifundista predominante, donde el despojo del indígena y el endeudamiento por adelantos otorgados en el comercio asociado al hacendado, o tienda de raya, constituía un arcaico pero eficiente medio para atraer y retener campesinos. No era el único mecanismo, pues el mercado de trabajo era por demás diverso ya que incluía peones acasillados o permanentes que vivían en casillas, trabajadores temporarios, arrendatarios, aparceros y medieros; estos últimos cultivaban a medias las tierras de una hacienda y socialmente tenían una categoría superior al peón.

El rápido crecimiento económico alcanzado durante el porfiriato beneficiaba a los exportadores de bienes mineros y agrícolas, a comerciantes e industriales urbanos ligados a capitales extranjeros, y marginaba a productores de alimentos básicos, a la burguesía emergente de las zonas rurales de frontera y, por supuesto, a las demás clases subalternas, básicamente a la gran mayoría campesina. En los primeros años del siglo XX las condiciones de los campesinos empeoraron aún más por el aumento de precios en los alimentos esenciales y el estancamiento de los salarios rurales, situación agravada por la sequía de 1909 que afectó fundamentalmente a la región del norte. Una rebelión campesina de dimensiones desconocidas se estaba incubando.

Por otra parte, el descontento de la burguesía emergente, marginada de los beneficios económicos, y una mayor desconfianza norteamericana hacia el viejo dictador crearon una oposición que se fue aglutinando tras la consigna *elecciones libres y no reelección,* una reivindicación meramente democrática del Partido Antirreeleccionista que postulaba a Francisco Madero. Hijo de un latifundista de Coahuila, Madero basó su campaña en la libertad electoral y en una promesa ambigua de restitución de tierras con la finalidad de obtener el apoyo de los caudillos agrarios. Pero, fundamentalmente, su programa estaba sostenido por las capas medias urbanas y por pequeños y medianos propietarios rurales, incluyendo algunos porfiristas que percibían el agotamiento del sistema.

Como estaba previsto, Porfirio Díaz ganó las elecciones. Pero pocos días después estalló la revolución *maderista* en torno al *Plan de San Luis,* que declaraba nulas las elecciones e ilegítimo el régimen derivado de ellas, y otorgaba a Madero el carácter de presidente provisional. Vencida la resistencia de sus partidarios, Porfirio Díaz hubo de renunciar a la presidencia y abandonar México. Camín y Meyer recogen un lamento profético del dictador en el momento de su partida: «Han soltado un tigre». Francisco Madero asumió la presidencia en 1911, pero la etapa revolucionaria recién comenzaba, precisamente la más violenta.

Francisco Madero era un genuino representante de la burguesía democrática que luchó con sinceridad y valentía pero, más comprometido con un programa político y liberal que revolucionario, se encontró enfrentado a la oligarquía y al imperialismo, por un lado, y a los campesinos, por el otro. Trató de buscar aliados entre la burguesía y el ejército, a cuyo mando se

479

encontraba el general Victoriano Huerta que movilizó tropas para reprimir a los revolucionarios campesinos zapatistas y villistas, pero luego se alzó contra Madero, lo destituyó y lo asesinó.

La dictadura de Victoriano Huerta, entre febrero de 1913 y agosto de 1914, contó con el apoyo de contrarrevolucionarios, provenientes en buen número de antiguos porfiristas, que intentaban instalar un régimen conservador, y de los Estados Unidos. Pero las fuerzas conservadoras resultaron insuficientes cuando este país cambió de política al asumir Woodrow Wilson la presidencia y las fuerzas revolucionarias se agruparon contra la restauración conservadora y el intervencionismo norteamericano. La mayoría de la sociedad mexicana que enrolaba a las capas medias urbanas, a la pequeña burguesía rural, a la clase obrera y a la gran masa campesina se unió contra la dictadura y a la vez contra la persistente injerencia norteamericana que, a favor o en contra de Huerta, no había cesado. Esto no era una novedad, pues el intervencionismo de los Estados Unidos (véase el capítulo anterior) había sido frecuente en todo el Caribe, donde tenían importantes intereses económicos y estratégicos. En 1914 fuerzas de Estados Unidos ocuparon Veracruz exigiendo al dictador Huerta una reparación en condiciones inaceptables por supuestos agravios provocados por sus tropas a la bandera de ese país. Todas las facciones en pugna acordaron una tregua para hacer frente al invasor.

Ante esta situación, los países del ABC, llamado así por estar integrado por Argentina, Brasil y Chile, realizaron gestiones para la retirada de las tropas invasoras que tuvieron que abandonar México, enfrentadas por la ofensiva diplomática y la acción de los revolucionarios. También Huerta debió abandonar el país, asumiendo la presidencia Venustiano Carranza. Contra Huerta habían confluido tres fuerzas beligerantes. Una tomó Ciudad de México con tropas al mando de Venustiano Carranza, un ex senador porfirista de Coahuila, y de Alvaro Obregón, un latifundista de Sonora, ambos comprometidos hasta el fin con la Revolución. Otra, dirigida por Pancho Villa, tenía sus principales apoyos en el norte; y por último la del sur, donde Emiliano Zapata llevaba a cabo una lucha simultáneamente antidictatorial y agrarista.

Estas tres fuerzas acordaron en 1914 deponer las armas. Pero pronto estallaron las diferencias entre Carranza y los dirigentes campesinos Villa y Zapata y la paz tuvo que esperar. La Ciudad de México fue tomada sucesivamente por villistas y zapatistas y por Carranza. Fue esta una época de gran violencia y confusión. Los caudillos agrarios de las distintas regiones mexicanas combatían en una guerra en la que las luchas internas eran frecuentes, así como los cambios de bando. Batallas, epidemias y migraciones alteraron la demografía y México perdió cerca de un millón de personas en esta década. Los ejércitos revolucionarios ocupaban el país y lo recorrían en sus trenes abigarrados, en columnas de caballería o en pequeñas partidas.

Entre otros caudillos, la memoria popular ha perpetuado en leyendas y canciones a los dos más emblemáticos. Pancho Villa, cuyo verdadero nombre era Doroteo Arango, recorría el norte mexicano combatiendo a caballo y desplazando en el ferrocarril a sus hombres armados. Fue un bandido que la Revolución convirtió en general; un Robin Hood mexicano como lo definía John Reed, el joven periodista norteamericano testigo de dos revoluciones magníficas que narró en sus conocidos opúsculos *México insurgente en 1914* y *Diez días que conmovieron al mundo,* en la Rusia revolucionaria de 1917.

El otro, Emiliano Zapata, del estado de Morelos, uno de los caudillos agrarios más trascendentes de la Revolución, era, como Villa, un mediero, una condición intermedia entre el pequeño propietario y el peón, en una región donde la comunidad indígena había estado muy arraigada pese al despojo a que estuvo sometida durante el porfiriato. Sus hombres luchaban por la tierra en el sur mexicano defendiendo cada parcela, sin los espectaculares desplazamientos de los guerrilleros del norte, pero con un programa agrario, el Plan de Ayala de 1911, que reclamaba la restitución a los individuos y comunidades despojadas y el reparto de la tierra para los campesinos, y que el mismo Zapata profundizó al promover una política colectivista en los lugares donde ejercía cierto poder. La lucha por la tierra en México tiene en Emiliano Zapata, como en Pancho Villa, un referente indiscutible. Ambos murieron asesinados, en 1919 Zapata y en 1923 Villa, pero, a pesar de eso, son todo un símbolo que lejos de asociarse a la derrota, se atesora en la memoria colectiva como consigna de las renovadas luchas campesinas.

Carranza y Obregón, que se habían consolidado en el Gobierno, necesitaban dar respuesta a las demandas campesinas, pero preferían no tener que hacerlo desde la perspectiva de los caudillos agrarios más radicales como Zapata. Así es que, antes que los campesinos en armas tomaran por sí mismos las tierras, Venustiano Carranza aprobó la Ley de Reforma Agraria en 1915, incorporada dos años después como artículo 27 a la nueva Constitución, sancionada también bajo su mandato. Entre 1915 y 1930 se establecieron 3.470 ejidos o comunidades campesinas, a las cuales se les asignó más de seis millones de hectáreas, una magnitud modesta que tuvo, sin embargo, la importancia de producir cambios en las relaciones de propiedad, destruyendo el poder económico de la oligarquía tradicional.

Si la Reforma Agraria se expandió lentamente, también la democracia tardó en afirmarse. Con los gobiernos de Venustiano Carranza y de Alvaro Obregón, ambos asesinados en distintos momentos, termina la etapa más violenta de la Revolución, comenzando la institucionalización de una democracia plural, pero que en la práctica ha funcionado con un partido único. En 1928 se creó el Partido Nacional Revolucionario, hoy Partido Revolucionario Institucional (PRI), que puso fin a la proliferación de partidos existentes y pretendió aglutinar a todos los grupos de la *familia revolucionaria* reduciendo el personalismo de tantos prohombres de la Revolución. En la práctica, el PRI ha conservado siempre un dominio casi absoluto sobre los cargos de elección popular.

Además de la guerra civil, la Revolución debió superar controversias con enemigos tan poderosos y beligerantes como la Iglesia y los Estados Unidos. El enfrentamiento con la Iglesia supuso una rebelión con fuerte contenido campesino que llegó a tener en pie de guerra 50.000 hombres, duró tres años (1926 a 1929), incendió los estados de Jalisco, Michoacán, Durango, Guerrero, Colima, Nayarit y Zacatecas, costó 90.000 muertos y no pudo ser resuelta por las armas. La *cristiada,* como se llamó esta revuelta, terminó con un arreglo negociado. Es indudable que la rebelión cristera significaba la resistencia del poder eclesiástico, recuperado durante el porfiriato de su retroceso ante las reformas liberales del siglo XIX, frente a la Revolución. Pero hay que tener en cuenta que en esta rebelión participaron miles de campesinos, lo cual es un indicador de que la Reforma Agraria no había resuelto aún la cuestión campesina.

La nueva Constitución de 1917 contenía innovaciones importantes. Además de la mencionada Reforma Agraria, consagraba derechos que, junto a los ya universalmente reconocidos al hombre y al ciudadano, agregaba los referidos al trabajo, a una vida material digna y a la seguridad, estableciendo además el control del Estado sobre los recursos naturales y sobre el desenvolvimiento económico. En este sentido, el artículo 27 abría la posibilidad de expropiar propiedades de ciudadanos y empresas extranjeras, lo que puso en pie de guerra contra la revolución a los intereses petroleros y bancarios, especialmente norteamericanos.

Había sucedido en realidad una revolución agraria y nacionalista que las fuerzas políticas iberoamericanas tuvieron como ejemplo y con la cual la intelectualidad progresista manifestó una gran simpatía, expresada con énfasis durante el periodo de entreguerras. La Revolución despertó, además, el genio artístico mexicano. Inspirados en las esculturas y murales de las civilizaciones precolombinas y en los grabados en madera de José Guadalupe Posada, Rivera, Orozco, Siqueiros y Tamayo acometieron la empresa de enseñar al pueblo mexicano su particular visión de la historia del país. Aunque sin alcanzar la brillantez de las expresiones pictóricas, la revolución estimuló, también, la creación literaria. Entre otros autores, es preciso destacar a Mariano Azuela que describió la revolución con toda su violencia, pero también con sus hipocresías y sus contradicciones, en varias novelas: *Los de abajo, Las moscas, Los caciques,* y a Martín Luis Guzmán que compuso una crónica personal de la Revolución en su libro *El águila y la serpiente.*

Con la experiencia de la Revolución Mexicana, Víctor Raúl Haya de la Torre construyó como propuesta teórica una amalgama de marxismo, socialdemocracia y nacionalismo convocando a la clase obrera, a las capas medias y al campesinado para reemplazar el Estado oligárquico por otro de nuevo tipo que nacionalizara las empresas, realizara la reforma agraria, e impulsara la unión iberoamericana, o indoamericana como prefería llamarla.

En su propuesta no resignaba la lucha por el socialismo, pero posponía su realización en aras de otras urgencias. En su reflexión sostenía que mientras en el mundo europeo las etapas históricas de la sociedad habían transitado sucesivamente, en Perú coexistía el caníbal de la edad de piedra con los señoríos y el capitalismo más avanzado introducido por el imperialismo. Afirmaba que un capitalismo de esa naturaleza no moderniza, sino que feudaliza, por lo cual un programa transformador debía ser necesariamente nacionalizador y antifeudal, de interés para la mayoría de la sociedad, desde los campesinos y los obreros hasta la clase media en todos sus matices, sin exclusión de los pequeños propietarios rurales y urbanos.

A diferencia de Batlle y de Yrigoyen, que afirmaban estar con todos y contra nadie, Haya de la Torre sugería estar con casi todos y contra casi nadie. Ese casi excluía a la oligarquía y al imperialismo, oponiendo un torrente único revolucionario pluriclasista. Haya de la Torre consideraba que su propuesta era continuación de las ideas de Manuel González Prada y de José Carlos Mariátegui, un liberal de ideas anarquistas que introdujo la cuestión indígena como problema social y un marxista que tuvo entre otros méritos utilizar al marxismo como método para el análisis de la realidad peruana potenciando al indígena como sujeto histórico para la transformación de la sociedad. Mariátegui, en su corta vida, pues murió en 1930 a los treinta y cinco años de edad, dejó una obra intelectual de particular valor teórico al aplicar creativamente el materialismo histórico a las condiciones singulares de Iberoamérica y en particular de Perú, especialmente en su obra más difundida, *Siete ensayos de interpretación de la realidad peruana,* publicada en 1928.

Pero mientras Mariátegui pensó y luchó por una transformación socialista de la sociedad y fundó el Partido Socialista, proponiendo su adhesión a la III Internacional, Haya de la Torre privilegió una revolución potencialmente posible que, sin embargo, no logró realizar, ni en Perú ni en otros países iberoamericanos donde la propició. No obstante, la influencia de su pensamiento se hizo sentir entre la clase media iberoamericana radicalizada. Víctor Raúl Haya de la Torre, dirigente estudiantil fogueado en las luchas ocasionadas por la Reforma Universitaria argentina, se exilió en México, donde recibió la influencia de una revolución real, creando en 1924 la Alianza Popular Revolucionaria Americana (APRA).

En sus primeras obras: *Por la emancipación de América Latina,* publicada en 1927, y *El antiimperialismo y el APRA,* en 1936, Haya de la Torre despliega un proyecto político revolucionario en el cual analiza la realidad y propone su transformación mediante la confrontación con el imperialismo, las nacionalizaciones y la transformación de la estructura agraria. Su historia posterior, de fracasos electorales y de persecución política, incluye también el abandono de algunas consignas durante los años de la Segunda Guerra Mundial, pero su propuesta revolucionaria original conservaba su vigencia al igual que la Revolución Mexicana, una revolución que había comenzado reclamando libertades democráticas y terminó destruyendo el poder oligárquico.

Iberoamérica en el concierto de las naciones. Relaciones con Europa y Estados Unidos

La dependencia económica de las repúblicas iberoamericanas respecto del exterior tenía, como se ha dicho, un carácter comercial y financiero inocultable, siendo las inversiones uno de los mecanismos de sujeción. En vísperas de la Primera Guerra Mundial, Gran Bretaña contribuía con algo más del 50 % del total de las inversiones extranjeras; el 35 % se lo repartían entre Francia y Estados Unidos, con una ligera ventaja para el primero, y el 15 % restante se distribuía en forma desigual entre países como Alemania, Bélgica, España y otros. Después de la Primera Guerra, declinaron Gran Bretaña y Francia, y en 1930 cerca del 50 % del total de las inversiones extranjeras eran de origen norteamericano y estaban radicadas en primer lugar en Cuba, seguido de Argentina, México y Chile.

El incremento de las inversiones norteamericanas y la disminución de las británicas, francesas y de otros países europeos tuvo dos consecuencias. Por un lado, fue un reemplazo de libras por dólares que no supuso un aumento significativo de la inversión total; por el otro, constituyó un nuevo reparto de roles entre los propietarios latinoamericanos y los inversores extranjeros, pues mientras que el capital europeo había estado concentrado en los servicios, dejando a los iberoamericanos las inversiones en el sector productivo, los capitales norteamericanos penetraron rápidamente en la producción, sea agrícola, minera o manufacturera, además de los servicios como transporte, bancos y comercio.

En el contexto del imperialismo, Iberoamérica se hallaba en una situación de dependencia neocolonial y padecía viejas y nuevas formas de sujeción. Algunas de ellas cambiaron al comenzar el siglo XX, pero los términos de la relación externa seguían demostrando que los países iberoamericanos no tenían el mismo rango de naciones independientes que las europeas y los Estados Unidos, y que su soberanía estaba condicionada en todos los órdenes, incluyendo el campo diplomático. En este caso, desde serles vedado enviar o recibir embajadores (solo podían designar y admitir ministros plenipotenciarios o residentes, lo que constituía un rango inferior en las relaciones), hasta justificar intervenciones bajo el pretexto de la protección diplomática, todo indicaba que las relaciones no se establecían en un plano de igualdad.

El mercado iberoamericano constituía, además, una pieza disputada y dio lugar, en ocasiones, a conflictos menores generados por desacuerdos en su reparto, tanto entre grandes monopolios como entre las potencias. A veces, como en la explotación de los frigoríficos argentinos o del petróleo venezolano, las rivalidades derivaron hacia la intromisión en los asuntos internos de ambos países, reflejada en el tráfico de influencias, cohecho y en los conflictos políticos según las facciones favorecieran a alguno de los monopolios en pugna que, en estos casos, eran británicos y norteamericanos.

El intervencionismo fundado en la protección diplomática o cualquier otra excusa es de antigua data, y fue aplicado por las naciones europeas y Estados Unidos, fundamentalmente, cuando los países iberoamericanos no podían cumplir con sus compromisos financieros. En ese caso, el acreedor acudía a su país de origen amparado por la protección diplomática y, a partir de la reclamación, el Gobierno enviaba su flota, tomaba las aduanas y cobraba lo que consideraba le pertenecía al damnificado, fuera una persona o una empresa, sin que la soberanía de la nación invadida se tuviera en cuenta.

Según dicho principio, todo particular extranjero que se sintiera agraviado por cualquier motivo por un Estado soberano podía invocar la protección de su país de origen. Esta circunstancia generó reiterados episodios intervencionistas que, de una u otra manera, padecieron todos los países iberoamericanos, sea mediante el bloqueo de sus puertos, el bombardeo a los mismos, la toma de sus aduanas, el acantonamiento de tropas en las zonas fronterizas o la directa ocupación del territorio, por no citar otras formas más sutiles, como el chantaje diplomático y financiero, muy perfeccionadas en el siglo XX.

Durante las tres primeras décadas del siglo XX, Estados Unidos puso en práctica algunos mecanismos para poner bajo su influencia a Iberoamérica. El primero, consistió en incrementar sus inversiones, el segundo en la adecuación de la Doctrina Monroe al principio de protección diplomática y el tercero en la diplomacia panamericanista

Del primero de estos mecanismos hemos tratado ya. En cuanto al segundo, fue el presidente Teodoro Roosevelt el encargado de actualizar la vieja Doctrina Monroe, que consideraba una hostilidad hacia los Estados Unidos cualquier intervención de países ajenos en América. Rossevelt solía repetir: *Hay un adagio casero que dice: habla con suavidad y lleva un grueso garrote; irás muy lejos.* Esta frase ha servido para definir su actuación en Iberoamérica como la *política del garrote.* En realidad, sus propósitos quedaron definidos en su mensaje anual de 1904: *La mala actuación crónica, o la impotencia resultante del general relajamiento de los lazos de una sociedad civilizada... pueden obligar a los Estados Unidos, por mucho que les repugne, en casos flagrantes, al ejercicio de un poder policiaco internacional.* La primera ocasión para tal acción policiaca se dio en 1904 cuando, a raíz de una situación financiera desesperada en la República Dominicana, los acreedores europeos amenazaron con la incautación de bienes. Entonces Roosevelt anunció como *corolario* a la Doctrina Monroe que, puesto que los Estados Unidos no podían permitir que las naciones europeas cobraran por la fuerza las deudas de las Américas, eran los Estados Unidos los que deberían asumir la responsabilidad de ayudar a que los estados *retrasados* cumplieran con sus obligaciones financieras. El corolario Roosevelt a la Doctrina Monroe constituyó en lo sucesivo la pauta de actuación en los asuntos americanos. Las intervenciones europeas quedaron prácticamente suspendidas, pero su reemplazo era realmente temible, pues Estados Unidos consideró naciones no civilizadas a las del Caribe y Centroamérica, donde aplicó el intervencionismo más audaz del siglo XX. Ya hemos aludido a las intervenciones anteriores en Cuba y Panamá; en los años siguientes, y hasta la política de Buena Vecindad de los años treinta de otro Roosevelt, Franklin Delano, los Estados Unidos intervinieron en asuntos internos y externos de la República Dominicana entre 1916 y 1924, de Haití desde 1915 hasta 1934, de Nicaragua desde 1912 a 1933, y de México durante toda la Revolución.

El tercer instrumento intervencionista fue la política panamericana. En esa dirección, el Gobierno norteamericano había convocado la Primera Conferencia de 1889-90, en la cual los resultados fueron magros (quizá el más perdurable haya sido fijar el 14 de abril como Día de las Américas), pues, como era de esperar, no se aprobaron los acuerdos en que los norteamericanos habían puesto sus mayores expectativas. En efecto, disputarle a Gran Bretaña el papel de árbitro ante conflictos entre países iberoamericanos y crear una unión aduanera para arrebatarle esos mercados era casi improbable en ese momento. Ni Gran Bretaña estaba dispuesta a semejante despojo, ni los países iberoamericanos a cambiar de mando, y así quedó demostrado por los países que estaban bajo la influencia británica, como Argentina, cuyo representante, Roque Sáenz Peña, pronunció su conocido discurso *América para la Humanidad,* en franca oposición a la Doctrina Monroe y, en general, a las propuestas norteamericanas. Más aún, por si quedaran dudas, publicó poco antes de ser electo presidente argentino *La Doctrina de Monroe y su evolución,* artículo en que denunciaba la política exterior norteamericana, justificaba la europea en general, y en particular la británica, y afirmaba expresamente que mientras el mar y la cultura unían a Iberoamérica con Europa, las costumbres y la geografía la separaban de Estados Unidos.

Antes de estallar la Primera Guerra Mundial se llevaron a cabo cuatro reuniones de carácter panamericano: Washington (1889-90), México (1901), Río de Janeiro (1906) y Buenos Aires (1910), donde se adoptó el nombre de Unión Panamericana. Después se suspendieron hasta 1923, reanudándose con mayores presiones de los gobiernos ante la política exterior norteamericana y fundamentalmente por las intervenciones militares en el Caribe.

Los representantes de los Estados Unidos actuaban coherentemente con la política intervencionista de su país, aquella que se inició en la guerra contra España por la cual intervino en Cuba y Puerto Rico, continuó con la secesión de Panamá y culminó con las intervenciones armadas en México, Panamá, Haití, Nicaragua, Cuba y República Dominicana. El intervencionismo norteamericano contribuyó a que se creara, como reacción, un sentimiento de unión continental. Este ideal continentalista fue expresado con notable contundencia por el Movimiento de Reforma Universitaria iniciado, como ya se ha señalado, en la Universidad de Córdoba (Argentina) y extendido, después, por todo el continente.

21

Iberoamérica entre 1930 y 1970

Repercusión en Iberoamérica de los grandes acontecimientos de la época

LOS ACONTECIMIENTOS mundiales tuvieron mayor impacto en Iberoamérica que en otros espacios del Tercer Mundo debido al mayor grado de integración al sistema internacional. Así es que estas cuatro décadas, tan ricas en acontecimientos y procesos a escala mundial, repercutieron sensiblemente en la historia iberoamericana en todos los órdenes.

La Guerra Civil en España dividió a los iberoamericanos a favor o en contra de los bandos en pugna, aunque los republicanos tuvieron más adhesiones que los del Frente Nacional. Unos 3.000 voluntarios latinoamericanos se enrolaron en las filas republicanas, provenientes en un buen número de las capas medias urbanas y de la intelectualidad, destacándose entre éstos Pablo Neruda, César Vallejo y Alfaro Siqueiros. El bando franquista recibió alrededor de 200 voluntarios iberoamericanos, alistados en las unidades hospitalarias y en la Legión Extranjera Española, pues el falangismo, al igual que el fascismo y el nazismo, despertaba simpatías en círculos de la derecha política, tales como el sinarquismo en México, el integralismo en Brasil y en los primeros grupos que formarían los partidos demócratas cristianos en Chile y Venezuela, además de adhesiones menos explícitas y aisladas en la Iglesia y en las fuerzas armadas. Como resultado de esta guerra, más de 80.000 españoles llegaron a Iberoamérica instalándose en varios países donde la mayoría se radicó definitivamente, a veces con un comprometido apoyo gubernamental como fue el caso de Lázaro Cárdenas, cuyo Gobierno ofreció asilo en México a importantes figuras del derrocado Gobierno republicano.

No hubo gobiernos latinoamericanos fascistas o nazis en sentido estricto, aunque no faltaron acercamientos coyunturales a grupos autoritarios locales así como a Alemania, Japón e Italia, pero al estallar la Segunda Guerra Mundial la mayoría de ellos se alejaron de esos grupos y fueron alineándose en contra de los países del Eje, siguiendo la orientación dada en ese sentido por los Estados Unidos.

La influencia estadounidense en Iberoamérica siguió creciendo en todos los órdenes, tanto políticos como económicos, pasando a ser indiscutiblemente predominante al terminar la Segunda Guerra Mundial, tanto en función de la estrategia de la Guerra Fría a partir de 1947, como de las importantes inversiones realizadas y de su comercio exterior.

También la Unión Soviética intentó ejercer algún influjo, pero este fue insignificante hasta la Revolución Cubana, salvo el que impulsaba través de los partidos comunistas, los cuales seguían las directivas emanadas de la Internacional Comunista, cuyos virajes no fueron por lo general de aplicación exitosa. Efectivamente, la línea más extremista aplicada desde 1927 había dejado como consecuencia un gran aislamiento de los comunistas e importantes frustraciones frente a audaces y heroicas intentonas revolucionarias. Entre otras, la de Farabundo Martí que fundó el Partido Comunista de El Salvador en 1930 y que dos años más tarde moría en una desigual lucha que, además de la suya, costó la vida de 20.000 hombres. También la que condujo Carlos Prestes, líder del *tenentismo,* que después de fracasar con un programa democrático en la década del veinte regresaba en 1935 con una propuesta más avanzada que Getulio Vargas consideró comunista y que le costó varios años de cárcel.

El triunfo de Hitler en Alemania, en 1933, indujo a los dirigentes de la Internacional Comunista a proponer en 1935 la integración en frentes únicos contra el fascismo. Esta fue la línea que adoptaron los partidos comunistas iberoamericanos, sobre todo cuando en 1941 la Unión Soviética entró en la Segunda Guerra Mundial. Todos ellos apoyaron a diversos gobiernos y partidos políticos que estaban a favor de los Aliados, se tratara de gobiernos democráticos o de dictaduras como las de Somoza y Batista. En Chile el resultado de esa política fue la creación del Frente Popular que llevó al triunfo electoral de Pedro Aguirre Cerda en 1938 y a los gobiernos que le sucedieron hasta que Gabriel González Videla, elegido en 1946 con apoyo de los comunistas, prefirió seguir la nueva corriente impulsada por la Guerra Fría y los ilegalizó dos años más tarde. El rencor de los comunistas se manifestó de mil formas, siendo quizá la más duradera la que eligió Pablo Neruda al mencionar al *vicioso traidor* en su *Canto general.*

En el transcurso de estas cuatro décadas se operaron cambios significativos en la población, la economía y el Estado, modificándose sustancialmente el perfil de la sociedad iberoamericana en correspondencia con una situación internacional signada por la crisis de 1930, la Segunda Guerra Mundial y la Guerra Fría.

La población pasó de 104 millones de habitantes en 1930 a 159 millones en 1950 y a 277 millones en 1970, crecimiento sin duda muy significativo pero con diferencias por países. En Argentina, Cuba y Uruguay el aumento de la población había estado directamente relacionado con la inmigración masiva hasta 1930, pasando a ser los de menor crecimiento en la década del sesenta. La Argentina representó un caso extremo, pues mientras que entre 1900 y 1930 fue el país con mayor tasa de crecimiento de la población, entre 1960 y 1970 tuvo el menor ritmo de crecimiento, juntamente con Uruguay. El crecimiento demográfico tan acelerado después de la Segunda Guerra Mundial se debió al descenso de la mortalidad y a una gran fecundidad más que a la inmigración, siendo el crecimiento vegetativo el real causante del aumento de la población iberoamericana.

Durante esos años la economía mundial atravesó una etapa de declinación que, desde los años de la Primera Guerra Mundial, se extendió hasta la finalización de la Segunda Guerra

493

Mundial, produciéndose en el ínterin una de las depresiones más recordadas por su profundidad y duración, conocida como la Gran Depresión o la Crisis del Treinta. Después de la Segunda Guerra Mundial comenzó una importante etapa expansiva de la economía mundial que llegó hasta 1970 aproximadamente, iniciándose a partir de entonces una nueva onda descendente.

La crisis de 1929 se había iniciado en el sector financiero con la brusca caída de las cotizaciones en la Bolsa de Nueva York, provocada por maniobras especulativas realizadas en el marco de un exceso relativo de la oferta y la consecuente caída de los precios y del empleo. El exceso de mercancías, la escasez financiera y la falta de puestos de trabajo provocó que Estados Unidos primero y luego las restantes naciones reemplazaran el librecambio imperante hasta 1930 por medidas proteccionistas como el incremento de los aranceles aduaneros, el abandono del patrón oro, la interrupción de las inversiones en el exterior y la restricción a la inmigración. Bajo el librecambio, el comercio internacional había tenido un crecimiento muy significativo, y con el proteccionismo impuesto como respuesta a la crisis se produjo el efecto inverso. Entre 1929 y 1933 el volumen de las exportaciones mundiales se redujo en un 25 % y los precios bajaron el 30 %, lo cual significó una gran constricción del mercado mundial de más del 50 %, cuyos efectos sobre Iberoamérica fueron realmente catastróficos, porque su economía dependía totalmente de las exportaciones y de las inversiones extranjeras.

La depresión económica desatada en 1929 y la guerra que estalló en 1939 tuvieron efectos de gran significación en Iberoamérica. Pese a que ninguno de esos dos hechos se generó allí, esa circunstancia no fue óbice para que participara, aunque en grado bajo, de las penurias y las secuelas que ambos procesos provocaron y, también, de los estímulos positivos a la industrialización y modernización en condiciones favorables a los inversores locales que derivaron de aquellos hechos. La crisis desalentó a los inversores extranjeros y la Segunda Guerra Mundial y la inmediata posguerra tuvieron un efecto similar. A la necesidad de financiar la guerra siguió la reconstrucción europea,

que demandó, además de la ayuda del Plan Marshall norteamericano, la colaboración de los nuevos organismos internacionales creados en 1945 como el Fondo Monetario Internacional y el Banco Mundial. Mientras Europa recibía 44.800
millones de dólares entre 1945 y 1952, Iberoamérica solo consiguió 6.800 millones, menos del total entregado a Grecia y
Turquía (7.300 millones).

La reconstrucción europea fue asombrosa. En 1948 había
alcanzado el nivel productivo de 1939 y en 1949 el de sus
exportaciones, dando un gran impulso a la dinámica del mercado mundial que en 1955 superó en un 50 % al valor del intercambio de 1948. La recuperación del mercado mundial tuvo
para Iberoamérica dos consecuencias de signo opuesto. Por un
lado, pudo aprovechar parte de las ventajas de la expansión
económica de posguerra. Por el otro, disminuyeron las posibilidades de los inversores locales en la producción, el intercambio y las finanzas al restituirse el funcionamiento de los mecanismos de la dependencia.

El notable incremento de las inversiones norteamericanas
en las más variadas líneas de producción penetró profundamente en la economía iberoamericana, pasando de 4.735 millones de dólares en 1950 a 8.387 millones de dólares en 1960,
sin incluir los empréstitos de Estado ni los programas de ayuda.
Esta tendencia indicaba la inviabilidad de los proyectos de desarrollo autónomo, al tiempo que otra, no menos desalentadora,
mostraba el reflujo iberoamericano en el mercado mundial, ya
que el crecimiento de comercio internacional se debió en su
mayor parte al incremento del intercambio entre países industrializados. Así que, mientras Iberoamérica en 1948 aportaba el
11 % del valor de total de las exportaciones al mercado mundial, en 1960 esa participación se había reducido al 7 % y en
1970 al 5 %. Era sin duda el fin de una época.

Hasta ese entonces, durante el transcurso de cuatro décadas
y en particular en las del cuarenta y cincuenta, el accionar estatal estuvo orientado hacia una importante intervención en la
economía, inicialmente para responder a los desajustes de la
crisis de 1930 y luego como estrategia para promover el des-

arrollo económico a partir del estallido de la Segunda Guerra Mundial, protegiendo la producción nacional y facilitando la ampliación del mercado interno para promover la industrialización por sustitución de importaciones.

La industrialización

Durante esta etapa, las condiciones dadas por la crisis, la guerra, la reconstrucción y el reacomodamiento de las potencias en los primeros años de la Guerra Fría hicieron viables estrategias de desarrollo con algún grado de autonomía. Inicialmente, el accionar estatal estuvo dirigido a administrar respuestas espontáneas ante los efectos de la crisis, pero luego se fueron diseñando políticas de más largo alcance con la finalidad de diversificar la producción, atendiendo a una larga experiencia que había dejado enseñanzas sobre la vulnerabilidad de las economías exportadoras de bienes del sector primario, puesta a prueba en toda su dimensión en los años treinta.

La crisis de 1929-33 llegó a percibirse como una suerte de divisoria de aguas, un punto de inflexión que afectó a dos niveles de la realidad, el económico y el político. Al primero, anunciando el fin de la economía primario-exportadora; al segundo, poniendo al desnudo la crisis terminal del Estado oligárquico. Durante la Segunda Guerra Mundial y los años posteriores esa tendencia continuó reflejándose en ambos niveles, tanto porque la intervención estatal puso el énfasis de la acumulación en la industrialización por sustitución de importaciones, como porque en la estructura de poder se produjo una crisis cuya superación osciló entre el autoritarismo y la democracia, sin excluir las diferentes experiencias populistas.

La mayor caída de precios de muchos bienes primarios, la contracción de la demanda mundial de esos bienes y la interrupción del flujo financiero provocaron una considerable disminución de la capacidad para importar, favoreciendo la oferta interna de bienes manufacturados que, además, alcanzaron mayor competitividad al encarecerse las manufacturas extranjeras por efecto de las barreras arancelarias y la devaluación monetaria. Fue en estas condiciones como algunos países desarrollaron políticas de sustitución de importaciones mediante el fomento de la producción nacional para abastecer el mercado interno que, por la escasez de capitales, se realizó utilizando las instalaciones ya existentes, es decir, sin un aumento significativo del capital fijo, pero con un incremento de la inversión en insumos y fundamentalmente en salarios. Esto trajo aparejado un crecimiento del empleo industrial y una ampliación de la demanda interna de bienes de consumo masivo que alentó a que el mecanismo de sustituciones continuara diversificándose, comenzando por las llamadas industrias tradicionales como textil, vestido, alimentación, construcción, muebles, bebidas y tabaco.

La Segunda Guerra Mundial actuó también como estímulo a la política de sustitución de importaciones ya que la demanda de materias primas y alimentos generada por el propio conflicto reanimó las exportaciones iberoamericanas y la conversión de la economía de los países industrializados a las necesidades bélicas obstaculizó un incremento equivalente de las importaciones. Aunque las exportaciones iberoamericanas durante el conflicto no se vieron favorecidas por una subida de precios, el notable aumento del volumen provocó una importante acumulación de divisas que financió las transformaciones emprendidas y, en algunos casos, el mejoramiento de las condiciones de vida de amplios sectores sociales.

Después de la Segunda Guerra Mundial los bienes de consumo durables fueron ampliando la gama de la industria iberoamericana y algunos bienes de capital. Pero los resultados de la sustitución de importaciones se distribuían de manera muy desigual, al punto que, en 1950, el 72,4 % de la producción manufacturera iberoamericana era aportado por México, Brasil y Argentina, el 18,1 % por Colombia, Chile, Perú y Venezuela y el resto por los demás países. La política de fomento impulsada desde el Estado fue viable en los países que en la etapa anterior habían alcanzado algún grado de desarrollo industrial. En esas condiciones el control estatal del comercio exterior, del crédito bancario, la regulación cambiaria, el aumento de las tasas aduaneras y otras medidas intervencionistas que, en muchos casos eran una novedad frente al liberalismo anterior a la crisis, coadyuvaron a dar impulso a la industrialización sustitutiva.

En consecuencia, hasta mediados de la década del cincuenta, el proceso de industrialización contó con escasa competencia extranjera, lo que facilitó el desarrollo de una industria nacional productora de bienes de consumo masivo de baja composición tecnológica. A partir de entonces las inversiones extranjeras, asociadas o en competencia con los inversores locales, fueron modificando el perfil del sector industrial. Por un lado, el incorporar una mayor proporción de capital fijo, en desmedro del destinado a salarios, afectó negativamente al crecimiento de la ocupación en el sector; por el otro, la oferta del tipo de bienes durables que se impulsó estaba destinada a un mercado de consumo más concentrado. Es decir, que entre otras consecuencias, el crecimiento de la ocupación industrial fue menor que en la etapa anterior y la introducción del capital extranjero fue reemplazando a los inversores nacionales.

Las expectativas generadas por la industrialización fueron inversamente proporcionales a los resultados obtenidos. En general, se esperaba que se alcanzaría una distribución más equitativa del ingreso, una menor dependencia externa y una transformación global que afectaría a la producción, a la sociedad y al poder político. Sin embargo, aunque la industrialización no alcanzó los resultados esperados, la población siguió desplazándose a la ciudad, creciendo de manera muy desproporcionada el sector servicios, que ya para 1950 llegaba al 53 % del Producto Bruto.

El proceso de urbanización y el crecimiento de la población trajeron aparejados nuevos problemas que el crecimiento industrial estuvo lejos de resolver. Por el contrario, se incrementó el desempleo, la escasez de vivienda, el aumento de la población urbana marginal y su concentración en villas miserias, favelas, cerros, barrios y toda una gama de nominaciones para designar las formas de asentamiento urbano no planificado.

Las transformaciones fueron magras y los resultados no fueron los esperados; pero esto no fue óbice para que la industrialización continuara siendo considerada la panacea para salir del subdesarrollo, es decir, para superar los efectos no deseados del tipo de crecimiento económico basado en las exportaciones de bienes agrícolas y mineros que había sido característico de Iberoamérica. No obstante, el 80 % del valor de las exportaciones siguió proviniendo del sector primario, con una reducción relativa del componente agrícola y el incremento del minero, lo cual reafirma la preocupación de técnicos y políticos que insistían sobre la necesidad de transformar a fondo las estructuras existentes, entre ellos los que estaban vinculados a organismos internacionales abocados a los problemas del desarrollo como la Comisión Económica para América Latina (CEPAL).

La creación de la CEPAL en 1948 dependiente de la Organización de las Naciones Unidas (ONU) ha constituido un hito en la evolución del pensamiento iberoamericano acerca del desarrollo. Los técnicos de la CEPAL, desde la gestión de su primer secretario ejecutivo, el economista argentino Raúl Prebish, realizaron diagnósticos sobre las causas del atraso iberoamericano y propusieron reformas estructurales tendentes a superarlo privilegiando la industrialización como el medio transformador más importante, enfatizando una línea de análisis que tuvo gran difusión hasta la década del setenta y que ha sido conocida como teoría de la dependencia.

Desde comienzos de la década del cincuenta, la CEPAL se dedicó a estudiar la cuestión referida a la planificación del desarrollo, ocupándose de formar técnicos en una especialidad que era novedosa y con un alto grado de especificidad iberoamericana, lejos tanto de la planificación central de los países del área soviética, como de los programas de los países industrializados con economías de mercado. Se trataba en este caso de diseñar planes de desarrollo económico y social con una gran injerencia estatal, pero con una economía de mercado a la que se trataba de proteger, en condiciones en que la infraestructura existente trazada para una economía exportadora debía adecuarse a una economía reorientada al mercado interno.

Los estudiosos de la CEPAL llegaron a la conclusión de que la economía exportadora tradicional había provocado un crecimiento hacia fuera, altamente vulnerable por la dependencia externa y por las oscilaciones del mercado mundial, y proponían como alternativa un crecimiento hacia dentro, basado en la industrialización sustitutiva sostenida por el mercado interno. Para lograrlo aconsejaron un conjunto de medidas para superar los límites impuestos al desarrollo tales como la planificación del desarrollo económico y social, la integración económica iberoamericana y las reformas agrarias. Si bien la CEPAL, como organismo internacional que es, no decide en cuanto a las políticas nacionales, por cuanto sus recomendaciones pueden o no ser admitidas por los gobiernos de cada país, sus estudios fueron considerados muy atendibles, tanto porque los técnicos que participaban tenían un gran reconocimiento profesional como porque las propuestas resultaban alentadoras para el conjunto iberoamericano.

En 1962, a instancias de la CEPAL, se creó el Instituto Latinoamericano de Planificación Económica y Social (ILPES), con oficinas en Santiago de Chile, donde se profundizaron los estudios, se elaboraron propuestas y se formaron técnicos con la finalidad de contar con especialistas que ordenaran de la mejor manera el proceso de industrialización por sustitución de importaciones.

Uno de los factores limitantes que se observaba, a medida que la industrialización avanzaba, era la dimensión del mercado, considerada insuficiente para emprendimientos de envergadura, comenzando a madurar la idea entre los gobiernos iberoamericanos de buscar mecanismos de integración económica que superaran esa limitación. Por eso, en 1960 se firmó el Tratado de Montevideo que creó la Asociación Latinoamericana de Libre Comercio (ALALC), a la que paulatinamente adhirieron todos los países de América del Sur y México. La ALALC trazó objetivos a veinte años para ampliar el mercado iberoamericano mediante la progresiva liberalización del comercio y la coordinación de la producción a través de los llamados acuerdos de complementariedad.

Debido a que cada país firmante tenía libertad para establecer su propio arancel aduanero frente a terceros países, y a que un mercado así integrado favorecía más a Argentina, Brasil y

México, que disponían de mayor capacidad industrial, Bolivia, Colombia, Chile, Ecuador y Perú firmaron en 1969 el Acuerdo de Cartagena que dio lugar al Pacto Andino, al que en 1973 se incorporó Venezuela. El Pacto Andino constituyó un proceso de integración más avanzado, pues además de tener un arancel aduanero común y mayor coordinación en los programas de comercio, industria, cultura, educación, trazó una política claramente proteccionista favoreciendo a los inversores iberoamericanos y a programas de industrialización conjunta.

Fuera de la ALALC, los países centroamericanos crearon el Mercado Común Centroamericano (MCCA) en 1960, un área de comercio libre con aranceles externos comunes para las mercancías provenientes de otros países, promoviendo la instalación de industrias locales para el aprovisionamiento del mercado integrado.

Al iniciarse la década del setenta solo el Pacto Andino parecía responder a las expectativas, aunque también entraría en crisis años más tarde; primero con la salida de Chile en 1976 que, al abrir su economía siguiendo los parámetros del neoliberalismo, quedó en incompatibilidad con las disposiciones del Acuerdo y luego, cuando a los síntomas de estancamiento económico, se sumó el abandono de prácticas que favorecían a los capitales andinos sobre los externos. En realidad, la industrialización por sustituciones estaba agotada en un cambiante contexto internacional que anunciaba el fin de la expansión económica de posguerra y el inicio de una nueva etapa sembrada de dificultades para la economía mundial y más aún para la iberoamericana.

La esperanza de que la industrialización impulsaría las transformaciones económicas y sociales comenzó a desvanecerse, tal como lo percibían incluso algunos de los técnicos de la CEPAL.

La cuestión agraria y las revoluciones

Como ya se señaló, al comenzar el siglo existían dos demandas, democracia y tierra, que, como tantas otras, no habían sido satisfechas y que, desde entonces, han estado presentes en numerosas luchas reivindicativas. Estas demandas, que han permanecido unidas al contenido programático de las luchas populares del siglo XX, acompañaron de forma ejemplar las iniciativas revolucionarias de nuestra época, tales como las llevadas a cabo en México (1910), en Bolivia (1952), en Cuba (1959), en Nicaragua (1979). Aunque en todos los casos las expectativas superaron a la realidad, son las únicas revoluciones que demostraron algún grado de viabilidad en Iberoamérica.

La población rural siguió siendo mayoritaria hasta 1950, cuando cedió ante el avance de la urbanización y comenzó a verse superada por la población urbana. No obstante, en países como Brasil, México, Perú y Bolivia el peso del campesinado siguió siendo fundamental.

Hasta 1959 se habían llevado a cabo tres Reformas Agrarias, sin desmedro de otras de escasa duración y nula aplicación. Entre estas últimas, una en Venezuela, aprobada en 1948 y dejada sin efecto el mismo año al producirse el golpe de estado que depuso a Rómulo Gallegos, el autor de *Doña Bárbara,* de *Canaima* y de otras novelas que, como las de muchos otros escritores, hacen conocer desde la ficción literaria la realidad iberoamericana. Otra en Guatemala, cuando resultó electo el Coronel Jacobo Arbenz mediante una campaña en que prometía transformar al país y dignificar al campesino. Trató de cumplir sus promesas, pero también allí un golpe de Estado frustró el intento en 1954.

Las Reformas Agrarias consumadas se lograron como resultado de procesos revolucionarios, como son los casos de México, Bolivia y Cuba. Es decir, estuvieron precedidas de cambios políticos que modificaron la correlación de fuerzas a favor de los campesinos. En los tres casos, las demandas de democracia y tierra coincidían, pues sus ciudadanos soportaban regímenes políticos fraudulentos y autoritarios que a la vez mantenían un régimen de la propiedad de la tierra latifundista.

El caso mexicano fue resultado de la Revolución, como ya se analizó anteriormente. La novedad, en el periodo que analizamos, fue el gran fortalecimiento del Estado alcanzado en la década del treinta, siguiendo el impulso dado por el presidente Lázaro Cárdenas a las nacionalizaciones, en particular el petróleo en 1938, y al programa de reparto de tierras. Cárdenas había llegado al Gobierno para el periodo 1934-1940 con un apoyo popular que aglutinaba tras su candidatura a todas las fuerzas revolucionarias de antaño: a los obreros, a las capas medias, a los militares y a los campesinos, cumpliendo con todas sus promesas electorales, en particular con las que había hecho a estos últimos.

El Gobierno de Lázaro Cárdenas entregó en promedio 3,3 millones de hectáreas anuales (casi 20 millones durante todo el periodo) a 800.000 familias campesinas agrupadas en más de 11.000 ejidos, más tierras que en todo el periodo de la Revolución. Al asumir Cárdenas el poder, el cultivo colectivo era la excepción. Pero, transformando en ejidos las tierras asignadas, eludió otorgar tierras de manera individual. Los ejidos se dividían en pequeñas parcelas familiares que se cultivan individualmente. Se trataba de que las regiones agrícolas importantes, una vez expropiadas, no se convirtieran en tierras dedicadas solo al autoconsumo en detrimento de la economía nacional. Para facilitar esa política se creó el Banco Nacional de Crédito Ejidal que proveería el capital necesario. A pesar de la oposición de campesinos contrarios al ejido, que demandaban propiedades individuales, y que se reclutaban entre el movimiento sinarquista, y de los que veían en los ejidos un peligro de colectivización del país, el Gobierno de Cárdenas pudo ver el fin del latifundio y, en términos globales, el progreso de la agricultura mexicana fue notable, al punto de que entre 1929 y 1959 el producto agrícola bruto casi se quintuplicó.

En Bolivia las luchas sociales tenían un campo común determinado por el conjunto de reclamos, la identificación del adversario y un programa alternativo de realizaciones. Todo esto se dio paulatinamente y con discontinuidades desde muchos años antes que se produjera la Revolución en 1952, pero fue entonces cuando la convergencia de la mayoría de la sociedad la hizo posible.

El Movimiento Nacionalista Revolucionario (MNR), creado por Víctor Paz Estensoro y Hernán Siles Zuazo, triunfó en los comicios de 1951 pese a que el voto calificado excluía a la mayoría de la población. La oligarquía, conocida por los bolivianos como la rosca, y conformada por burócratas, terratenientes, empresarios mineros, inversores extranjeros y militares, prefirió no entregar el Gobierno, a lo que respondió la resistencia popular. El reclamo era inobjetable, pues se trataba de exigir el real cumplimiento de las reglas democráticas establecidas. En 1952 el MNR llamó a la insurrección y, con machetes, dinamita y viejas armas de fuego, los campesinos, mineros y hombres de clase media urbana lograron derrocar al corroído Estado oligárquico boliviano e instalar un gobierno revolucionario encabezado por Víctor Paz Estensoro.

La inmediata disolución del ejército y la nacionalización de las minas, seguida al año siguiente de Reforma Agraria, parecían anunciar un programa antioligárquico y antiimperialista de largo aliento, pero la fuga de capitales y la presión interna e internacional hicieron retroceder en algunos aspectos al Gobierno. No obstante, la vieja rosca fue desplazada y, aunque las luchas sociales no cesaron y surgieron nuevos adversarios, no quedó ninguna duda de que por Bolivia había pasado una revolución y la Reforma Agraria era un hecho.

La producción agrícola se redujo en los años que siguieron a la Reforma Agraria, pese al incremento del área cultivada, pero esto no fue analizado como un fracaso por los dirigentes bolivianos. Más de dos millones de campesinos cambiaron su situación social y su nivel de vida, además de que, al destruirse la hacienda como estructura económica, social y política, se terminó con los servicios gratuitos y las formas encubiertas de servidumbre que habían padecido con anterioridad.

La tercera Reforma Agraria realizada en el contexto de un proceso revolucionario fue la que se llevó a cabo en Cuba. Allí también gobernaba una dictadura que, con apoyo de los terratenientes y de los inversores norteamericanos, se mantenía en el poder ejerciendo una brutal represión contra los opositores.

Hacia 1948 se había consolidado el movimiento contra la dictadura de Fulgencio Batista, cuyo desprestigio lo aislaba de aquellos a quienes inicialmente había favorecido, incluyendo los Estados Unidos, conformándose un frente democrático con el Movimiento 26 de Julio liderado por Fidel Castro, el Directorio Revolucionario, el Partido Comunista, que hasta entonces había tenido una posición conciliatoria con Batista, y otros grupos opositores. La insurrección se inició en 1953 con el asalto al cuartel Moncada, que se saldó con fracaso. A finales de 1956, Castro, que había reorganizado sus fuerzas en México, se internó en Sierra Maestra e inició la guerrilla. Después Batista huyó de Cuba el 31 de diciembre y el 1 de enero las fuerzas guerrilleras entraron a La Habana, iniciándose un periodo que anunciaba la institucionalización democrática con la presidencia provisional de Manuel Urrutia, aunque la radicalización de la Revolución postergó indefinidamente esa promesa y provocó la renuncia del presidente.

La Ley de Reforma Agraria fue la primera medida de carácter económico de real significación, no solo porque afectaba a un sector de importancia básica en la economía cubana, sino porque desmantelaba el poder de los grandes terratenientes locales y extranjeros y beneficiaba a una multitud de campesinos. Tenía además la peculiaridad de que más que una división y distribución de la tierra se tendió a crear cooperativas o granjas estatales que mantenían la unidad preexistente.

En síntesis, las tres Reformas Agrarias fueron el resultado de procesos revolucionarios que se iniciaron por demandas de carácter antidictatorial que promovieron una transformación global de la sociedad y, en consecuencia, del régimen de la propiedad de la tierra.

El proceso ulterior fue muy dispar en los tres casos y los logros no alcanzaron las metas propuestas, pues la democracia no se consolidó como esperaban los protagonistas más consecuentes y las Reformas Agrarias no resolvieron más que parcialmente las expectativas de los campesinos. De todos modos, nada siguió igual.

Un hecho importante es que con esas tres revoluciones quedó demostrado que democracia y tierra eran demandas peligrosamente insatisfechas y que las Reformas Agrarias debían realizarse, sea por la vía revolucionaria o por otras que los gobiernos iberoamericanos y norteamericano impulsaran, como efectivamente lo hicieron en algunos casos.

Como alternativa a las revoluciones descriptas se propusieron políticas agrarias que explícitamente formulaban objetivos como mejorar las condiciones sociales del campesino y coadyuvar al desarrollo económico en general.

La cuestión agraria y el desarrollismo

El pensamiento desarrollista basaba sus especulaciones en una transformación del aparato productivo impulsada por la industrialización, para lo cual la Reforma Agraria tenía una finalidad modernizadora más que revolucionaria.

En el marco de un contexto muy diverso, algunos organismos internacionales y gobiernos dieron impulso a un programa agrario que contemplaba la modernización del sector y, como consecuencia de la misma, la expectativa de que así se eliminaba uno de los obstáculos a la industrialización y, en general, a la transformación económica y social. Efectivamente, la Reforma Agraria, entre muchas otras ventajas, disminuiría el grado de concentración de la renta nacional en manos de los grandes propietarios de tierras y favorecería que los adjudicatarios de las tierras dedicaran parte de su esfuerzo a la producción de alimentos. En este caso, al satisfacer la demanda interna de alimentos se eludía su importación, que podía ser sustituida por bienes para el equipamiento del sector industrial, además de que al bajar el costo de los alimentos se ampliaba el consumo, favoreciendo la diversificación de la oferta interna y, en definitiva, la industrialización por sustitución de importaciones.

No menos importante era que muchos de los bienes agrícolas que reemplazaban a los productos tradicionales de exportación eran a su vez materias primas utilizadas en plantas procesadoras como fábricas de aceite, pasteurizadoras de leche y otras instalaciones agroindustriales.

Este razonamiento, tan cercano al pensamiento de la CEPAL, tenía además otros promotores como el Gobierno de los

Estados Unidos que propuso la Alianza para el Progreso, presentada en un discurso pronunciado en la Casa Blanca por el presidente John Kennedy el 13 de marzo de 1961. El plan delineado por la Organización de Estados Americanos (OEA) ese mismo año en Punta del Este incluía la Reforma Agraria, entre otras propuestas, para superar el subdesarrollo. Por lo tanto, al iniciarse la década del sesenta no solo se vislumbraba la cuestión agraria desde un enfoque revolucionario, sino también desde una perspectiva desarrollista.

Sin excluir algunas pocas experiencias realizadas por los propios conservadores, estas Reformas Agrarias eran sostenidas por partidos políticos democráticos enfrentados a la Revolución Cubana y apoyados por los Estados Unidos, tales como los partidos socialcristianos y los socialdemócratas. Curiosamente, Reformas Agrarias de este tipo fueron realizadas en países como Venezuela y Chile, donde el sector agrario no era la principal fuente de empleo, su participación en la producción total era ínfima y su contribución al comercio exterior era exigua, y no en aquellos cuya economía de exportación era básicamente agropecuaria, como en Argentina y en Brasil.

Era lógico que la Reforma Agraria en Venezuela y en Chile no provocara grandes resistencias y que las respectivas leyes fueran aprobadas por gobiernos elegidos democráticamente, resultando así las primeras experiencias no traumáticas de Reforma Agraria que lograron resistir el paso del tiempo. En Venezuela, un país cuya economía agraria fue reemplazada por la petrolera, y donde el latifundio había resistido sin grandes modificaciones, la Reforma Agraria fue una decisión política impulsada por amplios sectores liderados por el Partido Acción Democrática cuyo Gobierno encabezaba Rómulo Betancourt, electo luego del derrocamiento del dictador Marcos Pérez Jiménez en 1958. La Reforma Agraria, aprobada el 5 de marzo de 1960, era parte de un proyecto transformador de la burguesía venezolana que controlaba un Estado con cuantiosos ingresos fiscales por las exportaciones petroleras, lo cual le permitió una rápida aplicación de la Ley de Reforma Agraria y la compra de tierras para ser adjudicadas, al punto que en solo dos años repartió 1.500.000 hectáreas entre 56.000 familias, lo cual significaba atender el 42,7 % de las solicitudes.

En Chile la primera Ley de Reforma Agraria fue promulgada por un Gobierno conservador en 1962 y se adaptaba perfectamente al marco de la Alianza para el Progreso y a los terratenientes. En realidad, una Reforma Agraria mucho más profunda fue encarada por el Gobierno socialcristiano del presidente Eduardo Frei que continuó con el reparto de tierras desde que asumió el poder en 1965, aprobando una nueva ley mucho más radical que permitió que entre 1965 y 1970 se expropiaran 3.563.554 hectáreas. El Gobierno de la Unión Popular, que asumió el poder en 1971 con el presidente Salvador Allende, continuó a paso acelerado con la distribución de tierras, expropiando entre enero de 1971 y junio de 1972 una superficie de 5.296.756 hectáreas.

En Perú se aprobó la Ley de Reforma Agraria en 1969, un año después que los militares tomaran el Gobierno encabezado por Velasco Alvarado. En este caso se trataba de actuar sobre una estructura agraria mixta, en la que coexistía la tradicional relación hacienda y comunidad indígena con la agricultura capitalista y de mayor productividad de la costa, donde los salarios quintuplicaban a los de la sierra. En la costa peruana la Reforma Agraria afectó a los complejos agroindustriales transformándolos en cooperativas con una gran inversión en equipamiento industrial, lo cual indica que el objetivo económico era maximizar el capital en el sector. En tanto que en la sierra y en la selva el objetivo, básicamente social, era modificar las relaciones de trabajo y eliminar el minifundio, propendiendo a la organización sin eliminar totalmente las parcelas individuales.

Caso contrario es el de Colombia, donde la Reforma Agraria aprobada el 13 de diciembre de 1961 no tenía como objetivo liquidar el latifundio y afectar los intereses de los terratenientes. La ley afectaba fundamentalmente a las tierras baldías, las incultas, las erosionadas y, además, ponía importantes resguardos a los propietarios de tierras, bien o mal explotadas, que podían demostrar que participaban de alguna manera en la explotación del predio, así el trabajo real lo hicieran aparceros o arrendatarios. Si, a pesar de todo, se procedía a la expropiación y la valoración para la compensación se realizaba con peritos estatales y del propietario, pudiendo el precio superar hasta en un 30 % el avalúo fiscal. Esta Reforma Agraria no tuvo como finalidad resolver la situación social del campesino, ni modificar radicalmente la estructura del latifundio y del minifundio. Ni siquiera cumplía con lo establecido en la Ley con referencia a terminar con el minifundio y organizar asociaciones campesinas. Gran parte del aporte financiero y tecnológico se orientó hacia obras de irrigación y drenaje, en detrimento de la distribución de tierras.

Curiosamente, en Argentina y Brasil, con los valores más altos de exportación de bienes agrícolas, la cuestión campesina no fue resuelta mediante la Reforma Agraria. En el primer caso, la legislación que regulaba las condiciones de trabajo del peón rural, de los contratos de mediería y los de arrendamiento disminuía la presión de los campesinos sobre los grandes propietarios y el Estado. Además, en las tierras de regadío la explotación intensiva de hortalizas o frutales y el crédito bancario hicieron rentable la explotación de pequeñas propiedades y se amplió el acceso a la tierra. También debe tenerse en cuenta la gran influencia de los grandes propietarios en los niveles de decisión política y la escasa población rural, entre otros factores. En el segundo, la resistencia campesina se organizó a mediados de la década del cincuenta a través de las Ligas campesinas lideradas por el abogado Francisco Juliao, generándose tensiones entre estas y el Gobierno, así como entre las distintas vertientes ideológicas del campesinado brasileño influidas por el Partido Comunista, la Iglesia y las Ligas. Una opción provino del Gobierno de João Goulart, un continuador del varguismo que asumió la presidencia en 1961 e intentó llevar a cabo una Reforma Agraria siguiendo la orientación dada en esta cuestión por la CEPAL, pero fue derrocado en 1964 por un golpe militar y, a partir de entonces, las iniciativas al respecto fueron más conservadoras.

En síntesis, según el contexto social y político se han llevado a cabo tres tipos de reforma agraria. Uno, es el que comprende a la legislación agraria impuesta en el marco de procesos revolucionarios como los de México, Bolivia y Cuba. Otro, es el que se llevó a cabo como resultado de indicaciones de organismos internacionales y del Gobierno de Estados Unidos tendente a contraponer una vía alternativa a la cubana, como las que promovieron los partidos políticos socialcristianos y socialdemócratas en Venezuela y Chile. Por último, las que, pese a seguir las mismas indicaciones que las anteriores, se realizaron como iniciativas conservadoras sin afectar los intereses de los terratenientes, como la de Colombia en 1961, la primera que se realizó en Chile en 1962 y la de Brasil que decretó el Gobierno militar en 1964.

De los tres tipos de reformas agrarias puede decirse que los dos primeros, con las diferencias mencionadas, tendían a liquidar el latifundio; el tercero, en todos los casos, lo conservaba.

Nuevas coyunturas políticas: el populismo iberoamericano

Entendemos por populismo una política aplicada desde el gobierno, sea este democrático o no, civil o militar, que opera transformaciones políticas y económicas que favorecen a las clases populares y que se propone modernizar el país modificando en parte el accionar estatal. La generalización de este fenómeno en los países iberoamericanos se relaciona con la crisis del Estado oligárquico y el cambio en la correlación de fuerzas políticas y sociales. Se aceleró el desmantelamiento del poder de terratenientes, comerciantes y sectores intermediarios del capital financiero extranjero, en tanto que emergían empresarios favorecidos por la industrialización sustitutiva, importantes sectores de las capas medias cuya identificación con la modernización los enfrentaba a la sociedad tradicional, y sectores populares que incluían a los nuevos emigrados de las zonas rurales, constituyeran o no el proletariado sindicalizado.

Cuando los partidos políticos existentes no eran capaces de llevar a cabo un proyecto de esta naturaleza, nuevos partidos y organizaciones intermedias cubrían esa carencia, conducidos por alguna personalidad carismática que lideró el proceso. En los casos en que el populismo aparecía conducido por alguno de los partidos políticos existentes, se trataba de partidos en que predominaba el liderazgo personal, tal como fueron los casos de Rómulo Betancourt en Venezuela o de Lázaro Cárdenas en México. En otros, el líder se erigió en el artífice de un nuevo partido de carácter populista, como lo hicieron Juan Domingo Perón en Argentina y Getulio Vargas en Brasil.

Los pactos populistas fueron posibles gracias a la iniciativa estatal, impulsada por una burocracia civil y militar que por distintos medios, democráticos o no, llegó a ocupar el poder ante una crisis política que la clase dominante no alcanzaba a resolver, y reemplazó los elementos residuales del pacto oligárquico por otro que incorporaba a las clases excluidas del poder. Estas tenían la percepción de quedar incluidas pese a los antagonismos potenciales que pudieran existir, por ejemplo, entre los empresarios y los obreros, ya que el mejoramiento en las condiciones de vida y cierto protagonismo de las clases populares, particularmente a través de la clase obrera sindicalizada, generaban esa imagen inclusiva.

La política económica promovida por el populismo, a través de un fuerte intervencionismo estatal, consistía en dar protección al sector privado favoreciendo la producción destinada al mercado interno, nacionalizar industrias básicas, transportes y banca, además de controlar el comercio exterior y orientar el crédito a esos fines. Estas medidas requerían capacidad financiera para sostener el gasto público. Además, el gasto público era esencial para aplicar políticas de carácter social que permitieran consolidar los acuerdos con las distintas clases sociales, lo que significó asumir como responsabilidad estatal cuestiones como salud, educación, jubilaciones y otras. Este tipo de medidas incrementaba indirectamente los ingresos de las clases populares y contribuía a ampliar el mercado interno, de tal modo que terminaba por favorecer, también, a los empresarios.

En términos políticos, los populismos se caracterizaron por la centralización estatal, el liderazgo personal, la apelación al pueblo, el discurso antioligárquico y antiimperialista, la integración sindical, y unas buenas relaciones con la Iglesia y el ejército, aunque estas dos corporaciones llegaron a convertirse luego en peligrosos adversarios, tal como comprobaron Perón y Vargas. Ambos llegaron al poder con apoyos de la Iglesia y el ejército; Getulio Vargas en 1930 y Juan Domingo Perón en 1946, y ambos lo perdieron con el concurso de estas instituciones: Vargas en 1945 y Perón diez años después, conservando, en cambio, el apoyo de los sindicatos. Vargas volvió a ocupar el poder, esta vez mediante un triunfo electoral en 1951 con apoyo de los trabajadores pero, desalentado por la oposición del ejército y las campañas de prensa, cada vez más violentas, se suicidó en 1954, después de dejar escrito un amargo testamento: *Luché contra la expoliación de Brasil. Luché contra la expoliación del pueblo. He luchado a pecho descubierto. El odio, las infamias, la calumnia, no abatirán mi ánimo. Os he dado mi vida, ahora os ofrezco mi muerte. Nada recibo. Serenamente doy el primer paso por el camino de la eternidad y salgo de la vida para entrar en la historia.*

Las políticas económicas y sociales, el accionar estatal y ciertas particularidades del estilo político populista tienen grandes semejanzas en los casos iberoamericanos, pero existen sustanciales diferencias que hacen que más que un único modelo existan diversos populismos iberoamericanos con matices, en algunos casos, bastante significativos. Ejemplo de esto lo constituyen el tipo de relaciones internacionales del movimiento obrero que impulsaron y las diferentes políticas agrarias que sostuvieron; dos aspectos importantes porque involucran, sin duda, a sectores populares y porque afectan a dos cuestiones decisivas como son las vinculaciones internacionales del proletariado en un caso y el reclamo fundamental de los campesinos en el otro.

Con relación a los obreros, Cárdenas, Vargas y Perón tuvieron en común el apoyo de los sindicatos que se vincularon estrechamente a sus respectivos gobiernos. En los tres casos el sindicalismo se contactaba en el plano internacional con otras tantas instituciones federativas de distinto signo ideológico, siguiendo cada uno las orientaciones oficiales. En efecto, el cardenismo adhería a la Confederación de Trabajadores de América Latina (CTAL) de inspiración comunista, el getulismo se inclinaba por la Organización Regional Interamericana de Trabajadores (ORIT) de filiación pronorteamericana y el peronismo prefería impulsar la Asociación de Trabajadores de América Latina (ATLAS) que excluía a los sindicatos norteamericanos y a los comunistas.

Respecto a las políticas agrarias, hubo gobiernos de líderes populistas, como Lázaro Cárdenas (1934-1940) en México y Velasco Alvarado (1968-1975) en Perú, que promovieron audazmente las respectivas Reformas Agrarias, mientras que los más emblemáticos como el peronismo en Argentina y el getulismo en Brasil no se ocuparon en igual sentido de esa cuestión, aunque hayan atendido otros aspectos del reclamo campesino.

En general, el populismo considerado como clásico tuvo su mayor vigencia durante el periodo 1930 a 1955, pero han existido rebrotes tardíos, como el intento fallido de Perón de 1973-74 o el más exitoso de Carlos Andrés Pérez entre 1974 y 1979 en Venezuela, así llamados por haberse desarrollado en periodos posteriores al tiempo en que se daban las condiciones nacionales e internacionales que hicieron viable la aplicación de la política socioeconómica que los caracteriza..

En Venezuela, como en otros países iberoamericanos, el populismo clásico se había desarrollado con bastante anterioridad con Rómulo Betancourt, cuya trayectoria, a diferencia de la de otros líderes como Perón o Vargas, está asociada indiscutiblemente al surgimiento de la democracia y a las luchas estudiantiles de la llamada Generación del 28, de donde surgieron los fundadores del Partido Acción Democrática legalizado en 1941. El Partido del Pueblo, como también se autodenominaba, proponía un programa transformador para el país, basado en la industrialización, la sindicalización libre, la elección directa y con participación ampliada del presidente, regulación de las ganancias petroleras de las empresas extranjeras, planes de salud y educación. En fin, al intervencionismo estatal que se venía aplicando desde comienzos de la década del cuarenta, Acción

Democrática agregaba un ingrediente *popular* que lo diferenciaba del régimen de transición democrática que siguió a la dictadura de Vicente Gómez..

Acrecentando su liderazgo interno en el seno del partido, Rómulo Betancourt alcanzó un reconocimiento aún mayor a partir de 1945, cuando propugnaba una verdadera ampliación democrática en complicidad con militares jóvenes que finalmente tomaron el Gobierno el 18 de octubre. Los participantes del golpe de 1945 tenían como objetivo común la ampliación de la democracia, pero solamente Acción Democrática estaba resuelta a aplicar políticas populares. Por eso, las medidas que propició provocaron la ruptura de una alianza coyuntural con el ejército que depuso al presidente Rómulo Gallegos, disolvió Acción Democrática e instauró una Junta Militar. A partir de entonces, los gobiernos de fuerza, que culminaron con la dictadura de Marcos Pérez Jiménez, frustraron los intentos de consolidar un régimen político de partidos democráticos hasta que un movimiento cívico-militar instauró una Junta de Gobierno que convocó elecciones, resultando electo Rómulo Betancourt, cuyo Gobierno, entre 1959 y 1964, impulsó la Reforma Agraria en 1960 y la nueva Constitución al año siguiente.

Las nuevas condiciones políticas y, fundamentalmente, el ingreso petrolero garantizaron las grandes ganancias de los empresarios que reclamaban exenciones tributarias, proteccionismo, salarios bajos y diversas medidas de fomento. Aunque las condiciones de vida de los trabajadores se vieron afectadas por esas medidas, el aumento del gasto público y los subsidios de todo tipo sirvieron de contención social, sobre todo al producirse el muy significativo incremento del precio del petróleo en la década del setenta. De este modo, el sistema democrático logró consolidarse en una década en que el ejemplo cubano y la lucha armada se extendían por casi toda América Latina. Aunque Venezuela fue escenario de confrontaciones muy violentas, a diferencia de otros países donde la guerrilla resultó derrotada juntamente con la democracia, allí la derrota militar y política de la guerrilla fue un triunfo de las instituciones democráticas.

Las relaciones interamericanas.
El panamericanismo

En el transcurso de las cuatro décadas que siguen a 1930 las relaciones interamericanas oscilaron entre el conflicto y la cooperación, tanto entre Iberoamérica y Estados Unidos como entre los países iberoamericanos entre sí.

La confrontación más dramática fue la llamada Guerra del Chaco que enfrentó a Bolivia y Paraguay, dos de los países más pobres de Sudamérica, que se desangraron mutuamente entre 1932 y 1935. Una antigua controversia sobre límites, una aventurera política boliviana de inventar enemigos externos para resolver problemas internos y la interferencia de empresas petrolíferas internacionales constituyen el conjunto de causas que provocaron la conflagración. Mientras la Esso apoyaba a Bolivia, la Shell lo hacía con Paraguay y ambas pretendían explorar territorios con supuestos yacimientos de petróleo. Cuando se firmó la paz en Buenos Aires, Bolivia había perdido parte de su territorio y ambos países numerosas vidas y bienes.

El cambio más significativo se produjo en la actitud de los Estados Unidos, que abandonó el intervencionismo más agresivo que había caracterizado la etapa anterior y sustituyó la política del garrote por la llamada *Política del Buen Vecino* impuesta por Franklin D. Roosevelt a partir de 1933. Como consecuencia de esta política se dejó sin efecto la Enmienda Platt que, desde su independencia de España, condicionaba la soberanía cubana a los Estados Unidos al autorizar al Gobierno norteamericano a intervenir militarmente. También finalizó la ocupación militar que habían soportado en distintos momentos los países de Centroamérica y el Caribe, imponiéndose la apariencia de que el intervencionismo era cosa del pasado. No quiere decir esto que los Estados Unidos hubieran abandonado sus objetivos en Iberoamérica, ya que su creciente influencia demuestra lo contrario. Lo que cambió fue su estrategia, dadas las condiciones de la política internacional y las resistencias que el intervencionismo directo generaba en los países iberoamericanos.

Esta nueva estrategia incluía elementos nuevos, como el empeño de promover la unión continental de tipo panamericanista que culminó en 1948 con la creación de la OEA, y elementos de continuidad, como la presencia en Panamá o el incremento de sus inversiones, y no estuvo exenta de contradicciones. Sin duda, F. D. Roosevelt apoyó a algunos dictadores en países que habían estado ocupados por marines como a Trujillo en República Dominicana, a los Somoza en Nicaragua y a Batista en Cuba. Pero no se opuso a las transformaciones internas en el México de Cárdenas, a las políticas del frente popular elegido en Chile mediante una alianza de radicales, socialistas y comunistas, o a los cambios de Getulio Vargas en Brasil.

En Nicaragua, frente a la ocupación norteamericana, tuvo destacada actuación el *General de los hombres libres* Augusto César Sandino, hasta que las tropas de ocupación se retiraron en 1933. Entre tanto, los norteamericanos habían organizado y adiestrado la Guardia Nacional, a cuyo frente estaba el General Anastasio Somoza que controló el poder entre 1936 y 1956 y sobre quien recayó la sospecha de haber sido responsable del asesinato de Sandino en 1934. De manera similar actuaron en la República Dominicana cuando, al retirarse en 1924, adiestraron a las fuerzas armadas de donde surgió Rafael Leónidas Trujillo, déspota implacable que ocupó el Gobierno entre 1930 y 1961.

En definitiva, dos dictaduras paradigmáticas como las de Somoza y Trujillo se consolidaron precisamente durante la *Política del Buen Vecino,* pasando a la historia como custodios en sus respectivos países de los intereses norteamericanos. Pero el apoyo norteamericano no pudo garantizar la perpetuidad de esas dictaduras, ni tampoco las propias vidas de los dictadores, pues ambos murieron asesinados. Tal vez la mejor explicación de estas aparentes contradicciones la formuló el secretario de Estado del presidente Eisenhover, John Foster Dulles, cuando declaró que en *Iberoamérica los Estados Unidos no tenían amigos, sino intereses.*

De mayor proyección fue la política panamericanista estadounidense que, como se mencionó en páginas anteriores, se había iniciado con la I Conferencia Interamericana de 1889. En la VII Conferencia, que se realizó en Montevideo en 1933, los norteamericanos aceptaron por primera vez el principio de no intervención e iniciaron una fuerte ofensiva diplomática para unir al hemisferio contra peligros extracontinentales, fundamentalmente a partir de 1935, cuando Roosevelt comenzó a difundir la idea de que el nazismo y el fascismo constituían un peligro para la paz mundial. Al producirse el ataque japonés a la base norteamericana de Pearl Harbour, en diciembre de 1941, el Gobierno norteamericano convocó a los países latinoamericanos para que también declararan la guerra a los países del Eje, convocatoria que obtuvo la inmediata respuesta positiva de varios países del Caribe y algunos otros, aunque solamente Brasil participó con tropas combatiendo en el frente italiano.

Por distintas razones, al comenzar el año 1945, Ecuador, Paraguay, Perú, Chile, Venezuela, Uruguay y Argentina mantenían aún la neutralidad, lo cual generó una ofensiva diplomática norteamericana que presionó con éxito sobre todos menos con Argentina. Si bien el neutralismo podía ser justificado desde una política aparentemente autónoma del Gobierno argentino, es sabido que la simpatía hacia los países del Eje estaba bastante arraigada en algunos sectores de la derecha y en particular en grupos de oficiales del ejército. En una Conferencia Interamericana Extraordinaria realizada en México, en el Palacio de Chapultepec, se exigió a la Argentina romper relaciones con el Eje para poder entrar a formar parte de las Naciones Unidas, cosa que hizo al declarar la guerra el 27 de marzo de 1945, tres días antes del suicidio de Hitler.

Después de la finalización de la Segunda Guerra y el inicio de la Guerra Fría, Iberoamérica quedó inserta en un mundo bipolar dentro del cual los gobiernos oscilaron entre una relativa e inestable autonomía frente a Estados Unidos y la Unión Soviética y el alineamiento total con los Estados Unidos, excepto el caso de Cuba por su acercamiento a la Unión Soviética a partir de 1960. En realidad, esa relativa autonomía que coyunturalmente ejercieron algunos países latinoamericanos fue más aparente que real, pues los Estados Unidos tenían el control de las cuestiones que más le interesaban valiéndose de dos instrumentos adoptados por la comunidad americana en el marco del panamericanismo.

El primero de ellos era el Tratado Interamericano de Asistencia Recíproca (TIAR), suscrito en Río de Janeiro en 1947, que reemplazaba la Doctrina Monroe, ya que, mientras esta comprometía solamente a Estados Unidos en la defensa del hemisferio, el TIAR era aparentemente un mecanismo de acción conjunta. Su aplicación para aislar a Cuba en 1964 y su desinterés en el conflicto entre Argentina y Gran Bretaña por las islas Malvinas en 1982 demuestra claramente que el TIAR era en realidad parte de la estrategia norteamericana de Guerra Fría en América, así como lo era la OTAN en Europa.

El segundo instrumento se estableció en la IX Conferencia Interamericana que se realizó en Bogotá en 1948 creándose la Organización de Estados Americanos, a la que ya nos hemos referido, un organismo interamericano que tenía por finalidad la seguridad colectiva, aunque fue utilizado también contra países iberoamericanos que mantenían conflictos con los Estados Unidos, tales como fueron los casos de Guatemala y de Cuba. El primero, cuando el Gobierno guatemalteco de Jacobo Arbenz propiciaba la Reforma Agraria que afectaba intereses norteamericanos. En ese caso, Estados Unidos impulsó, en la reunión de la OEA realizada en Caracas en 1954, un acuerdo por el que la intervención comunista en América sería considerada una injerencia en los asuntos internos americanos y que la instalación de un gobierno comunista en cualquier estado implicaría una amenaza al sistema. El acuerdo se aprobó con la oposición del representante de Guatemala y la abstención de México y Argentina. Como quiera que el Gobierno de Guatemala había incorporado ministros comunistas, aunque no se le nombrara expresamente y aunque se trataba de una resolución genérica, nadie podía ignorar que se dirigía contra ese país, cuyo Gobierno quedó aislado y a merced del golpe militar que, con apoyo del embajador estadounidense, destituyó a Jacobo Arbenz el 17 de junio de 1954.

El caso cubano fue más explícito, ya que directamente se expulsó a Cuba de la OEA, tras dos años de enfrentamientos que se iniciaron en 1960 con la ruptura con Estados Unidos y el ulterior distanciamiento de otros países americanos que cuestionaron que no se convocara a elecciones, que continuaran los fusilamientos y el acercamiento a la Unión Soviética. Luego que el Gobierno norteamericano ejecutara el plan de desembarco de anticastristas en Playa Girón en la Bahía de Cochinos, que terminó en un fracaso para la CIA y los opositores cubanos exiliados en abril de 1961, Fidel Castro respondió declarándose marxista-leninista y socializando la economía cubana. En 1962, la OEA expulsó a Cuba por ser su régimen incompatible con el sistema interamericano.

A finales del mismo año se produjo el incidente de los misiles soviéticos emplazados en Cuba, episodio en el cual quedó demostrado que las dos superpotencias enfrentadas decidían en la cuestión sin dar participación a la opinión cubana. Cuba quedó aprisionada por la política soviética y aislada de los países iberoamericanos que a partir de 1964 rompieron las relaciones diplomáticas aplicando una cláusula del TIAR, excepto México, que siguió apoyando el principio de no intervención. Mientras tanto, Fidel Castro profundizaba sus vínculos con los movimientos insurreccionales pretendiendo hacer de los Andes la Sierra Maestra de América Latina.

Durante el mandato de J. F. Kennedy, los créditos públicos se duplicaron. La evidencia de que también en Iberoamérica podía producirse una revolución comunista llevó a una política de incremento de inversiones dentro del marco de la Alianza para el Progreso, pero también, y a falta de una fuerza militar panamericana, al fortalecimiento de vínculos bilaterales con numerosos países que permitían establecer lazos directos entre su propio ejército y los de esos países para el entrenamiento en el uso de las armas entregadas en el marco de los acuerdos descritos. Como declaró en 1964 T. Mann, secretario adjunto de Asuntos Latinoamericanos, *no se trata de imponer en todos los casos la democracia representativa, sino de contar con aliados seguros.* Los golpes militares dejaban de ser vistos con una hostilidad sistemática.

22

Los últimos años

Crece la población y aumentan los problemas

L AS ÚLTIMAS tres décadas del siglo XX han visto el final de
las expectativas generadas por proyectos impulsados desde
distintas vertientes ideológicas, tanto las que pretendían transformar globalmente la sociedad por vía revolucionaria como
las que aspiraban a reformarla dentro de los límites evolutivos
de una amplia democracia.

Este panorama bastante sombrío apenas se ve animado por
una mejora de las condiciones de vida entre los sectores populares, que puede verificarse siempre que no se mida en términos relativos con la población de más altos ingresos. En efecto,
la brecha entre los que más tienen y los que menos ganan se ha
ensanchado notablemente en las últimas décadas del siglo XX,
aunque algunos indicadores muestren que si la comparación se
establece con el nivel de vida de las clases subalternas en épocas precedentes, ahora vivan algo mejor y más tiempo y que su
número siga aumentando. En estos años, en los que los medios
de comunicación de masas han contribuido a uniformar las aspiraciones, el aumento de la desigualdad en el acceso a los bienes y de la exclusión social se hacen menos tolerables.

Los datos estadísticos revelan que durante los últimos años
del siglo se duplicó el ingreso por habitante, la esperanza de vida
al nacer pasó de 60 años de edad a 70 años y la población man-

tuvo un importante crecimiento vegetativo al disminuir el impacto de enfermedades que quedaron virtualmente erradicadas como la viruela y el paludismo, disminuyendo notablemente la mortalidad infantil. La población, durante estas décadas, creció de 277 millones en 1970 a 388 millones en 1980, superando los 600 millones en la década del noventa. Este impresionante incremento se ha alcanzado con escaso aporte inmigratorio y se ha debido a las mayores expectativas de vida. Por extraño que parezca, el contexto económico y social de este crecimiento demográfico es un mundo urbano de grandes dificultades como el hacinamiento, la inseguridad, la escasez de trabajo y la marginalidad.

La mayor parte de la población se asentó en las ciudades y algunas de ellas alcanzaron proporciones descomunales, como los casos extremos de Ciudad de México y de San Pablo. Si hasta mediados de la década del cincuenta la población iberoamericana se distribuía en partes iguales entre la ciudad y el campo, a partir de entonces pasó a ser mayoritariamente urbana, llegando al 63 % en 1984. Y continúa aumentando. Brasilia creció de 140.000 habitantes en 1960 a casi 2,5 millones en 1990; Curitiba, de 358.000 a más de 3,5 millones; Arequipa, Santiago de los Caballeros y Tijuana sextuplicaron su población en ese tiempo, y Goiania, Ciudad Juárez y Santo Domingo la quintuplicaron. Lima-Callao crece a un promedio de más de 220.000 habitantes por año. Son aglomeraciones gigantescas que nadie sabe bien cómo construir, mantener y alimentar. En muchas de ellas casi un 50 % de la población suburbana no tiene acceso directo de agua potable por cañería en sus casas y en un porcentaje similar las viviendas de estas áreas no están conectadas a la red de alcantarillas

Las condiciones existentes en el sector rural actúan como expulsoras de mano de obra al no generar empleo ni facilitar el acceso a la tierra. La ciudad por su parte, con o sin empleo, ofrece más oportunidades de supervivencia que la zona rural, aun en las condiciones de extrema marginalidad. La combinación de ambas fuerzas con esas características, una de expulsión y otra de atracción, es propia del atraso de estas sociedades, aunque los datos de la distribución de la población den una imagen distinta, tanto en lo que respecta a su asentamiento mayoritario en las ciudades, como a la mayor ocupación en el sector servicios.

Efectivamente, en los países desarrollados la población económicamente activa fue disminuyendo en el sector primario o agrominero, aumentando la ocupación en el sector secundario o industrial y en el sector terciario en servicios como comercio, finanzas, transportes, educación, investigación y, en general, en el conjunto de actividades que incrementa la productividad de los otros dos sectores, a la vez que globalmente mejora la calidad de vida de la población. En los países iberoamericanos, en cambio, el sector terciario incluye buena parte de población económicamente activa no incorporada al trabajo formal, a la cual se debe agregar la que está ocupada en el desmesurado aparato burocrático del Estado, enmascarando gran parte de la desocupación laboral, sin incrementar la productividad ni mejorar las condiciones de vida de la población.

Deuda, crisis y políticas de ajuste

Si en la década del 50 la economía iberoamericana creció por encima de la media mundial llegando al 6 % anual en varios países, la evolución durante las tres últimas décadas cambió totalmente de signo condicionada por la crisis mundial de los setenta, la crisis de la deuda externa de los ochenta y las consiguientes políticas de ajuste, y el reciente fenómeno de la globalización, en el que no se ha producido una clara definición del papel de la economía iberoamericana en el mercado mundial, como había ocurrido en el pasado. Así, en los setenta la tasa de crecimiento bajó al 3 % anual; en la década siguiente la tasa tuvo crecimiento negativo (la *década perdida*) y en los noventa alternaron los años de estancamiento y de crecimiento, con un balance poco positivo.

Aunque los beneficios de la expansión económica mundial de posguerra se distribuyeron de manera muy desigual, los países iberoamericanos tuvieron, como se ha señalado, un modesto crecimiento hasta la década del setenta. Al detenerse la expansión mundial y comenzar una fase descendente, a comienzos de los 70, como consecuencia de la primera crisis del petróleo, el impacto sobre la economía latinoamericana fue decisivo. Claro que, en parte, ese impacto quedó oculto por la desmesurada oferta de capitales provenientes del circuito financiero internacional privado (petrodólares que se colocan en gran cantidad en Iberoamérica), cuya afluencia generó una falsa imagen de solvencia hasta la crisis de 1982, cuando México declaró su crisis y el efecto dominó dejó en descubierto que esa situación afectaba a todo el continente iberoamericano.

Históricamente, no todos percibían el endeudamiento externo como un factor limitante para el desarrollo económico. Por el contrario, unos lo consideraban una vía para incrementar la inversión en condiciones de ahorro interno insuficiente. Otros, centraban sus críticas en aspectos referidos a la soberanía de los países receptores, siendo las más agudas las provenientes del pensamiento de la izquierda, que explica la exportación de capitales de los países desarrollados como un mecanismo de expansión imperialista puesto en marcha desde las últimas décadas del siglo XIX.

Más allá de estas dos percepciones opuestas, el caso de la deuda externa de los ochenta presentaba rasgos que desde cualquier perspectiva ideológica se consideraban negativos, tanto por su estructura, como por su magnitud y por el destino de los fondos. La disminución del ritmo de crecimiento económico a escala mundial y el incremento de las reservas financieras, por el aumento de los precios del petróleo provocaron un exceso de liquidez que llevó a la banca internacional a inducir el endeudamiento de Iberoamérica, modificándose significativamente la estructura de la deuda y su magnitud. El cambio más importante en la estructura de la deuda fue el reemplazo del financiamiento oficial internacional por el de la banca comercial internacional. En 1973 la mayor parte de la deuda externa latinoamericana correspondía a préstamos de instituciones oficiales como el Fondo Monetario Internacional, el Banco Mundial y el Banco Interamericano de Desarrollo, pero a partir de ese año el endeudamiento con la banca comercial se incrementó notablemente, al punto que la deuda con la banca comercial que en 1973 apenas superaba el 30 % del total, en 1984 se elevó al 65 %. Este perfil de endeudamiento trajo consigo dos aspectos muy negativos. Por un lado, una reducción de los plazos de financiamiento y el reemplazo de tasas fijas de interés por otras de interés variable que, según las fluctuaciones del mercado, encarecieron aún más esos préstamos (se duplicaron entre 1980 y 1982). Por el otro, un incremento de gastos improductivos y la realización de obras cuya amortización era de plazo muy superior o de dudosa rentabilidad, ya que la banca comercial no estaba interesada en supervisar el destino de esos fondos sino simplemente en su colocación.

Este cambio estructural tuvo además otras consecuencias negativas, siendo una de las más conocidas el rápido incremento de la deuda. La magnitud de la deuda pasó de 76.000 millones de dólares en 1975, a 332.000 millones en 1980 y a 450.000 millones en 1990, con el agravante de que, a partir de 1982, cuando México declaró que no podía hacer frente a sus compromisos financieros y el efecto dominó afectó al resto de Iberoamérica, los préstamos se redujeron y los intereses de la deuda convirtieron a la zona en un exportador neto de capitales. La inflación y la devaluación de las monedas nacionales fueron compañeras inevitables de la deuda. En México, por ejemplo, el índice de precios al consumidor subió un 20 % en 1979, pero en 1982 pasó a un 100 %, y la tasa de cambio nominal, que en 1979 era de 23 pesos por dólar, fue subiendo hasta llegar a 260 pesos por dólar en 1985 y a cerca de 2.500 en 1989.

La magnitud de la deuda externa continuó incrementándose a través de los distintos ajustes y reprogramaciones. Además, al extenderse a toda Iberoamérica, hizo que se reuniera en Quito, en enero de 1984, la Conferencia Económica Latinoamericana que acordó una declaración en la que se afirmaba que *la responsabilidad del problema de la deuda debe compartirse entre países deudores y los países desarrollados, así como los bancos privados y la organización financiera internacional.* La declaración reclamaba, también, cambios en las tasas de interés y en los plazos, así como el mantenimiento de flujos de crédito para los países en desarrollo. La declaración inauguraba una diplomacia de la deuda paralela a los gigantescos esfuerzos que los países debieron hacer para afrontarla. Las políticas de ajuste para controlar la inflación y reducir el déficit supusieron un retroceso de los gastos sociales y una disminución efectiva de los salarios. Todo ello condujo al estancamiento económico de los ochenta, la llamada *década perdida*. En efecto, el producto bruto interno por habitante disminuyó en alrededor de un 10 % y durante esos años la deuda externa había llegado a representar el 50 % del Producto Interior Bruto, mientras que la deuda de Estados Unidos representaba apenas el 6 %.

La participación de las exportaciones iberoamericanas en el mercado mundial, una de las bases del crecimiento económico de posguerra, declinó a lo largo del periodo. Si en la década del 60 la participación de Iberoamérica en el comercio mundial era de un 5,9 %, mediada la década del 90 había descendido a un 3,2 %. Quizá los únicos productos que han visto incrementado su volumen de exportación han sido las dos actividades clandestinas, muy vinculadas entre sí, como son el narcotráfico y el comercio ilegal de armas. Hasta 1975 la marihuana, mayormente producida por Colombia, ocupaba el primer lugar entre las drogas ilegales, pero a partir de entonces fue superada por la cocaína, conformándose una red de narcotraficantes que organizaron un sistema que abarca el cultivo de la coca en Perú y Bolivia y su procesamiento, traslado y lavado de dinero en otros países como Colombia, Brasil, Panamá y Argentina, cuyo destino es el mercado estadounidense, principal consumidor de cocaína. El crecimiento del narcotráfico durante las dos últimas décadas del siglo XX, con sus consecuencias sobre la salud, la corrupción y el crimen organizado, ha sido uno de los factores negativos de mayor impacto en este difícil fin de siglo. Otros, no menos significativos, han dejado a Iberoamérica sumida en una profunda crisis económica y social que tarda en superarse.

En la última década, las expectativas creadas por el pensamiento industrialista que vigorosamente impulsaba la CEPAL y, en general, el desarrollismo del periodo anterior se han ido desvaneciendo, lo cual ha significado un debilitamiento de la estrategia de desarrollo basada en la ampliación del consumo interno, la planificación económica, la distribución de la tierra y la integración iberoamericana. En las condiciones económicas derivadas de los ochenta —estancamiento, compromisos financieros y una inflación que alcanzó niveles incontrolables—, los gobiernos fueron aplicando medidas de ajuste que se generalizaron a comienzos de la década del noventa con la finalidad de terminar con las políticas residuales de intervencionismo estatal.

En algunos aspectos, el nuevo paradigma económico que pone el acento en el mercado y minimiza el papel intervencionista y benefactor del Estado ha tenido éxito, especialmente en lo que respecta a la cuantía de los intereses pagados respecto al valor de las exportaciones, pero, en términos absolutos, la deuda siguió creciendo y el costo social continúa siendo enorme.

Las privatizaciones, la flexibilización del mercado laboral, la reducción del gasto público, el aumento de la desocupación y otros aspectos negativos del ajuste han incrementado la pobreza y las desigualdades. La brecha entre pobres y ricos se ha ensanchado, tanto entre los países desarrollados e Iberoamérica en su conjunto, como entre los mismos países iberoamericanos. Mientras que en 1990 algunos países desarrollados alcanzaban un ingreso por habitante de 20.000 dólares al año, en Iberoamérica llegaba a 2.400 dólares en promedio, con casos extremos como Haití, cuyo ingreso no llegaba a los 400 dólares. Esta diferencia por naciones no debe ocultar una desigualdad social muy significativa, ya que el 10 % de la población iberoamericana concentra el 30 % del ingreso, con situaciones extremas en algunos países como Chile, Bolivia y Brasil, donde supera el 40 %.

La existencia de problemas comunes a toda Iberoamérica propició movimientos de integración regional. Originalmente los proyectos de integración se proponían conformar un espacio económico común para impulsar el desarrollo con cierta autonomía del sistema internacional; pero en las últimas décadas del siglo XX el ritmo impuesto por la globalización ha hecho

527

que el objetivo inicial ceda ante la evidencia de que ese espacio ya está ocupado por las empresas transnacionales.

Esto es así aun en el caso del Mercado Común del Sur (MERCOSUR), creado en Asunción el 26 de mayo de 1991 por los presidentes de Argentina, Brasil, Paraguay y Uruguay, cuyo objetivo es la libre circulación de bienes, servicios y factores productivos mediante la eliminación de restricciones aduaneras o de otra naturaleza. Esta iniciativa generó grandes esperanzas, pero también importantes conflictos entre sus miembros, especialmente entre los socios mayores.

Dictaduras y democracias

Si en el plano económico las tres décadas finales del siglo presentan, a grandes rasgos, caracteres específicos que las diferencian, en lo político sucede algo parecido. En efecto, los setenta constituyen un periodo de deterioro de la democracia, de movimientos insurgentes de izquierda y de dictaduras implacables; los ochenta, en cambio, lejos de ser una década perdida, como en economía, constituyen un tiempo de retorno de la democracia y las libertades. La última década, en la que las dictaduras prácticamente desaparecen de la escena política, se ve perturbada por las secuelas de la inestabilidad económica, de los programas de ajuste y de la creciente desigualdad de fortunas. Hablaremos, por ello, de un cierto desencanto o del creciente distanciamiento entre las aspiraciones y la realidad.

La década del setenta se inició anunciando síntomas de deterioro del sistema democrático latinoamericano. Además de la profundización de movimientos insurgentes de izquierda, que continuaron con la lucha armada, muchos países soportaron dictaduras militares en Centroamérica, el Caribe y el Cono Sur.

La lucha armada impulsada por algunas organizaciones de izquierda había alcanzado un alto grado de difusión durante la década del sesenta, pese al duro revés que significó la muerte de Ernesto Che Guevara, el 8 de octubre de 1967, en la selva boliviana. Guevara, compañero de Fidel Castro en la Revolución Cubana, colaborador estrecho del Gobierno revolucionario y un teórico de la guerra revolucionaria, era por sobre todas las cosas un revolucionario moldeado en la práctica. *El gaucho de voz dura, brindó a Fidel su sangre guerrillera,* decía Nicolás Guillén en un poema escrito en 1958 en Buenos Aires, cuando el poeta cubano exiliado en Argentina y el guerrillero argentino combatiente en Cuba aún no se conocían personalmente. La muerte del Che fue resultado de errores y virtudes propios, pues la realidad descubrió trágicamente el error de creer que los Andes podían ser la Sierra Maestra de América Latina, pero también demostró que el legendario revolucionario defendía más los ideales que su propia vida.

El socialismo democrático también pretendía llegar al gobierno e impulsar desde allí transformaciones, quizá mucho más moderadas, pero transformaciones al fin. La esperanza socialista de llegar al gobierno por la vía electoral, tal como sucedió en Chile con el triunfo de Salvador Allende en 1970, se frustró en 1973 cuando fue derrocado y virtualmente asesinado tras un sangriento golpe de Estado comandado por Augusto Pinochet.

La Unidad Popular que había triunfado en las elecciones presidenciales se había conformado con socialistas, comunistas, radicales, desprendimientos de la democracia cristiana y otros grupos políticos que impulsaron transformaciones como la nacionalización del cobre, la profundización de la Reforma Agraria, una redistribución más progresiva del ingreso y otras medidas que incrementaron la popularidad de Salvador Allende, tal como lo demostró el creciente apoyo electoral, pese a la pertinaz oposición de la derecha política y de los inversores extranjeros. Sin embargo, la acción coligada de la oposición interna, los capitales internacionales y los servicios de inteligencia extranjeros, por un lado, y el extremismo de izquierda en que cayeron algunos de sus seguidores, que con sus posiciones llevaron a las capas medias a unirse a la derecha, por el otro, crearon las condiciones para que el Gobierno de Salvador Allende quedara a merced del grupo más reaccionario del ejército y fuera derrocado en septiembre de 1973, luego de defender con unos pocos hombres armados la Casa de la Moneda, donde tiene asiento el Gobierno chileno.

Salvador Allende murió en desigual combate, pero perdura en la memoria como presidente heroico. Augusto Pinochet también perdura en la memoria por eliminar instituciones y personas. Muchos murieron por torturas, otros, como Pablo Neruda, de tristeza.

Además de Brasil, donde en 1964 se había derrocado al Gobierno democrático de Goulart, en otros muchos países de América del Sur, como Argentina, Chile, Bolivia, Perú, Uruguay y Paraguay, se impusieron dictaduras que de manera combinada llevaron a cabo una acción represiva fuera de los marcos legales establecidos, conformándose una suerte de terrorismo de Estado para la eliminación de eventuales adversarios. Esta situación, común en los países del Cono Sur, también existió en Centroamérica y el Caribe, donde nuevas y antiguas dictaduras violaban sistemáticamente los derechos humanos. La resistencia popular y las condiciones internacionales favorecieron que las instituciones democráticas fueran avanzando, como sucedió finalmente en los países del Cono Sur como Argentina y en algunos de los restantes como Nicaragua. Ambos casos tienen en común haber sufrido dictaduras caracterizadas por su crueldad y por haber conseguido luego afianzar instituciones democráticas, pero se trata de procesos muy diferentes, tanto por el origen de ambas dictaduras como por las formas de lucha que generaron y la manera en que se recuperó la democracia.

En Nicaragua, la familia Somoza había controlado durante cuarenta y cinco años la Guardia Nacional y el Gobierno de manera dictatorial. En 1979 una amplia coalición democrática derrocó a Anastasio Somoza, mediante un movimiento antidictatorial con notoria presencia del Frente Sandinista de Liberación. Los sandinistas se habían organizado en 1961 en el contexto de la lucha armada impulsada por la revolución cubana, y lograron un importante protagonismo desde 1974. Cuando en 1978 fue asesinado Pedro Joaquín Chamorro, conocido periodista perteneciente a una tradicional familia nicaragüense, sec-

tores de la burguesía democrática se sumaron a la lucha antiso-
mocista, coincidiendo así dos proyectos políticos distintos. Uno,
llevado adelante por el sandinismo, conformado por cristianos
de izquierda, socialistas y marxistas-leninistas con apoyo de
Cuba. Otro, impulsado por sectores socialdemócratas que contaron con apoyo de Venezuela y México.

En la ofensiva final contra la dictadura de Somoza, el Frente
Sandinista tuvo un papel destacado, logrando una hegemonía
ganada en los frentes de batalla, en la organización de sus combatientes y en su disciplinada estructura política, tomando Ma-
nagua el 19 de julio de 1979. Con los sandinistas en el poder
los enfrentamientos internos se agudizaron y la contrarrevolu-
ción auspiciada por los Estados Unidos alcanzó un alto nivel de
conflicto hasta que en las elecciones del 25 de febrero de 1990,
un frente opositor democrático de centroderecha derrotó al sandinismo, eligiendo presidenta a Violeta Chamorro, viuda del
editor asesinado por los somocistas. En una demostración de
convicción democrática, el presidente Daniel Ortega entregó el
mando después de convocar y perder un proceso electoral, disminuyendo transitoriamente la tensión generada por la contra-
rrevolución apoyada por los estadounidenses, ya que los *contra*
fueron desmovilizados, el ejército quedó en manos de notorios
sandinistas y las instituciones democráticas fueron formalmente
establecidas.

La solución democrática de la situación en Nicaragua, como
en otros países de la región, debe mucho, probablemente, al
esfuerzo de colaboración del conjunto de países de la zona, en
especial a la iniciativa del llamado *Grupo de Contadora*. En
enero de 1983 los ministros de Relaciones Exteriores de Colombia, México, Panamá y Venezuela celebraron la primera de
una serie de reuniones en la isla de ese nombre, en la costa de
Panamá, encaminadas a buscar una solución negociada a los
problemas que afectaban a la región. En 1984, después de una
serie de consultas con los países centroamericanos, consiguieron preparar un proyecto de acuerdo integral, el *Acta de Contadora para la Paz y la Cooperación en Centroamérica*. La
iniciativa fue aplaudida por la ONU y constituyó una doctrina

que facilitó la pacificación de la región y evitó otro tipo de salidas.

La Argentina, país que desde 1930 ha padecido numerosos golpes militares, tuvo su experiencia más traumática entre 1976 y 1983, cuando las fuerzas armadas derrocaron al desprestigiado gobierno de María Estela Martínez, quien como vicepresidenta había asumido la presidencia después de la muerte de su esposo, Juan Domingo Perón, ocurrida en 1974. Al ser derrocado en 1955, Perón salió del país en una cañonera paraguaya, exilándose provisionalmente en Venezuela y finalmente en España, desde donde siguió dirigiendo el movimiento que había conducido desde 1945. Cuando en 1972 el Gobierno de facto que desde 1966 se había impuesto en Argentina levantó la prohibición al retorno de Perón, se dio por concluido el largo exilio y, aunque se mantenía su proscripción, era un primer paso que culminó tras la renuncia del también peronista Héctor Cámpora, quien solo estuvo en el gobierno cuarenta y cinco días, después que el gobierno militar llamara a elecciones en 1973.

Tras la renuncia de Cámpora y después de una difícil y accidentada transición se llamó nuevamente a elecciones en el transcurso del mismo año, resultando vencedor Juan Domingo Perón. El ahora elegido presidente no pudo desarrollar una política populista como la que había caracterizado a su Gobierno durante los años 1946 a 1955 y el peronismo entró en una profunda crisis, no solo por los duros enfrentamientos internos y el violento accionar represivo de grupos paramilitares impulsados por la derecha del propio movimiento, ni por la oposición de su ala izquierdista y las guerrillas de peronistas, como Montoneros, o marxistas, como el Ejército Revolucionario del Pueblo. En realidad, Argentina atravesaba una crisis política global que obstaculizaba el funcionamiento de las instituciones democráticas y ya no era viable una política populista superadora, como la aplicada en otras experiencias populistas iberoamericanas, incluida la del propio Perón en la década del cuarenta, cuando las condiciones internacionales y la situación económica eran totalmente favorables. El golpe militar de 1976 fue la expresión más cruel de esa crisis.

Durante los años de la dictadura militar, autodenominada Proceso de Reorganización Nacional, la República Argentina fue escenario de una despiadada represión que dejó como saldo entre 10.000 y 30.000 desaparecidos según distintos cálculos, miles de personas encarceladas y numerosos exiliados. Además, un diferendo sobre límites con Chile los llevó al borde de la guerra en 1979. En 1982 el conflicto bélico con Gran Bretaña, por las islas Malvinas, provocó grandes pérdidas humanas y materiales, aumentando aún más el desprestigio de las fuerzas armadas. Si bien la recuperación de las islas que Gran Bretaña usurpa desde 1832 es un justo reclamo argentino que apoyaba la población, el método y la oportunidad elegidos por los militares en el Gobierno estaban destinados al fracaso.

La derrota frente a Gran Bretaña aceleró el proceso de descomposición del Gobierno militar, jaqueado por la presión internacional, la exigencia de democratización de importantes sectores sociales y políticos y fundamentalmente por las denuncias de los organismos defensores de los derechos humanos y de los familiares de las víctimas. El advenimiento de la democracia en los primeros años de los ochenta encontró al país con muchos problemas heredados de difícil solución, dos de ellos de especial gravedad. Uno de carácter económico, la inmensa deuda externa, ya mencionada; otro, los reclamos provocados por los miles de exiliados y familiares de personas desaparecidas durante las dictaduras.

La convocatoria de elecciones y el triunfo de Raúl Alfonsín en octubre de 1983 abrió un nuevo capítulo en la historia argentina al iniciarse una etapa democrática cuya duración no tiene precedentes desde 1930. Alfonsín, perteneciente al Partido Radical, entregó el Gobierno a Carlos Saúl Menen, del Partido Peronista, en 1989, quien, luego de modificarse la Constitución, fue reelecto en 1995 por un periodo de cuatro años, al término de los cuales, el 10 de diciembre de 1999, entregó el mando al radical Fernando De la Rúa.

En Venezuela, país que desde 1958 no había sufrido golpes de Estado, la situación política de fines de la década del noventa marca una crisis sin precedentes. La percepción más generalizada es que los partidos no solo han sido ineficaces en aspectos considerados ahora cruciales, como la lucha contra la corrupción, sino que han sido los responsables de este y de otros grandes males que aquejan a la sociedad venezolana, destacándose un balance negativo de las cuatro décadas de gobiernos democráticos, incluido el Gobierno populista de Carlos Andrés Pérez, sobre todo, en su segunda etapa, considerado el más corrupto de todos.

El primer Gobierno de Carlos Andrés Pérez entre 1974 y 1979 llevó a cabo una política populista, mucho más exitosa que la del tardío populismo de Perón, pues el empresariado, la clase obrera, los campesinos y las capas medias podían recibir del Estado la satisfacción de sus demandas sectoriales al disponer este del cuantioso ingreso petrolero, incrementado de manera espectacular a partir de la crisis energética de 1973. Todos parecían conformes: los empresarios con sus ganancias, los sindicatos con el pleno empleo y el aumento de salarios y los militares con el moderno equipamiento. Todo ello en un contexto en que la nacionalización del hierro en 1975 y la del petróleo un año más tarde, así como la inversión directa en la producción de otros bienes y servicios, dan cuenta de un acentuado y aparentemente exitoso capitalismo de Estado.

En 1979, las evidencias del agotamiento del proyecto populista eran inocultables, pese a que los ingresos petroleros siguieron su ascenso hasta 1981. La deuda externa, el desmesurado crecimiento de las importaciones, la inflación, la mayor desocupación y otros indicadores resultaban desalentadores, aunque el sistema democrático basado en los partidos políticos parecía mantenerse firme. En las elecciones de 1978, Acción Democrática resultó derrotada frente al COPEI y se incrementó la abstención. La corrupción, históricamente endémica, había alcanzado un nivel alarmante y, aunque fue muy mencionada en la campaña electoral, había también otras prioridades que pospusieron su real valoración hasta la crisis de la deuda externa que estalló en 1983.

Sin embargo, las expectativas populares se conservaron en la memoria de todos aquellos que se habían creído favorecidos y Carlos Andrés Pérez llegó nuevamente al Gobierno en 1989. Con él, el populismo parecía retornar para la felicidad de todos. Y, sin embargo, no pudo ser así, pues la política económica y social se orientaba en otra dirección, reduciendo aranceles aduaneros, privatizando empresas estatales y disminuyendo la generación de empleos. El ajuste neoliberal, la represión a la resistencia popular en las calles, las denuncias de corrupción y una importante oposición política generaron un debilitamiento creciente y una sensación de vacío que, por primera vez en muchos años, alentó a un grupo de militares golpistas, entrando en escena el teniente coronel Hugo Chávez Frías, cuyo fracaso lo envió a la cárcel, pero no salvó a Carlos Andrés Pérez, pues al año siguiente este fue legalmente destituido, juzgado y encarcelado.

Luego del fracasado levantamiento del 4 de febrero de 1992, y de la crisis que desembocó en la destitución de Carlos Andrés Pérez, se pensó que el funcionamiento de las instituciones republicanas de la democracia coadyuvarían a superar la situación. La transición, a cargo del historiador Ramón J. Velázquez, y la elección de un nuevo gobierno de centro izquierda conducido por Rafael Caldera derrotó a los dos partidos del sistema, pero no consiguió parar el movimiento que, desde hacía bastante tiempo, se veía venir. La creciente popularidad de Chávez reemplazaba la decreciente representación de los partidos, resultando electo presidente de Venezuela en 1998 por una abrumadora mayoría. La reforma de la Constitución refrendada el 15 de diciembre de 1999 por el voto popular, con la oposición de la Iglesia, de los empresarios y de los partidos políticos, otorga mayor poder al presidente y a las fuerzas armadas, además de cambiar el nombre del país que desde esa fecha se denomina República Bolivariana de Venezuela.

Resulta paradójico que al finalizar el siglo XX los partidos políticos de la democracia más duradera de Sudamérica hubieran provocado tal descreimiento en la sociedad civil venezolana. Pero, en realidad, esta percepción se ha generalizado en toda Iberoamérica, tal como pudo constatarse en la gigantesca encuesta Millenium realizada a escala mundial por Gallup International entre agosto y octubre de 1999. Según los datos recogidos, en América Latina solo una minoría tiene opinión positiva sobre sus respectivos gobiernos. Efectivamente, menos del 40 % cree que las elecciones en sus países son limpias y libres, el 23 % considera que son gobernados por voluntad popular, el 10 % considera que sus gobiernos son justos y es mayoritaria la opinión de que son corruptos. Este descreimiento no es nuevo y afecta principalmente a los partidos políticos más que a la democracia en sí misma, tal como sucede en los países del Cono Sur, donde las instituciones democráticas fueron repuestas luego de largas y dolorosas dictaduras.

En cierta medida, el descreimiento expresa una crisis de representación que en parte resulta de la incapacidad de lograr consenso, para lo cual los partidos políticos deberían cumplir el papel de intermediadores entre la sociedad y el Estado. En ocasiones, algunos sectores de esos partidos han intentado renovar desde dentro los viejos aparatos de poder, tal como vienen demandando muchos militantes del PRI mexicano desde 1985. Pero ni los partidos cumplen totalmente esa función, ni el Estado se ocupa acabadamente de las demandas sociales, desatendidas precisamente cuando la población padece cada vez más los efectos del ajuste. Esa frustración, a la que ya nos referimos antes, no se ha traducido solamente en abandono de la política, sino que se ha convertido en un factor determinante de la violencia y la delincuencia cada vez más generalizadas.

La cuestionada representación de los partidos políticos y la constricción de las políticas sociales estatales ha provocado la aparición de respuestas alternativas. En el primer caso, muchas demandas se han canalizado a través de organizaciones específicas como las referidas a la libertad de conducta sexual, situación de la mujer, derechos humanos, seguridad personal, preservación del medio ambiente, contra diversas formas de discriminación y, en general, reclamos que, aunque de manera fragmentaria, constituyen una confluencia reivindicativa frente a poderes estatales, sin una participación protagonista de los partidos políticos, que raramente toman esa iniciativa, sino que la incorporan cuando ya está en marcha. En el segundo, el déficit en las políticas sociales se manifiesta en la proliferación de organizaciones civiles tendentes a presionar sobre el Estado reclamando derechos sobre educación, salud, vivienda, recreación y en muchos casos satisfaciendo directamente esas necesidades.

Desde la década del ochenta se ha difundido esta situación, dada por un Estado que reduce al mínimo el gasto público destinado a políticas sociales y un sistema de partidos políticos con tan menguada credibilidad, concluyendo así con cierta anticipación un siglo en que las luchas por profundizar el proceso de democratización y de mejora social habían comenzado a alcanzar algunos logros en sus primeras décadas. Pero, por desgracia, el balance de la historia de Iberoamérica en el siglo XX revela que desarrollo económico, democracia y equidad rara vez han estado asociados.

El historiador británico Eric Hobsbawm, refiriéndose a la historia universal, ha fijado la duración de los siglos XIX y XX por su contenido histórico más que por la rutina secular del paso de los años. En el primer caso, ese largo siglo se extiende de 1780 hasta 1914, en tanto que el *corto siglo XX* parte de ese momento y llega a 1989, delimitado por dos hechos europeos que fueron finalmente de proyección mundial, como la Primera Guerra Mundial y la caída del muro de Berlín.

Curiosamente, también Iberoamérica ha tenido un *corto siglo XX,* aunque los límites entre el inicio y el fin tengan su especificidad, fijados en este caso por la Revolución Mexicana de 1910, que marcó el fin de una época, y los ajustes neoliberales de los noventa, que indican las tendencias del comienzo de otra en un mundo globalizado.

23

Consolidación de una cultura iberoamericana

———

CON INDEPENDENCIA de las distintas opiniones emitidas sobre la existencia de una cultura que pueda ser llamada iberoamericana, parece que hay unanimidad entre los expertos a la hora de destacar como una de las características más significativa y diferenciadora del panorama cultural iberamericano la impronta derivada de la mezcla racial y cultural de los componentes indígenas, europeos, africanos y asiáticos.

El objetivo de este capítulo es dar una visión, por fuerza limitada e incompleta, de la fecunda y variada producción que en el campo de la literatura, la música, las artes plásticas y populares se han producido en el siglo XX, en el que, además, se recuperan dos aspectos que durante la centuria anterior habían sido abandonados: el componente indígena y la relación con España. El resultado de todo ello es una amalgama que ha servido para hablar de una identidad cultural propia con proyección universal

La importancia del componente indígena

Cuando Raúl Haya de la Torre, fundador del APRA, propuso que el término Iberoamérica fuera sustituido por el de Indioamérica, estaba poniendo de manifiesto el valor que otorgaba al pasado y a la población indígena en la búsqueda de una identidad propia iberoamericana. De ser denostado dicho pasado por

las clases dirigentes durante la época de formación de los nuevos países, al considerarlo un lastre para la modernidad, pasará
a ser objeto de interés en distintos ámbitos y con diferentes en-
foques, bien como fuente de inspiración artística y literaria, bien
como campo de estudio antropológico y sociológico, bien como
objetivo de la actuación política. En cualquier caso, el indio, su
historia, formas de vida y cultura protagonizarán un movimiento
y una inquietud que mantiene su vigencia en la actualidad, especialmente en aquellos países en los que las comunidades indígenas suponen un significativo contingente poblacional.

Es difícil poner fecha al punto de arranque del interés por
«lo indígena». En páginas anteriores se ha hecho referencia a
personas y hechos aislados que muestran que siempre hubo
precedentes de lo que en el siglo XX va a adquirir mayor envergadura. En los primeros años de este siglo surgen iniciativas tales como la del Gobierno boliviano dirigida a alfabetizar y cas-
tellanizar a los indios por medio de maestros ambulantes; la
Asociación Pro Indígena, creada en 1909 en Lima por iniciativa
de un grupo de personas pertenecientes a las clases medias cultas, que tenía como objetivo denunciar las condiciones en las que
vivían los indios y ayudarles a defender sus derechos o el Servicio Brasileño de Protección a los Indios, existente desde 1910.

Será la Revolución Mexicana la que, como en otros aspectos, influya de manera decisiva en todo el continente. A la política agraria seguida por los sucesivos gobiernos, en especial la
del presidente Cárdenas, buscando acallar el descontento indio
y formar comunidades autosuficientes mediante el reparto de
ejidos, habría que añadir las innovadoras medidas educativas,
iniciadas durante el mandato de Obregón bajo el impulso de
José Vasconcelos, ministro de Educación. Filósofo y escritor,
Vasconcelos será un ardiente defensor de la corriente culturalista según la cual, las diferencias existentes entre los distintos
grupos humanos no tienen su origen en las razas, sino en la cultura. De acuerdo con esta corriente, las diferentes culturas, ninguna de ellas inferior o superior, tienen que comunicarse, trans-
ferirse sus logros y conseguir así una nueva cultura a base de
los préstamos de las que la conformen. Aparecerá así la que

Moisés Sanz llamó «cultura indolatina», destinada a ser la cultura nacional, en la que todos se reconozcan y puedan convivir.

Pero dado que la cultura india presentaba deficiencias en los aspectos tecnológicos y científicos, la educación sería el remedio básico para paliar dichas deficiencias. En consecuencia, según el proyecto de Vasconcelos, cada pueblo debía tener su escuela en la que, además de los conocimientos instrumentales básicos: lectura, escritura y aritmética, se impartieran conocimientos de agricultura y de los principios revolucionarios, de forma que los campesinos estuvieran en disposición de obtener el mayor rendimiento de las tierras y de defenderse frente a posibles ataques de los terratenientes y tradicionales grupos de poder. Sus misiones culturales recorrerán el país en un maravilloso empeño por conseguir sacar del atraso a las comunidades indias, a la vez que aprehender de estas sus formas de vida, creencias y sensibilidad artística.

La corriente culturalista y el ejemplo mexicano atraviesan las fronteras y servirán de modelo a iniciativas privadas o gubernamentales encaminadas a mejorar la situación de los indígenas. Las Brigadas Voladoras del Perú o las medidas tomadas por los gobiernos populistas para incorporar a los indios a las modernas formas de producción, eliminando tradiciones y normas que los mantenían en situación de dependencia, son algunos de los ejemplos de ello.

El hecho de fijar en la educación el factor fundamental de aculturación y desarrollo indígena fue contestado por pensadores de orientación marxista, ideología que se había ido extendiendo en los núcleos urbanos, engrandecidos por el desarrollo económico y la consecuente llegada de inmigrantes procedentes del campo. En la construcción teórica de los partidarios de la doctrina socialista, el problema indígena ocupó un espacio importante, siendo José Carlos Mariátegui una de sus más destacadas figuras. Nacido en Perú, país al que Charles A. Hale denomina «el otro gran país indio de América Latina», Mariátegui ve en la alianza terratenientes-capitalistas la causa de la miseria del indio. No serán, por tanto, medidas sectoriales las que rompan esa miseria, sino la revolución protagonizada por los indígenas la que consiga su liberación y, con ella, la regeneración nacional. Además, tal revolución cuenta con una referencia fundamental en la tradición incaica, de la que resalta los armónicos sistemas de organización comunal, lo que para este teórico prueba la natural aceptación por parte de las comunidades indígenas del sistema comunista.

La preocupación por la cuestión indígena dio un paso trascendental cuando en 1940 se celebró en Pátzcuaro (México) el Congreso Indigenista Interamericano. En él, además de declarar que la problemática india viene, no de pertenecer a una raza diferente, sino de su situación de retraso socioeconómico, se apuesta por la necesidad de incorporar a los indios y su cultura a la vida nacional para el fortalecimiento de esta. Partiendo de estos presupuestos que muestran la importante influencia de la teoría culturalista, se adoptan un conjunto de medidas dirigidas a la mejora global de la vida de los indios, que debían ser recogidas en la normativa legal de cada país y protegidas por los gobiernos respectivos.

El impacto de Pátzcuaro fue enorme. Por toda Iberoamérica surgieron organismos expresamente dedicados a los indios y al estudio de su cultura. De nuevo México será el país más activo, favorecido por su favorable coyuntura económica. Allí se crean el Instituto Indigenista Interamericano, la Escuela Nacional de Antropología o el Instituto de Alfabetización de Lenguas Indígenas. A estas acciones se unirá la ayuda recibida en varios países por parte de los organismos especializados de la ONU que sirve para llevar a cabo programas concretos dedicados a la alimentación, la infancia, la educación, etc., colaborando de esa forma a la difícil tarea de ir eliminando la segregación secular de la población indígena, tarea no culminada en la actualidad y que, como se verá más adelante, ha tomado otro rumbo.

La huella indígena en la creación artística

Los planteamientos ideológicos y políticos expuestos en las páginas anteriores van a tener unas vías de expresión y se extenderán a través de la sensibilidad creadora y artística que dará lugar a obras de gran fuerza e importancia y que, todavía hoy, se identifican internacionalmente con Iberoamérica. Ello no quiere decir que las más poderosas corrientes estéticas europeas que entonces dominaban no fueran campos explorados y magníficamente representados por grandes figuras americanas. Los nombres de Niemeyer, Guayasamín, Heitor VillaLobos, Vallejo, Borges o Miguel Ángel Asturias son una escueta pero significativa muestra de la calidad alcanzada en las corrientes vanguardistas de la época en lo que a arquitectura, pintura, música, poesía o literatura se refiere. Sin embargo, en todo el mundo se reconocen como inequívocamente iberoamericanas determinadas realizaciones que están inspiradas en, o representan, lo que hasta principios del siglo XX se consideraba peyorativamente «popular».

Entre dichas realizaciones, las pictóricas ocupan un lugar relevante, siendo México el país más representativo. Aquí se va a dar la feliz conjunción del impulso a la renovación cultural, con la figura clave ya citada de Vasconcelos desde su puesto de ministro de Educación, y la capacidad creadora de una generación de artistas que asumieron las ideas de revalorización de la cultura indígena y la necesidad de educación popular. En esa cultura buscaron su inspiración y, para conseguir la segunda, utilizaron unas formas que recuerdan a las de los maestros del románico europeo. Entonces, mediante unas figuras fácilmente comprensibles para el pueblo analfabeto, se llenaron los templos de esculturas y frescos que transmitían las historias y mensajes de la religión católica. Los muralistas mexicanos emplearán el mismo método, no para enseñar la religión, de la que estaban alejados dada su orientación marxista, sino para extender las ideas revolucionarias, así como para reforzar la identidad relatando la historia, o al menos su visión de la misma, a los descendientes de los que una vez habían sido los dueños de su país.

En esa línea didáctica y militante se inscriben las pinturas impregnadas de expresividad y sentimiento de Rivera, Siqueiros y Orozco que, además de sus obras en lienzo, eligieron los muros para realizar su trabajo y, de este modo, acercar su arte al pueblo, principal protagonista y destinatario.

Pero aun siendo los más conocidos, la corriente indigenista pictórica no se limita a los tres autores citados. El mexicano Rufino Tamayo en sus comienzos, Cándido Portinari en Brasil, Sabogal en Perú o Ignacio Gómez Jaramillo en Bolivia son, entre otros muchos, representantes de un movimiento que, en su vertiente más radical, llevó a rechazar de plano las innovaciones de los «ismos» —abstraccionismo, cubismo, dadaísmo...— por considerarlos europeos y burgueses.

Sin embargo, estas nuevas tendencias no estaban ausentes en la creación artística. La exposición vanguardista, primera de Iberoamérica, organizada en 1917 en Brasil por Anita Amalfi, o la Semana de Arte Moderno celebrada en ese mismo país en 1922, fueron buena prueba de ello y evidenciaban la existencia de otras inquietudes. Frente a los que afirmaban que la obra de arte debía reflejar el compromiso político e ideológico del autor, se situaban aquellos que consideraban que el arte es libertad, investigación y experimentación y que, por tanto, el artista no debía estar aprisionado por las convicciones políticas o la denuncia social. Esto, unido a la limitación que suponía el indigenismo, no tardó en provocar una reacción contraria a dicho movimiento, que incluso llegó a ser tachado de pura propaganda. En consecuencia, se abren nuevos caminos en los que, sin abandonar los temas indígenas, se tratan desde la óptica abstracta o cubista. En este sentido, las obras del ecuatoriano Guayasamín o las de madurez de Rufino Tamayo significan decisivas aportaciones.

La literatura y la música también tuvieron su referente en el impulso indigenista, sobre todo en la década de los 30. En el primer caso, los indios y la tragedia de su explotación ocupan el primer plano en una serie de novelas y cuentos en los que, mayoritariamente, los personajes están tratados sin excesivos matices y que, según Henri Favre, responden a estereotipos y a una visión de escritores urbanos que desconocían realmente la problemática india, supliendo este desconocimiento con profusión de giros y expresiones autóctonas. No obstante, si bien significaron una línea creativa de corta duración, aportaron obras tales como *Raza de bronce,* del boliviano Alcides Arguedas, con-

siderada por muchos como la precursora de la literatura indigenista; la descarnada, por excesivamente realista, *Huasipungo,*
del ecuatoriano Jorge Icaza, o los relatos de los componentes
del grupo ecuatoreño Guayaquil. En la misma línea se sitúa la
poesía del peruano José Santos Chocano, quien gozó de tal gloria en su azarosa y aventurera vida que fue nombrado Poeta de
América. Sus poemas, como *¡Quién sabe!,* son un canto al
paisaje y a los indígenas americanos.

Paralelamente, en aquellos países en los que la presencia de
población negra era muy significativa, se produjo una literatura
cuyos argumentos estaban protagonizados por personajes de
origen africano o en los que su cultura, folclor o formas de hablar
servían de inspiración a los autores. Así ocurrió en *Jubiabá,* del
brasileño Jorge Amado, en la obra poética del cubano Nicolás
Guillén, o en *¡Ecué-Yamba-O!,* del también cubano Alejo Carpentier, todas ellas llenas de evocaciones de la fusión de elementos africanos y autóctonos.

En cuanto a la composición musical, el indigenismo estuvo
presente al estar inspiradas en leyendas autóctonas y hechos
históricos anteriores a la conquista o con la incorporación de
ritmos e instrumentos musicales nativos. Títulos como el del
ballet *Amerindia,* de José María de Velasco; la *Suite Incaica,* de
Teodoro Valcárcel, ambos peruanos; la *Sinfonía india,* del mexicano Carlos Chávez, o la *Suite andina,* del chileno Carlos La-
vín, son algunos ejemplos ilustrativos del interés de los compositores por rastrear y adoptar las huellas de un pasado cuyas
resonancias nunca habían desaparecido.

Y, al igual que sucedió en la literatura, la música negra inspiró gran parte de la obra de compositores cubanos y brasileños
como en los casos de Amadeo Roldán o de la gran figura de
Heitor Villa-Lobos, autor este último que trasciende el indigenismo por su capacidad de acrisolar toda la riqueza sonora de
la cultura de Brasil.

Nuevos vínculos con la cultura hispana: La aportación del exilio español

Nunca antes, en el campo de los flujos migratorios involuntarios, tan pocos se quedaron tan poco tiempo e influyeron sobre tanta gente. Son palabras de Bernardo Vega para referirse a la repercusión que tuvo en la República Dominicana la llegada de algunos de los cerca de 400.000 hombres y mujeres que salieron de España. Huyendo de la tragedia de la guerra civil y del triunfo de los sublevados contra la República, muchos de los protagonistas de lo que ha sido considerado el mayor éxodo de la historia de España encontraron en Iberoamérica un refugio en el que esperar el soñado regreso. Eran de toda clase y condición y, en multitud de campos, contribuyeron no solo al desarrollo de los países que los acogieron, sino también a reconciliar a estos con su antigua metrópoli. En gran parte, esa valiosa contribución vino dada por el elevado porcentaje de intelectuales y profesionales cualificados que se contaban entre los exiliados, lo que ha llevado a Nicolás Sánchez Albornoz a afirmar que, con su presencia, *América ganó capital y tiempo, los que hubiera gastado en formar a profesionales equivalentes.*

El hecho de que Iberoamérica fuera el destino de muchos de los que José Gaos llamó «transterrados» no es de extrañar. La identidad lingüística, los profundos y permanentes lazos culturales, así como las relaciones familiares con emigrantes anteriores, fueron razones poderosas para dicha elección, a las que habría que añadir la favorable disposición de acogida de determinados gobiernos, en especial los de Lázaro Cárdenas en México, Leónidas Trujillo en República Dominicana, Eduardo Cerda en Chile y Eduardo Santos en Colombia. Razones de afinidad ideológica, proyectos de desarrollar la agricultura y colonizar zonas infraexplotadas o blanquear la población estuvieron entre las que movieron a los gobiernos a abrir sus países a los republicanos españoles. Pero incluso en el caso de que los gobiernos estuvieran dominados por los conservadores y poco proclives, por tanto, a recibir personas de ideología progresista, fueron los núcleos de españoles ya establecidos quienes facilitaron la llegada y la inserción de los exiliados. Tal fue el caso de Argentina que se convirtió en uno de los destinos preferentes a pesar de la actitud poco colaboradora de su Gobierno.

Tampoco contaron los exiliados con la simpatía de toda la población. En distintos países, sectores sociales nacionalistas, de ideología conservadora y grupos católicos manifestaron hostilidad y recelo hacia los recién llegados, pero, aun con eso, los españoles pudieron establecerse prácticamente en toda Iberoamérica e iniciar una nueva andadura vital.

Dado el apoyo que habían prestado los intelectuales al Gobierno republicano español, era lógico que, entre los forzados a huir, se encontraran importantes representantes de la ciencia, la técnica y la cultura. Estos, al reanudar sus actividades en los países que les dieron cobijo, suministraron un decisivo bagaje de conocimientos en los más variados campos, tales como los de la docencia, la medicina, el derecho, la creación artística o la producción editorial, de los que, por fuerza, tenemos que limitarnos a ejemplos muy concretos.

Quizá no sea errado afirmar que el más conocido es el impacto causado en el mundo artístico. La novelística de Sender, Barea, Ayala o Aub; la actividad teatral de Margarita Xirgu; la poesía de Juan Ramón Jiménez y la de la llamada generación del 27, la mayoría de cuyos componentes, como Alberti, Altolaguirre, Cernuda, Guillén y Salinas, vivió largos años fuera de España; la música de Manuel de Falla y de Halffter; la arquitectura de Félix Candela; la escultura de Victorio Macho o la cinematografía de Buñuel son una pequeña muestra de la brillantez de una generación que no solo creó gran parte de su obra en Iberoamérica, sino que también ejerció un magisterio llamado a dejar huella en los jóvenes americanos de entonces.

Precisamente los sectores de la enseñanza y la investigación se verán enriquecidos a raíz de la llegada de los españoles. Así, en la educación primaria mexicana Patricio Redondo introdujo el método Freinet, mientras que, en la secundaria, los profesores formados en los principios de la Institución Libre de Enseñanza abrieron la enseñanza a un método más abierto y práctico en los centros en los que se integraron o en los creados específica-

547

mente para los «niños de la guerra», como el Instituto Luis Vives, que alcanzó un gran prestigio.

La Universidad también fue vivificada con la presencia de los exiliados. La nómina de los que ocuparon cátedras o impartieron cursos en las universidades iberoamericanas sería excesivamente larga. Valgan como muestra unos pocos nombres y disciplinas. En el campo del Derecho, fue decisiva la aportación doctrinal de Jiménez de Asúa y de Niceto Alcalá Zamora (hijo del que fuera presidente de la República española), desde sus cátedras en las universidades de Buenos Aires y México, respectivamente. Junto a ellos, José María Ots, creador de la cátedra de Derecho Indiano en Colombia. La medicina y las investigaciones biomédicas también serán renovadas, téngase en cuenta que se cifra en 700 los médicos, químicos y farmacéuticos que se radicaron en los distintos países de acogida, sobre todo en México, donde contribuyeron de forma relevante a la investigación sobre enfermedades parasitarias y a la producción de vacunas y sueros. Sin abandonar la medicina, Isaac Costero fundará la Escuela Mexicana de Patología y fue autor de un libro que se utilizaría como texto en muchas universidades iberoamericanas, mientras que Angel Garma, desconocedor sin duda del gran efecto que produciría, introdujo en Argentina el psicoanálisis de Freud. La historiografía tendrá en Claudio Sánchez Albornoz y en el Instituto creado para él en la Universidad de Buenos Aires un foco potentísimo de docencia e investigación sobre la Historia de España y sus interpretaciones.

Pero la actividad docente no estuvo limitada a los colegios o universidades. En Cuba, los asiduos a la Sociedad Hispano-Cubana tuvieron la ocasión de oír a Juan Ramón Jiménez, a Cernuda y a Pedro Salinas recitar sus poemas y a María Zambrano explicar un texto filosófico. Para el caso de la República Dominicana, de nuevo Bernardo Vega nos aporta un valioso testimonio al afirmar que el número de músicos fue tal que permitió la creación de una Orquesta Sinfónica Nacional, el primer Conservatorio Nacional de Música, la Academia de Música y la Escuela Elemental de Música.

De mención obligada es la Casa de España en México, creada por Lázaro Cárdenas para reforzar la cooperación internacional en educación y cultura superior a través de la investigación y la creación. En ella, insignes figuras de las humanidades, las ciencias sociales, el arte, la literatura o la ciencia en sus más variadas vertientes dieron conferencias. La Casa, convertida luego en el Colegio de México, propició así el encuentro de intelectuales significando el punto de referencia básica para las inquietudes culturales de la época.

Un capítulo aparte lo conforma la fecunda actividad editorial, de la que es muestra la profusión de libros y revistas editadas a partir de la llegada de los refugiados. Nombres de tanto prestigio como Séneca y Grijalbo en México, o Labor, Juventud, Espasa-Calpe y Losada —la llamada editorial de los exiliados— en Argentina refrendan el papel determinante que jugaron en la expansión de la cultura crítica y liberal que había sido derrotada en España a la vez que en el mejor conocimiento de la cultura universal.

Quedan por tratar muchas otras aportaciones en áreas tales como matemáticas, cartografía, astronomía... Las citadas son solo unos pocos ejemplos; quizá para muchos de los lectores no los más importantes, pero, en todo caso, sí dignos representantes de los muchos hombres y mujeres que encontraron en la generosidad de los pueblos de muchos países hermanos la posibilidad de seguir viviendo y a los que se les puede aplicar el poema de León Felipe:

Y me lleno de una ruidosa alegría cuando / —oigo voces extrañas y celestes que me / — anuncian que he de venir a ser no un / —ciudadano de México, de Guatemala, / —de Nicaragua, de Costa Rica, / —de Colombia, de Venezuela, del Perú, / de Bolivia, de Chile, de Argentina, / del Uruguay... sino un ciudadano de América.

O el enternecedor y dramático epitafio de una tumba del cementerio español de México que recoge Hugo Gutiérrez Vega:

Dolores, española nacida en México, mexicana nacida en España.

Los efectos de la guerra civil en lo que al transvase de lo que hoy se denomina capital humano parece una pirueta del destino, como si debido al drama de la antigua metrópoli, ésta quisiera restañar las heridas que dejó en las ex colonias con algunos de sus mejores ciudadanos

Dimensión universal de la literatura iberoamericana

En un capítulo dedicado a la cultura, es indispensable detenerse en el fenómeno que se produjo en la década de los 60, años en los que se publicaron obras que adquirirán renombre internacional imprimiendo un nuevo sesgo a la literatura en lengua castellana.

Con anterioridad a los años citados, el panorama literario en Iberoamérica estaba dominado por la narrativa regional, profundamente teñida de elementos propios del país de los que eran originarios sus autores. Novelas como *Doña Bárbara,* del venezolano Rómulo Gallegos; *Don Segundo Sombra,* del argentino Rafael Güiraldes, o *Los de abajo,* del mexicano Mariano Azuela, retrataban, a modo de grandes frescos, los grandiosos paisajes, los valores de sus heroicos habitantes o las vicisitudes de los agitados acontecimientos políticos. Frente a ellas, las nuevas experiencias, los intentos de emplear un nuevo lenguaje y de adoptar las vanguardias, es decir, lo que peyorativamente era calificado de «europeizante» y considerado poco popular, nada o muy poco podían hacer. En este panorama, solo la poesía aportaba lo que a la prosa se le negaba. En páginas anteriores se ha citado a Vallejo y a Borges. Junto a ellos, Neruda, Huidobro y Bandeira conforman un grupo que consiguió ser admirado por sus obras llenas de originalidad y belleza a la par que alineadas con las principales corrientes estilísticas contemporáneas.

A la resistencia generalizada a aceptar las innovaciones en la prosa, habría que añadir la ausencia de una red estructurada de distribución. Ello originaba que las literaturas nacionales fuesen prácticamente desconocidas más allá de sus propias fronteras. A este respecto, José Donoso cuenta que en el Congreso de Intelectuales que se celebró en 1962 en la Universidad chilena de Concepción y que sirvió, entre otras cosas, para que se encontraran por primera escritores de los que solamente los muy iniciados habían oído hablar o leído... *el tema sobre el cual se volvía y se volvía, y que predominó de forma clara, fue la queja general de que los latinoamericanos conocíamos perfectamente las literaturas europeas y la norteamericana, además de las de nuestros propios países pero que, incomunicados por la falta de medios para hacerlo y por el egoísmo y la miopía de las editoriales y de los medios de difusión, ignorábamos casi completamente las literaturas de los demás países del continente.*

En efecto, por esas fechas, además de las novelas regionales, era fácil encontrar las obras de los componentes de la generación del 98 española y los amantes de la lectura y los jóvenes escritores conseguían introducirse en los nuevos horizontes proporcionados por Kafka, Faulkner, Joyce o Sartre. Por el contrario, incluso para los más fervorosos lectores, conocer las obras de Onetti, Rulfo, Sábato, Carpentier, Cortázar o Lezama Lima era poco menos que una aventura, dada la dificultad de acceder a ellas. Y si eso pasaba en Iberoamérica, es fácil comprender el desconocimiento que de lo que se estaba escribiendo en esa zona había en el resto del mundo.

Aislamiento y temática local, tratada con mayor o menor realismo, eran, pues, las características fundamentales de la novelística iberoamericana, cuyo punto de inflexión está para muchos en 1962. En ese año, la editorial española Seix Barral, deseosa de emprender una política editorial de renovación, concedió su premio «Biblioteca Breve» a *La ciudad y los perros* del joven escritor peruano Vargas Llosa. El impacto en los países de lengua española de ambos lados del Atlántico fue grande y facilitó la publicación y divulgación tanto de obras noveles como de aquellas que no habían conseguido traspasar cortos espacios geográficos. La eclosión fue espectacular. En pocos años surgieron *Rayuela,* de Cortázar; *La muerte de Artemio Cruz,* de Fuentes; *Sobre héroes y tumbas,* de Sábato; *El obsceno*

551

pájaro de la noche, de Donoso; *El coronel no tiene quien le escriba,* de García Márquez; *Bomarzo,* de Mújica Laínez; *Tres tristes tigres,* de Cabrera Infante, y tantas y tantas otras que mostraban tanto una nueva dimensión literaria y que, bajo el dominio del realismo y del localismo, se escondía una prodigiosa fantasía, el ansia de lo existencial y la necesidad de libertad artística.

Pero ninguna de ellas lograría el éxito de público y crítica que alcanzó *Cien años de soledad,* de Gabriel García Márquez, publicada en 1967. La aldea de Macondo y los Buendía fueron conocidos en todo el mundo y, por primera vez, una novela iberoamericana consiguió altísimos índice de ventas y fue traducida a multitud de idiomas. Con ella, la novelística iberoamericana, hasta entonces no verdaderamente universal, se convirtió en realmente popular, es decir, salió de cenáculos, más o menos amplios pero siempre limitados, para ser leída por millones de personas e influir en obras posteriores de otros escritores.

Algunos de los autores citados escribieron sus obras fuera de sus respectivos países, de los que huyeron debido al ambiente opresivo y falto de libertad derivado del dominio de regímenes dictatoriales. Uno de los destinos preferidos de estos ilustres exiliados fue España. De nuevo los avatares políticos provocaron la huida de intelectuales, si bien esta vez en sentido contrario al expuesto en el apartado anterior, demostrando una vez más la fuerza de los lazos de una lengua, historia y cultura compartidas. Prueba de ello es la presencia, familiar entre los españoles, de García Márquez, Vargas Llosa, Fuentes, Benedetti, Bryce Echenique, Edwards, del ya desaparecido Onetti y tantos otros, algunos de los cuales son miembros de las Academias españolas, colaboran con sus escritos y su presencia en los medios de comunicación o han sido premiados con los principales galardones otorgados por España a la creación literaria en lengua castellana, reconociendo de este modo su fundamental aporte al enriquecimiento del panorama cultural español.

El llamado *boom* de la literatura hispanoamericana fue un brillante estallido de obras en prosa de innegable calidad. Junto a ellas, y muchas veces impulsadas por su estela, surgieron obras y autores de distinta calidad y trascendencia pero que, en cualquier caso y en su conjunto, permitieron conocer un fecundo caudal creador que, mediante la ficción, ha suministrado algunos de los elementos básicos para la identidad cultural de Iberoamérica.

Pasado y presente en la cultura popular

Formando parte de esa identidad, Iberoamérica ofrece un inagotable muestrario de tradiciones populares, transmitidas oralmente y de padres a hijos, que se manifiestan a través de la artesanía, la música, el folclor o las celebraciones religiosas. Manteniendo las raíces indígenas o alcanzando un carácter sincrético, los pueblos iberoamericanos continúan ofreciendo un abigarrado universo de color, sonidos personalísimos y permanencia de ancestrales creencias y ceremonias que se reconocen en el mundo entero.

En este aspecto, la música ha sido y es una embajadora de primera categoría. Canciones que han sido incorporadas al repertorio de grandes figuras de la canción, como *Siboney,* del cubano-canario Ernesto Lecuona, o *Estrellita,* del mexicano Manuel M. Ponce, el tango argentino, la samba brasileña, las canciones del México revolucionario, el son cubano y sus derivaciones o el merengue tropical pueden citarse como muestras de la universalidad de esta faceta de la rica cultura popular, producto, en la mayoría de los casos, de la fusión de elementos indígenas, africanos y europeos.

Junto a ellos, las melancólicas y evocadoras quenas, los alegres sones de los mariachis, las dulces notas de los charangos y los requintos, la contundencia de los tambores o el chasquear de las espuelas en los bailes gauchos transportan a quien las oye a los grandiosos paisajes andinos, al bullicio festivo de ciudades y pueblos de México y Venezuela o a la inmensa Pampa,

Músicas de origen urbano o campesino surgidas de la necesidad del pueblo de expresarse componen un exuberante muestrario dotado de tal fuerza que fue penetrando en las mansiones burguesas y desplazando de estas a melodías e instrumentos considerados elegantes. Por otra parte, no hay que olvidar que, en la expansión de esta faceta cultural, la industria cinematográfica primero y la audiovisual después —en especial la estadounidense— ha jugado un papel decisivo, siendo difícil que en algún lugar urbanizado del planeta se desconozcan los ritmos del tango o del bolero o canciones como *La Cucaracha* o *Adelita.*

Por su parte, en las llamadas artes menores: cerámica, cestería o textiles, los distintos países iberoamericanos ofrecen una artesanía llena de color, mostrando en sus diseños, texturas y elaboración la pervivencia de huellas ancestrales que no es que se reproduzcan para el consumo turístico, que también, sino que siguen formando parte de los ajuares domésticos y de las formas de vestir de amplias capas de la sociedad.

Quizá las más interesantes muestras de esa pervivencia y del sincretismo de la cultura popular las ofrecen las múltiples manifestaciones relacionadas con la religión. Desde que los conquistadores españoles y portugueses llevaron la religión católica, los pueblos indígenas hicieron de la necesidad virtud y fueron capaces de incorporar el nuevo dogma sin, en muchos casos, abandonar sus tradicionales creencias, sino revistiendo estas de manera tal que no entraran en conflicto con las anteriores. Y lo mismo sucedió con el mundo religioso yoruba de la población africana. La miscelánea resultante produce una mezcla de desconcierto y de irresistible atracción para el extraño. Comprobar en Cuba y el Caribe que San Pedro es para muchos Ogún, el dios herrero africano; que Santa Bárbara representa lo mismo que Xangó, la diosa de la guerra de igual origen; celebrar en México la festividad cristiana del día de Difuntos comiendo un dulce de azúcar en forma de ataúd con el muertito dentro, oír los relatos de los ritos religiosos-medicinales del candombe brasilero o de la santería cubana o contemplar los rasgos y adornos de las máscaras de la Diablada son algunos de los factores que hacen decir a Carlos Fuentes, hablando de los españoles y los hispanoamericanos: *Somos indígenas, negros, europeos, pero sobre todo, mestizos,* o a Arturo Uslar Pietri que, en la América española, *todos somos, a través de nuestras nanas negras o indias, triculturales.*

Precisamente, la defensa de los componentes indígenas de esa triculturalidad es el objetivo primordial de las múltiples organizaciones que, sobre todo a partir de los años sesenta, han ido apareciendo en las zonas periféricas de las grandes ciudades, lugar de llegada de los que emigran del campo y que fácilmente pueden perder sus costumbres y valores existenciales. Dichas organizaciones luchan por mantener las formas de organización tradicional, las lenguas vernáculas, sus cultos, es decir, todo lo que los identifica. En sus planteamientos está presente la influencia del telurismo, corriente proindígena de principios del siglo XX para la que las naciones surgen de las fuerzas de la naturaleza, siendo por tanto el indio, creado por esas mismas fuerzas, el verdadero representante de la nacionalidad. La presión de los llamados indianistas ha conseguido dar a sus organizaciones relevancia mundial. Así, contribuyeron a que la ONU otorgara rango consultivo al Consejo Mundial de los Pueblos, del que forman parte, o a que el Vaticano, en la Conferencia de Puebla de 1979, declarara que, en su labor evangelizadora, la Iglesia respetaría las culturas indias y potenciaría sus valores.

Esta postura activa dominó en el Congreso Indígena Interamericano de 1980, en el que se reivindicó que los indígenas no debían ser meros receptores de las políticas de integración de los gobiernos, sino que debían participar en esas políticas. A partir de entonces, el movimiento indígena ha avanzado en el reconocimiento de sus rasgos de identidad y participa en la creación de los programas gubernamentales que les conciernen, logrando que los gobiernos hayan elaborado planes para un desarrollo más integral o que dicten normas por las que se respetan determinadas formas de organización y de vida, se favorezcan las lenguas vernáculas e, incluso, en algunos países, se acepten ciertas prácticas consuetudinarias para el arreglo de conflictos internos de las comunidades. La Declaración Universal de Derechos Indígenas de la ONU, la Fundación del Indio, creada en 1991 por la Conferencia Iberoamericana de Guadalajara, con sede en La

Paz, o la concesión del Premio Nobel a Rigoberta Menchú son señales de la toma de conciencia cada vez más generalizada de la necesidad de respetar y proteger las características propias del universo cultural indígena.

La educación, instrumento de desarrollo y convivencia

Ciudades inmensas, población diseminada en grandes espacios, en ocasiones de difícil acceso, comunidades autóctonas con lenguas e idiosincrasia propias, graves problemas económicos e inestabilidad política. Con este panorama, es fácil comprender los numerosos obstáculos con los que se encuentran los gobiernos a la hora de intentar extender uno de los instrumentos más poderosos de desarrollo humano: la educación.

En capítulos anteriores se ha hecho mención a la importancia dada por los líderes liberales a la educación como factor determinante en la creación y el desarrollo de los nuevos países. La implantación de sistemas representativos exigía la existencia de una ciudadanía alfabetizada que fuera responsable y conociera y ejerciera sus derechos. Posteriormente, la industrialización y el desarrollo económico, con la consecuente atracción de inmigrantes y la inserción de Iberoamérica en los circuitos del capitalismo mundial, añadieron otro argumento a favor de potenciar la educación que, además de favorecer la integración de culturas diversas, proporcionaría personal directivo, técnicos y mano de obra cualificada.

Con el fin de lograr esos objetivos, las políticas educativas iberoamericanas han conocido diferentes tendencias. Miguel Soler recoge las analizadas por Maíquez y Sobrino, entre las que se encuentran las de las primeras décadas del siglo, coincidiendo con el predominio de la oligarquía liberal, años en los que Argentina y Uruguay desarrollaron una acción educativa de carácter popular. Esta línea se reforzó a raíz de la crisis de los años 30, en el marco de políticas de carácter nacionalista y de reformas en los sectores industrial y rural, extendiéndose a países tales como Brasil, México o Bolivia. Un hito importante lo representa Cuba, con la adopción del modelo socialista que provocó, en parte como reacción a dicho modelo, la implantación de reformas educativas modernizadoras, caso de Chile con el gobierno de Frei en los años 60, años en los que el desarrollo puso de relieve la necesidad de contar con recursos humanos cualificados y, por tanto, la importancia de planificar y extender la educación. La posterior proliferación de dictaduras militares con la consecuente militarización de la sociedad civil significó un cambio relevante en los planteamientos educativos, acorde con la falta de libertad y con el control social impuesto por aquellas. Cuando las democracias vuelvan a restaurarse, los sistemas educativos acusarán el cambio y, en general, estarán impregnadas de las pautas neoliberales dominantes.

Independientemente de las tendencias, la educación es un capítulo que en las Constituciones políticas de los países aparece como un derecho de los ciudadanos y una responsabilidad de los Estados. La mayoría de ellas, además, declaran la gratuidad de la enseñanza pública en los niveles básicos e incluso, en el caso de Ecuador, se precisa que el presupuesto asignado al sector educativo no será menor al 30 % de los ingresos del Estado. Pero el cumplimiento de los mandatos constitucionales no resulta fácil. A la existencia de elevados contingentes de población diseminada en numerosos y aislados núcleos rurales, de la variedad de lenguas y costumbres y de grandes urbes receptoras de oleadas de inmigrantes hay que añadir las graves crisis económicas y financieras y la inestabilidad política. Con este panorama, es fácil comprender los numerosos obstáculos con los que se encuentran los gobiernos a la hora de intentar extender uno de los instrumentos más poderosos del desarrollo humano.

A pesar de lo anterior, el siglo XX ha conocido importantes avances en este campo, sobre todo en los años 50, fecha a partir de la cual todos los gobiernos impulsaron la alfabetización y la Educación Básica. Por el contrario, los años 80 marcan la disminución de ese impulso, como demuestran los porcentajes de los presupuestos dedicados a la educación. En un reciente estudio elaborado por la Organización de Estados Iberoamericanos, referido a 1998, se recoge que, con excepción de Venezuela y México, no se está cumpliendo con el acuerdo tomado en 1962 en la Convención de Santiago, en la que los países iberoamericanos fijaron asignar al capítulo de Educación por lo menos el 5 % del Producto Interior Bruto.

En cualquier caso, y aunque queda mucho por hacer, la educación se ha ido extendiendo a prácticamente todos los rincones. En esta tarea, la figura de Paulo Freire, con su defensa de la Escuela Popular y la pedagogía de la liberación, construida desde la problemática concreta de los oprimidos; las experiencias de escuelas rurales, como la de Warisata, en el altiplano boliviano, creada por Elizardo Pérez, quien, mediante una pedagogía activa, aspira a reinstaurar la actividad comunal de los ayllus incaicos. La utilización de la radio para llegar a poblaciones alejadas y, a través de ella, no solo alfabetizar sino también transmitir información y conocimientos relativos a hábitos higiénico-sanitarios o sobre técnicas relacionadas con la agricultura y la ganadería, son algunos ejemplos del interés por propiciar una escuela más abierta e integrada en la comunidad entre la población rural.

Para lograrlo, muchos países cuentan con ayuda internacional. Así, la UNESCO, el Banco Interamericano de Desarrollo, el Banco Mundial, la Organización de Estados Americanos, diversas Organizaciones No Gubernamentales o, como en el caso del Perú, el Gobierno japonés, prestan su ayuda técnica y financiera para generalizar la enseñanza, elevar su calidad y modernizar los diferentes sistemas educativos

En estos, y de acuerdo con la revalorización de las culturas indígenas, se atiende al conocimiento de las lenguas propias mediante programas de alfabetización en dichas lenguas o de apoyo al bilingüismo. De hecho, en el estudio anteriormente citado, todos los países afirman que entre los objetivos establecidos en la alfabetización está el de desarrollar programas para poblaciones marginales y/o indígenas. La mayoría, además, incluye entre esos objetivos el reconocimiento de las culturas locales y la participación de los actores de base en los programas que les están destinados, en un enfoque intercultural destinado a favorecer la cohesión social en la diversidad.

Bibliografía sumaria en lengua española

América indígena

Autores y testimonios indígenas

Cieza de León, P.: *El señorío de los Incas. Crónicas de América 5,* Historia 16, Madrid, 1985.

Cieza de León, P.: «Crónica del Perú», *Biblioteca de la historia,* Sarpe, Madrid, 1985.

Cortés, Hernán: *Cartas de relación,* Edit. Océano éxito. Barcelona, 1986.

Díaz del Castillo, B.: *Historia verdadera de la conquista de la Nueva España,* 5.ª, Espasa Calpe, Madrid, 1982.

Federmann, N., y Schmidl, U.: *Alemanes en América. Crónicas de América 15,* Historia 16, Madrid, 1985.

Guamán Poma de Ayala, Felipe: *Nueva crónica y buen gobierno. Crónicas de América 29 a,b,c,* Historia 16, Madrid, 1987.

Inca Garcilaso de la Vega: *La conquista del Perú,* Atlas, Madrid, 1944.

Landa, Diego de: *Relación de las cosas de Yucatán. Crónicas de América 7,* Historia 16, Madrid, 1985.

León Portilla, M. (compilador): *Cantos y crónicas del México antiguo. Crónicas de América,* Historia 16, Madrid, 1985.

León Portilla, M., y Silva Galeano, L. (editores): *Testimonios de la antigua palabra. Crónicas de América 56,* Historia 16, Madrid, 1990.

Rodríguez Freyle, J.: *Conquista y descubrimiento del Nuevo Reino de Granada. Crónicas de América 18,* Historia 16, Madrid, 1986.

Sahagún, B. de: *Historia General de las cosas de Nueva España. Crónicas de América 55,* Historia 16, Madrid, 1990 (2 vols.).

Manuales y obras de síntesis

Alcina Franch, J.: *Los aztecas,* Historia 16, Madrid, 1989.

AA.VV.: *México Antiguo. Antología de Arqueología mexicana,* Editorial Raíces/Secretaría de Educación Pública (SEP)/ INAH, México, 1995.

AA.VV.: *Una cronología de Iberoamérica,* OEI/M. Pons, Madrid, 1994.

Bernal, I.: *El mundo olmeca,* Editorial Porrúa, México, 1968.

Bethell, L. (editor): *Historia de América Latina,* vol. I, *América Latina Colonial: la América Precolonial y la conquista,* Editorial Crítica/Cambridge University Press, Barcelona, 1998 (reimpresión).

Ballesteros Gaibrois, M., *Historia de América,* Editorial Istmo, 1989.

Carrasco, P., y Céspedes, G.: *Historia de América Latina,* vol. I, *América indígena. La conquista,* Alianza América, Alianza Editorial, Madrid, 1987.

Disselhoff, H. D.: *El Imperio de los Incas y las primitivas culturas indias de los países andinos,* Orbis, Barcelona, 1986.

Disselholff, H. D.: *Las grandes civilizaciones de la América Antigua,* tomo II, *América Central y América Andina,* Orbis, Barcelona, 1986.

Esteve Barba, F.: *Historiografía indiana,* Gredos, Madrid, 1964.

Favre, H.: *Los Incas,* Oikos-Tau, Barcelona 1975.

Gruzinsky, S.: *El destino truncado del Imperio Azteca,* Aguilar, Madrid, 1985.

Hammond, N.: *La civilización Maya,* Col. Universitaria de Ediciones Istmo, Madrid, 1988.

Lucena Salmoral, M. (Coordinador): *Historia de Iberoamérica,* tomo I, *Prehistoria e Historia Antigua,* Quinto Centenario/ Cátedra, Madrid, 1987.

Lucena Salmoral, M.: *América 1492. Retrato de un continente hace 500 años,* Anaya, Madrid, 1990.

Morales Padrón, F.: *Atlas histórico cultural de América,* 2 vols., Consejería de Cultura y Deportes del Gobierno de Canarias, Las Palmas de Gran Canaria, 1988.

Murra, J. V.: *La organización económica del estado Inca,* Siglo XXI, México, 1978.

Sánchez Montañés, E.: *La cerámica precolombina. El barro que los indios hicieron arte,* Anaya, Biblioteca Iberoamericana, Madrid, 1988.

Soustelle, J.: *Los aztecas,* Oikos-Tau, Barcelona, 1980.

Soustelle, J.: *La vida cotidiana de los aztecas,* FCE, México, 1974.

La época colonial

Obras de los cronistas y testimonios indígenas:

Cristóbal Colón: *Diario de a bordo* (incluye la Carta a Luis de Santángel), *Crónicas de América 9,* Historia 16, Madrid, 1985.

Díaz del Castillo, B.: *Historia verdadera de la conquista de la Nueva España,* 5.ª, Espasa Calpe, Madrid, 1982.

Guamán Poma de Ayala, F.: *Nueva crónica y buen gobierno. Crónicas de América 29 a, b, c,* Historia 16, Madrid, 1987.

Hernán Cortés: *Cartas de relación,* Edit. Océano éxito, Barcelona, 1986.

Inca Garcilaso de la Vega: *La conquista del Perú,* Colección Cisneros, Atlas, Madrid, 1944.

León Portilla, M. (Editor): *Visión de los vencidos,* Universidad Nacional Autónoma de México, 12.ª edición, 1992.

López de Gómara, F.: *Historia general de las Indias. Hispania victrix,* Biblioteca de Historia, Ediciones Orbis, Barcelona, 1985 (2 vols.).

Obras de síntesis:

AA.VV.: *Una cronología de Iberoamérica,* OEI/M. Pons, Madrid, 1994.

Bethell, L. (Editor): *Historia de América Latina,* vol. 1, *América Latina Colonial: la América Precolonial y la conquista;* vol. 2, *América Latina Colonial: Europa y América en los siglos XVI, XVII y XVIII;* vol. 4, *América Latina Colonial: población, sociedad y cultura,* Editorial Crítica/ Cambridge University Press, Barcelona, 1991.

Bonet Correa, A. (Director): *Gran Enciclopedia de España y América,* tomo IX, *Arte,* Espasa-Calpe/Argantonio, Madrid, 1986.

Carrasco, P., y Céspedes, G.: *Historia de América Latina,* vol. I, *América indígena. La conquista,* Alianza Editorial, 1987.

Céspedes del Castillo, G.: *América Hispánica (1492-1898),* vol. VI de la Historia de España dirigida por Manuel Tuñón de Lara, Labor, 2.ª reimpresión, Barcelona, 1985.

Chaunu, P.: *La expansión europea (siglos XIII al XV),* Labor, Colección Nueva Clío, Barcelona, 1972.

Gallego, J.: *Visión y símbolos en la pintura española del siglo de oro,* Ed. Aguilar, Madrid, 1972.

Gutiérrez, R., y otros: *Barroco Iberoamericano. De los Andes a las Pampas,* Lunwerg Editores, Madrid, 1997.

Hanke, L.: *La lucha por la justicia en la conquista de América,* Ediciones Istmo, Madrid, 1988.

Henríquez Ureña, P.: *Historia de la cultura en la América Hispana,* Fondo de Cultura Económica, México, 1997.

Konetzke, R.: *América Latina, II: La época colonial,* vol. 22 de Historia Universal Siglo XXI, 2.ª edición, Madrid, 1972.

Morales Padrón, F.: *Historia del descubrimiento y conquista de América,* Editora Nacional, Madrid, 1963.

Mörner, M.: *Estado, razas y cambio en la Hispanoamérica Colonial,* Secretaría de Educación Pública, México, 1974.

Nieto, V., y Cámara, A.: *Historia del Arte. El arte colonial en Iberoamérica,* Historia 16, Madrid, 1989.

Paz, O.: *Sor Juana Inés de la Cruz o Las trampas de la fe,* Seix Barral, S. A., Barcelona, 1995.

Ramos, D., y Lohmann, G. (coord.): *América en el siglo XVII. Los problemas generales y Evolución de los Reinos Indianos,* vols. IX-1 y IX-2 de la Historia General de España y América, Rialp, Madrid, 1984 y 1985.

Sánchez Albornoz, N.: *La población de América Latina desde los tiempos precolombinos al año 2000,* 2.ª edición, Alianza Editorial, Madrid, 1977.

Sebastián, S.: *Contrarreforma y Barroco,* Alianza Forma, Alianza Editorial, Madrid.

Simpson, L. B.: *Muchos Méxicos,* FCE, México, 1977.

Wachtel, N.: *Los vencidos. Los indios del Perú frente a la conquista española (1530-1570),* Alianza Universidad, Madrid, 1976.

Independencia y consolidación de los nuevos estados

Bethell, L. ed.: *Historia de América Latina,* vols. 5, *La Independencia;* 6, *América Latina independiente 1820-1870;* 7, *Economía y Sociedad, c. 1870-1930,* y 8, *Cultura y sociedad, 1830-1930,* Editorial Crítica/Cambridge University Press, Barcelona, 1991.

Beyhaut, G. y H.: *América Latina III. De la independencia a la Segunda Guerra Mundial,* Historia Universal Siglo XXI, México, España, Argentina, 1986.

Cardoso, F. S. C., y Pérez Brignoli, H.: *Historia económica de América Latina,* Crítica, Barcelona, 1987.

Céspedes, G.: *La Independencia de Iberoamérica,* Biblioteca Iberoamericana, Anaya, Madrid, 1988.

Halperin Donghi, T.: *Historia de América Latina, 3,* Alianza, Madrid, 1985.

Halperin Donghi, T.: *Historia contemporánea de América Latina,* Alianza Editorial, Madrid, 1998.

Hernández Sánchez-Barba: *Formación de las naciones iberoamericanas (siglo XIX),* Biblioteca Iberoamericana, Anaya, Madrid, 1998.

Henríquez Ureña, P.: *Historia de la cultura en la América Hispana,* Fondo de Cultura Económica, México, 1997.

Klein, H. S.: *La esclavitud africana en América Latina y El Caribe,* Alianza Editorial, Madrid, 1986.

Landes, D. S.: *La riqueza y la pobreza de las naciones,* Crítica, Barcelona, 1999.

Martínez Díaz, N.: *América Austral: desde la Independencia hasta la crisis del 29,* Akal S. A., Madrid, 1991.

Moreno Fraginals, Manuel: *Cuba/España, España/Cuba, Historia Común,* Crítica, Grijalbo Mondadori, S. A., Barcelona, 1995.

Pedraza Jiménez, F. (Editor): *Manual de literatura hispanoamericana,* vols. 2 y 3. Cénlit Ediciones, Berriozar, Navarra, 1991.

Rama, Carlos M.: *Historia de las relaciones culturales entre España y América Latina, s. XIX,* F.C.E, México, 1982.

Rojas Mix, M.: *Los cien nombres de América,* Lumen, Barcelona, 1991.

Sánchez Albornoz, N.: *La población en América Latina,* Alianza, Madrid, 1994.

Simpson, L. B.: *Muchos Méxicos,* FCE, México, 1997.

VV.AA.: *Identidad cultural en América Latina. Número especial de Culturas, diálogo entre los pueblos del mundo,* UNESCO, París, 1986.

VV.AA.: *Una cronología de Iberoamérica,* OEI/M. Pons, Madrid, 1994.

Iberoamérica en el siglo XX

Aguilar Camín, H., y Meyer, L.: *A la sombra de la revolución mexicana,* Secretaría de Educación Pública (SEP), 18.ª edición de Cal y Arena, México, 1997.

Bethell, L. ed.: *Historia de América Latina; 7, Economía y Sociedad, c. 1870-1930,* y *8, Cultura y Sociedad, 1830-1930,* Editorial Crítica/Cambridge University Press, Barcelona, 1991.

Boersner, D.: *Relaciones internacionales de América Latina,* Breve historia, 4.ª edición actualizada, Editorial Nueva Sociedad, Caracas, 1990.

Donoso, J.: *Historia personal del «boom»,* Anagrama, Barcelona, 1972.

Fausto, B.: *Historia do Brasil,* Editora da Universidad do Sao Paulo, São Paulo, 1994.

Favre, H.: *El Indigenismo,* Fondo de Cultura Económica, México, 1998.

Fuentes, C.: *El espejo enterrado,* Taurus, Madrid, 1992.

Furtado, C.: *La economía latinoamericana. Formación histórica y problemas contemporáneos,* 8.ª edición corregida y aumentada, Siglo Veintiuno Editores, S. A., México, 1976.

González Casanova, P. (compilador): *Historia política de los campesinos latinoamericanos,* Siglo Veintiuno Editores S. A., México, 1984.

Korol, J. C., y Tandeter, E.: *Historia económica de América Latina: problemas y procesos,* Fondo de Cultura Económica, Buenos Aires, 1999.

Mackinnon, M., y Petrone, M. A. (compiladores): *Populismo y neopopulismo en América Latina. El problema de la cenicienta,* Editorial de la Universidad de Buenos Aires, Buenos Aires,1998.

Melgar Bao, R.: *El movimiento obrero latinoamericano. Historia de una clase subalterna,* Alianza Editorial Mexicana, México, 1989.

Rama, C. M.ª: *Historia de las relaciones culturales entre España y América Latina, s. XIX,* México, 1982.

Sánchez Albornoz (compilador): *El destierro español en América. Un trasvase cultural,* Sociedad Estatal Quinto Centenario, Instituto de Cooperación Iberoamericana, Madrid, 1991.

Rojas Mix, M.: *Cultura Afroamericana. De esclavos a ciudadanos,* Biblioteca Iberoamericana, Anaya, Madrid, 1988.

Soler Roca, M.: *Educación y vida rural en América Latina,* Servicio editorial del Instituto del Tercer Mundo (ITeM) y Coquena Grupo Editor, S. R. L, Montevideo, Uruguay y Argentina, 1996.

Sunkel, Osvaldo (compilador): *El desarrollo desde dentro. Un enfoque neoestructuralista para la América Latina,* México, Fondo de Cultura Económica, 1992.

VV.AA.: *El exilio español en Iberoamérica,* Cuadernos Hispanoamericanos 473-74, Madrid, 1989.

VV.AA.: *Una cronología de Iberoamérica,* OEI/M. Pons, Madrid, 1994.

Índice onomástico

Índice toponímico